BACHILLERATO

Literatura Española 2

FERNANDO LÁZARO, VICENTE TUSÓN

ANAYA

PRÓLOGO

La renovación de los materiales didácticos es una exigencia ineludible para autores y editores. La anterior versión de nuestro manual de *Segundo curso* databa de 1988, y se mantenía con leves actualizaciones de datos, a la espera de nuevos planes. Pero al haberse modificado —por plausibles razones— el calendario de la Reforma, se hacía ya urgente su revisión, para hacerlo más ligero, más sencillo, más cercano al alumno: así nos lo indicaban muchos profesores y la propia experiencia docente. Entre otras cosas, había que tener en cuenta la disminución del horario de la asignatura, con respecto al que regía cuando se elaboró aquel manual, así como el nivel siempre cambiante del alumnado.

De acuerdo con ello, he aquí las características de este nuevo libro:

1.º **Lecciones sobre las épocas e introducciones a los autores.** Se ha reducido prudentemente su extensión, aunque procurando que contengan aquella información sustancial que debe estar al alcance de quienes aspiren a un nivel cultural aceptable. Se ha intentado además presentar los datos y las ideas de la forma más ordenada y clara. Y ello sin renunciar a una actualización de conceptos o valoraciones, cuando era oportuno.

2.º **Textos.** De una parte, su número se ha reducido, pero no excesivamente: convenía incluir algo más de lo que puede comentarse en clase, para dar a escoger al profesor, o simplemente para «dar de leer» a los alumnos[1]. De otra parte, hemos revisado la selección, procurando ofrecer textos representativos, sugestivos o más cercanos.

3.º **Novedades.** A lo anterior se añaden algunos elementos nuevos (no sólo se trataba de reducir o suprimir):

— Así, unas «aperturas» a otros mundos literarios, o incitaciones a conocer grandes autores no españoles, aunque sea con carácter voluntario. No deberíamos resignarnos a ignorar los grandes nombres y las grandes obras de la literatura universal. Cada vez es más imperioso abrir los ojos a Europa (y a sus raíces: las literaturas greco-latina y bíblica).

— En fin, se incluyen unas actividades prácticas de lengua, sobre las que en seguida insistiremos.

Los materiales que contiene este libro permitirán desarrollar variadas actividades:

a) **Comentario de textos.** Unos *cuestionarios detallados* guiarán al alumno facilitándole la reflexión personal y llevándole a una participación activa en clase. Tales cuestionarios se reparten, a lo largo del libro, en lugares oportunos: conciernen a textos especialmente representativos o interesantes, cuyo comentario arrojará luz sobre otros textos vecinos. Sin embargo, siguiendo un parecer cada vez más extendido, no hemos querido abusar de estos ejercicios, útiles por su rigor, pero cuya reiteración excesiva puede tener efectos negativos.

[1] En nombre del *tratamiento de la diversidad*, debemos pensar en aquellos alumnos deseosos de «leer más». A ello apunta, por otra parte, nuestra ***Antología***, concebida como material complementario del presente libro.

b) **Lectura comprensiva y comentada.** De acuerdo con lo que acabamos de señalar, la mayoría de los textos será objeto de una lectura en que prevalezca la comprensión y el disfrute, y que suscite observaciones más rápidas y libres. Para ello, ofrecemos unas «pistas de lectura» someras, pero básicas, de interés estético o humano.

c) **Lecturas personales.** Y, como apuntábamos, hay que «dar de leer» lo más posible. Por ello, algunas páginas quedarán para la lectura individual (aunque evaluable) del alumno, quien se apoyará también en las citadas «pistas». Por supuesto, será siempre el profesor quien decida qué textos serán objeto de comentario minucioso, cuáles de simple lectura, etc.

d) **Otras actividades.** En especial, es necesario no abandonar en este curso los objetivos de la enseñanza de **Lengua**, en sus diversos aspectos. Naturalmente, las lecturas literarias propiciarán el incremento de la capacidad de *comprensión.* Y se atenderá a la *expresión oral* cada vez que los alumnos hablen de lo que han comprendido, pensado y sentido al leer los textos. Los comentarios llevarán, además, a profundizar en los usos, los mecanismos, los «poderes» de la lengua, vista en toda su riqueza. Esa doble necesidad de avanzar en el uso y el conocimiento de la lengua nos ha llevado a añadir, como anunciábamos, unos **ejercicios** de dos tipos:

— *Repasos de Gramática* (análisis sintácticos, etc.), que resultarán más fáciles y útiles este curso que el anterior, por el muy sensible desarrollo de las capacidades lógicas de los alumnos. Como se verá, los ejemplos se toman, salvo excepciones, de las lecturas, lo que permite verlos en su contexto.

— *Ejercicios de expresión escrita,* en relación también con los textos. Son, en general, breves, con vistas a propiciar un especial cuidado del idioma, pero de diverso tipo: descripciones, narraciones, exposiciones, argumentaciones...

❊

Reiteramos, en fin, lo que decíamos al frente de nuestro manual anterior: en el desarrollo y combinación de todas estas actividades —y de otras, como las que desembocarían en la *creatividad*— es esencial el papel del profesor. Nosotros sólo aspiramos a no limitar su propia «creatividad», sino a ofrecerle un instrumento de trabajo que facilite su labor y le permita desarrollarla con el mayor fruto.

Fernando Lázaro
Vicente Tusón

1 LA LITERATURA. GENERALIDADES

I. EL LENGUAJE LITERARIO

*El curso pasado concluía con una lección sobre **La lengua literaria**. Conviene repasar lo que entonces se vio; en particular, las peculiaridades de **la comunicación literaria**, que no repetiremos. Insistiremos en otras cuestiones y añadiremos nociones nuevas.*

LA BELLEZA, EL ARTE, LA LITERATURA

● Las necesidades humanas no se limitan al consumo de cosas *útiles:* somos también «consumidores de **belleza**». Necesitamos disfrutar, por ejemplo, de paisajes hermosos, de rostros bellos... Son bellezas *naturales*. Pero junto a la belleza natural, hay también objetos bellos creados por el hombre.

● Llamamos **arte** a la producción de obras bellas, utilizando materiales diversos: colores, mármol, sonidos, lenguaje... Tal producción da vida a «criaturas» antes inexistentes: la *Venus de Milo*, *El Escorial*, *Las Meninas*, la *Novena Sinfonía*, el *Quijote*. Por eso llamamos *creación artística* a la actividad que da origen a las obras artísticas. Y una de las manifestaciones de tal actividad es la *creación literaria*.

● En efecto, el «material» que el hombre tiene «más a mano» para crear belleza es el lenguaje. El lenguaje, como bien sabemos, satisface ante todo nuestra necesidad de comunicación. Pero —insistimos— eso no nos basta: necesitamos también belleza. Por eso existe la *literatura*.

● Con la palabra **literatura** (del latín *littera*, 'letra'), designamos pues:

a) **un arte**, cuyo material es el lenguaje;

b) **el conjunto de las obras** que se han escrito con *propósito artístico*.

El arte de escribir hace posible el placer de leer. En la imagen, Dos muchachas en el jardín, *de S. Uhde.*

Naturalmente, las obras literarias no sólo cuentan por la belleza de su lenguaje: nos atraen también por su contenido humano, por el interés de la trama, por muchas cosas. Todo ello forma parte del *arte* del escritor.

LA OBRA LITERARIA. FORMA Y CONTENIDO

● Definiremos la **obra literaria** como un *discurso lingüístico de variable extensión* (desde un breve poema a una larga novela), *desinteresado* (sin directa intención práctica), *destinado a la perduración* (el autor pretende ser leído en todo tiempo) y de *naturaleza estética* (orientado a proporcionar el *placer* espiritual que causa la belleza).

● Una obra literaria posee siempre un **contenido** (lo que dice) y una **forma** (cómo lo dice, utilizando el lenguaje de una manera determinada).

Esto ocurre en todos los mensajes (en una conversación, por ejemplo, o en una carta). Pero *lo peculiar del mensaje literario*, de la obra, es que, en ella, *forma y contenido son solidarios*, no se pueden separar.

Quiere esto decir que *si cambiamos la forma* (el modo de decir las cosas) de una obra, *aunque se mantenga el contenido*, resultará profundamente alterada (será «otra obra») o quedará destruida.

Esto no ocurre en una conversación o en una carta: podemos expresarnos de modos muy diferentes para decir lo mismo, y el mensaje sigue siendo válido.

● Conviene retener la idea de que, *en la obra literaria, forma y contenido son tan inseparables como la cara y la cruz de una moneda, o el haz y el envés de una hoja.*

El LENGUAJE LITERARIO: VOLUNTAD DE FORMA

● El material lingüístico que utiliza la literatura es *el mismo que emplea el común de los hablantes* (aunque el escritor utilice, en ocasiones, palabras no usuales en la lengua general).

● Lo que caracteriza al empleo que el escritor hace del lenguaje es una *voluntad de forma*; esto es, el deseo de que veamos cómo, en su obra, *la lengua* (desde la más corriente a la más refinada) *ha sido trabajada atentamente, artísticamente*, para diferenciarla de la que se utiliza en los usos no literarios.

El **lenguaje literario** *obedece a una* **voluntad de forma:** *aspira a ser percibido como resultado de un trabajo de creación artística.*

LA FUNCIÓN POÉTICA

● Ese trabajo de creación del escritor nos descubre una función especial del lenguaje: la **función poética**. De ello hablamos también el curso pasado, en la lección 26. Partiendo de lo dicho entonces, recordemos que, *además de desempeñar las funciones del lenguaje ordinario* (representativa, expresiva y conativa), en el *lenguaje literario* aparece otra función denominada **estética** o **poética**. (Advirtamos que el término *poética* está tomado aquí en su sentido etimológico. En su origen griego, se aplicaba a todo objeto resultante de una elaboración especial. Por tanto, la función poética no es exclusiva de lo que hoy entendemos por poesía.)

La **función poética** consiste en que *el lenguaje se emplea para atraer la atención sobre sí mismo*, sobre la *forma del mensaje*; esto es, para que *nos demos cuenta de cómo están dichas las cosas* (y no nos fijemos sólo en las cosas que se dicen).

● Poco o mucho, el lenguaje literario siempre «extraña», porque se diferencia del que empleamos en los *usos prácticos* del idioma (conversación, cartas, prensa, informes, etc.). Y la función poética se manifiesta *tanto en prosa como en verso.*

● He aquí un texto de Valle-Inclán, en que se describe un episodio de la guerra europea (1914-1918):

> Las bombas caen en lluvia sobre las trincheras alemanas, las desmoronan, las escombran, las arrasan: es un ciclón de fuego. Y la artillería teutona, si responde rabiosa en unos parajes, en otros calla. Sus parapetos están llenos de muertos, y los soldados, atónitos, huraños a los jefes, esperan el ataque de la infantería enemiga, sin una idea en la mente, ajenos a la victoria, ajenos a la esperanza. Una sima profunda se abre en aquellas almas ingenuas y bárbaras, otro tiempo llenas de fe. Los jefes sienten la muda repulsa del soldado, el desasimiento de la tierra invadida, el anhelo pacífico por volver a los hogares.

Tú mismo puedes señalar rasgos de lenguaje que no emplearías al hablar o al escribir corrientemente, es decir, que te «extrañan»: es que en ellos está actuando la *función poética*, consistente, como sabemos, en que el lenguaje llama la atención sobre sí mismo.

1. ¿Observas si los sintagmas se ordenan en series de dos o tres que desempeñan una misma función gramatical?
2. ¿Notas si, en esas series, hay palabras *sinónimas* (dicen prácticamente lo mismo)?
3. ¿Hay *epítetos* (adjetivos de los que puede prescindirse sin que el significado sufra)?
4. Llamar «*ciclón de fuego*» al bombardeo es una *metáfora*. Descubre otra muy clara.

CÓMO ACTÚA LA FUNCIÓN POÉTICA

● Actúa produciendo siempre una *distancia* o diferencia entre el lenguaje literario y el que utilizamos en los usos prácticos. He aquí algunos de los recursos con que se manifiesta:

— **Adjetivación ornamental** (epítetos).
— **Vocablos poco comunes**, a veces.
— **Ritmos** muy marcados.
— **Artificios sintácticos** (alteración del orden normal de las palabras o *hipérbaton*; ausencia o exceso de conjunciones; repetición paralela de los mismos esquemas sintácticos: «*ajenos a la victoria, ajenos a la esperanza*», etc.).
— **Series de palabras o de grupos de palabras** que desempeñan la misma función gramatical: «*las desmoronan, las escombran, las arrasan*»; «*almas ingenuas y bárbaras*».

● El **verso** cuenta, además, con *artificios* propios: la isometría (igualdad en el número de sílabas), las *pausas* obligatorias al final y, a veces, en el interior; los *acentos* en lugares fijos, y la *rima*.

● Todos los recursos que tienden a producir «extrañeza» en el lenguaje se denominan **figuras de dicción**, o de lenguaje. Mediante ellas —repetimos— actúa la *función poética*.

LAS FIGURAS

Como vemos, todo escritor, en su «trabajo», *manipula*, más o menos, la ***forma de exponer su pensamiento***, o el mismo ***modo de pensar***, para que la forma o el contenido, o ambas cosas a la vez, «extrañen» o choquen al lector, y éste perciba la *voluntad de forma* que le movía a escribir.

● Esas manipulaciones, artificios o recursos se denominan **figuras.** *Se presentan por igual en prosa o en verso.* Y las hay de dos clases:

a) **figuras de dicción**: se producen por un empleo singular del lenguaje, de tal modo que, si la expresión cambiara, desaparecería la figura;

b) **figuras de pensamiento**: consisten en una chocante presentación de las ideas.

Ofrecemos a continuación un cuadro con las principales **figuras.** Son nociones que deben estar bien presentes desde ahora y a lo largo de todo nuestro contacto con los textos, los cuales, a su vez, nos descubrirán nuevos recursos, posibilidades y riquezas del lenguaje.

FIGURAS LITERARIAS

Insistimos: el curso pasado (lección 26) vimos ya algunas figuras literarias. Compárese lo que aquí decimos con lo estudiado entonces.

FIGURAS DE DICCIÓN O DE LENGUAJE

El símil

Consiste en una **comparación** expresiva, presentada como tal comparación: «dientes *como* perlas».

● El término que se compara *(dientes)* se llama **término real**; y aquél con que se compara *(perlas)* es la **imagen**; designaremos con R el término real, y con I la imagen. Ej.: «Cruzan, lentas, alargadas, como *culebrillas* [I] unas *nubecitas* rojas [R]». (C. J. Cela.)

Los tropos

Estas figuras consisten en que una palabra cambia de significación.

Si decimos *dientes como perlas* producimos un símil, y ni R ni I han cambiado de significación. Pero al decir *sus dientes son perlas* o *las perlas de su boca*, **identificamos** (ya no comparamos) I con R. La palabra que designa la imagen pasa a significar *lo mismo* que el término real, produciéndose, por tanto, un **tropo**.

● Hay *tres clases de tropos*: la **metáfora**, la **metonimia** y la **sinécdoque**.

La metonimia y la sinécdoque

● La **metonimia** se basa en la *contigüidad* entre el término real y la imagen: *al estar juntos*, la imagen *presta su nombre* al término real. Ej.: llamar *violín* al violinista de la orquesta, decir «Tomó una *copa»* (para designar al licor que contiene), etc.

● La **sinécdoque** es un tipo particular de ***metonimia*** y, por tanto, se funda también en la *contigüidad*. Consiste en emplear *el nombre del todo por el de una parte* («La *ciudad* le hizo un gran recibimiento»), o *el de una parte en lugar del nombre del todo* («Aparecieron dos *velas* [= barcos] en el horizonte»).

La metáfora

Es, con mucho, el más importante de los *tropos* y el de mayor presencia en el lenguaje literario.

● En la **metáfora**, la imagen *se identifica* con el término real, mediante un *acto mental que los iguala* («las *perlas* de su boca»).

Esa identificación es posible porque R e I poseen propiedades que permiten compararlos. Toda metáfora ***se basa en una comparación*** (*sus dientes*, por su brillo y color, son *como perlas*; por tanto, *dientes* = perlas). A veces, la identificación entre R e I es producto de la originalidad del escritor. Ej.: García Lorca compara unas heridas con «lirios morados» o con una «granada» y dice: «su cuerpo lleno de *lirios* / y una *granada* en las sienes».

Tipos de metáfora

Hay muchos *tipos de metáfora*, según sea su formulación gramatical:

— ***R es I***. Es la más sencilla: consiste en que I se predica de R, con lo cual se identifican ambos términos: «*Los dientes son perlas*».

— ***I de R***, llamada «de genitivo apuesto»: «¿En dónde canta el *ave* [I] / de la *esperanza mía*? [R]». (Valle-Inclán.)

— ***R: I*** o metáfora aposicional: «*Golondrinas* [R]: *breves noches* [I]». (J. R. Jiménez.)

— ***R en lugar de I***: es la metáfora pura, con la cual *se omite el término real* y lo reemplaza la imagen: «*Su luna de pergamino* [I] / Preciosa tocando viene». (F. García Lorca.) En ella, *luna de pergamino* = *pandero* [R]. O el otro ejemplo anterior del mismo poeta.

● En todos estos tipos de metáfora, el *término real y la imagen son* **sustantivos**. Pero, muchas veces, la metáfora consiste en un **adjetivo** que sustituye a otro adjetivo (Valle-Inclán habla de *manos eucarísticas* en vez de *manos blancas*, donde *eucarísticas* es la imagen), o un **verbo** que sustituye a otro verbo («Los arados *peinan* las tierras», escribe Góngora, en lugar de «abren surcos paralelos»). Hay otras posibilidades más complicadas.

FIGURAS PRODUCIDAS POR REPETICIÓN

● Son múltiples; enumeraremos algunas:

— **Aliteración**: consiste en la ***repetición de uno o varios fonemas***: «*Con el ala aleve del leve abanico*». (Rubén Darío.)

Cuando la *aliteración* trata de *imitar sonidos o ruidos*, se denomina **onomatopeya**: «*El silbo de los aires amorosos*». (San Juan de la Cruz.)

— **Anáfora**: ***repetición de una o más palabras al comienzo de dos o más unidades sintácticas***:

Érase un hombre a una nariz pegado,
érase una nariz superlativa,
érase una nariz sayón y escriba...

(Quevedo.)

— **Paralelismo**: ***repetición de una misma construcción sintáctica***, con sólo algunas palabras cambiadas:

Los suspiros son aire y van al aire,
las lágrimas son agua y van al mar.

(Bécquer.)

A veces, el *paralelismo* se produce combinado con la *anáfora*, como en los dos versos últimos del ejemplo anterior de Quevedo.

OTRAS FIGURAS

El símbolo y la alegoría

● El **símbolo** es una *realidad perceptible por los sentidos*, que se adopta para *representar otra realidad* de carácter espiritual o abstracto. Así, la *balanza* es símbolo de (o simboliza a) la *justicia*; y la *cruz*, del *Cristianismo*.

Los escritores suelen crear sus propios símbolos. Unamuno, por ejemplo, simboliza la *angustia* que le corroe el alma con un *buitre*: *«Este buitre feroz de ceño torvo / que me devora las entrañas fiero...»*

● Con la **alegoría** se describen *acciones o hechos imaginarios*, pero que *se corresponden con hechos reales*. Así, Lope de Vega se dirige a un rival con quien su amada Elena Osorio se había ido, fingiendo alegóricamente que es un *pastor* que reclama a un *mayoral su manso* o cordero preferido: *«Suelta mi manso, mayoral extraño...»*

Hay también *alegoría* cuando, en el poema, el relato o el drama, intervienen *personajes alegóricos* que encarnan ideas abstractas, como la *Providencia*, el *Género humano*, la *Envidia*, la *Virtud*, etc. Fueron frecuentes estas alegorías en la literatura del siglo XV (Juan de Mena, por ejemplo) y del siglo XVII (autos sacramentales, Gracián, etc.).

El oxímoron

Consiste en juntar dos palabras (una *sensata locura)* o dos ideas que, lógicamente, no podrían coexistir: si se dice una, la otra no podría decirse: *«Vivo sin vivir en mí* / y tan alta vida espero / que *muero porque no muero»*. (Santa Teresa de Jesús.)

Es figura que emplearon mucho los *escritores místicos del siglo XVI.*

FIGURAS DE PENSAMIENTO

Entre las figuras de pensamiento debemos conocer:

La hipérbole

Es una *ponderación exagerada*: *«Yo romperé a fuerza de brazos / un monte espeso que otro no rompiera»*. (Garcilaso.)

A veces produce efectos cómicos: *«Yace en esta losa dura / una mujer tan delgada / que en la vaina de una espada / se trajo a la sepultura»*. (Baltasar de Alcázar.)

La prosopopeya

Se llama también *personificación*: atribuye a las cosas o a los animales cualidades humanas: *«El cáñamo se retorcía con áspero gemir, enroscándose lentamente sobre sí mismo. Los hilos montaban unos sobre otros, quejándose de la tensión violenta»*. (Pérez Galdós.)

El contraste o antítesis

Con esta figura se oponen dos ideas o dos términos contrarios: *«Yo velo cuando tú duermes, yo lloro cuando tú cantas»*. (Cervantes.)

La ironía

Es el modo de burlarse de alguien o de algo afirmando seriamente lo contrario de lo que se quiere dar a entender. He aquí cómo *ironizaba* W. Fernández Flórez a propósito de los banqueros que, en 1920, expulsaron a algunos empleados por haberse declarado en huelga:

> Corremos a ofrecer nuestra adhesión y nuestros plácemes a los señores consejeros, gobernadores y subgobernadores de los bancos que han expulsado a su personal por considerar como una falta de disciplina la solicitud de mejoras. Estamos poseídos de su misma indignación, y nos felicitamos de que la dependencia bancaria haya tropezado con la energía y la severidad de los elementos directores. ¿Qué se proponían los revoltosos? Desearíamos que nos lo explicasen. Veamos: ¿qué os proponíais? ¡Reclamar mejoras! ¿Para qué? ¿Es que pensabais lanzaros a una vida disoluta? ¿Proyectabais acaso comprar un traje nuevo, aumentar fantásticamente el número de garbanzos de vuestro cocido?

La lítote

Presenta lo que se dice en forma de negación atenuadora: «*Eso no está muy bien*» (= está mal).

La perífrasis o circunloquio

Consiste en *eludir* la palabra directa y *aludir* al objeto mediante un *rodeo*. Así, perifrásticamente, aludimos a Lope de Vega llamándolo *el Fénix de los ingenios españoles*.

II. LOS GÉNEROS LITERARIOS

GRANDES GÉNEROS O GÉNEROS NATURALES

● **Géneros literarios** son los distintos *grupos* en que podemos clasificar las obras literarias, de tal modo que las de cada grupo tengan *características comunes*.

● El problema de los géneros literarios fue ya planteado en la antigua Grecia (Aristóteles). Tradicionalmente se admite que hay tres **géneros naturales** (llamados también **archigéneros**) que corresponden a tres *actitudes* o disposiciones del escritor: la *lírica*, la *épica* y la *dramática*.

— En la **lírica**, normalmente en verso, el escritor *expresa sentimientos propios* (o sentimientos universales que hace suyos).

— En la **épica**, en prosa o en verso, el autor *narra acciones y peripecias* de unos *personajes*. El escritor es, pues, *intermediario* entre aquellos sucesos y el lector.

— En la **dramática**, o teatro, el autor *cede la palabra a* los personajes de la ficción, para que ellos mismos desarrollen sus conflictos *ante el espectador*.

Aparte estos tres géneros, de finalidad fundamentalmente artística y literaria, hay otros tres cuya principal finalidad es otra, si bien pueden alcanzar valor literario:

— la **didáctica**, cuya finalidad es enseñar;

— la **historia**, que pretende instruir sobre el pasado; y

— la **oratoria**, que trata de persuadir o convencer de algo oralmente.

¿En qué medida condicionan los géneros al escritor?

Durante siglos, los tratadistas establecieron las *reglas* a que debía someterse el escritor para que sus obras se ajustaran exactamente al ideal de un determinado género.

Pero los *románticos* europeos, en el siglo XIX, reaccionaron violentamente contra tal pretensión, en nombre de la *libertad del artista*. Desde entonces, muchos escritores afirman que «no existen los géneros literarios», y que ellos no obedecen a ninguna norma.

Esto es cierto sólo a medias. De igual modo que la libertad en el vestir es muy relativa, pues hasta la persona más independiente opta por una de las formas o «géneros» de vestimenta que existen en su tiempo (desde la del ejecutivo a la del «punki»), así, ante el escritor, la literatura presenta una oferta de géneros propios de aquella época entre los que debe elegir. Lo hará con un gesto resueltamente personal o no; pero, inevitablemente, los géneros vigentes en aquel momento lo *condicionan*.

GÉNEROS HISTÓRICOS O SUBGÉNEROS

● Los géneros naturales o archigéneros que acabamos de definir *se han manifestado de diversos modos* con el correr del tiempo.

Así, en el siglo XVI, pertenecieron al *género épico* las novelas pastoriles, picarescas, etc., o largos poemas épicos en verso, que hoy, por ejemplo, no se escriben. Ahora, en cambio, el género épico cuenta con novelas *policiacas*, de *ciencia ficción*, etc., que eran desconocidas antes.

● Los géneros naturales, en efecto, se presentan en cada momento con caracteres peculiares, y subdivididos en **subgéneros** propios de aquella época, que se denominan también **géneros históricos**.

Estos **géneros** (los llamaremos sencillamente así, para abreviar, a partir de ahora) pueden pervivir largo tiempo, pero evolucionan, y pueden también acabar cansando y desaparecer. Durante el siglo XX, la experimentación de subgéneros nuevos ha sido continua.

PRINCIPALES GÉNEROS LÍRICOS

Tendremos especialmente en cuenta los siguientes (con ejemplos que se hallarán en las lecturas correspondientes):

— **Oda**. Poema lírico de cierta extensión que expresa un fuerte sentimiento tratado con elevación (*Oda a la vida solitaria*, de Fray Luis de León).

— **Elegía**. Manifiesta un sentimiento de *dolor* ante una desgracia individual o colectiva (*Elegía a Ramón Sijé*, de Miguel Hernández).

— **Égloga**. Expresa sentimientos *amorosos* puestos en boca de *pastores* idealizados (*Églogas* de Garcilaso de la Vega).

— **Sátira**. Composición en verso que *censura vicios y defectos* individuales o colectivos (véase el soneto a un narigudo de Quevedo).

GÉNEROS ÉPICOS

La épica o literatura narrativa se ha manifestado en verso o en prosa.

● Entre los géneros épicos **en verso**, distingamos:

— **La epopeya**. Narra una acción memorable para todo un pueblo. Son muy pocas las obras que han merecido este nombre: en la India, el *Ramayana*, atribuido a

Valmiki; en Grecia, la *Ilíada* y la *Odisea* de Homero; y en Alemania, *Los Nibelungos*, anónima.

— El **poema épico**. Relato extenso de las hazañas de héroes representativos de su patria. Así, la *Eneida*, de Virgilio, en la antigua Roma; *Os Lusiadas*, de Luis de Camoens (siglo XVI), en Portugal; o *La Araucana*, de Alonso de Ercilla (siglo XVI), en España.

Reciben el nombre de **cantares de gesta** los poemas épicos escritos *durante la Edad Media* (así, el *Cantar de Mio Cid*, que luego estudiaremos).

A la épica pertenecen asimismo los romances medievales españoles que narraban hechos heroicos. (Había también *romances líricos,* como veremos más adelante.)

- Entre los géneros narrativos **en prosa** destacan:

— **El cuento**. Es un *relato breve* de peripecias inventadas, realistas o fantásticas, que, a veces, poseen una intención moralizadora; en este último caso se denominan también *apólogos*.

Hay muchos *cuentos populares*, anónimos, que se mantienen vivos por tradición oral, dentro de un territorio o de una comunidad. Pero hay también *cuentos artísticos*, escritos por literatos como Cervantes, Alarcón, Clarín, condesa de Pardo Bazán, Unamuno, Camilo José Cela, Ana María Matute, Ignacio Aldecoa, Medardo Fraile, etc.

A veces, los cuentos populares, de antiquísima tradición, y transmitidos *oralmente*, han sido recogidos en colecciones *escritas*; así los redactados artísticamente por el francés Perrault (siglo XVII), por los alemanes Hoffmann (s. XVIII) y hermanos Grimm (s. XIX) y por el danés Andersen (s. XIX). En España, compuso una de esas colecciones, titulada *El conde Lucanor*, don Juan Manuel, en el siglo XIV.

— **La novela**. Es el género fundamental de la época moderna. Y, por ser tan grande la variedad de novelas, es difícil dar una definición que convenga a todas ellas. Aproximadamente, podemos definirla así: *relato complejo* (trama complicada o intensa, personajes sólidamente trazados, ambientes descritos con pormenor), *normalmente extenso*, y que *crea un mundo imaginario*, más o menos afín al mundo real.

En las novelas antiguas, anteriores al Renacimiento del siglo XVI, ese mundo imaginario está muy alejado del de la realidad. Corresponde a un español anónimo, el autor del *Lazarillo de Tormes* (1554), la gloria de haber introducido el mundo de la realidad en el relato, creando así la novela moderna. Este hallazgo fue aprovechado y multiplicado genialmente por Cervantes (siglo XVII), cuyo *Quijote* alcanzó gran difusión por Europa; fue atentamente leído y adoptado como modelo narrativo, a principios del siglo XVIII, por escritores británicos, como Daniel Defoe, Samuel Richardson y Henry Fielding. De ellos arranca el auge de la novela moderna, *el más cultivado e importante de los géneros literarios a lo largo de los siglos XIX y XX,* como veremos en su momento.

GÉNEROS DRAMÁTICOS FUNDAMENTALES

Existen tres géneros dramáticos fundamentales: la *tragedia*, la *comedia* y el *drama*, con muy diversas realizaciones históricas según las épocas.

— **La tragedia** presenta *terribles conflictos* entre personajes, *víctimas de grandes pasiones invencibles*, a quienes un *destino* implacable parece impulsar hacia una catástrofe, muchas veces hacia su muerte.

El horror y la piedad que inspira el destino de los protagonistas produce en el espectador un efecto de *catarsis* o purificación de sus propias pasiones.

— **La comedia** desarrolla conflictos amables, o moderadamente severos, pero casi siempre divertidos, entre personajes que no se salen de la *idea de normalidad* a que estamos acostumbrados.

— **El drama** muestra personajes que luchan contra la adversidad, con un final no forzosamente aciago. Y en él pueden intervenir elementos cómicos; de ahí que recibiera también el nombre de **tragicomedia**.

Valle-Inclán (1928) caracterizaba los géneros dramáticos diciendo que en la tragedia el autor considera a los personajes como superiores a la naturaleza humana (los mira «de rodillas»); en el drama les atribuye la común naturaleza humana (los mira «frente a frente»), y en la comedia los juzga inferiores a él, con burla o ironía (los mira «desde arriba»).

GÉNEROS DRAMÁTICOS HISTÓRICOS

El género dramático ha tenido muy diversas manifestaciones a lo largo de la historia. Destaquemos algunas:

— El **auto sacramental**, de creación española (siglos XVI-XVII), es un drama en verso con personajes alegóricos (la *Idolatría*, el *Pecado*, la *Virtud*, etc.), que terminaba con una exaltación de la Eucaristía.

—El **entremés**, también español (siglos XVI, XVII y XVIII), es una obrita corta, en verso o en prosa, de carácter cómico y personajes populares, que se representaba en los entreactos de una obra larga.

—Igualmente nacional es el **sainete**, obra larga o corta (y entonces se parece al *entremés*), en prosa o en verso, que refleja las costumbres y el habla populares.

—La **farsa** es una obra de tono cómico-satírico, que exagera el carácter de los personajes para que resalte mejor la intención burlesca de la obra.

—Al **melodrama** pertenecen obras que exageran lo dramático, con personajes buenos y malos, sin matices.

● Caso especial es el llamado **teatro lírico** (y aquí *lírico* significa «musical») en que los personajes cantan. Enteramente cantada es la **ópera**. En España se llamó **zarzuela** a una obra en parte cantada y en parte dialogada. Esta combinación ha recibido también otros nombres: *opereta*, *revista* o *comedia musical*.

LA DIDÁCTICA, LA HISTORIA Y LA ORATORIA

Citemos, en fin, las principales manifestaciones de estos otros géneros.

● En el campo de la **Didáctica**:

—La **fábula**: narración, en verso o prosa, de una pequeña anécdota, que permite extraer una *moraleja*. Sus personajes suelen ser animales.

He aquí, como ejemplo, una fábula de Samaniego (siglo XVIII), titulada *Las moscas* (la moraleja aparece en cursiva):

A un panal de rica miel
diez mil moscas acudieron
que por golosas murieron
presas de patas en él.
Otra, dentro de un pastel
enterró su golosina [= *gula*].

Así, si bien se examina,
los humanos corazones
perecen en las pasiones
del vicio que los domina.

—El **ensayo** consiste en la *exposición atractiva*, en prosa, de un tema que, por su carácter (científico, filosófico, artístico, social, etc.), puede interesar a un público no especializado en aquellas cuestiones.

La ópera, género mayor del teatro lírico, es un «arte total»: reúne poesía, acción dramática, música, danza, escenografía...

● La **Historia**, por su parte, agrupa obras de diversa índole: todo cuanto los pueblos y los individuos han hecho puede ser objeto de *relatos históricos*. Géneros de este carácter son las historias universales, nacionales, regionales, o de una actividad (Arte, Ciencia, Literatura, Economía, etc.).

Las historias de un *reinado* suelen denominarse **crónicas**. Si exponen los sucesos *año por año*, son **anales**. La **biografía** cuenta la vida de un personaje; y si es este mismo quien narra su vida, se llama **autobiografía**. Cuando el autor evoca hechos pasados que él presenció, tal género histórico se denomina **memorias**.

● La **Oratoria**, en fin, tiene como finalidad el persuadir de algo a un *auditorio*. Y presenta modalidades *religiosas* (o *sagradas*) y *profanas*. Señalemos, entre las primeras, el *sermón*, que desarrolla cuestiones de dogma o de moral; la *homilía* o comentario de un texto sagrado; y la *oración fúnebre*, en elogio de un difunto.

El **discurso** profano puede ser *político*, *forense* (ante un tribunal de justicia) o *académico* (trata de algún asunto cultural). En la *conferencia*, que consiste en la exposición original de un tema, se combinan la oratoria y la didáctica.

A lo largo de sus cien años de vida, el cine ha caminado de la mano de la literatura, que le proporciona un filón inagotable de historias y argumentos.
En la imagen, una escena de El Dorado, película de Carlos Saura.

El cine

Hay quienes incluyen el cine entre los géneros literarios. Un guión cinematográfico puede tener gran calidad literaria, y, por sus diálogos, entraría en la literatura *dramática*, aunque también compartiría rasgos con la *narrativa* o la *épica*. Con todo, sin negar tales relaciones, el cine, que participa también de las *artes plásticas*, posee su propia identidad estética y es un *arte* peculiar, distinto de la literatura.

OTRAS LITERATURAS

Como complemento de nuestro estudio, iremos incluyendo unos sucintos cuadros de literatura universal. Invitamos a que se tomen como base para adquirir una información personal acerca de grandes autores que todos debemos conocer y tener en el horizonte de nuestras lecturas. Como tarea voluntaria, previa o paralelamente al estudio de cada época, los alumnos harán fichas o esquemas partiendo de alguna obra de consulta. Entre otras, recomendamos la siguiente:

—***Diccionario de literatura universal.*** *Ediciones Generales Anaya.*

Raíces de la literatura de Occidente

Para explicar la literatura y la cultura europeas, es indispensable conocer esta doble raíz: *bíblica* y *clásica* (griega y latina).

La Biblia

Fundamento de las religiones judía y cristiana, es un magno conjunto de libros de diversos géneros, repartidos en dos grupos:

—***Antiguo Testamento***: libros históricos (*Génesis*, *Éxodo*, etc.), poéticos (*Salmos*, *Cantar de los Cantares*...), sapienciales (*Job*, *Eclesiastés*...), etc.

—***Nuevo Testamento***: *Evangelios*, *Apocalipsis*, etc.

Literatura griega

—Épica: Homero (*Ilíada, Odisea*).
—Lírica: Anacreonte, Safo, Píndaro.
—Teatro:
- Tragedia: Esquilo, Sófocles, Eurípides.
- Comedia: Aristófanes, Menandro.

—Filosofía: Sócrates, Platón, Aristóteles.

Literatura latina

—Poesía: Virgilio (*Eneida*...), Horacio, Ovidio (*Las Metamorfosis*...).
—Teatro: Plauto, Terencio...
—Varios géneros: Cicerón, Séneca...

2 LA EDAD MEDIA (I)

I. LA LENGUA CASTELLANA

LA EDAD MEDIA LITERARIA

Durante la Edad Media nacen y se desarrollan las lenguas romances derivadas del latín. Y es en esa Edad, por tanto, cuando surge la literatura en tales lenguas; entre ellas, en el naciente idioma castellano.

● Nuestra literatura medieval comienza con las *jarchas* o cancioncillas mozárabes (de los siglos XI y XII) y el *Cantar del Cid* (siglo XII). Y se extiende hasta finales del siglo XV: la última obra medieval, importantísima, es *La Celestina* (1499), de Fernando de Rojas.

ORÍGENES DEL CASTELLANO

Como veíamos el curso pasado, el **castellano** es una de las lenguas que se formaron en la Península al evolucionar el latín implantado en ella por los romanos. Las otras fueron el *mozárabe*, hablado por los cristianos del territorio ocupado por los árabes; el *gallego*, el *leonés*, el *navarro-aragonés* y el *catalán*.

● Tuvo su cuna en Cantabria, en un conjunto de condados que dependían del reino leonés, y en contacto con el euskera hablado en el territorio vasco. La diferencia entre la nueva lengua y el latín era ya perceptible en el siglo XIII.

● Las *primeras palabras escritas en castellano* que se conservan aparecen en unos documentos latinos del siglo X, de los monasterios de San Millán (La Rioja) y de Santo Domingo de Silos (Burgos). Algún monje, para facilitar la lectura a quienes ya no entendían ciertos vocablos latinos, escribía encima de ellos su traducción al romance; por ejemplo: *prius* ***[antes]***, *admoneo* ***[castigo]***, *limpha* ***[agua]***, *extingunt* ***[matan]***. Tales anotaciones se denominan **glosas**. Hay, pues, *glosas emilianenses* (de San Millán) y *glosas silenses* (de Silos).

Hacia mediados del siglo X, un anónimo copista de San Millán de la Cogolla anotó sobre el códice en que trabajaba las frases castellanas más antiguas que se conservan. Miniatura medieval.

● En las *glosas emilianenses* hay algo especialmente importante: una oración latina se halla totalmente traducida al margen. Esas líneas de hace mil años son el primer texto de alguna extensión escrito en una lengua española. Gracias a él podemos adivinar cómo era el idioma hablado en aquella época y en tal región. Helo aquí:

> *Cono ayutorio de nuestro dueño dueño Christo, dueño Salbatore, qual dueño yet ena honore e qual dueño tienet ela mandacione cono Patre, cono Spiritu Sancto, enos siéculos de los siéculos. Fácanos Deus omnipotes tal serbicio fere que denante ela sua face gaudiosos seyamus. Amen.*

En castellano moderno diría: *Con la ayuda de nuestro Señor Don Cristo, Don Salvador, señor que está en el honor y señor que tiene el mundo con el Padre, con el Espíritu Santo, en los siglos de los siglos. Háganos Dios omnipotente hacer tal servicio que delante de su faz gozosos seamos. Amén.*

● El primer texto escrito *en francés* corresponde al año 842; y el primero en *italiano* es contemporáneo de los nuestros.

EVOLUCIÓN DE LA LENGUA CASTELLANA EN LA EDAD MEDIA

Sigamos recordando algunas nociones del curso pasado.

● El castellano medieval poseía algunos fonemas que no se han conservado (*la fijación fonética del castellano fue haciéndose durante los siglos XVI y XVII*). Se distinguían en la Edad Media:

— Una **s** sorda, que se escribía *-ss-* entre vocales (*viniesse*) y *s-* en posición inicial o tras consonante (*silla, pensar*); y una **s** sonora, escrita *-s-* cuando iba intervocálica (*casa*).

Ambas, la sorda y la sonora, coincidieron en la actual **s** sorda en el siglo XVI.

— La **ç** de *plaça* se pronunciaba sorda, como *ts* (*platsa*); frente a la **z** de *hazer*, que se pronunciaba sonora, como *ds* (*hadser*).

En el siglo XVI, ambos fonemas se igualaron, pronunciándose primero *ts*. A lo largo del siglo XVII, ese sonido se hizo interdental en Castilla y otras zonas, mientras que en gran parte de Andalucía, en Canarias y en Hispanoamérica dio la solución *s* (seseo).

— La ***x*** de *dixo*, sorda, se pronunciaba como la del gallego *xunta* o el catalán *caixa*. En cambio, la **j** o la **g** de *ge*, *gi* eran sonoras (como la *j* francesa). Por tanto, se pronunciaban distintas en *dixo* y en *hijo*.

A principios del XVII ambas pasarían a pronunciarse como hoy.

— La **b** y la **v** intervocálicas se distinguían en que —siendo ambas *bilabiales*— la **b** era *oclusiva* y la **v** *fricativa*.

En el XVI, ambas pasaron a pronunciarse como hoy; es decir, oclusivas o fricativas simplemente según su posición (por ejemplo, en *boa* y *voz* son oclusivas, mientras que en *haba* y *cava* son fricativas).

— Había una **h-** inicial, procedente de **f-** inicial latina, que se pronunciaba aspirada (con un sonido más suave que la *j* actual): *harina* (pronunciado *ḥarina*).

Esta aspiración se fue perdiendo a lo largo del siglo XVI.

● Además de en estos aspectos fónicos, el español, durante la Edad Media, fue evolucionando en todos los planos (gramática, vocabulario). Pero no es ésta la ocasión de entrar en detalles: las lecturas nos permitirán entrever el enriquecimiento del idioma.

NO EXISTÍA UNIFORMIDAD IDIOMÁTICA

● No debemos imaginar que, durante la Edad Media, el castellano estuviera fijado y obedeciera a una norma comúnmente aceptada por los hablantes, tal como hoy ocurre. Por tanto, *la lengua literaria carece de uniformidad*. En el *Cantar del Cid* hay rasgos propios de las tierras de Soria, mientras que en Berceo se hallarán formas características de la Rioja.

● En el siglo XIII es decisiva la acción de **Alfonso X el Sabio** sobre la prosa escrita. Bajo su dirección, trabajaban traductores y redactores que no empleaban una lengua uniforme, ya que procedían de lugares distintos. Pero el rey unificó y pulió los textos, fraguando así un modelo para la lengua culta.

● Durante el siglo XIV, el proceso de fijación continúa. En el **Arcipreste de Hita**, el castellano mostrará una enorme riqueza, y con **don Juan Manuel** ganará en precisión.

● En el siglo XV, los escritores de la Corte lo harán más flexible y más refinado. Al final del siglo, en la época de los Reyes Católicos, el castellano —que inicia su expansión por América— goza de gran prestigio, y lo emplearán libremente numerosos escritores catalanes, valencianos y portugueses (sin dejar de utilizar, naturalmente, sus propias lenguas).

II. LA LITERATURA EN LOS SIGLOS XII Y XIII

EL MARCO HISTÓRICO

Durante los siglos XII y XIII se producen, entre otros, los siguientes hechos importantes en los distintos reinos peninsulares:

1. **En Castilla y León:**

— ***Alfonso VI*** (1072-1109), el rey del *Cid*, reúne temporalmente ambos reinos y realiza la decisiva conquista de Toledo (1085).

A principios del **siglo XIII** la victoria de *las Navas de Tolosa (1212)* abre las puertas de Andalucía. ***Fernando III el Santo*** (1217-1252) une definitivamente Castilla y León, y ocupa toda Andalucía, menos el reino de Granada. Su hijo ***Alfonso X el Sabio*** (1252-1284), de poca actividad bélica, desarrolla su importante acción cultural.

2. **En Aragón y Cataluña:**

—En el reino de Aragón, ***Alfonso I el Batallador*** (1104-1134) ocupa Zaragoza (1118) e impulsa la Reconquista.

—En Cataluña dominan los *Condes de Barcelona*. El conde ***Ramón Berenguer IV*** (1137-1162), casado con Petronila, reina de Aragón, reconquistó Tortosa, Lérida y Fraga. Su hijo ***Alfonso II*** (1162-1196) heredó el reino y el condado, y, desde entonces, a efectos políticos, Aragón integró ambos estados.

—***Jaime I*** (1213-1276) conquista Mallorca y Valencia (1234).

—***Pedro III*** (1276-1285) inicia la gran expansión aragonesa por el Mediterráneo, conquistando Sicilia.

EL MARCO SOCIAL

● El gran escritor del siglo XIV, don Juan Manuel, describió a la perfección los **estados** (o estamentos) en que se jerarquizaba la sociedad hispana durante la Edad Media:

> *Los estados de este mundo son tres:* ***oradores*** [clérigos], ***defensores*** [nobles que dirigen la guerra], ***labradores*** [...]. *El más alto estado es el de clérigo misacantano* [sacerdotes]. *El más alto estado que es entre los legos* [seglares] *es la caballería. (Aunque) entre los legos hay muchos estados, así como mercaderes* [comerciantes], *menestrales* [trabajadores manuales] *y labradores, la caballería es más noble et más honrado estado que todos los otros; ca* [pues] *los caballeros son para defender et defienden a los otros, et los otros deben pechar* [pagar contribuciones] *et mantener a ellos. De este estado son los reyes et los grandes señores, et este estado non puede haber* [tener] *ninguno por sí, si otro non se lo da, et por esto es como manera de sacramento.*

● Los reyes hispanos de la Edad Media tuvieron súbditos cristianos, musulmanes y judíos. En manos de estos últimos solían estar las finanzas y el comercio; se hacían notar también por su cultura. Los musulmanes (*moriscos)* eran labradores y artesanos. Nuestras ciudades conservan aún barrios llamados *morerías* y *juderías*.

EL MARCO CULTURAL

● La cultura medieval se produce en tres importantes focos de producción y difusión:

—**La Iglesia**; los monasterios reúnen manuscritos en sus bibliotecas, y los clérigos escriben *literatura religiosa*; la cultura es fuertemente *teocéntrica*, gira en torno de Dios y de lo sagrado.

—**Los juglares**, que, en su repertorio, incluyen *poemas épicos* acerca del pasado histórico o legendario de España, y fortalecen la tensión guerrera con que se vive la Reconquista.

—**La corte**, a raíz de la acción cultural de Alfonso X (siglo XIII), según veremos.

● **El pueblo**, por su parte, canta también *canciones* líricas de amor, de trabajo, de fiesta, etc.: es la *lírica tradicional*, que estudiaremos en su momento.

● Una vía importante de comunicación con la *cultura extranjera* fueron ***las peregrinaciones a Santiago de Compostela***.

● En cuanto al **arte**, desde el siglo XI se desarrolla el **románico** (San Isidoro de León, catedral de Jaca); en el XII se acaba la catedral de Santiago, y se construyen la catedral vieja de Salamanca y las murallas de Ávila. En el siglo XIII, se emprenden las grandes obras **góticas** (catedrales de Burgos, Toledo, León...).

ALBORES DE LA LITERATURA: LAS JARCHAS

● Los primeros vestigios de nuestra literatura corresponden a la **poesía lírica**. Pero no están en castellano (la más temprana *lírica castellana*, que era oral, se perdió). Lo que nos ha llegado son ***cancioncillas mozárabes*** (es decir, de los cristianos que vivían en la zona ocupada por los árabes, y que hablaban un dialecto romániCo propio).

● Se han conservado porque algunos poetas hebreos o árabes, que escribían en sus lenguas, insertaron —al final de ciertos poemas suyos— algunos hermosos estribillos populares de los cristianos, dejándolos en la lengua mozárabe original. Tales fragmentos de cancioncillas andalusíes se denominan **jarchas**, y se descubrieron en 1948.

● La *jarcha* más antigua, de fines del X o principios del XI, es ésta:

¡Tant' amare, tant' amare;
habib, tant' amare!
Enfermeron uellos gayados,
ya duolen tan male.

(¡Tanto amar, tanto amar, / amado, tanto amar! / Enfermaron [mis] ojos llorosos, / duelen con mucho mal.)

LA LITERATURA EN EL SIGLO XII. EL MESTER DE JUGLARÍA

● En el siglo XII surge decididamente en la España cristiana la literatura en lengua vulgar. Sus obras fundamentales son:

—El *Cantar de Mio Cid* (cantar de gesta).
—La *Representación de los Reyes Magos* (teatro religioso).

De ambas se sospecha, sin embargo, que pudieron ser compuestas a principios del siglo XIII.

Antes de ser letra, la literatura fue voz en boca de los juglares. Su oficio exigía una especial habilidad para captar la atención del público (detalle de un mural románico del siglo XII. Panteón Real de la Basílica de San Isidoro, León).

● La más temprana literatura castellana era **oral**; consistía en cantos épicos y líricos que inventaban y recitaban o cantaban los **juglares**.

● Los juglares eran cantores y actores errantes, que divertían a las gentes en plazas y en castillos, cobrando por ello o recibiendo dádivas. En su repertorio (acrobacias, juegos malabares, bailes, etc.) figuraban como parte fundamental los ***cantares de gesta***.

● Estas obras que ellos cantaban o declamaban (anónimas) se denominan *obras juglarescas*. Y la escuela literaria de los juglares recibe el nombre de **mester de juglaría** (*mester*, con acento en *ter*, deriva del latín *ministerium*, 'oficio'). Son muy escasas las obras de este mester que se han conservado. La principal es el mencionado *Cantar* o *Poema de Mio Cid*.

LOS CANTARES DE GESTA. EL *POEMA DEL CID*

Gesta significa «empresas realizadas, hazañas». Los cantares de gesta narraban en verso las hazañas de grandes héroes. Cumplían con ello una doble función: *noticiera* (mantenían vivo el recuerdo de hechos heroicos) y *ejemplar* (daban ejemplos de heroísmo).

● Empezaron a componerse en Francia, cuya *Chanson de Roland* («Cantar de Roldán») es del siglo XI.

● En España hay noticia de que hubo **cantares de gesta** sobre *Los siete infantes de Lara*, *Sancho II de Castilla* (ambos del siglo XII) y *Roncesvalles* (siglo XIII). Pero sólo se conserva, casi entero, como hemos dicho, el *Cantar* o *Poema de Mio Cid*. Lo veremos en la LECTURA 2a.

● Anticipemos que las gestas usan una **métrica** irregular: versos de un número variable de sílabas y con rima *asonante*.

EL TEATRO PRIMITIVO. *REPRESENTACIÓN DE LOS REYES MAGOS*

● El teatro medieval, de carácter religioso, se representaba en las iglesias como parte del oficio litúrgico o al margen de él.

● La única obra de aquella época que conocemos, atribuida a un clérigo desconocido, es la *Representación de los Reyes Magos* (algunos la llaman impropiamente *auto*), de la catedral de Toledo. Se conservan 147 versos, y manifiesta influjo francés.

Su acción desarrolla el relato evangélico del descubrimiento de la estrella por los Reyes Magos, su decisión de ir a adorar al Niño Jesús y su visita a Herodes, que se encoleriza porque haya nacido otro rey en Israel. En este punto se interrumpe el fragmento.

● Ya no se conserva más teatro medieval, hasta los intentos de **Gómez Manrique** (siglo XV).

LA LITERATURA EN EL SIGLO XIII

En el siglo XIII se producen los siguientes hechos fundamentales:

— Continúan escribiéndose ***cantares de gesta*** por los poetas del *mester de juglaría*.

— Nace, opuesto a este último, el **mester de clerecía,** cuyo principal poeta es **Gonzalo de Berceo** (LECTURA 2b).

— **Alfonso X el Sabio** escribe o impulsa su abundante obra enciclopédica.

En Galicia se desarrolla la gran escuela de **lírica galaico-portuguesa**; y, en el área catalana, el mallorquín **Ramón Llull** (1235-1315) escribe copiosas e importantes obras en verso y en prosa.

EL MESTER DE CLERECÍA

Se llama así a la escuela poética de escritores cultos, normalmente clérigos, frente al arte menos elaborado de los juglares. He aquí sus principales características:

● **En la forma** —frente a los versos irregulares de los juglares—, se utiliza la estrofa llamada *cuaderna vía*, la cual se compone de cuatro versos *alejandrinos* (de catorce sílabas, con una cesura central) y *monorrimos* (esto es, con una misma rima *consonante*).

● **En los temas**, los poetas del *mester de clerecía* cultivan ante todo los *religiosos* (así, Gonzalo de Berceo). Pero otras obras se basan en tradiciones *clásicas,* como corresponde a escritores cultos, o desarrollan asuntos de historia nacional. Citemos, como ejemplo, tres títulos de autores anónimos: *Libro de Alexandre* (sobre Alejandro Magno), *Libro de Apolonio* (de trama novelesca) y *Poema de Fernán González* (versión culta de un tema épico).

Atención especial merece Gonzalo de Berceo: repetimos que nos ocuparemos de él en la LECTURA 2b.

Y anticipemos que el *mester de clerecía* se prolonga en el siglo XIV, con dos importantes escritores: **Juan Ruiz, Arcipreste de Hita**, y el **Canciller Ayala**.

Poesía lírica gallego-portuguesa

Como veremos más adelante, la primitiva lírica popular castellana era oral y tardaría varios siglos en conservarse por escrito. En cambio, en Galicia, desde el siglo XIII, diversos manuscritos recogen numerosas *cantigas*, que son de tres tipos:

— **Cantigas de amigo**: breves poemas puestos en *labios de una mujer* que canta su amor o lamenta la ausencia del amado o «amigo». Son de carácter popular y autóctono y poseen una sorprendente relación temática con las *jarchas* (y en la LECTURA 4b veremos el mismo parentesco con los cantarcillos populares castellanos).

— **Cantigas de amor**: en ellas es *un hombre* el que se dirige a su amada. Son de carácter culto y responden a la influencia de los trovadores provenzales del siglo anterior, con su concepción del *amor cortés* (de esta doctrina amorosa hablaremos más adelante).

— **Cantigas de escarnio** o **de maldecir**: son poesías satíricas y burlescas.

Son muy abundantes los poetas gallego-portugueses de la Edad Media. Destacan el rey don **Dionís** de Portugal, **Martín Codax**, **Joan Zorro**, **Mendiño,** etc.

ALFONSO X EL SABIO

Ya hemos señalado su fundamental importancia, por haber contribuido a *fijar la prosa castellana*. Y ello con sus obras propias o con las que mandó traducir del *latín*, del *árabe* y del *hebreo*. Así puso en circulación buena parte de la cultura antigua, que árabes y judíos habían conservado tras el hundimiento del Imperio romano.

● El rey corregía las traducciones para ponerlas en *castellano derecho*, como él decía.

● Entre las obras que impulsó destacan: la primera historia de España escrita en castellano (*Crónica general*);

una obra jurídica, que es joya de nuestra prosa (*Las siete partidas*); un tratado científico (*Libro del saber de Astronomía*) y otro de entretenimiento (*Libro del ajedrez*).

● Obra personal suya son las *Cantigas de Santa María*, más de cuatrocientas poesías de exaltación de la Virgen y de sus milagros. Ofrecen la peculiaridad de estar escritas en *gallego-portugués*, lengua que el rey consideró más apta para la lírica.

La corte de Alfonso X, según una miniatura del siglo XIII. En las obras promovidas por el Rey Sabio o escritas por él mismo, el castellano se muestra ya como una lengua firme, culta, capaz de sostener una visión del mundo.

Alfonso X: Loor de España

● Como muestra del castellano del rey Sabio, leamos al menos este elogio de España que figura en la *Crónica general*.

Esta Espanna[1] *que dezimos, tal es como el parayso de Dios, ca riégase con cinco ríos cabdales*[2] *que son Ebro, Duero, Taio, Guadalquivir, Guadiana; e cada uno dellos tiene entre sí et ell otro grandes montannas et tierras; et los ualles et los llanos son grandes et anchos, et por la bondad de la tierra et ell humor*[3] *de los ríos llevan muchos fructos [...].*

Espanna es abondada de[4] *miesses, deleytosa de fructas, viciosa*[5] *de pescados, sabrosa de leche et de todas las cosas que se della fazen. Lena*[6] *de venados et de caça, cubierta de ganados, loçana de cauallos, provechosa de mulos, segura et bastida*[7] *de castiellos, alegre por buenos vinos, folgada*[8] *de abondamiento de pan; rica de metales, de plomo, de estanno, de argent viuo*[9] *de fierro, de arambre*[10]*, de plata, de oro, de piedras preciosas, de toda manera de piedra de mármol, de sales de mar et de salinas de tierra, et de sal en pennas, et dotros mineros muchos; azul*[11]*, almagre, greda, alumbre et otros muchos de quantos se fallan en otras tierras; briosa de sirgo*[12] *et de quanto se faze dél, dulçe de miel et de açúcar, alumbrada de cera, complida de olio*[13]*, alegre de açafrán.*

Espanna sobre todas es engennosa, atrevuda[14] *et mucho esforçada en lid, ligera en affán, leal al sennor, complida de todo bien. Non a*[15] *tierra en el mundo que la semeie en abondança nin se eguale ninguna a ella en fortalezas, et pocas a en el mundo tan grandes como ella.*

Espanna sobre todas es adelantada en grandez, et más que todas preciada por lealtad. ¡Ay, Espanna! Non a lengua nin engenno que pueda contar tu bien.

---

[1] *Espanna*, la doble n era una manera de representar el sonido de la *ñ*. [2] *cabdales*, caudales, grandes. [3] *humor*, agua, humedad. [4] *abondada de*, abundante en. [5] *viciosa*, regalada. [6] *lena*, llena. [7] *bastida*, abastecida, provista. [8] *folgada*, holgada. [9] *argent viuo*, mercurio. [10] *arambre*, cobre. [11] *azul*, cierto tinte. [12] *sirgo*, seda. [13] *olio*, aceite. [14] *engennosa, atrevuda*, ingeniosa, atrevida. [15] *a*, existe, hay.

En la segunda estrofa del *Libro de Alexandre* se halla una proclamación de las peculiaridades del «Mester de Clerecía»:

> Mester traigo fermoso, non es de joglaría,
> mester es sen pecado, ca es de clerezía;
> fablar curso rimado por la cuaderna vía,
> a sílabas contadas, ca es grant maestría.

(Traigo un menester u oficio hermoso, no es de juglaría; es un menester sin pecado, pues es de clerecía, hablar con versos rimados por la cuaderna vía, contando las sílabas, que es gran maestría.)

LITERATURA MEDIEVAL (de los orígenes a 1400)

	SIGLO XII		SIGLO XIII		SIGLO XIV	
1100	1150	1200	1250	1300	1350	1400

- LÍRICA PRIMITIVA: LAS JARCHAS (Continúa la *lírica popular*, aunque apenas se conservan muestras)
- POEMA DEL CID: 1140 ? — 1207 ?
- REPRESENTACIÓN DE LOS REYES MAGOS: — ?
- LÍRICA GALLEGO - PORTUGUESA
- BERCEO: ¿ — ?
- ALFONSO X EL SABIO: 1221 — 1284
- DON JUAN MANUEL: 1282 — 1349
- ARCIPRESTE DE HITA: ¿ — ?
- CANCILLER AYALA: 1332 — 1407

CANTAR DE MIO CID (2a)

QUÉ ES EL *CANTAR DE MIO CID*

El ***Cantar de Mio Cid*** o *Poema del Cid,* primer gran texto de nuestra literatura, es también el más antiguo de los *cantares de gesta* conservados, y el único del siglo XII que nos ha llegado con su texto casi completo.

La parte conservada consta de más de *tres mil setecientos versos*.

EL MANUSCRITO

El *Cantar* se conserva en un precioso códice de la Biblioteca Nacional de Madrid. Pero ese manuscrito es *posterior a la composición del poema*. Lo copió un tal **Pedro Abad** en 1307; era, tal vez, un juglar que sacó esa copia como recordatorio para sus actuaciones.

AUTOR O AUTORES. FECHA

● El *Cantar* es anónimo. Según Menéndez Pidal, fue compuesto por dos poetas sorianos, uno de San Esteban de Gormaz y otro de Medinaceli.

El más antiguo, el de San Esteban, escribiría las dos primeras partes del poema antes quizá de 1120 (el Cid había muerto en 1099). El de Medinaceli reformaría el primitivo poema y le añadiría los rasgos más novelescos hacia 1140.

● Otros críticos, en cambio, han defendido una autoría única. Y algunos piensan que debió de escribirse más tarde: a finales del siglo XII o principios del XIII.

EL CID HISTÓRICO

● El héroe cuyas hazañas exalta el *Cantar* fue **Rodrigo Díaz de Vivar** (h. 1040-1099), el *Cid Campeador*, caballero castellano que se casó con Jimena Díaz, prima hermana de **Alfonso VI**. Cayó en desgracia del rey, por oscuras razones, y hubo de abandonar Castilla. Emprendió entonces una gran actividad guerrera, ayudando a veces a reyes moros contra otros enemigos moros o cristianos. Al servicio del rey musulmán de Zaragoza conquistó

El Cid, héroe castellano por excelencia, es también el principal protagonista de la épica medieval. Su figura y su leyenda fueron recreadas por numerosos romances y crónicas.

Valencia y mantuvo a raya a los almorávides. Vivió en aquella ciudad como soberano; más tarde, recuperó la amistad de Alfonso VI y casó a sus dos hijas con un infante de Navarra y con Ramón Berenguer III de Cataluña.

EL CID LITERARIO

● Acabamos de dar unos datos históricos. Pero el *Cantar* no es una obra histórica, sino artística. Así, al lado de hechos reales, ofrece muchos sucesos noveles-

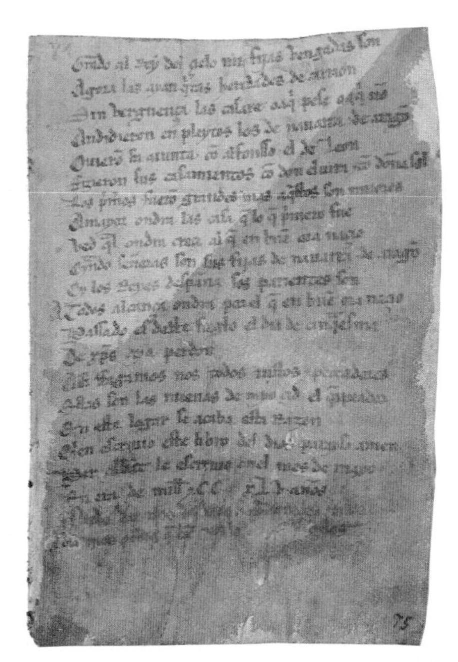

Página del manuscrito de Cantar de Mio Cid, *conservado en la Biblioteca Nacional (Madrid).*

cos, apartándose de la verdad histórica, con el propósito de convertir al Cid en el héroe ideal, modelo de caballeros. Pero, junto a las cualidades *guerreras*, destaca también su *humanidad*: amistad, ternura, amor conyugal y paternal.

Hay, pues, *invención*. Pero el poema no cae en las fantasías que poblaban los cantares de gesta franceses o germanos. Recordemos que la épica castellana cumplía una función *ejemplar*: ello llevaba a nuestros juglares a buscar la *verosimilitud*, pues se quería que las proezas narradas fueran imitables, realizables. Por eso, el *Cantar* inicia una de las constantes de nuestra literatura: el **realismo**.

● Añadamos que el *Cantar* ofrece un dechado del espíritu nacional castellano. Menéndez Pidal aseguró que «el *Poema del Cid* no es nacional por el patriotismo que en él se manifieste, sino más bien como *retrato del pueblo donde se escribió*. En el Cid se reflejan las más nobles cualidades del pueblo que le hizo su héroe».

● El *Poema del Cid* dejó de conocerse en el siglo XIV; pero no la *leyenda de Rodrigo*, que inspiró abundantes obras en los siglos posteriores, entre ellas el drama *Las mocedades del Cid*, obra de Guillén de Castro (1569-1631), imitada por uno de los más famosos dramaturgos franceses: **Corneille** (siglo XVII), en *Le Cid*.

ESTRUCTURA DEL *CANTAR*

Debemos distinguir entre estructura interna y externa.

● En la **estructura interna** (desarrollo del contenido), podemos distinguir dos partes:

— La *primera* cuenta cómo el Cid, condenado a destierro por el rey, va acumulando hazañas que le harán recobrar el favor real. Es la *pérdida* y *recuperación de la honra pública*.

— La *segunda* gira en torno a las bodas de las hijas del Cid con los infantes de Carrión, quienes, como veremos, maltratarán y abandonarán a sus esposas, afrenta que el Cid tendrá que reparar. Ahora se trata de la *pérdida* y *recuperación de la honra privada o familiar*. (La *honra* sería, así, el tema central y unificador de todo el poema.)

● Sin embargo, el manuscrito nos presenta una división (**estructura externa**) en tres *cantares*: «del destierro», «de las bodas» y «de la afrenta de Corpes». Se trata sencillamente de las tres «sesiones» en que se cantaría el Poema; los juglares interrumpían el recitado de forma que el interés de los oyentes quedara en suspenso.

MÉTRICA Y ESTILO DEL *CANTAR*

● El *Cantar*, como *poema juglaresco* que es, carece de ***regularidad métrica***.

— Hay versos desde 10 hasta 20 sílabas, divididos en dos *hemistiquios* por una *cesura* o pausa central.

Los hemistiquios más frecuentes son los de 7 y 8 sílabas (de éstos proceden los octosílabos de los **romances** posteriores).

— Los versos se agrupan en *tiradas* más o menos largas con una sola *rima asonante* en todos los versos. Cuando el poeta lo desea, la *rima cambia* (sin dejar de ser asonante), dando lugar a una nueva tirada.

● El **estilo** del *Poema* puede parecer primitivo, pero es de un notable valor artístico. Le caracteriza, ante todo, su *sobriedad* y su *fuerza*. Junto a ello, hay que destacar la *viveza narrativa* (por ejemplo, en los combates) y la *intensidad afectiva* (por la atención que se concede a la humanidad de los personajes).

CANTAR DE MIO CID

Mantenemos los nueve primeros versos en su lengua original, tal como aparece en el manuscrito de Pedro Abad. Modernizamos el resto.

El héroe desterrado

Los mestureros o envidiosos han sembrado la discordia entre el Cid y el rey Alfonso VI. Al caer aquél en desgracia, debe abandonar Castilla.

Faltan en el manuscrito del Poema *los primeros versos, en los cuales el héroe convoca a sus parientes y vasallos en Vivar para saber quiénes deseaban acompañarle en el exilio: todos deciden ir con él.*

Al salir de Vivar, Rodrigo deja abandonados sus palacios; he aquí los primeros versos conservados del Poema, *en su lengua original:*

De los sos ojos tan fuertemientre llorando,
tornaba la cabeça i estábalos catando[1].
Vio puertas abiertas e uços sin cañados[2],
alcándaras[3] vazias[4] sin pielles[5] e sin mantos
5 e sin falcones[6] e sin adtores mudados[7].
Sospiró mio Cid, ca[8] mucho habié[9] grandes cuidados.
Fabló mio Cid bien e tan mesurado[10]:
—«Grado[11] a ti, Señor Padre, que estás en alto!
Esto me han vuolto[12] mios enemigos malos.»

El Cid llora, pues, al ver sus palacios desmantelados. Este rasgo, la normalidad de sus sentimientos humanos, su ***ternura****, será constante en el* Cantar. *Y, también, su profunda* ***religiosidad****. Tras ese desfallecimiento inicial, el héroe se sobrepone a la adversidad:*

10 Movió mio Cid los hombros y alzó la cabeza:
—«¡Albricias, Alvar Fáñez! Nos echan de nuestra tierra,
pero con mucha honra volveremos a ella.»

Al entrar en Burgos, con sus tropas presididas por sesenta estandartes, las gentes, entristecidas, salen a ver pasar a su héroe:

De las bocas de todos, salía como razón:
—«¡Dios, qué buen vasallo, si tuviera buen señor!»

---

[1] *catando*, mirando (los palacios). [2] *uços sin cañados*, puertas sin candados, abiertas de par en par. [3] *alcándaras*, perchas en que se colgaban prendas y en que se dejaban las aves de caza (halcones y azores). [4] *vazias*, vacías. [5] *pielles*, pieles, vestiduras de piel. [6] *falcones*, halcones. [7] *adtores mudados*, azores que han cambiado de pluma; eran de mayor precio que los que no la habían mudado aún. [8] *ca*, pues. [9] *habié*, tenía. [10] *tan mesurado*, mesuradamente, apaciblemente. [11] *Grado*, te doy gracias. [12] *vuolto*, urdido, tramado.

Pero nadie se atreve a ofrecerle alojamiento: el rey lo ha prohibido. Se dirigen a una casa y llaman a la puerta; tras mucho insistir la abrirá una niña.

15 El Campeador se dirigió a su posada,
y al llegar a la puerta, la halló bien cerrada:
por miedo al rey Alfonso, así la dejaran;
ellos no la abrirían, si él no la forzaba.
Los guerreros del Cid con grandes voces llaman;
20 los de dentro, no les contestan palabra.
Espoleó el Cid su caballo, a la puerta se llegaba,
sacó el pie del estribo, y le dio una patada.
No se abre la puerta, pues está bien cerrada.
Una niña de nueve años, a sus ojos se mostraba:
25 —«¡Tente, Campeador, que en buena hora ciñes espada!
El rey lo ha prohibido: de él entró anoche una carta,
en gran sigilo y fuertemente sellada.
No osaríamos abriros ni acogeros por nada.
De hacerlo, perderíamos haciendas y casas,
30 y aún, además, los ojos de la cara.
¡Cid, en nuestro mal, vos no ganaréis nada!
Dios Creador os valga, con todas sus virtudes santas.»
Esto dijo la niña y volvióse para casa.
Bien ve el Cid que, del rey, ya no tiene la gracia.
35 Marchóse de la puerta, por Burgos cabalgaba...

- **¿Te parece histórico o novelesco este texto?**
- **¿Por qué crees que es, precisamente, una niña quien se atreve a hablar con el Cid?**
- **¿Con quién están las simpatías de la gente castellana, con el rey o con el Cid? ¿Cómo se expresan?**

El Cid, guerrero y político

La guerra es para el Cid un medio necesario de subsistencia, como profesión por excelencia de un caballero. Pelea con los moros para sustentarse y mantener a los suyos, y ***para obtener****, paulatinamente, la* ***gracia del rey****. Porque el* Poema *tiene* **dos temas** *fundamentales: el del vasallo socialmente desairado, que ha de hacer méritos para recuperar el favor real, y el del padre, que, en tales circunstancias, debe conseguir botín y riquezas y una situación honorable para sus hijas.*

En la España ocupada por los árabes, Rodrigo y sus guerreros consiguen mantenerse y triunfar, unas veces con el valor de su brazo y otras con sus habilidades políticas. Son abundantes las batallas *que el* Poema *describe; he aquí algunos fragmentos de la de* **Alcocer**.

Se ponen los escudos ante sus corazones,
y bajan las lanzas envueltas en pendones,
inclinan las caras encima de los arzones[13],
y cabalgan a herirlos con fuertes corazones.

[13] *arzones*, sillas de los caballos.

40 A grandes voces grita el que en buena hora nació:
—«¡Heridlos, caballeros, por amor del Creador!
¡Yo soy Ruiz Díaz, el Cid, de Vivar Campeador!» [...]
Allí vierais[14] tantas lanzas hundirse y alzar,
tantas adargas[15] hundir y traspasar,
45 tanta loriga[16] abollar y desmallar,
tantos pendones blancos, de roja sangre brillar,
tantos buenos caballos sin sus dueños andar.
Gritan los moros: «¡Mahoma!»; «¡Santiago!», la cristiandad. [...]
A Minaya Alvar Fáñez matáronle el caballo,
50 pero bien le socorren mesnadas de cristianos.
Tiene rota la lanza, mete a la espada mano,
y, aunque a pie, buenos golpes va dando.
Violo mio Cid Ruy Díaz el Castellano,
se fijó en un visir[17] que iba en buen caballo,
55 y dándole un mandoble[18], con su potente brazo,
partióle por la cintura, y en dos cayó al campo.
A Minaya Alvar Fáñez le entregó aquel caballo:
—«Cabalgad, Minaya: vos sois mi diestro brazo[19]».

---

[14] No se olvide que los cantares de gesta eran cantados por los juglares; con estas fórmulas se dirigían al público para estimular su imaginación. [15] *adargas*, escudos de cuero. [16] *loriga*, armadura de malla de acero. [17] *visir*, autoridad árabe. [18] *mandoble*, golpe con la espada. [19] *mi diestro brazo*, mi brazo derecho.

COMENTARIO DE TEXTO. VERSOS 36-58

Introducción

a Hemos visto, hasta ahora, al Cid maltratado y compasivo, y en su intimidad familiar. Helo aquí ahora guerreando. El poeta cambia la velocidad narrativa: ¿en qué sentido?

b El héroe épico no tiene ningún defecto. ¿Cómo es el Cid como guerrero?

Análisis (contenido y expresión)

c *Versos 36-39*: comienza la batalla; la narración se da con breves pinceladas, destacando las acciones: ¿cómo?

d ¿Era guerra santa la que se libraba contra los moros? Un verso lo deja muy claro.

e ¿Qué dice el Cid en el *verso 42*? ¿Por qué?

f ¿A quién se dirige el *vierais* del *verso 43*?

g ¿Cómo logra el poeta producir la impresión de abundancia de combatientes y de fragor?

h ¿Qué *figura* de las que estudiamos emplea al describir la batalla?

i En ella es claro que debe brillar de modo especial el Campeador. ¿Qué recurso utiliza el poeta? Y ¿qué hazaña portentosa se le atribuye?

Conclusión

j ¿Es el anónimo poeta un escritor «rudo» e ingenuo o maneja sutiles recursos literarios? Razona tu respuesta.

Perdón del Cid y bodas de sus hijas

Las victorias del Cid se suceden y culminan con la conquista de Valencia, adonde acudirán doña Jimena y sus hijas. El héroe, tras sus batallas, ha ido enviando ricos presentes al rey, el cual acabará reconociendo la fidelidad y valía de su vasallo y le otorgará público y solemne perdón, restaurando así su honra. Y para acrecentarla, concertará las bodas de doña Elvira y doña Sol con dos nobles, los infantes de Carrión. El Cid se ve obligado a acatar tal decisión del rey, pero los infantes no son de su agrado y aquellas bodas van acompañadas de malos augurios.

Como se ve, con ese episodio culmina, por un lado, la honra pública del Cid, pero, por otro, se da un giro a la acción, iniciando una nueva y dramática peripecia, de índole más familiar e íntima.

Cobardía de los infantes de Carrión

Al fin, los infantes descubren su mala índole. Son cobardes: un día se escapa un león que el Cid tiene en una jaula... Pero he aquí cómo narra el juglar este divertido episodio (que luego tendrá consecuencias dramáticas para las hijas de Rodrigo).

En Valencia, con los suyos, el Cid permaneció,
60 estaban también sus yernos, los infantes de Carrión.
Un día, en un escaño, dormía el Campeador;
un mal accidente sabed que les ocurrió:
salióse de la jaula, y quedó libre un león.
A todos los presentes, les asaltó gran temor;
65 se ponen el manto al brazo los del Campeador,
y rodean el escaño protegiendo a su señor.
Fernán Gonzálvez, infante de Carrión,
no halló dónde subirse, ni abierta alguna habitación;
se escondió bajo el escaño: tanto era su pavor.
70 Diego Gonzálvez por una puerta salió,
diciendo a grandes gritos: «¡Ya no veré más Carrión!»
Tras una viga lagar[20] se metió con gran pavor;
el manto y el brial[21] muy sucios los sacó.
En esto, despertó el que en buena hora nació.

[20] *viga lagar*, viga que, en el lagar, mueve la pieza que prensa la uva. [21] *brial*, especie de túnica.

75 El escaño rodeado de sus guerreros vio.
—«¿Qué ocurre, caballeros, por qué esta alteración?»
—«Sucede, señor honrado, que un susto nos dio el león.»
Hincó el codo mio Cid, tranquilo se levantó;
el manto traía al cuello, y se dirigió al león;
80 apenas lo vio este, gran vergüenza sintió.
Ante mio Cid, bajó la cabeza y el rostro hincó.
Mio Cid don Rodrigo del cuello lo tomó,
llevándolo de su mano, a la jaula lo volvió.
Todos asombrados quedan al ver a su señor,
85 y al palacio retornan loando su valor.
Mio Cid por sus yernos preguntó y no los halló;
aunque los llamó a altas voces, ninguno respondió.
Cuando los encontraron, estaban sin color;
nunca hubo tal rechifla como la que allí se armó,
90 pero ordenó que cesara mio Cid el Campeador.
Muchos tuvieron por deshonrados a los infantes de Carrión,
se sienten humillados por lo que aconteció.

- **¿Es novelesco o histórico este episodio?**
- **¿Cómo contrastan los hombres del Cid con los infantes?**
- **¿Cómo contrasta el Cid con todos ellos?**
- **¿Afianza este episodio algún rasgo del Cid, puesto constantemente de relieve?**

La afrenta de Corpes

Ante un nuevo ataque de los moros a Valencia, Rodrigo pasa por la vergüenza de que sus yernos tengan miedo. La situación de éstos se hace insufrible, y traman una infame venganza. Con el pretexto de mostrar las posesiones de Carrión a sus esposas, piden al Cid que les permita abandonar Valencia. El héroe concede la autorización, aunque siente oscuros recelos; pero carece de argumentos para oponerse a aquella petición.

Y al llegar al robledo de Corpes (en Soria, cerca de San Esteban de Gormaz), los infantes cometen la felonía: despiden a todos los criados y se quedan solos con sus esposas, las golpean sin piedad y las abandonan.

Venganza y felicidad final

Este salvaje atentado, descrito con pluma plástica y **realista**, *no podía quedar sin venganza. Dos adalides del Cid vencen a los de Carrión, en presencia del rey, a quien ha encolerizado la bajeza de los infantes. Y Rodrigo y los suyos regresan a Valencia, donde Elvira y Sol alcanzarán un matrimonio venturoso con los infantes de Navarra y Aragón. El* Poema *acaba proclamando tan felices nuevas y ensalzando al Cid, que ha reafirmado reiteradamente su honra:*

Hicieron sus casamientos doña Elvira y doña Sol;
los primeros fueron buenos, pero estos son aún mejor,
95 con mayor honra se casan que en la primera ocasión.
Y ved cómo la honra aumenta al que en buen hora nació,
al ser sus hijas señoras de Castilla y de Aragón.
Y, así, los reyes de España ahora sus parientes son,
a todos alcanza honra por el que en buen hora nació.

GONZALO DE BERCEO (2b)

UN JUGLAR A LO DIVINO

● Gonzalo de Berceo es el primer poeta de nuestra literatura cuyo nombre conocemos. Nació en Berceo (La Rioja) a finales del siglo XII y murió a mediados del XIII. Fue clérigo, no sabemos si secular o regular, y su vida transcurrió vinculada al monasterio riojano de San Millán de la Cogolla y al burgalés de Santo Domingo de Silos.

● De simpática personalidad, Berceo resulta un poeta singular: por una parte, es un escritor culto (principal representante del *mester de clerecía* en el siglo XIII); pero, por otra, le anima una voluntad de dirigirse al pueblo. Si los *juglares* épicos cantaban las hazañas de los héroes, él quiere cantar los hechos de los santos y de la Virgen. En cierta analogía con los juglares, le anima también un doble propósito *noticiero y ejemplar*: difundir prodigios sacros e inculcar sentimientos devotos. Quiso ser, pues, un «juglar a lo divino». Y ello se reflejará en su enfoque y en su estilo, según veremos. Revelador de ello es ya esta estrofa, la segunda de su *Vida de Santo Domingo de Silos*, que damos en versión original:

Quiero fer una prosa en roman paladino,
en el qual suele el pueblo fablar con so vezino;
ca non so tan letrado por fer otro latino;
bien valdrá, como creo, un vaso de bon vino.

Esto es: anuncia que escribirá su prosa (aquí, «poema») en lengua romance clara, como la que emplea el pueblo; finge humildemente no poderlo escribir en latín; y, como un juglar, piensa que, al menos, merecerá que se le recompense con un vaso de buen vino.

OBRA

Se conservan nueve obras suyas, todas escritas en cuaderna vía. Destaquemos:

— **Vidas de santos**: las de *Santo Domingo de Silos, San Millán de la Cogolla* y *Santa Oria*.

— **Obras marianas**, o de exaltación a la Virgen: *Milagros de Nuestra Señora*, que es la más importante, y *Duelo de la Virgen el día de la Pasión*.

Los Milagros de Berceo *son un retablo literario de gran humanidad en cuyo centro está siempre la imagen dulce y maternal de la Virgen.*

LOS *MILAGROS DE NUESTRA SEÑORA*

● La cautivadora personalidad poética de Gonzalo de Berceo se manifiesta eminentemente en esta obra. Consta de una *introducción* alegórica, y de *veinticinco poemas* que narran hechos milagrosos atribuidos a la Virgen. El libro se inscribe así en una extensa corriente de literatura marial que circula por toda Europa en la Edad Media, tanto en latín como en las lenguas romances.

● Para componer la obra, Berceo se inspiró en una colección de milagros escritos en latín, de las muchas que había. Pero, de acuerdo con su citado propósito, desarrolló sus relatos para ser recitados ante gentes sencillas. De ahí lo gráfico de sus narraciones y descripciones y, sobre todo, su *estilo* inconfundible: *sencillo* y *cordial,* con continuos rasgos *familiares* y de sabor popular, y hasta con notas de *humor*.

● Por otra parte, la simpatía y bonhomía de Berceo se manifiesta también en su religiosidad, basada fundamentalmente en la misericordia: la Virgen ampara a sus fieles llevando el perdón de las flaquezas humanas hasta extremos inconcebibles.

LOS MILAGROS DE NUESTRA SEÑORA

El labrador avaro

Aunque Berceo no figura en el programa oficial, proponemos la lectura de uno de los Milagros de Nuestra Señora *en versión moderna. En él se apreciarán los rasgos señalados del arte del autor.*

Se destacará la viveza plástica de ciertos momentos y algunas expresiones populares que serían del agrado de los oyentes sencillos.

Érase en una tierra un hombre labrador
que usaba el arado más que otra labor,
él amaba la tierra más que al Creador,
era de muchos modos hombre revolvedor[1].

5 Hacía una vileza —sucieja en verdad—,
cambiaba los mojones por ganar heredad;
hacía toda clase de entuerto y falsedad:
tenía mala fama entre su vecindad.

Quería, aunque era malo, bien a Santa María,
10 oía sus milagros y bien los acogía,
saludábala siempre, decíale cada día:
«*Ave gratia plena* que pariste al Mesías.»

Murió el arrastrapajas, de tierra bien cargado;
en soga de diablos fue luego cautivado;
15 lo arrastraban con cuerdas, de coces bien sobado,
le cobraban al doble el pan que dio mudado.

Doliéronse los ángeles de esta alma mezquina,
porque se la llevaban los diablos en rapiña,
quisieron socorrerla, ganarla por vecina,
20 mas para hacer tal pasta faltábales harina.

Si le decían los ángeles de bien una razón
ciento decían los otros, malas, que buenas no.
Los malos a los buenos tenían en un rincón,
el alma pecadora no salía de prisión.

25 Levantándose, un ángel dijo: «Yo soy testigo,
verdad es, no mentira, esto que yo os digo:
el cuerpo que llevó esta alma consigo
fue de Santa María buen vasallo y amigo.

Siempre la mencionaba al yantar y a la cena,
30 decía tres palabras: *Ave gratia plena*;
boca por que salía tan santa cantilena,
no merece yacer en tan mala cadena.»

En cuanto que este nombre de la Santa Reïna
oyeron los diablos, escapáronse aína[2],
35 esfumáronse todos como una neblina,
desampararon todos a esta alma mezquina.

Los ángeles la vieron quedar desamparada
de manos y de pies con sogas bien atada,
estaba como oveja que yace enzarzada,
fueron y la llevaron dentro de su majada.

Nombre tan poderoso, nombre de virtud tanta,
que a los enemigos los persigue y espanta,
no nos debe doler ni lengua ni garganta
que no digamos todos: *Salve Regina Sancta*.

[1] *revolvedor*, enredador, marrullero. [2] *aína*, rápidamente.

EJERCICIOS

Repaso de Gramática

1 Indica qué función sintáctica desempeñan las palabras o sintagmas en cursiva:

—España es *alegre* por *buenos* vinos.
—¡Heridlos, *caballeros*, por amor *del Creador*!
—*Esto* dijo la niña y volvióse *para casa*.
—Espoleó el Cid *su caballo*, a la puerta se llegaba.
—Murió el *arrastrapajas* de tierra bien cargado.
—Los malos *a los buenos* tenían en un rincón.

2 Relee el milagro de Berceo y copia los determinantes que en él aparecen indicando de qué clase son (artículos y adjetivos determinativos de sus diversos tipos).

3 Haz un análisis sintáctico completo de la siguiente oración:

—Los juglares de la Edad Media transmitían a sus oyentes viejas hazañas por plazas y castillos.

Expresión escrita

• **Un héroe en tiempos de paz.**— La épica nos presenta héroes guerreros, pero hay hombres y mujeres que merecen el apelativo de *héroes* o *heroínas* en tiempos de paz (una enfermera en el Tercer Mundo, un voluntario que arriesga su vida por apagar un incendio, algún gran deportista...). Busca un ejemplo y redacta un texto breve justificando razonadamente tu elección.

LA EDAD MEDIA (II). LA LITERATURA EN EL SIGLO XIV

EL MARCO HISTÓRICO

Recordemos que, en el siglo XIV, acontecen, entre otros, los siguientes hechos históricos:

1. **En Castilla y León:**

—Los reyes descuidan la Reconquista. No obstante, ***Alfonso XI***, en 1340, obtuvo la gran victoria del *Salado* (Cádiz) y conquistó Algeciras. Por otra parte, ***Enrique III*** (1390-1405) comienza la conquista de las *islas Canarias*, que concluirán los Reyes Católicos en el siglo XV.

—Fueron frecuentes los conflictos internos y las *guerras civiles* (así, la de ***Pedro el Cruel*** contra sus hermanos bastardos).

—El siglo XIV vivió fuertes *crisis económicas*, agravadas en algún caso por la *peste negra* (en 1348 y otros años), que causó gran mortandad.

2. **En Aragón**:

—Recibe impulso la *expansión* catalano-aragonesa por el Mediterráneo. El caudillo ***Roger de Flor*** destacó en esa empresa. ***Alfonso IV*** (1327-1336) conquistó Cerdeña. ***Pedro IV el Ceremonioso*** (1336-1387) se anexionó *Sicilia*; y fundó la Universidad de Huesca.

3. **En Europa**:

—Se viven grandes convulsiones: comienza la *Guerra de los Cien Años* (1328-1453) entre Inglaterra y Francia. Y se desencadena el *Cisma de Occidente* (1378-1418), que turbó gravemente las conciencias.

EL MARCO CULTURAL

● Durante esta dramática centuria vivieron algunos de los máximos *escritores europeos*:

—***En Italia***, los grandes poetas **Dante** (1263-1321) y **Petrarca** (1304-1374), que influirían decisivamente en nuestras letras posteriores, así como el prosista **Boccaccio** (1313-1375), cuyo libro *Decamerón* es un gran modelo de narrativa.

—***En Inglaterra***: **Chaucer** (1340-1400), autor de los *Cuentos de Canterbury*, en verso, otra obra cumbre de la narrativa medieval.

● En algunos de estos escritores (Petrarca, Boccaccio), o en nuestro Arcipreste de Hita, podemos percibir el paso de la mentalidad *teocéntrica* (y ascética) a una mentalidad *antropocéntrica* (y vitalista). Ello supondrá

Miniatura que ilustra una escena de la Divina Comedia, *el gran poema de la visión medieval del mundo.*

una nueva valoración del hombre, de la vida y del mundo. Pero este nuevo espíritu *vitalista y mundano* —que desembocará en el *Humanismo* renacentista— se mantendrá en prolongado conflicto con el *ascetismo* tradicional.

● Continúan las grandes realizaciones del **arte gótico**, con la construcción (al menos, en parte) de catedrales como las de Barcelona y León. La *escultura gótica*, fuertemente realista, es indicio también de una nueva manera de mirar la realidad, una nueva atención a lo humano.

LA LITERATURA ESPAÑOLA EN EL SIGLO XIV

● He aquí las grandes líneas de nuestra literatura en el siglo XIV (véase también el cuadro de la pág 21):

— La **épica** está en decadencia (ya no corresponde a la índole de la época). Uno de los últimos cantares de gesta es *Mocedades de Rodrigo*.

— El **mester de clerecía** prolonga su vida con notables novedades. A él pertenecen, de modo muy personal, **Juan Ruiz, Arcipreste de Hita**, y el **Canciller Ayala**.

— La **prosa**, fundada literariamente en el siglo anterior por Alfonso X el Sabio, se desarrolla en las *obras históricas* del **Canciller Ayala** y, sobre todo, en las *obras doctrinales* y *narrativas* de **don Juan Manuel**.

De los dos máximos escritores de este siglo, don Juan Manuel y Juan Ruiz, nos ocuparemos en las LECTURAS 3a y 3b. A continuación, daremos una sucinta información sobre los otros aspectos citados.

LA POESÍA ÉPICA: *MOCEDADES DE RODRIGO*

● Como hemos dicho, los cantares de gesta habían entrado en decadencia: encontraban menos eco ahora, en una época en que se había frenado el impulso reconquistador y se había enfriado el espíritu heroico colectivo.

● Una de las últimas producciones épicas es *Mocedades de Rodrigo*, poema anónimo que revela todavía la perduración de la fama del *Cid* entre el pueblo castellano. En él se narran *hechos fantásticos de su juventud*, absolutamente inventados (tan diferente, en eso, del *Cantar de Mio Cid*), que ponen de relieve su gallardía y arrojo.

● En esta obra (ya que el *Cantar de Mio Cid* se olvidó pronto) se inspiraron numerosos poetas y dramaturgos posteriores que trataron de Rodrigo, como **Guillén de Castro** y **Lope de Vega**, en el siglo XVII.

EL CANCILLER AYALA

● Don Pedro López de Ayala (1332-1407) fue canciller mayor de Castilla e intervino activamente en las guerras entre Pedro I y sus hermanos.

● Como **prosista** fue un *historiador* escrupuloso y apasionado. Escribió varias *crónicas*, entre ellas la *Crónica de Pedro I*, llamado *el Cruel*, apelativo que se debe en gran parte al severo retrato que Ayala hizo de él.

● Como **poeta** es autor del *Rimado de Palacio*, escrito en la *cuaderna vía* propia del *mester de clerecía* (aunque, como también hará Juan Ruiz, utilice a veces otros metros distintos).

En este importante poema desarrolla *temas religiosos*, *líricos*, *políticos* y *morales*. Son estos últimos los más destacados; con irritada indignación, el canciller *fustiga los vicios sociales y las malas costumbres de la época*.

● He aquí, por ejemplo, cómo se refiere al *Cisma de Occidente*, que, según hemos dicho, afligía a la Cristiandad. Tras pedir que haya un concilio que ponga fin al conflicto, añade:

Pero nuestros prelados, que nos tienen en cura[1],
tienen mucho quehacer, por nuestra ventura:
exprimir a sus súbditos sin ninguna mesura
y olvidar su conciencia y la Santa Escritura.

Cuando la dignidad de obispo ya han logrado,
en gobernar la Iglesia ponen poco cuidado;
en cómo hacerse ricos piensan de contado,
y nada les preocupa: les será demandado.

Según dice el Apóstol, ellos se han de perder,
pues reciben un cargo sin ellos dignos ser.
A todos quiera Dios de esto socorrer,
que estamos en peligro con tal mal proceder.

[1] *nos tienen en cura*, nos tienen bajo su cuidado.

DON JUAN MANUEL (3a)

DATOS BIOGRÁFICOS

Fue nieto del rey Fernando III el Santo y sobrino de Alfonso X el Sabio. Nació en 1282, en Escalona. Desde muy joven participó en la Reconquista e intervino activamente en la agitada vida política de su tiempo. Fue Adelantado del reino de Murcia. En esta ciudad murió, en 1348.

● Erróneamente, se le da a veces el título de *infante*; no lo poseyó, por no ser hijo de rey. Sí le corresponde el de *príncipe*, según la etiqueta cortesana de entonces.

SU OBRA

Don Juan Manuel fue uno de los hombres más cultos de su época. Él mismo justificó su vocación de escritor, con estas palabras (cuyo texto modernizamos):

> *«Yo sé que algunos murmuran de mí porque escribo libros, pero no por eso dejaré de hacerlo. Pienso que es mejor pasar el tiempo escribiendo libros que jugando a los dados o haciendo otras cosas viles.»*

● Sus obras están escritas en **prosa**, y casi todas poseen un carácter *didáctico* o moral; más en concreto, se proponen la educación de jóvenes de la nobleza. Así ocurre con el *Libro del Caballero y el Escudero*, en el cual, el primero aconseja al segundo acerca de la caballería y lo instruye en Teología, Astronomía, etc.

● Pero la principal de todas es la titulada ***El conde Lucanor*** o ***Libro de Patronio***, a la que nos referiremos enseguida.

UN ESCRITOR ORIGINAL

Don Juan Manuel *prolonga la obra de Alfonso X*, ***su empeño por crear la prosa literaria castellana***, pero lo hace de modo enteramente original.

—***Escribe personalmente*** sus obras (las compuestas en la corte alfonsí eran, en gran medida, colectivas). Poseen, por tanto, mayor unidad lingüística y estilística.

—Aunque se inspira en obras latinas anteriores, ***no traduce*** (la mayor parte de la producción alfonsí consiste en traducciones). Elabora lo que lee, y lo *expresa a su modo*. Y, muy frecuentemente, piensa por su cuenta y aduce sus propias experiencias.

—Si la corte de Alfonso X tradujo y compuso preferentemente libros sobre el *mundo físico, la Historia y el Derecho*, don Juan Manuel se siente atraído por problemas morales, y quiere *formar caracteres recios*. Es, ante todo, ***un educador***.

● De todos estos rasgos, el segundo es fundamental. Las obras de don Juan Manuel *son los primeros textos en prosa pensados y elaborados por una mente castellana, sin la guía de un modelo que se traduce o se refunde*.

ESTILO DE DON JUAN MANUEL

● Introduce nuestro autor en sus obras abundantes reflexiones sobre el *arte de escribir* que él practica. De ellas se deduce que su ideal consistía en:

—expresarse con ***claridad***;

—decirlo todo de manera ***exacta e inequívoca***;

—y del modo más ***conciso*** posible.

SU CONCIENCIA DE ESCRITOR

● Don Juan Manuel tuvo exacta conciencia de la magnitud de su esfuerzo, y no oculta lo satisfecho que se siente de su prosa. Quiso que los textos por él escritos no sufrieran alteración alguna por los copistas, y, a tal fin, depositó sus originales en el monasterio de Peñafiel, donde, en caso de duda, pudieran ser consultados.

Estamos ante algo importante: nace con don Juan Manuel lo que llamamos sentido de la «propiedad intelectual». Muy distinto había sido, por ejemplo, el caso de los poetas épicos, que daban como normal que otros poetas, o juglares, modificaran los textos a su gusto. Y la misma actitud juglaresca, tan distinta de la de don Juan Manuel, veremos en el caso del Arcipreste de Hita (LECTURA 3b).

EL CONDE LUCANOR

Como dijimos, la Europa del siglo XIV cuenta con grandes narradores: **Boccaccio** en Italia o **Chaucer** en Inglaterra. Junto a ellos se sitúa don Juan Manuel con su obra maestra, *El conde Lucanor* o *Libro de Patronio.*

● Es una colección de **cincuenta enxiemplos** (ejemplos o cuentos), enlazados entre sí por el siguiente artificio: el joven ***conde Lucanor*** consulta a su ayo o preceptor ***Patronio*** sobre diversos asuntos. Patronio, en vez de darle una respuesta directa, le narra un cuento apropiado para el caso y, al final, resume la moraleja en un *pareado.*

Esos cincuenta relatos forman, en realidad, la primera parte de *El conde Lucanor*, y van seguidos de otras cuatro partes, mucho más breves, que ya no incluyen narraciones, sino aforismos y reflexiones diversas.

● Los cuentos de don Juan Manuel *no son originales*: son relatos tradicionales de amplia difusión internacional (muchos de origen oriental). Pero, conforme al método del autor, están narrados de modo muy personal y con un notable *arte del relato.*

Enseguida reproduciremos uno. Mencionemos otros (invitando al alumno a leerlos por su cuenta en alguna versión modernizada); todos ellos inspirarían a escritores posteriores: el de la zorra y el cuervo (cuento V), el del hombre pobre que comía altramuces (X), el de un deán de Santiago y un mago de Toledo (XI), el del rey que quiso probar a sus tres hijos (XXIV), el de un rey y los burladores que hacían un paño maravilloso (XXXII), etc.

● Hemos dicho que don Juan Manuel es, ante todo, un *educador*. Hagamos unas precisiones sobre **su enfoque didáctico** o **moral**. Es curioso comprobar que la mayoría de sus cuentos contienen ***una moral práctica***, esto es, unos consejos para acertar o triunfar en la vida, para navegar por el mundo, para huir de los peligros que acechan en la sociedad. Don Juan Manuel predica cualidades como el realismo, el espíritu práctico, la prudencia, la precaución y hasta la desconfianza. Tenía, sin duda, un gran sentido de la realidad y acaso un concepto un tanto desengañado del hombre.

EL CONDE LUCANOR

Prólogos

La obra va encabezada por dos prólogos. En el primero, da cuenta de su propósito moralizador; en el segundo, justifica por qué eligió el método de enseñanza mediante enxiemplos *(ejemplos o cuentos). Veamos unas líneas en castellano antiguo:*

Fiz[1] este libro compuesto de las más apuestas palabras que yo pude, et entre las palabras entremetí algunos enxiemplos de que se podrían aprovechar los que los oyeren. Et esto fiz segund la manera que fazen los físicos[2], que quando quieren fazer alguna melezina que aproveche al figado, por razón que naturalmente[3] el figado se paga[4] de las cosas dulçes, mezclan con aquella 5 melezina que quieren melizinar el figado, açúcar o miel o alguna cosa dulçe: et por el pagamiento que el figado a[5] de la cosa dulçe, en tirándola[6] para sí, lieva con ella la melezina quel a[7] de aprovechar. [...] Et a esta semejança, con la merced de Dios, será fecho este libro, et los que lo leyeren, su voluntad tomará plazer de las cosas provechosas que ý[8] fallaren.

De lo que aconteció a una mujer que se llamaba doña Truhana

Leamos ahora un famoso ensiemplo *o cuento, en versión modernizada:*

Otra vez hablaba el conde Lucanor con Patronio de esta manera:

10 —Patronio, un hombre me habló de un asunto y me mostró cómo se podría realizar. Y os aseguro que tantas posibilidades de provecho hay en él que, si Dios quiere que salga como él me dijo, se-

[1] *Fiz*, hice. [2] Como hacen los médicos. [3] *por razón que naturalmente,* a causa de que, por su propia naturaleza. [4] *se paga*, tiene predilección. [5] *a*, tiene. [6] *tirándola*, atrayéndola. [7] *quel a*, que le ha. [8] *ý*, allí, en él.

ría muy en mi favor; pues hay tantos beneficios que nacen uno tras otro que, al cabo, el resultado es grande por demás.

Y le contó a Patronio cómo sería. En cuanto Patronio oyó aquellas explicaciones, respondió al
15 conde de esta manera:

—Señor conde —dijo Patronio—, había una mujer que tenía por nombre doña Truhana y que era bastante pobre. Un día iba al mercado y llevaba una olla de miel en la cabeza. Yendo por el camino se puso a pensar que vendería aquella olla de miel y compraría una partida de huevos, y que de aquellos huevos nacerían gallinas, y después, de aquellos dineros que valdrían, compraría
20 ovejas… Y así fue comprando con las ganancias que haría hasta que se vio más rica que ninguna de sus vecinas.

Con aquella riqueza que imaginaba que tendría, pensó cómo casaría a sus hijos e hijas y cómo iría acompañada por la calle con yernos y con nueras: las gentes comentarían qué fortuna había tenido para llegar a tan gran riqueza siendo antes tan pobre como era.

25 Pensando en esto, comenzó a reírse del gusto que le daba su buena suerte y, al reír, se dio con la mano en la frente. Entonces se le cayó la olla de miel en tierra y se hizo pedazos. Cuando vio la olla destrozada, comenzó a lanzar grandes lamentos, pensando que había perdido todo lo que ya le parecía haber alcanzado si la olla no se le rompiera.

Así, por haber puesto todo su pensamiento en vanas esperanzas, no sucedió al cabo nada de lo
30 que ella pensaba.

Y vos, conde, si queréis que lo que os propongan y lo que penséis sea todo cosa cierta, reflexionad y planead siempre todas las cosas de tal modo que sean seguras, y no esperanzas dudosas y vanas. Y si las queréis someter a prueba, guardaos de aventurar o exponer vuestros bienes: no sea que tengáis que lamentar pérdidas por haber confiado en ganancias que no eran seguras.

35 Al conde le gustó lo que Patronio le había dicho. Siguió su consejo y le fue bien.

Como don Juan aprobó este ejemplo, lo hizo poner en este libro y compuso los siguientes versos:

A las cosas ciertas vos comendat
et las fuzas vanas dexat[9].

---

[9] Hemos reproducido el pareado final en la lengua de la época: «Entregaos a las cosas ciertas / y dejad las esperanzas vanas».

- **Todos los capítulos de *El conde Lucanor* están construidos con la misma estructura: el *ejemplo* propiamente dicho está precedido de una especie de preámbulo y seguido de un a modo de *epílogo*. Señala estas partes en el texto.**
- **La historia de doña Truhana es breve, pero, dentro de esa brevedad, juzga si el relato está bien llevado.**
- **Este relato se convertirá más tarde en el llamado «cuento de la lechera». Lo hizo famoso en Francia, en el siglo XVII, una fábula de Lafontaine («Pierrette y el cántaro de leche»); y, en la España del XVIII la *Fábula de la lechera* de Samaniego. Sugerimos que se busque en la biblioteca el texto de esta fábula y que se compare con el cuento que hemos leído.**
- **¿De qué índole es la moraleja que se extrae de este ejemplo? ¿Encaja bien esa enseñanza con lo que hemos indicado sobre el enfoque didáctico del libro?**

JUAN RUIZ, ARCIPRESTE DE HITA (3b)

¿QUÉ SE SABE DEL AUTOR?

● Aparte algún documento dudoso, los únicos datos que tenemos de él son los que figuran en el mismo *Libro de Buen Amor* (única obra suya que conocemos): se llamaba *Juan Ruiz*, fue *arcipreste de Hita* (Guadalajara) y había nacido tal vez en Alcalá de Henares. (Pero no falta quien piense que esos datos se refieren al *personaje* del libro y no al autor.)

● Un personaje, la vieja Trotaconventos, traza un retrato del arcipreste que figura en el recuadro de la página siguiente. Pero tampoco es de fiar este retrato: no hace sino enumerar los rasgos tópicos que, en la Edad Media, se atribuían a los buenos amadores (y Trotaconventos está intercediendo con la monja doña Garoza para que acepte al arcipreste como amigo).

EL *LIBRO DE BUEN AMOR*

Es una obra *miscelánea*, esto es, trata de muy diversos temas, en más de siete mil versos. En su mayor parte utiliza la estrofa característica del mester de clerecía: la **cuaderna vía**. Pero contiene también partes en otras estrofas y en versos cortos. Se trata, pues, de un poema *polimétrico* (de diversos metros o versos).

● El hilo conductor del libro es una *autobiografía ficticia*, en que Juan Ruiz se presenta como galán que expone un amplio repertorio de posibilidades amatorias (de la pastora a la gran dama, de la soltera a la casada, de la mora a la monja...). Pero con ello se mezclan discusiones sobre el amor, sermones morales, fábulas, sátiras, cantigas profanas (como las de serrana), o religiosas (en especial, a la Virgen), etc.

Uno de los episodios más famosos (el de los *amores de don Melón y doña Endrina*) adapta una comedia latina anónima, del siglo XII, titulada *Pamphilus*, que había tenido mucho éxito en toda Europa.

INTENCIÓN DEL *LIBRO*

● Se ha discutido mucho cuál puede ser la intención principal del *Libro*, dada la heterogeneidad y la ambigüedad de su contenido. En su prólogo en prosa, el mismo autor nos sorprende: primero, afirma que muestra en su obra las mañas y engaños del *loco amor* (el amor mundano) para que los lectores se aparten de él y se orienten hacia el *buen amor*; pero añade enseguida estas desconcertantes palabras:

> «Empero, como es cosa humana el pecar, si algunos —lo que no aconsejo— quisieran usar del loco amor, aquí hallarán algunas maneras para ello.»

● Para algunos críticos, esta cabriola es simple broma y debe aceptarse la *intención moral* del libro. Otros, en cambio, ven el libro como obra de un gozador de la vida, aunque con momentos de arrepentimiento. Lo cierto es que en sus páginas coexisten o luchan el *ascetismo* tradicional y un nuevo talante *vitalista y mundano*. En uno de sus versos, el mismo autor dice que ha querido escribir un libro «que los cuerpos alegre y a las almas preste».

EL ARTE DE JUAN RUIZ

● El *Libro de Buen Amor* es **una de las obras mayores de nuestra literatura**. El Arcipreste escribe con *desbordamiento apasionado*, tanto en los aspectos mundanos del texto, como en los religiosos y morales. Vive con alegría, ama el placer; o se arrebata frente a las mezquindades o la muerte.

El talante vivísimo del autor conlleva *una nueva manera de mirar* la realidad. Y así entran ahora en la literatura *nuevas realidades*: aspectos de la vida cotidiana, de un mundo bullente, de las gentes más diversas, con aspectos o detalles que no habían interesado antes.

● El **estilo** es igualmente vivísimo, de una inusitada variedad de tonos (desde lo más burlón a lo más dramático). Y de una extraordinaria *riqueza léxica*, con predominio de lenguaje popular (aun siendo Juan Ruiz un poeta culto). Impresiona la fuerza de sus comparaciones. Y los refranes brotan de su pluma, como siglos más tarde en *La Celestina* o el *Quijote*.

● Añadamos algo muy curioso: pese a su citado carácter culto, Juan Ruiz se siente animado de un *espíritu juglaresco*. Ello le lleva, al final, a pedir a sus lectores u oyentes que hagan circular el libro y que lo retoquen a su gusto:

Todo hombre que lo oiga, si bien trovar supiere,
puede más añadir y enmendar si quisiere;
ande de mano en mano a aquel que lo pidiere...

(Nótese cómo esta actitud es diametralmente opuesta a la de don Juan Manuel, tan preocupado porque su obra se conservara sin intervenciones de otras manos.)

El Libro de Buen Amor *muestra un amplio repertorio de escenas amorosas, por lo común descritas con pícara sensualidad. Pese a su innegable impronta culta, detrás de muchas de sus estrofas asoma el ánimo chispeante de un juglar maestro en burlas. Miniatura del* Códice Manese.

He aquí el «retrato» del Arcipreste. Merece un análisis atento. En él se podrán comprobar algunas de las características que hemos expuesto en la lección.

— *Notemos, por ejemplo, cómo muchos de los detalles ponen de relieve la vitalidad del personaje, su «buena salud», su condición de gozador mundano.*
— *Y, por otra parte, observemos cómo la mirada recoge rasgos muy particulares (incluso los que rompen la armonía): frente a un retrato idealizado, tenemos aquí un enfoque realista, atento a lo individual, a lo que «caracteriza» a ese personaje concreto.*
— *A ello se añade el curioso* **desorden** *con que el poeta enumera los rasgos físicos del «retratado», lo que da la impresión de una manera de mirar dinámica, muy viva, casi diríamos voraz.*

«Señora —diz[1] la vieja— yo'l[2] veo a menudo:
el cuerpo ha[3] bien largo, miembros grandes, trefudo[4];
la cabeça non chica, velloso, pescoçudo[5],
el cuello non muy luengo, cabel prieto[6], orejudo,

las cejas apartadas, prietas como carbón,
el su andar enfiesto[7], bien como de pavón[8],
su paso sosegado e de buena razón[9];
la su nariz es luenga[10]: esto le descompón[11].

Las encívas bermejas e la fabla tumbal[12],
la boca non pequeña, labros al comunal[13],
más gordos que delgados, bermejos como coral,
las espaldas[14] bien grandes, las muñecas atal[15].

Los ojos ha pequeños, es un poquillo baço[16];
los pechos, delanteros[17]; bien trefudo el braço;
bien complidas[18] las piernas; el pie, ¡chico pedaço!
Señora, d'él no vi más, por su amor vos abraço.

Es ligero, valiente, bien mancebo de días;
sabe los instrumentos e todas juglerías[19];
doñeador[20] alegre, ¡por las çapatas mías!:
tal omne[21] como éste non es en todas erías[22].»

[1] *diz*, dice. [2] *yo'l*, yo lo. [3] *ha*, tiene. [4] *trefudo*, robusto, musculoso. [5] *pescoçudo*, de pescuezo gordo. [6] *cabel prieto*, cabello negro. [7] *enfiesto*, enhiesto, erguido. [8] *pavón*, pavo real. [9] *de buena razón*, proporcionado. [10] *luenga*, larga. [11] *descompón*, descompone, rompe la armonía. [12] las encías rojas y el habla sonora como el sonido de una trompa. [13] *labros al comunal*, labios normales (más bien gruesos, dice enseguida). [14] *las espaldas*, los hombros. [15] *atal*, igual (gruesas también). [16] *baço*, moreno aceitunado. [17] *los pechos, delanteros*, el pecho abombado. [18] *complidas*, largas o proporcionadas. [19] *juglerías*, juglarías, artes de los juglares. [20] *doñeador*, galanteador. [21] *omne*, hombre. [22] *en todas erías*, en todas partes (*erías*, campos).

LIBRO DE BUEN AMOR

Los amores de don Melón y doña Endrina

Como hemos dicho, es éste uno de los episodios más famosos del Libro. *El Arcipreste se ha transformado en don Melón de la Huerta, quien se enamora de la viudita doña Endrina de Calatayud, a la que nos presenta con estas exclamaciones llenas de entusiasmo:*

¡Ay Dios! ¡Y qué hermosa viene doña Endrina por la plaza!
¡Qué talle, qué donaire, que alto cuello de garza!
¡Qué cabellos, qué boquita, qué color, qué buenandanza[1]!
Con saltas de amor hiere cuando sus dos ojos alza.

Pero, como doña Endrina no le hace caso, don Melón busca la ayuda de una tercera, Urraca, apodada **Trotaconventos**. *Aparece así en nuestra literatura la figura de la alcahueta, que, a finales del siglo* XV, *alcanzará plasmación inmortal en* La Celestina. *En este episodio del* Libro de Buen Amor, *el personaje es ya muy vivo, pero sin los rasgos diabólicos de Celestina. Trotaconventos es una de esas viejas entrometidas «que andan de casa en casa», ofreciendo diversas mercancías, como hierbas, afeites, perfumes, e intercediendo ante las jóvenes en favor de algún enamorado.*

Todo el episodio tiene la intención moral de prevenir contra esas mujeres que, con apariencia inocente, minaban la voluntad de las jóvenes incautas. Pero hela ya aquí comenzando su labor:

Buhonero medieval (detalle de una miniatura del siglo XIV*).*

5 La buhonera con su cesto va tocando cascabeles,
pregonando sus joyas, sortijas y alfileres.
Decía: —«¡Llevo toallas! ¡Compradme estos manteles!»
Doña Endrina la vio y dijo: —«Entra aquí, no receles.»

Entró la vieja en casa: díjole: «Señora, hija,
10 para esa mano bendita, aceptad esta sortija.
Dejadme que, en secreto, una ocurrencia os diga
que he pensado esta noche.» Poco a poco la aguija[2].

—«Hija, siempre estáis en la casa encerrada.
Envejecéis a solas, sin ser vista y admirada:
15 salid, mostrad en la plaza vuestra beldad loada;
entre cuatro paredes, no vais a ganar nada.

En esta villa vive gallarda mancebía[3],
muy apuestos mancebos de mucha lozanía,
en todas las costumbres mejoran cada día,
20 nunca se ha reunido tan buena compañía[4].

Aunque soy pobre, me acogen con cordialidad;
el mejor y el más noble de linaje y beldad
es don Melón de la Huerta, buen chico de verdad;
a los demás supera en hermosura y bondad.»

[1] *buenandanza*, paso altivo y elegante. [2] *aguija*, despierta su curiosidad, [3] *mancebía*, conjunto de mancebos o jóvenes. [4] *compañía*, conjunto (de jóvenes).

Doña Endrina no se fía ni de la vieja ni de las intenciones de don Melón. Pero acaba yendo a casa de Trotaconventos. El mancebo finge pasar por casualidad, y llama con gran violencia. He aquí su maligno asombro al encontrar allí a su amada:

25 ¡Señora doña Endrina, por mí tan bien amada!
Vieja, ¿por eso me tenías la puerta cerrada?
¡Gran día es este en que hallé tal dama celada!
Dios y mi buena ventura me la tuvieron guardada.

Los designios lascivos de don Melón, ayudados por la vieja, se cumplen, y Endrina increpa así a ésta:

Doña Endrina le dijo: «¡Qué viejas tan perdidas!
30 Traéis a las mujeres engañadas, vendidas;
ayer me dabas mil cobros[5], mil artes[6], mil salidas;
hoy, ya deshonrada, todas resultan fallidas.»

Pero Trotaconventos pone fin a tanta desesperación con esta sentencia:

Pues que por mí, según dices, el daño ha venido,
por mí quiero que el bien os sea restituido:
35 sed vos su mujer; sea él vuestro marido;
todo vuestro deseo lo dejo así cumplido.

Y, en efecto,

Doña Endrina y don Melón, mujer y marido son;
en la boda, los amigos se alegran con razón.
Si es malo lo contado, otorgadme perdón,
40 que lo feo de esta historia es de Pánfilo y Nasón[7].

---

[5] *cobros*, remedios (contra la soledad). [6] *artes*, modos (de combatir la soledad). [7] *Nasón*, el poeta latino Ovidio Nasón, a quien, erróneamente, se atribuía durante la Edad Media el *Pamphilus*.

- **En todo este episodio (versos 5-40) se desarrolla, como hemos dicho, una verdadera comedia. ¿Qué truco emplea la vieja para entrar en casa de doña Endrina? ¿Y cómo la persuade para estimularla hacia el amor?**
- **¿Hay arrepentimiento moral en doña Endrina? ¿Qué reprocha a Trotaconventos?**
- **Tanto ella como Juan Ruiz son un tanto cínicos al final, ¿no crees?**

El Arcipreste con las serranas

Juan Ruiz sigue hablando de las mujeres que amó, y en està especie de repertorio de posibilidades que es el Libro de Buen Amor, *llega el turno a las serranas, es decir, a mujeres que vivían en las proximidades de una sierra, y que ayudaban a los viandantes a cruzarla mediante pago; otras veces no les dejaban pasar adelante —aunque el paso no ofrecía dificultades— si no les daban regalos o dinero.*

Este tema de las ***serranas*** *parece tradicional: hubo una poesía en Castilla, muy antigua, que narraba peripecias entre ellas y los viajeros. A esta tradición, bastante ruda, responde esta par-*

te del libro. En la poesía provenzal existía otro género, el de las pastorelas, *que describía el encuentro entre un caballero y una pastora. La tradición castellana de las* serranas, *junto a la tradición mucho más refinada de las* pastorelas, *se unirán cien años más tarde en otro gran poeta, el* Marqués de Santillana, *célebre autor de varias* serranillas.

He aquí el encuentro del Arcipreste con una serrana del Guadarrama, narrado en versos de arte menor:

Una mañana, pasando
el puerto de Malangosto,
asaltóme una serrana
apenas asomé el rostro.
45 «Desgraciado, ¿dónde andas,
qué buscas o qué demandas
por un puerto tan angosto?»

Le respondí a su pregunta:
«Camino hacia Sotosalbos.»
50 Dijo: «El riesgo no barruntas
al hablar así de bravo;
por esta senda escarpada
que yo tengo bien guardada,
no pasan los hombres salvos.»

55 Plantóseme en el sendero
la deforme, ruin y fea:
«No pases», dijo, «escudero;
aquí me estaré yo, ea,
hasta que algo me prometas:
60 por mucho que me arremetas
no pasarás a esa aldea.»

Díjele: «Por Dios, vaquera,
no me impidas tal jornada;
déjame hacer mi carrera;
65 para ti no traje nada.»
Ella me dijo: «Pues torna,
por Somosierra retorna:
la senda aquí está cerrada.»

Aquella Chata endiablada,
70 que Santillán[8] la confunda,
arrojóme la cayada
y luego piedras con honda
y con su dardo pedrero.
«¡Por el Padre verdadero,
75 tú me pagas hoy la ronda!»

Nevaba allí y granizaba;
díjome la Chata luego,
con tono que amenazaba:
«¡Págame¡ ¡Si no, te pego!»
80 Díjele: «Por Dios, hermosa,
más querría estar al fuego.»

Dijo: «Vendrás a mi casa
y te mostraré el camino;
te encenderé fuego y brasa,
85 y te daré pan y vino.
Pero prométeme algo,
y te tendré por hidalgo.
¡Buen día para ti vino!»

Yo, con miedo y aterido,
90 le prometí una garnacha[9]
y ofrecíle un buen vestido,
un prendedor y una plancha.
Ella dijo: «Bien, amigo,
anda acá, vente conmigo,
95 no le temas ya a la escarcha.»

Muerte de Trotaconventos

Continúan las aventuras amorosas del protagonista, con episodios de otro tipo: por ejemplo, la batalla de don Carnal y doña Cuaresma, *la cual impone un tiempo de penitencia, o el posterior desquite de don Carnal y del Amor, lo que invita al arcipreste a nuevos amoríos, con la invariable ayuda de Trotaconventos. Pero, de pronto, muere la vieja, y Juan Ruiz increpa a la Muerte en un largo poema del que seleccionaremos unas estrofas.*

[8] *Santillán*, San Julián, protector de los viandantes. [9] *garnacha*, una vestidura que se usaba entonces.

El ***tema de la muerte*** *recibe en la Edad Media un tratamiento abundante y diverso. Observemos ahora la intensidad con que expresa Juan Ruiz un* horror a la muerte *que no es sino el reverso de un intenso vitalismo. Más adelante, podremos comparar con el tratamiento que el tema recibe en las famosas* Coplas *de Jorge Manrique (siglo* XV*).*

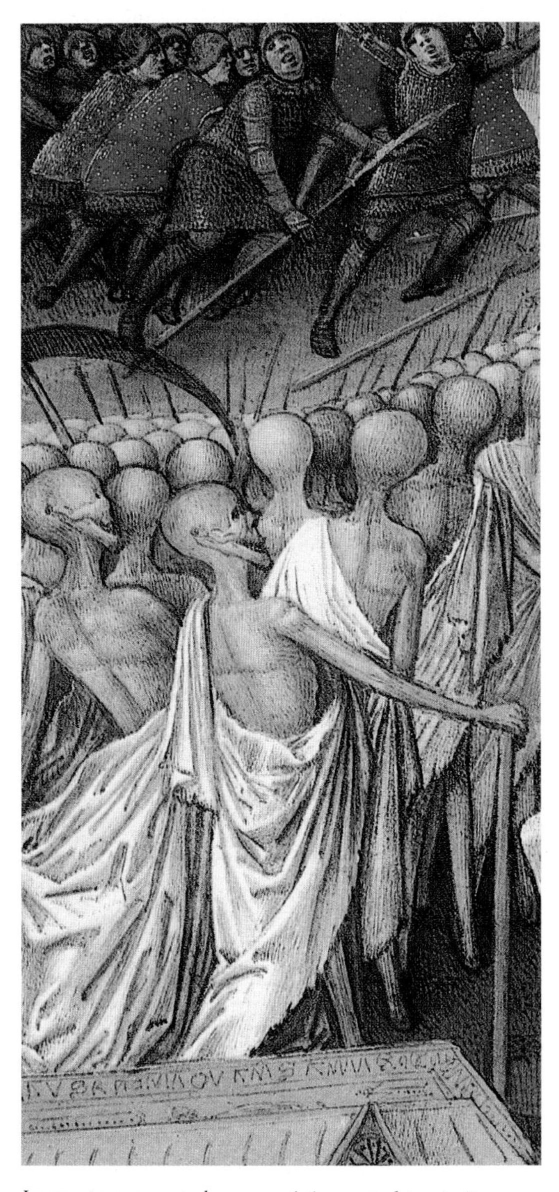

La muerte, representada por sarcásticos esqueletos, invita a su danza fatal a personajes de toda condición. El caballero de la muerte, *siglo* XV.

¡Ay muerte! ¡Muerta seas, muerta y malandante!
Has matado a mi vieja, ¡matárasme a mí antes!
Enemiga del mundo, no tienes semejante;
de tu memoria amarga no sé quien no se espante.

100 Muerte, al que tú golpeas, te lo llevas cruel,
al rico como al pobre, al santo y al infiel,
a todos los igualas al más bajo nivel,
por papas y por reyes no das ni un cascabel. [...]

Dejas el cuerpo yerto al gusano en la huesa[10],
105 el alma que lo puebla te la llevas de priesa,
no está el hombre seguro de tu llegada aviesa[11].
¡Al hablar de ti, Muerte, el horror me atraviesa! [...]

Haces al que era rico yacer en gran pobreza:
no guarda ni una miaja de toda su riqueza;
110 el que, vivo, era bueno y con mucha nobleza,
vil, hediondo es muerto, despreciable vileza.

No hay en el mundo libro ni tratado ni carta,
hombre sabio ni necio que de ti bien departa[12],
en el mundo no hay cosa que de ti bien se parta,
115 salvo el cuervo negro que de muertos se harta. [...]

Muchos piensan ganar cuando dicen: «¡A todo!»;
viene algún mal azar, trueca el dado a su modo;
junta el hombre tesoros y disfruta acomodo,
pero viene la Muerte y lo deja en el lodo. [...]

120 Los ojos tan hermosos, los clavas en el techo,
en un punto los ciegas, ya no tienen provecho;
enmudeces el habla, dejas sin aire el pecho;
en ti está todo el mal, el odio y el despecho.

El oír y el oler, el tocar, el gustar,
125 todos los cinco sentidos los vienes a gastar;
no hay nadie que te sepa del todo denostar;
¡cómo eres denostada por donde osas pasar! [...]

¡Ay mi Trotaconventos, mi leal verdadera!
Muchos te seguían viva; muerta, yaces señera[13].
130 ¿Dónde te me han llevado? No sé cosa certera:
¡no vuelve con noticias quien anda esta carrera[14]!

---

[10] *huesa*, fosa, tumba. [11] *aviesa*, traicionera. [12] *departa*, hable. [13] *señera*, sola. [14] *carrera*, camino (el que lleva a la muerte).

COMENTARIO DE TEXTO. LLANTO POR TROTACONVENTOS

Introducción

a Existía un género tradicional denominado *planto* («llanto») en que se lamentaba la muerte de alguien (puedes ver una muestra en la pág. 53 [Guillén Peraza]). Pero observa cómo Juan Ruiz habla más de la muerte en general que de su amiga muerta.

b Indica con qué talante se enfrenta el autor con el hecho de la muerte y muestra la relación entre tal enfoque y su intenso amor a la vida.

Análisis (contenido y expresión)

c El poema tiene un arranque impresionante que merece destacarse (fíjate en esa especie de «¡Muera la muerte!»).

d ¿Dónde aparece la idea del «poder igualatorio de la muerte»?

e Con enorme fuerza, se evocan aspectos macabros de la muerte: señálalos y valóralos.

f Se insiste igualmente en la omnipotencia de la muerte: di dónde y cómo.

g En la sexta estrofa la exclamación «¡A todo!» recoge una especie de voracidad vital. Muestra cómo el horror a la muerte se relaciona con esas ansias de vivir.

h Insiste el poeta en los aspectos horribles de la muerte en las dos estrofas que se refieren a los cinco sentidos. Relaciónalas con lo dicho en el punto anterior, para confirmar lo que debe haber quedado claro desde el principio (punto b).

i En la última estrofa, el autor vuelve a Trotaconventos. Señala la carga afectiva de esos versos y la incertidumbre que acompaña a la emoción.

Conclusión

j ¿Cómo relacionarías este poema con el conjunto del *Libro de Buen Amor*? ¿Y qué nos dice este pasaje sobre el espíritu de la época?

k ¿Te ha sorprendido el tono del autor aquí, después de los otros fragmentos suyos? Expresa brevemente tu impresión general y tu valoración del texto.

EJERCICIOS

Repaso de Gramática

1 Indica qué función sintáctica desempeñan las palabras o sintagmas en cursiva:

— El conde Lucanor cuenta sus problemas *a Patronio*.

— Había *una mujer* que tenía por nombre doña Truhana.

— *Entonces* se le cayó la olla *de miel* en tierra.

— Es *ligero*, *valiente*...

— *Hija*, siempre estáis *en casa* encerrada.

— Traéis a las mujeres *engañadas*.

— Dejas el cuerpo yerto *al gusano* en la huesa.

2 Relee la *cantiga de serrana* del Arcipreste de Hita, apunta los adjetivos calificativos que en ella aparecen y explica su función (¿hay algún adjetivo sustantivado?).

3 Haz un análisis sintáctico completo de la siguiente oración:

— En ese poema, el horror a la muerte es el reverso de un intenso vitalismo.

Expresión escrita

Elige uno de los dos temas siguientes:

• **Moraleja**.— Expresa de modo personal la lección que se extrae del cuento de doña Truhana. (Otra posibilidad: redacta *una moraleja* a partir de una fábula que recuerdes.)

• **Un canto a la vida**.— Puesto que hemos dicho que los versos del Arcipreste de Hita sobre la muerte son el reverso de su amor a la vida, escribe un breve texto (en prosa) en que ponderes lo hermoso que es vivir.

LA EDAD MEDIA (III). LA LITERATURA EN EL SIGLO XV

EL MARCO HISTÓRICO

● El siglo XV es el *otoño de la Edad Media* (su centuria final) y el paso al *Renacimiento*.

● **Europa** hereda los dos grandes conflictos del siglo anterior (Guerra de los Cien Años y Cisma de Occidente). Constantinopla, que continuaba la gran tradición cultural de Grecia y de Roma, cae en poder de los turcos (1453), y los sabios de aquella ciudad se refugian en diversos lugares de Europa, a los que llevan sus saberes clásicos. Por ello, muchos historiadores sitúan en dicho año el comienzo del Renacimiento (aunque el estudio de los clásicos había comenzado en Italia ya antes, como repetiremos).

● **En España**:

—**Aragón y Castilla**, durante gran parte del siglo, viven fuertes *crisis económicas* y varias *guerras civiles* por intereses dinásticos. **En Castilla**, en particular, la anarquía es total: los nobles luchan contra la corona o entre sí. Y los privados abusan de su poder, mientras el pueblo sufre.

—Los **Reyes Católicos** (1474-1516) acabarán con tal situación. La política conjunta de Isabel I de Castilla y Fernando II de Aragón supone, entre otras cosas, las siguientes:

- fortalecimiento del poder real, frente a los nobles;
- inicio de una vigorosa política internacional (en ella se fundará la hegemonía de España en Europa durante el siglo siguiente);
- conclusión de la Reconquista con la toma de Granada (1492);
- patrocinio de los viajes de Colón (descubrimiento y comienzos de la colonización de América, 1492).

EL MARCO SOCIAL Y CULTURAL

● Como contrapartida de lo anterior, *se rompe la coexistencia medieval entre cristianos, moriscos* y *judíos*: 1492 es también la fecha de la expulsión de los judíos; y los moriscos fueron conminados a convertirse o a exiliarse. Para defender la fe, se instauró la nueva *Inquisición* (1478).

● España, a fines de este siglo, contaba con unos *ocho o nueve millones de habitantes*; de ellos, el 83 % eran campesinos. Madrid tenía 10.000 habitantes, y Barcelona 35.000; las mayores ciudades españolas eran Valencia y Sevilla (100.000).

Documento regio con una miniatura de los Reyes Católicos.

● De importantes consecuencias culturales es el hecho de que la **nobleza** haya pasado, en buena medida, de guerrera a *cortesana*. En sus palacios, encontrarán ambiente favorable los escritores y los artistas. Y las cortes de algunos reyes son importantes focos culturales: así, en Castilla, la de **Juan II** (1406-1454) y, en Aragón, la de **Alfonso V el Magnánimo** (1397-1458). El fomento de las letras y las artes tendrá aún mayor impulso con los **Reyes Católicos**.

● Decisiva para la difusión de la cultura es la **invención de la imprenta** por el alemán *Gutenberg* hacia 1550. Pronto contaron con imprentas varias ciudades españolas. No se sabe si fue en Zaragoza o en Valencia donde funcionó la primera de ellas; en cualquier caso, *el primer libro español* que se conserva, de 1472, está escrito en valenciano (con poemas, también, en castellano e italiano). Se trata de *Obres e trobes en lahor de la Verge Maria*. A partir de entonces, funcionaron imprentas en Barcelona (1475), Sevilla (1476), Salamanca (1480), Zamora (1482), Toledo (1483), Burgos (1485), etc. No hay libros impresos en Madrid antes de 1566.

Los *libros* que se imprimieron *antes de 1501* se denominan **incunables**.

● **La arquitectura**, en esta época, es bellísima, con dos estilos característicos: *el gótico florido*, fino de líneas y densamente ornamentado; y el *plateresco*, que introduce el clasicismo renacentista italiano, y lo combina con adornos semejantes a los de la orfebrería o platería.

EL HUMANISMO DE FIN DE SIGLO

● En la última parte del siglo se desarrolla en España el **Humanismo**. Llamamos así a un movimiento intelectual, de origen italiano, que se difunde por toda Europa y cuyo máximo impulsor había sido, en aquel país, **Francesco Petrarca** en el siglo XIV. Tal movimiento ofrece dos aspectos indisolublemente unidos: *el estudio de la cultura clásica y un nuevo concepto del hombre y del mundo*. Veámoslo.

● Los humanistas reinstauran el saber griego y, sobre todo, romano, mal conocido durante la Edad Media. Rescatan del olvido textos clásicos que yacían manuscritos en bibliotecas conventuales o palaciegas, y los publican con gran pulcritud. Pero los clásicos no son sólo objeto de estudio, sino que se convierten en *modelos*: se imitan sus escritos (poéticos, pero también históricos, filosóficos, morales, etc.). Y los humanistas *pugnan porque las lenguas vulgares* de sus países, que ellos suelen cultivar también, *alcancen la perfección de la latina*.

● Paralelamente, los clásicos ofrecen el modelo de *una cultura centrada en lo humano*. Los humanistas restauran la visión del hombre y del mundo que poseía la Antigüedad grecorromana. Así, frente a la cultura *teocéntrica* de siglos anteriores, se consolida ahora una concepción **antropocéntrica**: *el hombre estará en el centro de las preocupaciones*, con el ideal de un desarrollo armónico de las facultades humanas en un mundo igualmente armónico.

El movimiento humanístico se vio enormemente favorecido por la invención de la imprenta. Y se extendió en los siglos XVI y XVII.

● El más importante *humanista español* de este siglo fue **Elio Antonio de Nebrija** (1441-1522), gran latinista, el cual, en 1492, año admirable, publicó su *Gramática castellana*, que es la primera gramática de un idioma vulgar impresa en Europa.

LA LITERATURA ESPAÑOLA EN EL SIGLO XV

Destaquemos varios aspectos de la vida literaria del siglo XV.

● La **poesía** presenta dos grandes líneas:

— ***una poesía culta***, presidida por las figuras del **Marqués de Santillana**, **Juan de Mena** y **Jorge Manrique**; luego hablaremos de este género (y dedicaremos a Manrique la LECTURA 4a);

— ***una poesía popular***, con dos vertientes: ***la lírica tradicional***, de incalculable belleza, y el ***Romancero*** viejo, uno de nuestros más importantes tesoros literarios (véanse las LECTURAS 4b y 4c).

● La **narrativa** cuenta con dos géneros característicos de los gustos cortesanos:

— ***los libros de caballerías***, alimento de sueños heroicos, cuyo título principal será el *Amadís de Gaula*, que conservamos en una versión impresa en el siglo siguiente, en que el género alcanzará extraordinario desarrollo;

— ***la novela sentimental***, que narraba amores refinados en la línea del *amor cortés*, al que enseguida nos referiremos. Recordemos un título de fulminante éxito en toda Europa: *Cárcel de amor* (1492), de Diego de San Pedro.

● El teatro ofrecía representaciones religiosas y profanas de tradición medieval (sobre las que volveremos más adelante: pág 76).

● Obra excepcional, emparentada con el género dramático, pero que desborda los cauces del teatro del momento, es ***La Celestina***, de Fernando de Rojas, una de las obras españolas de mayor resonancia universal, a la que dedicamos la LECTURA 4d.

● Aludiremos simplemente a otros géneros, como la **historia** o la **didáctica**, aunque en este último campo hallaríamos a un escritor singular, el **Arcipreste de Talavera** (Alfonso Martínez de Toledo), cuyo libro llamado *Corbacho* brilla, más que por su sátira de las mujeres, por la gracia con que reproduce la lengua hablada en la calle.

A continuación nos referiremos a la *poesía culta* de ese siglo, como paso al estudio de Jorge Manrique.

LA POESÍA CULTA EN EL SIGLO XV: ARTE REAL Y ARTE MAYOR

● La poesía lírica cultivada en la Corte y en los palacios se ha conservado en cancioneros manuscritos, donde se recogen poemas de varios centenares de autores. Se suele llamar *poesía de cancionero* y presenta dos grandes modalidades en cuanto a su forma:

— **arte real**, basado especialmente en *versos octosílabos*, combinados a veces con *tetrasílabos*. Utiliza también otros versos cortos (de seis y de siete sílabas);

— **arte mayor**, que utiliza el llamado *verso de arte mayor castellano*, constituido por dos hemistiquios de medida variable, pero siempre basados en *dos sílabas tónicas* separadas entre sí por dos átonas; ejemplo de Juan de Mena:

> *Al múy prepoténte / don Juán el segúndo,*
> *aquél con quien Júpiter / túvo tal célo...*

● Ambas modalidades presentan otros rasgos formales y temáticos. Veámoslo.

EL ARTE REAL. EL AMOR CORTÉS

● Son muchos los poetas que, durante todo el siglo XV, cultivaron este arte. Sus poemas en metros cortos (y en diversas estrofas) desarrollan una **temática** variada: *amorosa, satírica, moral...* Esta última tendrá su manifestación más alta en las *Coplas* de Manrique, como veremos.

Pero la temática más abundante de estos poetas es la *amorosa*. Y es imprescindible dar algunos detalles sobre lo que se denomina **amor cortés**.

Se trata de una concepción amorosa forjada por los trovadores de Provenza (sur de Francia) y que se extendió por toda Europa. Los puntos esenciales de este *código amoroso* son los siguientes:

— Es un amor *irresistible* del poeta por una *dama de rango superior* y a menudo casada (la «señora», de la que el poeta se proclama «servidor», en una relación análoga a la del siervo con el señor feudal).

— Como ese amor es «osadía», ha de permanecer secreto y estará amenazado: el poeta ocultará el nombre de la dama.

— La amada será, con frecuencia, desdeñosa, «cruel» (tópico de la *amada-enemiga*).

— Por todo ello, se tratará de «un amor lejano», distante, irrealizable, acompañado inevitablemente de insufrible dolor, de «pasión» ('padecimiento' en su sentido originario). A ese sufrimiento se le aplican desde entonces palabras como «herida», «fuego», «locura», «prisión», «muerte»... El poeta sufre tanto en presencia de su dama como en su *ausencia*.

— Pero ese amar y ese sufrir son inevitables (es el destino): el poeta ha perdido su libertad y, «cautivado», «enajenado», se complace incluso en sufrir, pues sufrir por amor *ennoblece* el espíritu.

● En nuestros *Cancioneros* del siglo XV, esta doctrina amorosa es, la mayor parte de la veces, casi sólo un *pretexto para la creación poética*, para la *expresión ingeniosa*: los poetas juegan con las palabras, establecen paralelismos o antítesis, crean hipérboles, etc.; y todo para ahondar en el sentido del amor, para expresar pensamientos sutiles o «conceptos» ingeniosos.

● Era una poesía para ser *cantada* o *declamada* en salones cortesanos, y al poeta le importaba ser admirado por sus *refinados sentimientos* (aunque fueran fingidos), por su *ingenio para fraguar conceptos* y por su *habilidad para manifestarlos con un lenguaje lleno de artificios.*

EL ARTE MAYOR

El *verso de arte mayor* estaba reservado a materias nobles: asuntos historiales, vidas de santos, etc., y, sobre todo, *alegorías* a la manera del gran poeta italiano **Dante**.

● Los poetas que cultivan este arte hacen alarde de su saber histórico, mitológico, geográfico, etc. Y utilizan numerosos *latinismos* y complicados *hipérbatos* o alteraciones del orden sintáctico, intentando imitar el latín. Así, Juan de Mena, queriendo decir «Me puedes llamar Divina Providencia», escribe: *Divina me puedes llamar Providencia.*

● Muchas veces, aquellos escritores cultivaban, a la vez, el arte real y el arte mayor. Tal es el caso de los dos más importantes poetas de Cancionero: el *Marqués de Santillana* y *Juan de Mena*.

EL MARQUÉS DE SANTILLANA (1398-1458)

Sobresalió, acabamos de decirlo, en los dos artes. En el arte real octosilábico, son notables sus *Canciones* y *Decires*. Y en el mayor, el *Infierno de los enamorados* y la *Comedieta de Ponza*; en ambos poemas imita a Dante.

● Pero también conoció la métrica italiana de Petrarca, y, a imitación suya, quiso escribir *sonetos* en versos endecasílabos. Son sus célebres *Sonetos fechos al itálico modo.* No acertó en ello: su oído castellano, hecho al octosílabo y al verso de arte mayor, no percibía bien los delicados matices del verso italiano de once sílabas. Tal empresa estaba reservada, un siglo después, ya en pleno Renacimiento, a Juan Boscán y a Garcilaso de la Vega.

● Don Íñigo López de Mendoza —así se llamó el marqués— es especialmente recordado en nuestra literatura por sus *serranillas*: poemas en verso corto y ritmo ligero, que, a imitación de las *pastorelas* provenzales y francesas, describen cómo un caballero se encuentra con una pastora y la corteja con galanura y elegancia bien alejadas de la rudeza que, en el siglo anterior, vimos en las *cantigas de serrana* del Arcipreste de Hita.

JUAN DE MENA (1411-1456)

El cordobés Juan de Mena escribió también poemas octosilábicos, de tema amoroso o moral (por ejemplo, un *Razonamiento con la Muerte*, característico del momento).

● Pero su obra culminante es el *Laberinto de Fortuna* o *Las trescientas* (número aproximado de sus estrofas); es la obra en que se manifiesta de modo más eminente el arte mayor, con su ritmo más sonoro y su lenguaje más elaborado.

Es asimismo la obra más destacada de la poesía *alegórico-dantesca* española. El poeta, guiado por la Providencia, contempla en el cristalino palacio de la Fortuna tres ruedas, dos inmóviles (la del pasado y el futuro), y una móvil (la del presente). En ellas figuran diversas personas y acciones; su contemplación da pie a meditaciones sobre la inestabilidad de la Fortuna, y a reflexiones morales o políticas.

El Marqués de Santillana, además de participar activamente en las luchas políticas de su tiempo, fue un hombre atento a las novedades estéticas y sensible a la tradición popular.

OTOÑO DE LA EDAD MEDIA Y PRERRENACIMIENTO

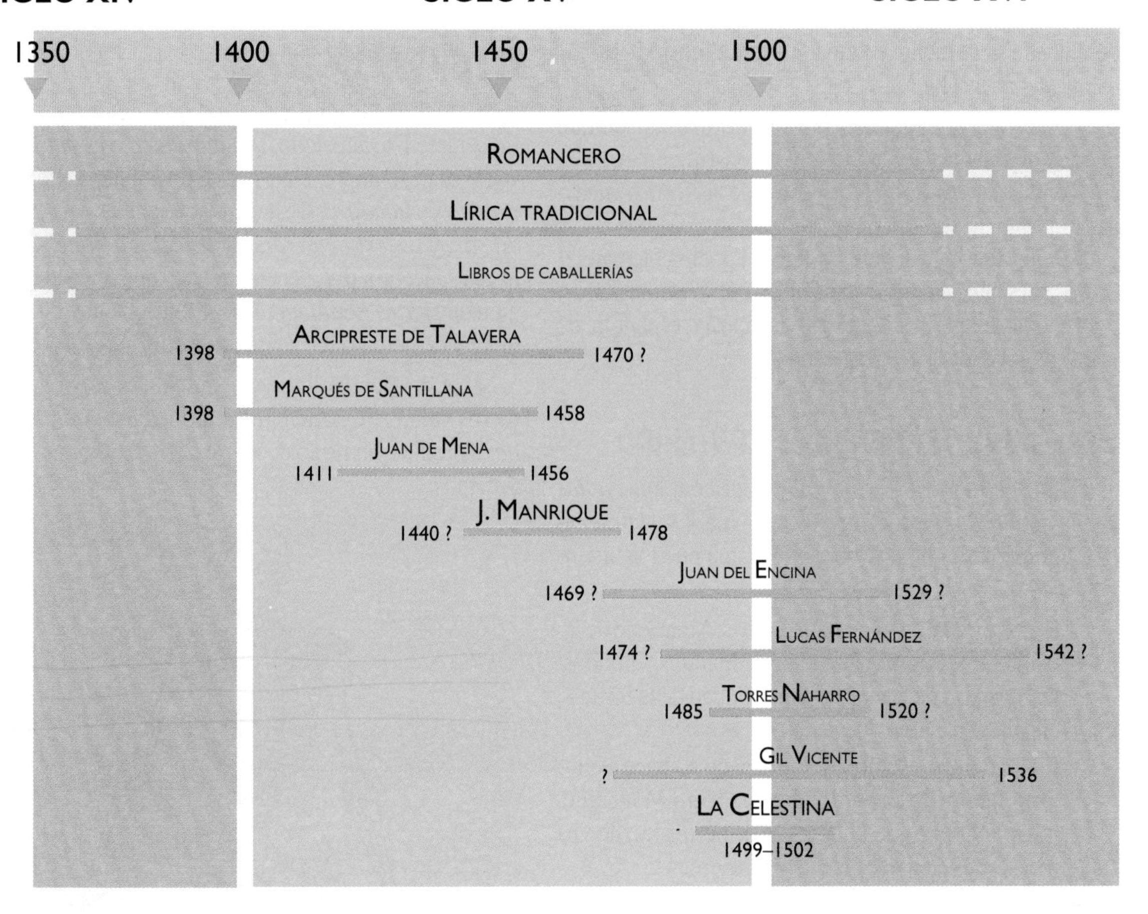

OTRAS LITERATURAS

Literaturas europeas de la Edad Media

Tras haber estudiado la literatura medieval española, he aquí algunos grandes aspectos de las literaturas extranjeras que debemos conocer. Insistimos en nuestra invitación a hacer fichas sobre los autores u obras que indicamos.

Francia	Alemania	Italia	Inglaterra
—Cantares de gesta (*Cantar de Roldán...*). —Lírica provenzal.	—Epopeya (*Los Nibelungos*).	—Dante. —Petrarca. —Boccaccio.	—Chaucer.

JORGE MANRIQUE (4a)

EL POETA (1440-1479)

Participó activamente en los conflictos de la época de Juan II. Partidario de la princesa Isabel (la Católica), en defensa de su derecho a ocupar el trono, murió heroicamente en una batalla.

- Cultivó el arte real. Sus **poesías amorosas**, aunque no muy abundantes (unas cuarenta) constituyen un buen compendio del *amor cortés*, así como de las formas métricas y el lenguaje de aquel arte.
- Pero Manrique debe su fama a un poema bien alejado de la temática amatoria: las ***Coplas por la muerte de su padre***, una de las obras maestras de la lírica española, de la que ofreceremos unos fragmentos.

LAS *COPLAS*. ESTRUCTURA Y CONTENIDO

Es una hermosa *elegía*, compuesta de cuarenta *coplas de pie quebrado* (de doce versos, octosílabos y tetrasílabos, combinados como se verá), en la que pueden distinguirse dos partes:

— En las primeras veinticuatro coplas, Manrique desarrolla sentenciosamente temas generales y hondos: la fugacidad de la vida, la inestabilidad de la fortuna, el poder igualatorio de la muerte...

— En las coplas restantes (25-40), el poeta hace el elogio fúnebre de su padre, don Rodrigo Manrique, mostrándolo como un modelo de heroísmo, de virtudes y de serenidad ante la muerte.

- El poema, aparte de recoger un hondo sentimiento filial, condensa los principios fundamentales de la tradición *ascética cristiana* de la Edad Media. Como se verá, Manrique predica el menosprecio del mundo y la aceptación serena de la muerte, frente al apego a la vida y el horror a la muerte de un espíritu vitalista como el de Juan Ruiz.

Ello es compatible con alguna idea que anuncia el ya próximo Renacimiento. Así, cuando en las coplas 35-36 se refiere a la *vida de la fama*. Sólo de dos «vidas» se hablaba en la Edad Media: la *terrenal* (un valle de lágrimas) y la *sobrenatural*, tras la muerte. El Humanismo va imponiendo la idea de que también en este mundo hay un modo de perduración gloriosa: el heroísmo y el desarrollo de la excelencia humana, es decir, de todo aquello que labra una *fama* que pervive tras la muerte.

EL ESTILO DE LAS *COPLAS*

- Igualmente admirables son las *Coplas* por su estilo. Lo caracteriza, ante todo, la *naturalidad* o la *sobriedad* de su lenguaje, comprensible para todos. Junto a ello, su *gravedad* y su *hondura*. Destacan inolvidables *frases sentenciosas*, y las *exhortaciones e interrogaciones* al lector hacen su lectura más penetrante, a lo que se añade la emoción de ciertas *exclamaciones*. Manrique no abusa de las *imágenes*, pero las hay certeras y bellísimas.
- En fin, ponderemos el acierto de su **estrofa**. El fluir de sus versos, frenado por los tetrasílabos (*pies quebrados*), produce un ritmo de marcha lenta, solemne; funeral, diríamos.

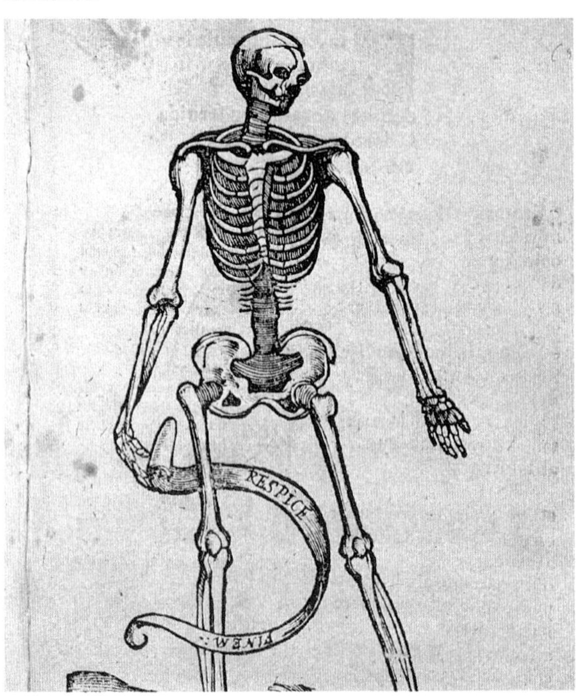

Las Coplas *de Manrique subrayan el papel igualador de la muerte, descarnadamente representada en este grabado que ilustra una edición de la obra.*

COPLAS POR LA MUERTE DE SU PADRE: FRAGMENTOS

I

Recuerde[1] el alma dormida
avive el seso[2] e despierte
contemplando
cómo se pasa la vida,
5 cómo se viene la muerte
tan callando,
cuán[3] presto se va el placer
cómo, después de acordado[4],
da dolor;
10 cómo, a nuestro parecer,
cualquiera tiempo pasado
fue mejor.

II

Pues si vemos lo presente
cómo en un punto[5] se es ido
15 e acabado,
si juzgamos sabiamente,
daremos lo non venido
por pasado.
Non se engañe nadi[6], no,
20 pensando que ha de durar
lo que espera
más que duró lo que vio,
pues que todo ha de pasar
por tal manera[7].

III

25 Nuestras vidas son los ríos
que van a dar en la mar,
que es el morir;
allí van los señoríos
derechos a se acabar
30 e consumir;
allí los ríos caudales,
allí los otros medianos
e más chicos;
i[8] llegados, son iguales
35 los que viven por sus manos
e los ricos.

V

Este mundo es el camino
para el otro que es morada
sin pesar;
40 mas cumple tener buen tino
para andar esta jornada
sin errar.
Partimos cuando nascemos,
andamos mientras vivimos,
45 y llegamos
al tiempo que fenescemos;
así que, cuando morimos,
descansamos.

VIII

Ved de cuán poco valor
50 son las cosas tras que andamos
y corremos,
que, en este mundo traidor,
aun primero que[9] muramos
las perdemos:
55 de ellas[10] deshace la edad,
de ellas casos desastrados
que acaecen,
de ellas, por su calidad,
en los más altos estados
60 desfallecen[11].

IX

Decidme: la hermosura[12]
y gentil frescura y tez
de la cara,
la color y la blancura,
65 cuando viene la vejez,
¿cuál se para[13]?
Las mañas e ligereza
e la fuerza corporal
de juventud,
70 todo se torna graveza
cuando llega el arrabal
de senectud[14].

[1] *Recuerde*, despierte. [2] *seso*, sentido. [3] Entiéndase: contemplando... / cuán presto. [4] *acordado*, vuelto en sí (el seso). [5] *en un punto*, en un momento. [6] *nadi*, nadie. [7] *por tal manera*, del mismo modo. [8] *i*, allí. [9] *primero que*, antes que. [10] *de ellas..., de ellas...*, unas..., otras... [11] *desfallecen*, declinan, decaen. Se subraya así, en esta estrofa, la caducidad de los bienes terrenos o la inestabilidad de la Fortuna. [12] No olvidemos que, en tiempo de Manrique, se aspiraba la *h* inicial, y que hemos de leer *la-hermosura*, sin sinalefa. [13] *¿cuál se para?*, ¿en qué paran? [14] *el arrabal de senectud,* la proximidad de la vejez.

En el ritmo envolvente de las Coplas *giran los principales tópicos medievales sobre la vida, la muerte y la fama.* Rueda de la Fortuna, *miniatura del Maestro Coëtivy, que representa la incertidumbre del destino humano, que a unos encumbra y a otros abate y que administra los bienes del mundo.*

XVI

¿Qué se hizo el rey don Joan[15]?
Los Infantes de Aragón[16],
¿qué se hicieron? (75)
¿Qué fue de tanto galán,
qué de tanta invinción
como trujeron?
Las justas y los torneos,
paramentos, bordaduras (80)
e cimeras,
¿fueron sino devaneos?
¿Qué fueron sino verduras
de las eras?

XVII

¿Qué se hicieron las damas, (85)
sus tocados e vestidos,
sus olores?
¿Qué se hicieron las llamas
de los fuegos encendidos
de amadores? (90)
¿Qué se hizo aquel trovar,
las músicas acordadas
que tañían?
¿Qué se hizo aquel danzar,
aquellas ropas chapadas[17] (95)
que traían?

XXIII

Pues aquel gran Condestable[18]
maestre que conoscimos
tan privado,
non cumple que dél se hable, (100)
mas sólo cómo lo vimos
degollado.
Sus infinitos tesoros,
sus villas e sus lugares,
su mandar, (105)
¿qué le fueron sino lloros?,
¿qué fueron sino pesares
al dejar?

XXV

Aquél de buenos abrigo[19],
amado por virtuoso (110)
de la gente,
el maestre don Rodrigo
Manrique, tanto famoso
e tan valiente;
sus hechos grandes e claros (115)
non cumple que los alabe,
pues los vieron,
ni los quiero hacer caros[20];
pues que el mundo todo sabe
cuáles fueron. (120)

XXVI

¡Qué amigo de sus amigos!
¡Qué señor para criados
e parientes!
¡Qué enemigo de enemigos!
¡Qué maestro de esforzados (125)
e valientes!
¡Qué seso para discretos!
¡Qué gracia para donosos!
¡Qué razón!
¡Qué benigno a los sujetos! (130)
¡Y a los bravos e dañosos,
qué león!

[15] *don Joan*, Juan II de Castilla. [16] *los Infantes de Aragón*, don Enrique y don Juan, hijos de Fernando I el de Antequera. [17] *chapadas*, bordadas de plata y oro. [18] *Gran Condestable*, don Álvaro de Luna, a quien combatieron los Manrique. [19] El poeta inicia aquí el elogio de su padre. [20] *hacer caros*, encarecer, exagerar.

XXIX

Non dejó grandes tesoros,
ni alcanzó muchas riquezas
135 ni vajillas;
mas fizo guerra a los moros,
ganando sus fortalezas
e sus villas;
y en las lides que venció,
140 muchos moros e caballos
se perdieron;
y en este oficio ganó
las rentas e los vasallos
que le dieron.

XXXIII

145 Después de puesta la vida [21]
tantas veces por su ley
al tablero;
después de tan bien servida
la corona de su rey
150 verdadero;
después[22] de tanta hazaña
a que no pudo bastar
cuenta cierta,
en la su villa de Ocaña
155 vino la muerte a llamar
a su puerta,

XXXIV

diciendo: —«Buen caballero,
dejad al mundo engañoso
e su halago;
160 vuestro corazón de acero
muestre su esfuerzo famoso
en este trago;
e pues de vida y salud
fecisteis tan poca cuenta
165 por la fama,
esfuércese la virtud
para sufrir esta afrenta[23]
que vos llama.

XXXV

No se os haga tan amarga
170 la batalla temerosa[24]
que esperáis,
pues otra vida más larga,[25]
de fama tan gloriosa
acá dejáis.
175 Aunque esta vida de honor
tampoco no es eternal
ni verdadera,
mas con todo es muy mejor
que la otra temporal
180 perecedera.

XXXVI

El vivir que es perdurable
non se gana con estados
mundanales,
ni con vida delectable[26]
185 donde moran los pecados
infernales;
mas los buenos religiosos
gánanlo con oraciones
e con lloros;
190 los caballeros famosos,
con trabajos e aflicciones
contra moros.

XXXVII

E pues vos, claro varón,
tanta sangre derramasteis
195 de paganos,
esperad el galardón
que en este mundo ganasteis
por las manos;
e con esta confianza
200 e con la fe tan entera
que tenéis,
partid con buena esperanza,
que estotra vida tercera
ganaréis.»

[21] Este verso y los dos siguientes significan: «después de haberse jugado tantas veces la vida». [22] Este verso y los dos siguientes significan: «después de tan incontables hazañas». [23] La afrenta de ser vencido por la muerte. [24] *temerosa*, temible. [25] Este verso y los dos siguientes significan: «pues dejáis aquí otra vida más larga; la de la fama gloriosa». [26] *delectable*, deleitable, que causa deleite.

[Responde D. Rodrigo]

XXXVIII

205 —«Non tengamos[27] tiempo ya
en esta vida mesquina
por tal modo[28],
que mi voluntad está
conforme con la divina
210 para todo;
e consiento en mi morir
con voluntad placentera,
clara e pura,
que querer hombre vivir
215 cuando Dios quiere que muera
es locura.»

XL

Así, con tal entender,
todos sentidos humanos
conservados,
220 cercado de su mujer
y de sus hijos e hermanos
e criados,
dio el alma a quien se la dio
—el Cual la dio[29] en el cielo,
225 en su gloria—,
que aunque la vida murió
nos dejó harto consuelo
su memoria.

[27] *tengamos*, perdamos. [28] *por tal modo*, de esta manera. [29] *la dio*, la depositó.

- **Haz un análisis métrico de una copla del poema; por ejemplo, la última.**
- **¿Con qué se compara la vida humana en las coplas III y V?**
- **En un cierto momento, Manrique utiliza el tópico medieval del *ubi sunt*? («¿dónde están...?»). ¿En qué coplas?**
- **Si comparamos esta elegía con la de Trotaconventos (pág. 41), ¿qué reflexiones podemos hacer? (En particular, compárense las actitudes ante la vida y la muerte.)**

LÍRICA TRADICIONAL (4b)

LÍRICA TRADICIONAL CASTELLANA EN LA EDAD MEDIA

● Se creyó durante mucho tiempo que, en la Edad Media, Castilla no había poseído una *lírica cantada por el pueblo*, a diferencia de otras regiones como Galicia.

Hoy sabemos que sí que existió una lírica popular castellana, pero se trasmitía oralmente y *no se recogió por escrito hasta el siglo XV*. A partir de este siglo, algunos escritores, sensibles a su indudable belleza, intercalan ciertos estribillos en sus propios poemas (igual que, siglos antes, habían hecho los poetas judíos y árabes con las *jarchas* mozárabes). Así, el Marqués de Santillana, en una composición suya, introduce versillos que conocía por oírlos cantar al pueblo:

La otra con gran tristura
comenzó de sospirar
e decir este cantar
con muy honesta mesura:
«La niña que amores ha,
sola, ¿cómo dormirá?»

● Este gusto por los cantarcillos populares se fue desarrollando y, en adelante, se recogieron en *cancioneros* (incluso con la música), o se incluyeron en comedias, y hasta serían imitados por poetas cultos (en las páginas 138 y 139 veremos unas muestras del gran Lope de Vega).

● Llamamos **lírica tradicional castellana** al conjunto de aquellos *poemillas anónimos* que ha *cantado* el pueblo de Castilla. Tiene *inciertos orígenes*, y se mantuvo en el gusto popular en los siglos posteriores, hasta casi hoy mismo. Los eruditos han recopilado cerca de *tres mil* muestras de la antigua lírica popular. Muchas de ellas poseen un *origen claramente medieval*.

● Como veremos, esas cancioncillas recogen los más variados aspectos de la vida del pueblo: hay cantarcillos *de trabajo y de fiesta*, canciones *de cuna*, cantares *religiosos* o *fúnebres*; pero, como es natural, las *canciones de amor* son las más abundantes, y, entre ellas, destacan por su cantidad y su belleza aquellas en que es una mujer enamorada la que habla (*cancioncillas de amigo*).

LAS JARCHAS MOZÁRABES Y LA LÍRICA TRADICIONAL CASTELLANA

● Al descubrirse, en 1948, las *jarchas* mozárabes, quedó confirmado que Castilla poseyó lírica cantada, al igual que Galicia y el pueblo mozárabe. Si éste —cristianos que vivían en el territorio ocupado por los árabes— cantaba en su lengua románica aquellas canciones, ¿cabe imaginar que no lo hicieran los cristianos de las zonas no ocupadas?

● Pero, además, existe un curioso parentesco entre la mayoría de las *jarchas*, las *cantigas de amigo* gallego-portuguesas y muchísimas de las viejas cancioncillas castellanas: el hecho de que sean canciones puestas en boca de una mujer, aparte de otras semejanzas formales.

● El hallazgo de las jarchas aporta la prueba de que, desde los orígenes de las distintas lenguas peninsulares, en toda España hubo una lírica cantada en tales lenguas y de que, en gran medida, esas canciones *trataban temas comunes*.

VALOR LITERARIO DE LAS CANCIONES TRADICIONALES

● Si los cantares de gesta recogen el ímpetu *épico* del pueblo castellano, las canciones tradicionales nos descubren un gran sentir **lírico**. Suelen ser canciones muy breves que encierran sentimientos tan sencillos como hondos e intensos. Son como exhalaciones del espíritu que manifestaran en muy pocas palabras lo que el alma experimenta al estar enamorada, o cuando sufre, anhela o goza.

● El **lenguaje** de esta poesía es de una transparencia inigualable y, a la vez, de una gran densidad y una asombrosa capacidad de sugerir más de lo que dice. Añádase a ello la musicalidad de una variada **versificación**, siempre en metros cortos y ágiles, con estrofas como el *zéjel*, el *villancico glosado* (estribillo con estrofas que lo desarrollan) y otras que se apreciarán en las lecturas.

● En suma, la poesía popular constituye un inmenso tesoro de nuestra literatura.

CANCIONES TRADICIONALES

Planto, llanto y endecha

Eran canciones funerarias que expresaban el dolor por la muerte de un ser querido. Se cantaban desde muy antiguo: Alfonso X ordenó que los clérigos se retirasen de los entierros cuando los acompañantes «endechassen». He aquí un ***llanto*** *bellísimo: lo cantaron las* ***damas canarias*** *de la isla de La Palma en la muerte del caballero Guillén Peraza (1443):*

Llorad las damas, sí Dios os vala[1],
Guillén Peraza quedó[2] en la Palma,
la flor marchita de la su cara.
No eres palma, eres retama[3],
5 eres ciprés de triste rama,
eres desdicha, desdicha mala.

Tus campos rompan tristes volcanes,
no vean placeres, sino pesares,
cubran tus flores los arenales.
10 Guillén Peraza, Guillén Peraza,
¿dó[4] está tu escudo, dó está tu lanza?
Todo lo acaba la malandanza[5].

[1] Exhorto que significa «así Dios os valga». [2] *quedó*, dejó. [3] *retama*, arbusto de hojas muy amargas. [4] *dó*, dónde. [5] *malandanza*, mala fortuna.

Mayas

Eran canciones que exaltaban el triunfo de la primavera y del amor en el mes de mayo. No se conserva ninguna anterior a ésta, ya del siglo XVI. Es un zéjel.

Entra mayo y sale abril,
tan garridico le vi venir.

Entra mayo con sus flores,
sale abril con sus amores,
5 y los dulces amadores
comienzan a bien servir[6].

Canciones de trabajo

Para hacer más leves las faenas del trabajo, los campesinos cantaban, sobre todo durante la recolección. He aquí, como muestra, el famosísimo zéjel de las «tres morillas» (siglo XV):

Tres morillas me enamoran
en Jaén,
Axa y Fátima y Marién.

Tres morillas tan garridas
5 iban a coger olivas,
y hallábanlas cogidas
en Jaén,
Axa y Fátima y Marién.

Y hallábanlas cogidas,
10 y tornaban desmaídas[7]
y las colores perdidas
en Jaén,
Axa y Fátima y Marién.

Tres morillas tan lozanas,
15 iban a coger manzanas
y cogidas las hallaban
en Jaén,
Axa, Fátima y Marién.

- **Recuerda qué es un zéjel (libro de primer curso, págs. 249 y 250).**
- **¿Cuál es el verso de vuelta?**
- **¿Y el estribillo?**
- **Recuerda lo que decíamos a propósito de las repeticiones en la lengua literaria. ¿Se observan aquí?**
- **Es rasgo de la lírica popular la inmovilidad. ¿La confirma este zéjel?**

Canciones de amor

Como hemos dicho, el tema dominante en las canciones tradicionales es el amor. En la expresión de este sentimiento alcanza el lirismo castellano una belleza incomparable. Son poemillas breves pero hondos y, a veces, audaces. En las **albas**, *por ejemplo, una muchacha aguarda impaciente al amado, o se despide de él, como en ésta:*

Ya cantan los gallos,
amor mío y vete;
cata[8] que amanece.
Vete, alma mía,
5 más tarde no esperes,
no descubra el día
los nuestros placeres.
Cata que los gallos,
según me parece,
10 dicen que amanece.

---

[6] *servir*, amar. [7] *desmaídas*, desmayadas, sin fuerza. [8] *cata*, mira.

No falta, a veces, la malicia humorística:

¿Por qué me besó Perico,
por qué me besó el traidor?

Dijo que en Francia se usaba
y por eso me besaba,
5 y también porque sanaba
con el beso su dolor.

¿Por qué me besó Perico,
por qué me besó el traidor?

> **¿Te parecen tímidas estas mujeres del Cancionero tradicional?**
> **¿Qué rasgos psicológicos revelan estas dos mujeres?**

He aquí ahora algunas canciones de hombre enamorado:

Los cabellos de mi amiga
de oro son;
para mí, lanzadas son.

*

Si los delfines mueren de amores,
¡triste de mí!, ¿qué harán los hombres
que tienen tiernos los corazones?
¡Triste de mí! ¿Qué harán los hombres?

*

Estábame yo en mi estudio
estudiando la lición[9],
y acordéme de mis amores:
non podía estudiar, non.

La siguiente canción que el portugués ***Gil Vicente*** *incluyó en sus obras (1562) puede ser, sin embargo, tradicional castellana:*

Muy graciosa es la doncella,
¡cómo es bella y hermosa!

Digas tú el marinero
que en las naves vivías[10],
5 si la nave o la vela o la estrella
es tan bella.

Digas tú el caballero
que las armas vestías,
si el caballo o las armas o la guerra
10 es tan bella.

Digas tú el pastorcito
que el ganadico guardas,
si el ganado o los valles o la sierra
es tan bella.

> **Ésta es una joya de la poesía de tipo tradicional, aunque de autor conocido. El poeta no afirma, sino que pregunta a testigos si es cierta su afirmación. ¿A quiénes?**
> **Explica cómo se logra el *paralelismo*.**
> **¿En qué consistirá la *inmovilidad lírica* que caracteriza a la poesía tradicional?**

---

[9] *lición*, lección. [10] *vivías*, vives; es frecuente el empleo del imperfecto por el presente.

EL ROMANCERO (4c)

ROMANCERO VIEJO Y ROMANCERO NUEVO

Los **romances viejos** constituyen, con la *lírica tradicional* que hemos visto, un gran corpus de literatura folclórica española de enorme valor literario. Son poemas *anónimos*, *épicos* o *épico-líricos*, de versos *octosílabos* con asonancia en los *pares*.

● Llamamos **Romancero viejo** al conjunto de los *romances que se cantaban por los juglares y por el pueblo* desde mediados o finales del siglo XIV. Muy enriquecido durante el siglo XV, siguió siendo cantado por el pueblo en los siglos posteriores. Todavía en el nuestro se han recogido romances en diversos lugares de España y de la América hispana y entre los judíos sefardíes (es decir, descendientes de los que fueron expulsados de España en 1492).

● Este *Romancero viejo* debe distinguirse del **Romancero nuevo**, constituido por romances *escritos por los poetas cultos de los siglos XVI y XVII* (Cervantes, Lope de Vega, Góngora y Quevedo, entre otros), que, movidos por la belleza de los romances viejos, adoptan tal tipo de estrofa y enriquecen tanto los temas como los recursos formales. No son, por tanto, anónimos y folclóricos.

Torneo medieval, según una miniatura del siglo XV.

CÓMO SE HAN TRANSMITIDO LOS ROMANCES VIEJOS

● Muchos de estos romances viejos, ya lo hemos dicho, se han conservado en la *tradición oral* (es decir, transmitidos de padres a hijos), hasta hoy o hasta hace poco.

● Pero nos han llegado también en *cancioneros manuscritos* o *impresos*, recopilados, a partir del siglo XV, en *antologías* y *romanceros* publicados en los siglos XVI y XVII, y en pliegos sueltos que, durante estos siglos, se vendían a muy bajo precio por ferias y ciudades.

ORIGEN DE LOS ROMANCES

Dos tesis principales tratan de explicar actualmente el origen de los romances.

● Según la **tesis tradicionalista** de Menéndez Pidal y su escuela, los *romances* fueron, *en un principio, fragmentos de un cantar de gesta*, que, por gustar especialmente, se cantaban como poemas autónomos. Los versos largos del cantar, con frecuencia de dieciséis sílabas, y rima asonante entre sí, se dividieron en versos de ocho sílabas, y, por tanto, con rima sólo en los pares:

Llorando de los sus ojos, dijo entonces a Almanzor:
—Bien conozco estas cabezas, por mis pecados, señor...

Llorando de los sus ojos,
dijo entonces a Almanzor.
—Bien conozco estas cabezas,
por mis pecados, señor...

Esta explicación es indiscutible para cierto número de composiciones. A partir de ellas, se constituyó un género propio, el del *romance*, que —junto a temas de las viejas gestas— cantó hechos posteriores de la Reconquista y otros asuntos (novelescos, líricos, religiosos, etc.).

● Otros investigadores han sostenido una **tesis individualista**, según la cual los romances no proceden de cantares de gesta, sino que *fueron creados desde un primer momento como género independiente* por algún desconocido poeta, cuya invención obtuvo un éxito fulminante. Como razón se aduce que los romances más antiguos parecen tener carácter *lírico* o *novelesco*, no *épico* (como cabría esperar si procedieran de cantares de gesta). Esta teoría es válida, sin duda, para muchas composiciones, pero no puede negar la existencia de romances que, efectivamente, proceden de fragmentos de antiguos cantares de gesta.

CICLOS DE ROMANCES

● Atendiendo a su *temática*, se acostumbra a agrupar los romances en ciclos o conjuntos de composiciones que tratan de un mismo asunto. He aquí los principales:

—*Romances de tema épico nacional*: del rey don Rodrigo y la pérdida de España, de Fernán González, de los Infantes de Lara, del Cid, etc.

—*Romances fronterizos*: narraban sucesos contemporáneos de la frontera (del «frente» de la Reconquista, diríamos hoy); son famosos el de *Abenámar*, el de *Álora, la bien cercada*, etc.

—*Romances de tema francés*: sobre Carlomagno y Roldán, sobre los caballeros de la Tabla Redonda, sobre Tristán e Iseo...

—*Romances bíblicos o de la antigüedad clásica* (sobre la guerra de Troya, por ejemplo).

—*Romances novelescos y líricos.*

● En seguida veremos romances del primer grupo y del último.

PERMANENCIA DEL ROMANCE

Hemos dicho que, en el XVI, los poetas cultos empezaron a componer romances (el *Romancero nuevo*). El gusto por este género tan español declinó en el siglo XVIII, pero se reavivó con los ***poetas románticos*** (Duque de Rivas, José Zorrilla) en el XIX, y lo han cultivado los más importantes ***líricos*** contemporáneos: los Machado, Unamuno, Juan Ramón Jiménez, García Lorca, Alberti, Gerardo Diego, etc. Naturalmente, con una renovación total de los temas, y con predominante inspiración lírica o épico-lírica.

ROMANCES VIEJOS

Romances de tema épico nacional

Un grupo de ellos se refiere a la leyenda de los Infantes de Lara (o de Salas), que se sitúa en el siglo X (la leyenda, no los romances, que son cuatro o cinco siglos posteriores). Hubo un cantar de gesta en los siglos XIII o XIV que se refería a estos sangrientos sucesos, más tarde recordados, como decimos, en múltiples romances.

La leyenda: *Los siete infantes, hijos de* ***Gonzalo Gustos****, asisten a la boda de su tío* ***Rodrigo de Lara*** *con* ***doña Lambra****, en Burgos. Durante la fiesta, la novia se cree agraviada por los infantes, y Rodrigo promete vengarla. Prepara una trampa a sus sobrinos, que son decapitados por los moros. En la corte de Almanzor está prisionero Gonzalo; el caudillo moro le presenta las cabezas de sus hijos. Gonzalo tiene un hijo con una mora, llamado* ***Mudarra****, el cual venga la traición.*

El siguiente romance, famosísimo, describe el último episodio.

ROMANCE DE CÓMO MUDARRA VENGÓ A SUS HERMANOS

A cazar va don Rodrigo
y aun[1] don Rodrigo de Lara;
con la gran siesta[2] que hace,
arrimádose ha a un haya,
5 maldiciendo a Mudarrillo,
hijo de la renegada[3],
que si a las manos le hubiese,
que le sacaría el alma.
El señor estando en esto[4],
10 Mudarrillo que asomaba:

[1] *y aun*, fórmula antigua para introducir una repetición. [2] *siesta*, calor. [3] *la renegada*, la mora madre de Mudarra. [4] Cuando estaba diciendo esto.

—Dios te salve, caballero,
debajo la verde haya.
—Así haga a ti, escudero,
buena sea tu llegada.
15 —Dígasme tú el caballero[5]
¿cómo era la tu gracia[6]?
—A mí dicen don Rodrigo,
y aun don Rodrigo de Lara,
cuñado de Gonzalo Gustos,
20 hermano de doña Sancha[7];
por sobrinos me los hube
los siete infantes de Salas.
Espero aquí a Mudarrillo,
hijo de la renegada;
25 si delante lo tuviese,
yo le sacaría el alma.
—Si a ti dicen don Rodrigo,
y aun don Rodrigo de Lara,
a mí Mudarra González,
30 hijo de la renegada,
de Gonzalo Gustos hijo,
y alnado[8] de doña Sancha;
por hermanos me los hube
los siete infantes de Salas:
35 tú los vendiste, traidor,
en el val[9] del Arabiana;
mas si Dios a mí me ayuda,
aquí dejarás el alma.
—Espéresme[10], don Gonzalo,
40 iré a tomar las mis armas.
—El espera que tú diste[11]
a los infantes de Lara:
aquí morirás, traidor,
nemigo de doña Sancha.

Un romance del Cid

El ciclo más abundante de romances históricos es el que describe hazañas del gran héroe castellano del siglo XI *Rodrigo Díaz de Vivar, el* ***Cid Campeador.*** *Éste, como sabemos, fue desterrado de Castilla; para justificar el destierro, se forjaron diversas leyendas. Una es ésta: los caballeros leoneses aceptaron enseguida a Alfonso VI como rey; no así los castellanos, que sospechaban la intervención del monarca en el asesinato de su predecesor y hermano don Sancho. El Cid tomó juramento al monarca de que no había participado en aquel crimen en términos tan duros, que Alfonso VI lo desterró. He aquí la escena del juramento relatada por un célebre romance:*

JURA DE SANTA GADEA Y DESTIERRO DEL CID

En Santa Gadea de Burgos,
do juran los fijosdalgo,
allí le toma la jura[12]
el Cid al rey castellano.
5 Las juras[13] eran tan fuertes
que a todos ponen espanto;
sobre un cerrojo de hierro
y una ballesta de palo:
—«Villanos mátente Alfonso,
10 villanos, que non fidalgos;
de las Asturias de Oviedo,
que no sean castellanos.
Mátente con aguijadas[14],
no con lanzas ni con dardos,
15 con cuchillos cachicuernos[15],
no con puñales dorados;
abarcas traigan calzadas,
que non zapatos con lazos;
capas traigan aguaderas[16],
20 no de contray ni frisado[17];
con camisones de estopa,
non de holanda ni labrados[18],

[5] Dime tú, caballero. [6] *la tu gracia*, tu nombre. [7] *doña Sancha* era la esposa de don Gonzalo y madre, por tanto, de los infantes. [8] *alnado*, hijastro. [9] *val*, valle. [10] *Espéresme*, espérame. [11] Te concederé la espera que tú concediste (es decir, ninguna). [12] *jura*, juramento. [13] *juras*, términos del juramento. [14] *aguijadas*, varas con punta de hierro. [15] *cachicuernos*, con las cachas de cuerno; las cachas son las caras del mango. [16] *capas aguaderas*, capas rústicas contra la lluvia. [17] *contray*, *frisado*, tejidos nobles. [18] *labrados*, bordados.

vayan cabalgando en burras,
non en mulas ni caballos;
25 frenos traigan de cordel,
non de cueros fogueados.
Mátente por las aradas,
non por villas ni poblados,
y sáquente el corazón
30 por el siniestro costado,
si non dijeres verdad
de lo que te es preguntado:
si fuiste, ni consentiste
en la muerte de tu hermano.»
35 Jurado tiene el buen rey
que en tal caso no es hallado;
pero con voz alterada
dijo muy mal enojado:
—«Cid, hoy me tomas la jura
40 después besarme has la mano.»
Respondiérale Rodrigo,
como hombre muy enojado:
—«Por besar mano de rey
no me tengo por honrado;
45 porque la besó mi padre
me tengo por afrentado.»
—«Vete de mis tierras, Cid,
mal caballero probado,
y no me estés más en ellas
50 desde este día en un año.»
—«Pláceme, dijo el buen Cid,
pláceme, dijo de grado,
por ser la primera cosa
que mandas en tu reinado:
55 tú me destierras por uno[19],
yo me destierro por cuatro.»
Ya se despide el buen Cid
sin al rey besar la mano,
con trescientos caballeros,
60 esforzados fijosdalgos.
Todos son hombres mancebos
ninguno hay viejo ni cano;
todos llevan lanza en puño
con el hierro acicalado[20]
65 y llevan sendas adargas[21]
con borlas de colorado.

[19] *por uno*, por un año. [20] *acicalado*, bruñido. [21] *adargas*, escudos de cuero.

COMENTARIO DE TEXTO. JURA DE SANTA GADEA

Introducción

a El carácter del Cid ya no es, tantos siglos después, el del *Cantar*; allí, a pesar de haber sido tratado injustamente, es respetuoso súbdito. ¿Cómo es aquí?

b ¿Deduces de ello algún rasgo de los ideales del pueblo?

Análisis (contenido y expresión)

c Significado de los *versos 7-8.*

d ¿Se manifiesta el orgullo de los castellanos?

e ¿Qué estructura sintáctica se repite en las juras? ¿Qué efectos percibes con ello?

f ¿Se aplaca el Cid con el juramento del rey?

g Nada de lo que rodea al Cid puede desmerecer de él. Compruébalo.

Conclusión

h La épica popular se manifiesta de un modo elemental y extremado. Trata de razonar esta conclusión.

i Se intenta también que la imaginación del oyente sea vivamente impresionada y sacudida. Prueba tú a comentar esto.

Romances novelescos y líricos

He aquí tres joyas de nuestro Romancero viejo, en las que lo lírico y lo novelesco se funden íntimamente.

El Romance del prisionero *posee indudables concomitancias con las* mayas. *Éstas exaltaban la llegada del mes de mayo; el mismo tema es visto por un prisionero a quien le está vedado gozar de la primavera. Se trata de un bellísimo canto carcelero.*

En el Romance de Fonte frida *se desarrolla un tema folclórico: el de la fidelidad de la tórtola a su compañero muerto: hasta el agua que ha de beber enturbia, pues su pesar le impediría beberla clara.*

El Romance del infante Arnaldos, *quizá la obra maestra del Romancero, es una fantástica escena cuyo mayor encanto reside en el truncamiento (final interrumpido). Si éste existe en casi todos los romances que hemos leído, en el caso presente posee una especial fuerza poética.*

ROMANCE DEL PRISIONERO

Que por mayo era por mayo,
cuando hace la calor,
cuando los trigos encañan
y están los campos en flor,
5 cuando canta la calandria
y responde el ruiseñor,
cuando los enamorados
van a servir al amor,
sino yo, triste, cuitado,
10 que vivo en esta prisión,
que ni sé cuando es de día
ni cuándo las noches son,
sino por una avecilla
que me cantaba al albor[22].
15 Matómela un ballestero;
¡déle Dios mal galardón!

Con su intensa brevedad, muchos romances pintan un cuadro de gran frescura y viveza. Miniatura medieval.

ROMANCE DE FONTE FRIDA

Fonte frida[23], Fonte frida,
Fonte frida y con amor,
do todas las avecicas
van tomar[24] consolación,
5 si no es la tortolica
que está viuda y con dolor.
Por allí fuera a pasar
el traidor del ruiseñor;
las palabras que él decía
10 llenas son de traïción:
—Si tú quisieses, señora,
yo sería tu servidor.
—Vete de ahí, enemigo,
malo, falso, engañador,
15 que ni poso en ramo verde
ni en prado que tenga flor,
que si hallo el agua clara,
turbia la bebía[25] yo;
que no quiero haber marido
20 porque hijos no haya, no:
no quiero placer con ellos
ni menos consolación.
Déjame, triste enemigo,
malo, falso, mal traidor,
25 que no quiero ser tu amiga
ni casar contigo, no.

---

[22] *albor*, amanecer. [23] *Fonte frida*, fuente fría. [24] *van tomar*, van a tomar. [25] *bebía*, bebo (porque la enturbia antes).

¡Quién hubiera tal ventura
sobre las aguas del mar,
como hubo el infante Arnaldos
la mañana de San Juan!
5 Andando a buscar la caza
para su falcón cebar[26],
vio venir una galera
que a tierra quiere llegar;
las velas trae de seda,
10 la ejarcia[27] de oro torzal[28],
áncoras tiene de plata,
tablas de fino coral.
Marinero que la guía
diciendo viene un cantar
15 que la mar ponía en calma,
los vientos hace amainar;
los peces que andan al hondo,
arriba los hace andar,
las aves que van volando,
20 al mástil vienen posar[29].
Allí habló el infante Arnaldos,
bien oiréis lo que dirá:
«—Por tu vida, el marinero
dígasme ora[30] ese cantar.»
25 Respondióle el marinero,
tal respuesta le fue a dar:
—«Yo no digo mi canción
sino a quien conmigo va.»

---

[26] *su falcón cebar*, entrenar su halcón para la caza. [27] *ejarcia,* jarcias, aparejos y cabos de un barco. [28] *oro torzal*, cordoncillo de seda entretejido con oro. [29] *vienen posar*, vienen a posarse. [30] *dígasme ora*, dime ahora.

- **¿Cómo se pondera la ventura del infante?**
- **La acción del romance se desarrolla en un ambiente mágico, misterioso. Hazlo notar.**
- **¿Qué te parece su final?**

FERNANDO DE ROJAS(4d)

LA CELESTINA, COMEDIA HUMANÍSTICA

La Celestina es *la obra más importante de la literatura española*, si descontamos el *Quijote*.

● Está totalmente escrita en *forma dialogada*, pero no es representable, dada su gran extensión. Pertenece a un género característicamente medieval, llamado *comedia humanística*, creado por Petrarca en el siglo XIV, que alcanzó gran difusión en Italia. Y está destinada, pues, a la *lectura*, no a la representación.

Portada de una edición de La Celestina*: los amantes y sus criados ante la interesada mirada de la vieja alcahueta.*

LAS DOS VERSIONES DE LA OBRA. LA AUTORÍA

Hay dos versiones de la obra:

— La **primera**, publicada en Burgos en 1499, constaba de *dieciséis actos* y se titulaba *Comedia de Calisto y Melibea*.

— En 1502 aparece una segunda versión titulada *Tragicomedia de Calisto y Melibea*; tiene *cinco actos más*, es decir, un total de *veintiuno*. Constituye, pues, el texto definitivo.

● En los preliminares del libro leemos que el manuscrito del *primer acto*, escrito por un desconocido, llegó a manos del bachiller **Fernando de Rojas**, quien, entusiasmado al leerlo, decidió continuar la obra. Algunos críticos no lo creyeron así, pensando que una obra tan perfecta tenía que haber salido de una sola mano.

● La crítica actual ha confirmado las declaraciones de Rojas al demostrar que el estilo y las fuentes del *acto I* ofrecen claras diferencias con el resto. Pertenece, pues, a un *autor desconocido*. Los actos restantes de *La Celestina* pueden atribuirse, sin vacilación, a Fernando de Rojas.

FERNANDO DE ROJAS

Poseemos algunos datos seguros acerca de este escritor. Nació en La Puebla de Montalbán (Toledo) hacia 1475. Fue *converso* (judío convertido al catolicismo) o de familia conversa. Estudió Leyes en Salamanca. Fue Alcalde Mayor de Talavera de la Reina en 1538. Y poseyó una notable biblioteca, en la cual figuraban, por ejemplo, algunas obras latinas de Petrarca, cuya huella es tan abundante en *La Celestina* a partir del segundo acto. En un documento jurídico se le nombra, además, como autor de dicha obra.

SIGNIFICACIÓN Y TRASCENDENCIA DE *LA CELESTINA*

La obra de Rojas debe su trascendencia *al vigor con que los personajes viven pasiones incontenibles, llevadas al extremo de un desenlace trágico*.

● En primer lugar, ***la pasión del amor físico*** entre los jóvenes protagonistas, *Calisto y Melibea*. Para entablar relaciones y satisfacer sus deseos, se valen de los servicios de una vieja alcahueta, **Celestina**, que explota su amor y su lujuria.

● Este personaje, de hondas raíces medievales (recuérdese la Trotaconventos, del *Libro de Buen Amor*), encarna la *pasión de la codicia*. Rojas ha sabido crearlo con una potencia que lo convierte en uno de los grandes *personajes de la literatura mundial*, con fuerte *vida propia*. A su codicia se une su *falta de sentido moral*, servida por una astucia, unas veces sutil, otras grosera, y siempre despiadada. Y asombra su *profundo conocimiento del corazón humano*, que le permite manejar a los demás personajes.

● Melibea y Calisto viven en un mundo refinadamente burgués; Celestina se mueve entre ese mundo —al que halaga con su hipocresía— y el de los criados de Calisto y las gentes del prostíbulo. Fernando de Rojas, *por vez primera en la literatura mundial*, hace que personajes «nobles» y «plebeyos» convivan en una misma obra, dando a ambos idéntica importancia. Y mostrando que sólo se diferencian en las formas: para el autor —de un acérrimo sentido crítico— las bajas pasiones son comunes a unos y a otros.

El camino hacia el **realismo** estaba abierto. Y, además, con suma crudeza. De *La Celestina* dijo Cervantes: «Libro en mi entender divino, si encubriera más lo humano.»

ESTILO

La *mostración de pasiones*, por intensa que sea, no constituiría por sí sola una *obra artística*, si no se acertara a expresarla con *belleza literaria*, es decir, con un lenguaje de alto valor estético. Es lo que logró Rojas.

● Éste, en efecto, hace hablar a los personajes según su condición social y según las circunstancias. Se trata de una importante novedad.

● Calisto y Melibea se expresan en un *estilo elevado, culto*; en Calisto llega a ser de una *retórica hinchada y pedante*, con la que pretende encubrir su cruda pasión. A veces, los criados se burlan de cómo habla su amo.

● En cambio, los diálogos entre Celestina, los criados, las rameras y los rufianes son de intenso *sabor popular* y de gran *viveza*: frases cortas, exclamaciones, dichos salaces incluso. Y Celestina se caracteriza por emplear abundantes *refranes* (como hará Sancho Panza).

En conjunto, el lenguaje de *La Celestina* es de una *variedad* y una *riqueza* asombrosas.

LA CELESTINA

Encuentro de Calisto y Melibea

Una edición falsificada antigua situaba el encuentro de los jóvenes en el jardín de Melibea, donde Calisto había entrado persiguiendo su halcón. Pero se sospecha que Rojas imaginó que tal encuentro se produce en el interior de un templo, como ocurre en otras obras medievales; ello explica las referencias semiblasfemas de Calisto y sus exageraciones o hipérboles sacras *(tan corrientes, por otra parte, en la retórica amorosa del siglo XV).*

CALISTO.—En esto veo, Melibea, la grandeza de Dios.

MELIBEA.—¿En qué, Calisto?

CALISTO.—En dar poder a natura[1] que de tan perfecta hermosura te dotase, y facer a mi inmérito[2] tanta merced que verte alcanzase, y en tan conveniente lugar, que mi secreto dolor manifestarte pu-
5 diese. Sin dubda, incomparablemente es mayor tal galardón que el servicio, sacrificio, devoción y obras pías que por este lugar alcanzar yo tengo a Dios ofrecido. ¿Quién vido[3] en esta vida cuerpo glorificado[4] de ningún hombre como agora el mío? Por cierto, los gloriosos santos que se deleitan en la visión divina, no gozan más que yo agora en el acatamiento tuyo[5]. Mas, oh triste, que en esto diferimos: que ellos puramente se glorifican sin temor de caer de tal bienaventuranza, y
10 yo, mixto[6], me alegro con recelo del esquivo tormento que tu ausencia me ha de causar.

MELIBEA.—¿Por gran premio tienes este, Calisto?

CALISTO.—Téngolo por tanto, en verdad, que si Dios me diese en el cielo la silla sobre sus santos, no lo ternía[7] por tanta felicidad.

MELIBEA.—Pues aún más igual[8] galardón te daré yo si perseveras.

15 CALISTO.— ¡Oh bienaventuradas orejas mías, que indignamente tan gran palabra habéis oído!

MELIBEA.—Más desventuradas de que me acabes de oír. Porque la paga será tan fiera cual merece tu loco atrevimiento. Y el intento de tus palabras ha seído[9], como de ingenio de tal hombre como tú, haber de salir para se perder en la virtud de tal mujer como yo. ¡Vete, vete de ahí, torpe! Que no puede mi paciencia tolerar que haya subido[10] en corazón humano, conmigo el ilícito amor comu-
20 nicar su deleite[11].

CALISTO.—Iré como aquel contra quien solamente la adversa fortuna pone su estudio[12] con odio cruel.

[1] *natura*, la naturaleza. [2] *inmérito*, falta de mérito. [3] *vido*, vio. [4] *cuerpo glorificado*, es el cuerpo de los justos en el cielo tras la resurrección de la carne. [5] *en el acatamiento tuyo*, en la contemplación de ti. [6] *mixto*, mixtamente (en oposición a *puramente)*, mezcladamente, a la vez. [7] *ternía*, tendría. [8] *igual*, constante. [9] *seído*, sido. [10] *subido*, surgido. [11] *deleite*, «el deseo de compartir conmigo su loco amor». [12] *estudio*, cuidado, aplicación.

La Celestina *pone en pie una compleja trama en la que cada personaje se mueve por su propio egoísmo. Grabado de una edición de la obra.*

La vieja Celestina

El mancebo, así rechazado, comunica sus cuitas con el criado Sempronio; éste le propone que pida ayuda a Celestina, maestra en vencer la resistencia de las mujeres. Otro criado, Pármeno, previene a su señor contra ella, y se la describe en este celebérrimo y crudo parlamento.

PÁRMENO.—Si, entre cien mujeres, va y alguno dice: «¡Puta vieja!», sin ningún empacho luego vuelve la cabeza y responde con alegre cara. En los convites, en las fiestas, en las bodas, en las cofradías, en los mortuorios, en todos los ayuntamientos de gente, con ella pasan tiempo[13]. Si pasa por los perros, a aquello[14] suena su ladrido; si está cerca las aves, otra cosa no cantan; si cerca los ganados, balando la pregonan; si cerca las bestias, rebuznando dicen: «¡Puta vieja!» Las ranas de los charcos otra cosa no suelen mentar. Si va entre los herreros, aquello dicen sus martillos. Carpinteros y armeros, herradores, caldereros, arcadores[15]...: todo oficio de instrumentos forma en el aire su nombre. Cántanla los carpinteros, péinanla los peinadores; tejedores, labradores en las huertas, en las aradas, en las segadas, con ella pasan el afán cotidiano. Al perder en los tableros, luego suenan sus loores[16]. Todas cosas que son facen[17], a doquier que ella está, el tal nombre representan. ¡Oh, qué comedor de huevos asados era su marido[18]! ¿Qué quieres más? Sino que, si una piedra topa con otra, luego suena: «¡Puta vieja!»

Pero la resistencia de Pármeno a que su amo se relacione con Celestina es vencida por ésta y por Sempronio, que se ponen de acuerdo para explotar a Calisto. La vieja, ya su tercera, se entrevista con Melibea. Comienza a hablar con ella tratando de inspirarle lástima por ser vieja.

CELESTINA.—A la mi fe[19], la vejez no es sino mesón de enfermedades, posada de pensamientos[20], amiga de rencillas, congoja continua, llaga incurable, mancilla[21] de lo pasado, pena de lo presente, cuidado triste de lo porvenir, vecina de la muerte, choza sin rama que se llueve por cada parte, cayado de mimbre que con poca carga se doblega.

MELIBEA.—¿Por qué dices, madre, tanto mal de lo que todo el mundo, con tanta eficacia, gozar o ver desea?

CELESTINA.—Desean harto mal para sí, desean harto trabajo. Desean llegar allá porque llegando viven, y el vivir es dulce, y viviendo envejecen. Así, que el niño desea ser mozo, y el mozo viejo, y el viejo más, aunque con dolor. Todo por vivir, porque, como dicen, «viva la gallina con su pepita»[22]. Pero ¿quién te podría contar, señora, sus daños, sus inconvenientes, sus fatigas, sus cuidados, sus enfermedades, su frío, su calor, su descontentamiento, su rencilla, su pesadumbre; aquel arrugar de cara, aquel mudar de cabellos su primera y fresca color, aquel poco oír, aquel debilitado ver, puestos los ojos a la sombra[23], aquel hundimiento de boca, aquel caer de dientes, aquel carescer de fuerza, aquel flaco andar, aquel espacioso comer? Pues ¡ay, ay, señora!, si lo dicho viene acompañado de pobreza, allí verás callar todos los otros trabajos cuando sobra la gana y falta la provisión, que jamás sentí peor ahíto[24] que de hambre.

- **Celestina es diabólicamente elocuente. ¿Cómo define, con qué procedimiento gramatical, la vejez y los daños que produce la vejez? ¿Qué metáforas emplea?**
- **¿Produce la impresión de hablar con vehemencia y desorden, o se advierte que bajo esta impresión late un orden perfectamente calculado? Razona tu contestación.**

[13] *pasan tiempo*, se divierten. [14] Suena a «¡puta vieja!». [15] *arcadores*, vareadores de lana. [16] *sus loores*, sus alabanzas (esto es, también los perdedores dicen «¡puta vieja!»). [17] *son facen*, hacen sonido. [18] Así se llamaba a los maridos burlados. [19] *A la mi fe*, a fe mía. [20] *pensamientos*, ideas tristes. [21] *mancilla*, vergüenza. [22] «viva la gallina aunque esté enferma»; la *pepita* es una enfermedad de la lengua de las gallinas, que les impide cacarear. [23] Porque se hunden en las cuencas. [24] *ahíto*, hartazgo.

Muerte de Celestina

Celestina (acto VI) da cuenta a Calisto de la buena marcha de sus tercerías. El mancebo, loco de contento, vuelve a hacerle regalos. Celestina va a ver de nuevo a Melibea (acto X), que no puede ocultarle ya su amor por Calisto. Y al final, queda concertada una entrevista de los amantes en el huerto de Melibea, que no puede celebrarse y queda aplazada para la noche siguiente. Celestina ha cobrado su salario final: una cadena de oro. Pero Pármeno y Sempronio, los criados de Calisto, quieren participar en la ganancia. Y van a casa de la vieja, a exigirle parte del botín. Sin embargo, ella se niega de manera rotunda a darles nada, aunque trata de engatusarlos con buenas palabras (estamos en el acto XII).

SEMPRONIO.—Déjate conmigo de razones[25]. A perro viejo, no cuz cuz[26]. Danos las dos partes por cuenta de cuanto de Calisto has recibido, no quieras que se descubra quién tú eres. A los otros, a los otros con esos halagos, vieja.

CELESTINA.—Calla tu lengua, no amengües[27] mis canas. Que soy una vieja cual Dios me hizo, no peor que todas. Vivo de mi oficio, como cada cual oficial del suyo, muy limpiamente. A quien no me quiere, no lo busco. De mi casa me vienen a sacar, en mi casa ruegan. Si bien o mal vivo, Dios es el testigo de mi corazón. Y no pienses con tu ira maltratarme, que justicia hay para todos, y a todos es igual: tan bien yo oída[28], aunque mujer, como vosotros muy peinados. Y tú Pármeno, no pienses que soy tu cativa[29], por saber mis secretos y mi vida pasada, y los casos que nos acaecieron a mí y a la desdichada de tu madre[30].

PÁRMENO.—No me hinches las narices con esas memorias. Si no, enviarte he con nuevas a ella[31], donde mejor te puedas quejar.

CELESTINA.—(*Llamando.*) ¡Elicia, Elicia! Levántate desa cama, daca[32] mi manto presto, que, por los santos de Dios, para la justicia me vaya bramando como una loca. ¿Qué es esto? ¿Qué quieren de-

[25] *razones*, excusas. [26] Refrán: a quien es experimentado no se le puede engañar. [27] *amengües*, pierdas el respeto. [28] Tan bien seré yo oída por la justicia. [29] *cativa*, cautiva esclava. [30] Que fue su amiga y como ella; ha muerto. [31] *con nuevas a ella*, con noticias a mi madre; le amenaza, pues, con matarla. [32] *daca*, da acá, tráeme.

Melibea, al conocer la muerte de Calisto, se arroja desde lo alto de la torre. En su enfático planto final, Pleberio lamenta la fuerza destructiva del amor sin freno.

65 cir tales amenazas en mi casa? ¿Con una oveja mansa tenéis vosotros manos y braveza? ¿Con una gallina atada? ¿Con una vieja de sesenta años? ¡Allá, allá, con los hombres como vosotros, contra los que ciñen espada mostrad vuestras iras, no contra mí! Señal es de gran cobardía acometer a los menores y a los que poco pueden. Las sucias moscas nunca pican sino a los bueyes magros y flacos, los gozques[33] labradores a los pobres peregrinos aquejan con mayor ímpetu [...].
70 Como nos veis mujeres, habláis y pedís demasías. Lo cual, si hombre sintieseis en la posada, no haríais. Que, como dicen, el duro adversario entibia las iras y sañas.

SEMPRONIO.—¡Oh vieja avarienta, muerta de sed por dinero! ¿No serás contenta con la tercia parte de lo ganado?

CELESTINA.—¡Qué tercia parte! Vete con Dios de mi casa tú. Y esotro no dé voces, no allegue[34] la ve-
75 cindad. No me hagáis salir de seso, no queráis que salgan a plaza las cosas de Calisto y vuestras.

SEMPRONIO.—Da voces o gritos, que tú cumplirás lo que prometiste, o cumplirás hoy tus días.

CELESTINA.—¡Justicia, justicia, señores vecinos! ¡Justicia, que me matan en mi casa estos rufianes!

SEMPRONIO.—¡Espera, doña hechicera, que yo te haré ir al infierno!

CELESTINA.—¡Ay, que me ha muerto! ¡Ay, ay! ¡Confesión, confesión!

80 PÁRMENO.—Dale, dale, acábala, pues comenzaste, que nos sentirán[35]. ¡Muera, muera! De los enemigos, los menos.

CELESTINA.—¡Confesión!

---

[33] *gozques*, perrillos. [34] *allegue*, atraiga, haga venir. [35] *sentirán*, oirán.

COMENTARIO DE TEXTO. MUERTE DE CELESTINA

Introducción

a ¿Cuándo es más sincera Celestina, cuando hablaba con Melibea o ahora?

b ¿Cambia la vieja su argumentación de la primera réplica larga a la segunda? ¿En qué sentido?

Análisis (contenido y expresión)

c ¿Conocen bien los criados las artimañas de Celestina? ¿Hay alguna posibilidad de que sean engatusados?

d Señala algunos rasgos coloquiales y llanos en lo que dicen los criados.

e Las frases de Celestina, en su primera réplica, tienden a ser binarias, esto es, a constar de dos partes bien balanceadas, lo cual les da un carácter sentencioso. Hazlo notar.

f ¿Ocurre lo mismo en la segunda réplica, o se desequilibran las frases? ¿A qué se debe?

g Los rasgos de lenguaje popular, que reprimía Celestina con Melibea, brotan ahora. Señala algunos.

Conclusión

h Maestría de Rojas: la discusión tiene que producirse de modo que se justifique el asesinato de Celestina. ¿Cómo lo consigue?

i Ha de quedar también claro en el lenguaje el carácter violento y rufianesco de los personajes. ¿Cómo lo logra?

Pasión de Calisto y Melibea

Los asesinos de Celestina son decapitados por la justicia. Eso no detiene a Calisto, que acude al alto jardín de Melibea. Estando con ella, oye que sus criados riñen en la calle con unos rufianes. Echa una escala de cuerda para bajar, pero se cae.

CALISTO.—¡Oh, válgame Santa María! ¡Muerto soy! ¡Confesión!

TRISTÁN.—Llégate pronto, Sosia, que el triste de nuestro amo es caído de la escala, y no habla ni se
85 bulle[36].

SOSIA.—¡Señor, señor! Tan muerto es como mi abuelo. ¡Oh gran desventura!

LUCRECIA.—(*A Melibea.*) ¡Escucha, escucha! ¡Gran mal es este!

MELIBEA.—¿Qué es esto? ¿Qué oigo? ¡Amarga de mí!

TRISTÁN.—¡Oh, mi señor y mi bien muerto! ¡Oh, mi señor despeñado! ¡Oh triste muerte sin confe-
90 sión! Coge esos sesos de esos cantos y júntalos con la cabeza del desdichado amo nuestro. ¡Oh día aciago! ¡Oh arrebatado fin!

MELIBEA.—¡Oh desconsolada de mí! ¿Qué es esto? ¿Qué puede ser tan áspero acontecimiento como oigo? Ayúdame a subir, Lucrecia, por estas paredes: veré mi dolor. Si no, hundiré con alaridos la casa de mi padre. ¡Mi bien todo es ido en humo! ¡Consumióse mi gloria!

Melibea se encierra en la torre. Por una ventana, confiesa a su padre todo lo sucedido, y acaba arrojándose por ella. La tragicomedia termina con el llanto de Pleberio, que expresa el ***fin moral de la obra:*** *prevenir contra la pasión que ha destruido a aquellos infelices amadores.*

[36] *bulle*, mueve.

EJERCICIOS

Repaso de Gramática

1 Indica qué función sintáctica desempeñan las palabras o sintagmas en cursiva:

- Entra mayo *con sus flores*.
- *Me la* mató un ballestero. ¡Déle Dios mal galardón!
- Nuestras vidas son los ríos que van a dar *en la mar*.
- Este mundo es el camino *para el otro*.
- *De mi casa* me vienen a sacar.
- Sempronio llama *hechicera* a Celestina.

2 En el romance de la venganza de Mudarra (págs. 57 y 58), busca los *pronombres personales* e indica cuáles son sujetos y cuáles complementos.

3 Haz un análisis sintáctico completo de la siguiente oración:

- Jorge Manrique, poeta y guerrero, cayó herido en una batalla y murió poco después.

Expresión escrita

• **Narración y diálogo.**— Cuenta en prosa y con estilo personal lo que narra el ***Romance de cómo Mudarra vengó a sus hermanos***. (Pon atención en cómo reproduces el diálogo. Además, terminarás con un párrafo narrativo en que cuentes cómo Mudarra da muerte a don Rodrigo.)

EL SIGLO XVI (I). HUMANISMO Y RENACIMIENTO

Sin dejar de sentir una intensa inquietud religiosa, el hombre renacentista mira el mundo con ojos nuevos. Los hallazgos científicos, la difusión de la cultura clásica y, sobre todo, la confianza en el poder de la razón para explicar el mundo son los principales fundamentos de esta nueva visión. En la imagen, ilustración perteneciente a un Libro de Horas. Biblioteca Real Albert, Bruselas.

EL MARCO HISTÓRICO

Tras la época de los Reyes Católicos, dos reinados se reparten el siglo XVI: el de *Carlos I* (1517-1556) y el de *Felipe II* (1556-1598).

● El advenimiento de **Carlos I**, rey extranjero, originó la *guerra civil de las Comunidades* (1519-1521), ganada por el ejército real. En su reinado se guerrea contra Francia por la posesión de Italia. Y contra los protestantes alemanes. Se realizan grandes conquistas en América. El Imperio español ejerce la hegemonía mundial.

● Felipe II prosiguió la lucha contra Francia (victoria de San Quintín, 1557); contra los protestantes en los Países Bajos; contra los turcos (victoria de Lepanto, 1571), contra Inglaterra (derrota de la Invencible, 1588).

En el interior, dominó la sublevación de los moriscos y el alzamiento de Aragón promovido por su secretario, Antonio Pérez. Incrementó las conquistas en América y Asia, e incorporó Portugal a la corona española (1580). Pero, hacia finales del siglo, España comienza a resentirse de tanto esfuerzo.

EL MARCO SOCIAL Y CULTURAL

● Se consagra el *absolutismo* real. La *nobleza* se jerarquiza estrictamente; ocupan el último lugar los *hidalgos,* orgullosos y frecuentemente pobres. La *Iglesia* tiene un gran poder: dispone de casi la mitad de las rentas del país. La *burguesía* se desarrolla menos que en otros países. La situación dc las *clases populares* empeoró a partir de 1550; de ahí la abundante mendicidad y la picaresca.

● La **época de Carlos I** es de *expansión* económica y social, y de *apertura* a las corrientes europeas (erasmismo, italianismo...). Pero sucederá un *repliegue* hacia posturas más tradicionales y ortodoxas. Ello es muy visible en la **época de Felipe II**, en que se prohíbe estudiar en el extranjero, se endurece la censura de libros y la Inquisición redobla la persecución de toda novedad que parezca peligrosa. Fue también en aumento la enfermiza preocupación por la *limpieza de sangre,* es decir, por no tener antepasados moros o judíos (antisemitismo): se discriminaba a quien los poseía.

● Florecieron los estudios de *Geografía,Cartografía* y *Náutica.* En menor proporción, los de *Ciencias Naturales, Exactas* y *Medicina.* Mucho mayor desarrollo alcanzaron la *Teología,* o el *Derecho de Gentes* o *Internacional,* que es de creación española (*Francisco de Vitoria*).

● En las artes, España fue eminente. La **Arquitectura** desarrolla estilos inolvidables: el *plateresco* y el *herreriano* (El Escorial). Y, en **Pintura**, destacan *Juan de Juanes, Berruguete, Morales* y, sobre todos, *El Greco.*

LA RELIGIOSIDAD EN EL RENACIMIENTO

Europa experimenta hondas conmociones en el siglo XVI, con la Reforma protestante y con el Humanismo.

● La **Reforma** rompe la *unidad cristiana* de la Edad Media, apartando de la Iglesia católica a países como Alemania, Inglaterra, Suiza y Países Bajos. España defiende al Papado en el terreno político, e induce la convocatoria del *Concilio de Trento* (1545-1563) para afirmar la doctrina católica.

● Frente a los protestantes, el **Catolicismo** emprende su propia reformación (*Contrarreforma*). Se busca una *espiritualidad nueva* que lo devuelva a la pureza evangélica y lo defienda de la herejía. A ello obedece la fundación de la Compañía de Jesús por *Ignacio de Loyola,* y la reforma de los carmelitas por *Teresa de Jesús* y *Juan de la Cruz.*

La inquietud religiosa es, por entonces, enorme, y brotan frecuentes *herejías,* de orientación protestante o no. La *Inquisición* las persiguió (así como a cualquier rastro de judaísmo o islamismo).

EL HUMANISMO. PETRARCA, ERASMO

A la vez, el *movimiento humanístico* estaba en marcha. Ya vimos cómo se había *iniciado* en *Italia,* en el siglo XIV, con el impulso genial de Petrarca.

● **Francesco Petrarca** (1304-1374) difundió los ideales que enseguida expondremos. Señalemos ahora que escribió *en latín* y *en italiano.* Sus obras latinas, sobre todo las de filosofía moral, fueron leidísimas en el siglo XV (ya sabemos cómo influyeron en Fernando de Rojas). Pero, en *el siglo XVI,* fue mayor la repercusión de su obra italiana, sobre todo el ***Canzoniere*** ('Cancionero'), impresionante *conjunto de poemas de amor* inspirados por la vida y la muerte de su amada *Laura.* La influencia de Petrarca y de sus seguidores, tanto en los *temas* como en la *métrica,* que reciben los poetas españoles (Garcilaso de la Vega), franceses, ingleses y portugueses, marca la aparición del *Renacimiento* en las literaturas de estos países.

El petrarquismo y la poesía amorosa

Como hemos dicho, Petrarca cantó en su *Cancionero* a Laura, mujer casada que no le correspondió y a la que sigue adorando muerta. Veamos los rasgos esenciales de su concepción del amor:

— Sus raíces se remontan al «amor cortés»: amor imposible, amada inalcanzable, dolor que ennoblece, etcétera. Pero acentúa de modo muy personal la idea del amor como conflicto íntimo, como contradicción (vida y muerte, etc.).

— Da al amor un magno alcance: su logro va unido a la plenitud vital; su fragilidad va unida a la inconsistencia de la vida.

— La *Naturaleza* cobra gran importancia, ora como marco, ora como espejo de los estados de ánimo del poeta y enamorado.

— Y, sobre todo, Petrarca aporta un nuevo tono de autenticidad humana en la confesión de su intimidad.

Las Virtudes y las Artes, *miniatura de Niccoló da Bologna. Los creadores renacentistas por lo común conjugan el enfoque cristiano de la vida con la exaltación de los ideales de belleza de la tradición grecorromana.*

● El Humanismo se extenderá en los siglos XV y XVI por toda Europa (ya citamos a *Nebrija* en España).

● **En el siglo XVI**, el humanista más influyente fue el holandés **Erasmo de Rotterdam** (1467-1536). Junto a su estudio y difusión de los clásicos, brilló por su capacidad satírica (*Elogio de la locura*) y, sobre todo, como fustigador de las malas costumbres eclesiásticas. Propugnó un cristianismo puro, fundado más en la *espiritualidad interior* que en las ceremonias externas y fastuosas. Se hizo sospechoso de contactos con el protestantismo, pero se mantuvo dentro de la ortodoxia católica.

Las ideas morales y religiosas de Erasmo penetraron profundamente en ciertos sectores intelectuales españoles, dando origen al **erasmismo** español. Ese pensamiento impregna una parte considerable de nuestra literatura, pero fue combatido desde sectores religiosos más tradicionales.

LOS IDEALES HUMANÍSTICOS

● Como dijimos, el **Humanismo** —aunque sin cuestionar, en general, lo religioso— impone una **concepción antropocéntrica.** Precisemos lo que esto significa:

— En su centro, *el hombre*. Se exalta todo lo humano. El ideal educativo busca un desarrollo armónico del individuo. Ello va unido a un talante *vitalista* («Es hermoso vivir»).

— Con el convencimiento de la *dignidad del hombre,* se afirma que «el hombre es la medida de todas las cosas» y que, a su medida, puede organizarse armónicamente el mundo. Se profesa la *confianza en el poder de la razón* para explicar el universo y conocer la verdad (incluso en campos antes reservados a la fe). De ahí el *sentido crítico* y la *curiosidad* que lleva a los descubrimientos y a los avances de la ciencia.

— A ello se une una *nueva valoración de la Naturaleza,* llena de bellezas que serán fuente de contemplación, de goce y de inspiración.

● Los humanistas piensan que ese **ideal antropocéntrico** lo había vivido la *Antigüedad grecorromana.* Emprenden por ello la *restauración de los ideales clásicos.* Y los grandes autores griegos y latinos se convierten no sólo en objeto de estudio y veneración, sino de *imitación* en un doble sentido: son modelos de humanidad (*humanitas*) y de creación literaria.

● Ello pasaba forzosamente por el **estudio de las lenguas clásicas** en que tales tesoros estaban escritos. *Las lenguas griega* y, *sobre todo, latina son el camino inexorable que conduce a la recuperación de la dignidad del hombre que los humanistas se proponen.*

● Por otra parte, *los grandes humanistas italianos, junto con Erasmo* —que escriben normalmente en latín, aunque algunos componen obras en su lengua materna—, *son los maestros intelectuales de Europa.*

EL RENACIMIENTO

Es un ***movimiento europeo*** que, a lo largo del *siglo XVI*, aplica los *ideales humanísticos* a todas las actividades culturales (literatura, artes, filosofía, etc.) e incluso políticas.

● En todas esas actividades se adoptan modelos clásicos (la cultura clásica *renace*), adaptándolos a los nuevos tiempos. Especial devoción suscitaron Homero, Teócrito, Platón, entre los griegos, y Virgilio, Horacio, Ovidio, Cicerón, Séneca, etc., entre los latinos. Y el ejemplo de esos grandes modelos impulsó también una fuerte *creatividad original.*

Son también *muy estimados* y apreciados los grandes *humanistas y escritores* **italianos,** en quienes se ve una reencarnación de los genios de la antigua Roma. Junto a Petrarca, y los petrarquistas, citemos a Sannazzaro, Ariosto, Tasso, etc.

● Surgen en Europa las naciones, que aspiran a ser «nuevas Romas»: fuertes Estados centrales con proyección imperial. (Paradójicamente, Italia se encuentra fragmentada en pequeños estados, cuya posesión se disputan España y Francia.)

Por ello, aunque la veneración por el latín es tan grande, *se impulsa el cultivo literario de las lenguas propias de cada país,* como afirmación del ser nacional. Y se aspira a que las lenguas nacionales alcancen la elegancia y dignidad de la latina.

La sensibilidad renacentista, en la línea de Petrarca, convierte el amor en centro de gravedad de la vida. Su triunfo es la plenitud vital; su fracaso, una forma de muerte.
En la imagen, Los desposorios, *boda de judíos italianos, miniatura del siglo XV.*

OTRAS LITERATURAS

Literaturas europeas del siglo XVI

Francia	Italia	Inglaterra	Holanda	Portugal
—Ronsard. —Rabelais. —Montaigne.	—Ariosto. —Tasso.	—Shakespeare.	—Erasmo.	—Camoens.

EL SIGLO XVI (II). LA LITERATURA ESPAÑOLA EN SU PRIMER SIGLO DE ORO

El ideario renacentista sitúa al hombre en el centro de la escena, si bien bajo la tutela de la divinidad. Página del Códice de San Ildegardo.

LA LITERATURA RENACENTISTA ESPAÑOLA

Presenta un *deslinde* perfecto entre literatura **profana** y **religiosa**, consecuencia de la separación entre estas dos naturalezas del hombre que el Humanismo había impuesto (frente a la indistinción sacro-profana medieval).

● A la **literatura profana** la caracterizan estos hechos:

— En la **lírica**: se adoptan los *motivos poéticos* y *la métrica* del ***petrarquismo*** italiano.

— En la **narrativa**: persiste el gusto medieval por los *libros de caballerías*; pero nacen dos *géneros netamente españoles*: la **novela picaresca** y la **novela morisca**. Y se incorporan la **novela pastoril**, de imitación italiana, y la **novela bizantina**. Cierra el siglo la figura ingente de **Cervantes**.

● La **literatura religiosa**, de calidad excepcional *tanto en prosa como en verso*, se manifiesta con escritores de la grandeza de **Fray Luis de León**, y con el desarrollo de la *ascética* y de la *mística*.

● Esas dos mismas vertientes se distinguirán netamente en el **teatro**: hay un *teatro religioso*, de raíces medievales, y un *teatro profano*. En éste se ensayarán nuevas fórmulas, en parte de origen italiano, que conducirán hacia la fijación de nuestro «teatro nacional».

LA POESÍA LÍRICA. LOS METROS ITALIANOS

En la lírica se produce la *primera manifestación plena del Renacimiento*. La consolidación del influjo italiano tiene una fecha precisa: 1526, en que el diplomático italiano *Andrea Navagiero* se encuentra en Granada con el barcelonés **Juan Boscán** (1493?-1542) y lo anima a adoptar en español los temas y metros que se cultivaban en Italia. Boscán los ensayó con acierto, pero además convenció a su amigo **Garcilaso de la Vega** para que hiciera lo mismo. A Garcilaso dedicaremos la LECTURA 6a.

● Los **metros** que Boscán y Garcilaso introducen en nuestra poesía son el *endecasílabo* y *sus combinaciones con el heptasílabo*. Así aclimatan definitivamente diversas estrofas, como el *soneto*, *la lira*, *la estancia*, *los tercetos* encadenados y la *octava*.

EL PETRARQUISMO ESPAÑOL. HERRERA

● Ese cambio en las ***formas*** va acompañado de un cambio en los ***contenidos***. Éstos siguen refiriéndose al amor, pero con una nueva *sinceridad en los sentimientos*, según veremos al tratar de Garcilaso.

● A lo largo del siglo, los poetas que siguen esa línea constituyen la ***escuela petrarquista española***.

● Ya en la *época de Felipe II* descuella la figura de **Fernando de Herrera** (1534-1597), sevillano, quien cantó a su amada, la *condesa de Gelves,* como Petrarca a Laura y Garcilaso a Elisa. Pero trató también *temas patrióticos,* como en el robusto poema *A don Juan de Austria*.

Encabeza Herrera la ***escuela sevillana***: en ella se percibe una *ornamentación* mayor que en Garcilaso y en los castellanos, una abundante exhibición de recursos estilísticos. Dicha escuela representa en España el **Manierismo**, tendencia europea que se aleja del ideal de *sencillez refinada* que el Renacimiento se había impuesto en sus comienzos.

● Contemporáneo de Herrera, pero castellano, es **Fray Luis de León**, que *evita la temática amorosa de los petrarquistas*, pero adopta sus *formas* para escribir su *poesía de hondo valor religioso y moral* (LECTURA 6b).

LITERATURA RELIGIOSA. MÍSTICA Y ASCÉTICA

Como resultado del impulso que el *Cardenal Cisneros* había dado al estudio de los escritores espirituales europeos a principios de siglo, aparece tardíamente en España una **literatura ascética y mística**, cuyo esplendor se había producido en otros países un siglo antes.

● La **ascética** se ocupa de *los esfuerzos que el espíritu debe realizar para alcanzar la perfección moral.*

Entre los escritores ascéticos destacó **Fray Luis de Granada** (1504-1588), dominico y gran predicador. Con una *prosa* vigorosa, aprendida en Cicerón, escribió obras muy importantes, como la *Guía de pecadores* o la *Introducción al símbolo de la fe.*

● La **mística** trata, *en prosa o en verso*, de los fenómenos, difícilmente describibles, que experimentan *algunos justos (los místicos) al entrar el alma, por la oración, en contacto directo con Dios.*

La *ascética* es una parte de la *mística*: todo místico debe ser asceta. Pero no todos los ascetas logran vivir experiencias místicas. Éstas son un *regalo de Dios* a almas absolutamente excepcionales.

VÍAS MÍSTICAS

Según los místicos, el alma, hasta llegar a la unión con Dios, pasa por tres fases o «vías»:

— **Vía purgativa**. Proceso duro y áspero en que el alma se desprende de las apetencias mundanas y se purifica.

— **Vía iluminativa**. Tras la purificación, viene una «luz» o un saber sobrenatural acerca de Dios y sus misterios.

— **Vía unitiva**. El alma, arrebatada por Dios, se une o funde totalmente con Él; es el éxtasis o «matrimonio espiritual», en el que se anulan todos los sentidos. El gozo que entonces se produce es *inefable*: no puede describirse con palabras.

● Geniales escritores místicos fueron **Santa Teresa de Jesús** y **San Juan de la Cruz** (a éste se dedica la LECTURA 6c).

SANTA TERESA DE JESÚS

Se llamó Teresa de Cepeda y Ahumada (1515-1582). Nació en Ávila. Fue *carmelita* y dedicó su vida a *reformar* su orden, estragada por corruptelas. Imponiéndoles una regla austera, *fundó diecisiete conventos.* Y escribió numerosas obras en prosa, por encargo de sus confesores, para dar cuenta de sus *experiencias místicas* y para *adoctrinar a las monjas reformadas.*

● Destacan, entre tales obras, el *Libro de su vida, El castillo interior* o *Las moradas*, y el *Libro de las fundaciones*, donde relata las que llevó a cabo.

● La sencillez y sinceridad, que fueron norma de esta extraordinaria mujer, son también características de su estilo. Su prosa es, en gran medida, *castellano coloquial*, muchas veces con rusticismos y vulgarismos, sin ningún retoque. Pero emana de ella una frescura y una gracia que la sitúan entre los mejores prosistas de nuestra lengua.

Compuso también *poesías en metro corto y popular* —es decir, fuera de la línea garcilasiana—, que poseen la misma espontaneidad que su prosa.

He aquí una muestra del estilo de Santa Teresa. Pertenece al **Libro de su vida** *(1562) y describe lo que llama un arrobamiento, esto es, la íntima fusión con Dios que se produce en la vía unitiva. Se observarán los vulgarismos y los anacolutos (pérdida de la coherencia sintáctica en algunos momentos). Pero puede percibirse que, como Fray Luis de León decía, esa prosa es el castellano mismo.*

Un arrobamiento

Viénenseme algunas veces unas ansias de comulgar tan grandes que no sé si se podría encarecer. Acaecióme una mañana que llovía tanto que no parece hacía para salir de casa. Estando yo fuera de ella, yo estaba ya tan fuera de mí con aquel deseo, que aunque me pusieran lanzas a los pechos me parece entrara por ella, cuantimás agua. Como llegué a la iglesia, diome un arrobamiento grande. Parecióme vi abrir los cielos, no una entrada como otras veces he visto. Representóseme el trono que dije a vuestra merced he visto otras veces, y otro encima de él, adonde por una noticia que no sé decir, aunque no lo vi, entendí estar la Divinidad. Parecíame sostenerle unos animales: a mí me parece he oído una figura de estos animales: pensé si eran los evangelistas. Mas cómo estaba el trono, ni qué estaba en él, no lo vi, sino muy gran multitud de ángeles; pareciéronme sin comparación con muy mayor hermosura que los que en el cielo he visto. He pensado si son serafines u querubines, porque son muy diferentes en la gloria, que parecía tener inflamamiento. Es grande la diferencia, como he dicho, y la gloria que entonces en mí sentí no se puede escribir, ni la podrá pensar quien no hubiere pasado por esto.

Entendí estar allí todo junto lo que se puede desear, y no vi nada. Dijéronme, y no sé quién, que lo que allí podía hacer era entender que no podía entender nada, y mirar la nonada que era todo en comparación de aquello. Es ansí que se afrentaba después mi alma de ver que puede parar en ninguna cosa criada, cuantimás aficionarse a ella, porque todo me parecía un hormiguero.

Comulgué y estuve en la misa, que no sé cómo pude estar. Parecióme había sido muy breve espacio; espantéme cuando dio el reloj y vi que eran dos horas las que había estado en aquel arrobamiento y gloria. Espantábame después cómo en llegando a este fuego, que parece viene de arriba, de verdadero amor de Dios (porque aunque más lo quiera y procure y me deshaga por ello, si no es cuando Su Majestad quiere, como he dicho otras veces, no soy parte para tener una centella de él), parece que consume el hombre viejo de faltas y tibieza y miseria, y a manera de como hace el ave fénix —según he leído— y de la mesma ceniza después que se quema sale otra, ansí queda hecha otra alma después, con diferentes deseos y fortaleza grande: no parece es la que antes, sino que comienza con puridad el camino del Señor. Suplicando yo a Su Majestad fuese ansí y que de nuevo comenzase a servirle, me dijo: «Buena comparación has hecho: mira no se te olvide, para procurar mijorarte siempre».

LA PROSA NARRATIVA. LOS LIBROS DE CABALLERÍAS

● Durante la *primera mitad del siglo*, el género novelesco dominante fue el de los **libros de caballerías**. Como dijimos, era un género medieval (y de influencia francesa) que había sustituido, en cierto modo, a los poemas épicos, alimentando sueños heroicos con aventuras desmesuradas y fantásticas.

El más importante fue el ***Amadís de Gaula***, escrito en el siglo XV (o tal vez XIV), pero que nos ha llegado en una versión de 1508, debida a *Garci Rodríguez de Montalvo*. Es el relato de las portentosas hazañas que, en reinos imaginarios, realiza Amadís, en nombre de su amada Oriana.

● Estos libros eran las «novelas de aventuras» de la época. El género tuvo muchos cultivadores, con frecuencia disparatados, que gozaron del favor popular. Fueron censurados por los moralistas, que los tachaban de *perniciosos para la imaginación*. Dejaron de escribirse (pero no de leerse) cuando Cervantes publicó el *Quijote* contra ellos.

NUEVOS GÉNEROS NARRATIVOS

A *mediados del siglo XVI* surgen otros *géneros novelescos* que disputan a los libros de caballerías el gusto de los lectores. Los principales son, como dijimos, la ***novela pastoril***, la ***morisca***, la ***bizantina*** y la ***novela picaresca***.

Las tres primeras tienen en común un carácter *idealista* (realidad estilizada, personajes delicados) frente al *realismo* de la picaresca.

LAS NOVELAS PASTORIL, BIZANTINA Y MORISCA

La primera novela pastoril que se publicó en España fue la titulada *Los siete libros de Diana* o *La Diana* (hacia 1559), obra del escritor portugués —aunque escribió en español— **Jorge de Montemayor**.

● El género había sido creado en Italia por *Jacopo Sannazaro*, cuya novela *Arcadia* fue traducida e imitada en toda Europa. En tales novelas, unos pastores refinados, en un campo idealizado y bello, aman, padecen de celos, lloran, cantan hermosas canciones, sufren encantamientos, alcanzan unos el amor de sus pastoras, y otros lo pierden irremisiblemente. La expresión es exquisita y artificiosa, cuajada de característicos *epítetos*. Más tarde, cultivarán el género, entre otros, **Cervantes** (*La Galatea*) y **Lope de Vega** (*La Arcadia*).

● Se llama **novela bizantina** al género que se introdujo a raíz de la traducción del relato *Teágenes y Cariclea*, escrito en griego, en el siglo III después de Cristo, por *Heliodoro*, narrador de Bizancio (Constantinopla). A imitación de esta novela, que describe las fantásticas aventuras de dos amantes por lugares y tiempos imaginarios, hasta que logran reunirse, se escribieron varias en España durante el siglo XVI. Pero sus ejemplos más destacados serán, ya en el siglo XVII, otras obras de **Cervantes** (*Persiles*) y **Lope de Vega** (*El Peregrino en su patria*).

● La primera **novela morisca** de nuestras letras es la titulada *Historia del Abencerraje y de la hermosa Jarifa* (1551), de autor desconocido. Estas novelas, típicamente españolas, narran imaginadas peripecias entre cristianos y moros, que rivalizan en cortesía y gentileza durante la Reconquista.

LA NOVELA PICARESCA

Es el más importante de los *géneros narrativos* del Renacimiento. Lo crea una novela *anónima*, genial, el ***Lazarillo de Tormes*** (1554). Le dedicaremos la LECTURA 6d. La segunda aportación al género —lo fija definitivamente— es la *Vida del pícaro Guzmán de Alfarache*, publicada en 1599 por el gran escritor sevillano **Mateo Alemán**.

> En el *siglo XVII* continuaron publicándose novelas picarescas, como *La pícara Justina* (1605) de **Francisco López de Úbeda**, *La vida del escudero Marcos de Obregón* (1618) de **Vicente Espinel**, y *El Buscón* (1626), de **Francisco de Quevedo**, que estudiaremos más adelante.

● Los *rasgos* principales que configuran el género picaresco, establecidos en lo esencial por el *Lazarillo* y el *Guzmán*, son éstos:

— el protagonista, el *pícaro* o la *pícara*, narra su propia vida (relato autobiográfico), *desde la infancia* (la narrativa, hasta entonces, sólo contaba con protagonistas adultos);

— es *hijo de padres sin honra*; empieza declarándolo cínicamente;

— es *ladrón* y utiliza tretas ingeniosas para robar;

— aspira a ascender en la escala social, pero *no logra salir de su estado miserable*;

— cuando parece que ha logrado un éxito en sus planes, le sucede una desventura; *suerte* y *desgracia se alternan en su vivir*;

— no narra nunca sucesos fantásticos, sino verosímiles (*realismo*).

● Como ya veremos al hablar del *Lazarillo*, la ***novela picaresca española***, junto con el *Quijote*, induce el nacimiento de la llamada **novela moderna**, por tratar de asuntos de la *realidad contemporánea*, y no de invenciones imaginarias y fantásticas como, hasta entonces, había ocurrido en la narrativa antigua, medieval o renacentista (libros de caballerías, novelas pastoriles, moriscas, bizantinas, etc.).

Entre otras radicales novedades, la novela picaresca supuso la irrupción del mundo de la infancia en la narrativa. Niños harapientos jugando, *de Murillo.*

CERVANTES

Como ya sabemos, en *el cruce entre los siglos XVI y XVII* vive nuestro máximo escritor, **Miguel de Cervantes**. Su obra maestra, el *Quijote*, presenta una complejidad mayor que las novelas picarescas; pero había aprendido en el *Lazarillo* la gran lección del *realismo*. Nos ocuparemos de Cervantes en la LECTURA 6e.

EL TEATRO EN EL SIGLO XVI

● Recordemos que la única obra de nuestro primitivo teatro que se conservaba era la *Representación de los Reyes Magos* (siglo XIII). Habría que esperar hasta el siglo XV para encontrar un nuevo texto: una *Representación del Nacimiento de Nuestro Señor*, escrita en verso por **Gómez Manrique** (tío de Jorge Manrique).

● ***A fines del XV y principios del XVI***, el teatro alcanza ya plena presencia —aparte las ceremonias *religiosas*— en los *salones palaciegos* y *universitarios*. He aquí sus principales figuras:

— El salmantino **Juan del Encina** (1468-1529), a quien se ha llamado «patriarca del teatro español», escribe sus *Églogas*, aún inspiradas en *asuntos religiosos* (la Navidad y la Pasión), con intervención de pastores. Más tarde, y tras una larga estancia en Roma, adopta modelos italianos, y compone *obras profanas* de tema amoroso (*Cristino y Febea)*. Estas obras se representaban sólo en salones palaciegos o en la Universidad de Salamanca.

— En la misma línea se sitúa **Lucas Fernández**, también salmantino (1474-1542), quien, aparte sus *Farsas*, merece recordarse por su *Auto de la Pasión*, sin duda la obra maestra de este género en la época.

— **Bartolomé Torres Naharro**, extremeño (¿1485?-1520), escribió comedias de dos tipos: unas que llamó «comedias a noticia», es decir, realistas (*Soldadesca*, etcétera); otras «a fantasía», de invención novelesca (*Himenea*, etc.).

— **Gil Vicente** (¿1465-1536?), portugués, escribió en su lengua y en castellano. Su producción presenta una mayor variedad: teatro religioso, de temas caballerescos, costumbrista, de enredo, etc. Pero lo más notable de sus obras, en las que ocupa un papel importante la música, son los *elementos líricos*, deliciosas cancioncillas que esmaltan el desarrollo de la trama y que revelan una finísima sensibilidad para la poesía de tipo tradicional. Citemos unos títulos: *Trilogía de las barcas*, de tema análogo a las «Danzas de la Muerte», *Auto de la sibila Casandra, Tragicomedia de Don Duardos, Comedia del viudo*...

● A partir de 1535, nuestro teatro se enriquecerá con la llegada de compañías italianas, que traen su propio repertorio, y que alcanzan un gran éxito.

● Siguiendo su ejemplo, el sevillano **Lope de Rueda** (muerto en 1565) *funda la primera compañía teatral española*, y recorre el país representando *comedias* propias, inspiradas en las italianas. Pero, sobre todo, debe su fama a sus ***Pasos***, que se intercalaban en los actos de una comedia o en los entreactos. Son *breves obritas* cómicas, con *personajes populares* y ambiente realista, con diálogos agudos y graciosos, que constituyen el precedente de los *entremeses*, tan cultivados después (Cervantes, etc.). Citemos algunos *pasos*: *Las aceitunas, El convidado, Cornudo y contento*... Con Lope de Rueda aparece —junto al teatro religioso o cortesano— un *teatro popular*.

● ***En la segunda mitad del siglo XVI***, se suceden los intentos para hallar fórmulas teatrales que satisfagan al público, en especial, *tragedias*. Se adoptan modelos latinos —Séneca, sobre todo— y los temas son de abolengo clásico. Pero, lo que es más importante: a ellos se añadirán pronto argumentos tomados de la historia nacional. Es un hallazgo que se debe a otro sevillano, **Juan de la Cueva** (1543-1610), con obras sobre *Los siete infantes de Lara* o *La muerte del rey don Sancho*. Otros autores seguirán por este camino (el mismo **Cervantes**, con *La Numancia*).

Retengamos que en el siglo XVI hay tres tipos de teatro:
— *un teatro religioso* o eclesiástico, que se representa en las ceremonias religiosas;
— *un teatro de salón*, palaciego o universitario;
— *un teatro popular*, que se representa en plazas, «corrales», etc. (como el de los cómicos italianos o Lope de Rueda).

De estos tres tipos de teatro, será el tercero el que prevalecerá a fines de siglo y en el siglo XVII en España (a diferencia de Francia, por ejemplo, cuyo «teatro nacional» procede del cortesano).

Todos los intentos anteriores serán aprovechados en parte, pero sobre todo superados, por **Lope de Vega** (1562-1635), quien, como veremos, forjará la fórmula definitiva de nuestro «teatro nacional».

LA LENGUA LITERARIA EN EL SIGLO XVI

Ofrece una *gran diversidad*, según los *géneros literarios*.

- En la *lírica*, **Garcilaso** implanta el *ideal cortesano* de la sencillez elegante. Se trata de *huir de la afectación*, pero «sin caer en la sequedad.» Sin embargo, a medida que avanza el siglo, hay una tendencia a aumentar los *artificios de lenguaje*, a *exhibir el estilo*, originándose, según dijimos, el **Manierismo** (Herrera), que preludia al ya inminente *Barroco*. **Fray Luis** y **San Juan de la Cruz** se ciñen, sin embargo, a una perfecta *sobriedad clásica*, nada manierista.

- En la ***prosa doctrinal***, **Fray Luis de León** introducirá una *maravillosa armonía*, como veremos. **Santa Teresa** renuncia, por el contrario, a todo adorno, y adopta un «estilo ermitaño», voluntariamente desaliñado muchas veces, lleno de encanto.

- La ***novela pastoril*** presenta una prosa refinada. Refinamiento y sencillez alternan en la ***novela morisca***. Por fin, el ***Lazarillo de Tormes*** acentúa la *sobriedad funcional del estilo*, y realiza los avances que veremos.

- **Cervantes**, finalmente, en las *Novelas ejemplares* y en el *Quijote*, profesa también el ideal de la *naturalidad expresiva*, sin caer tampoco en tentaciones manieristas o barrocas. Y así, aconseja escribir «a la llana, con palabras significantes, honestas y bien colocadas [...], dando a entender nuestros conceptos sin intrincarlos y oscurecerlos». Continuaba, pues, *firme en los más tempranos ideales renacentistas*.

LITERATURA RENACENTISTA

SIGLO XV — SIGLO XVI — SIGLO XVII

1500 — 1550 — 1600

Autor	Inicio	Fin
Boscán	1493?	1542
Garcilaso	1501?	1536
Lope de Rueda	?	1565
Santa Teresa	1515	1582
Lazarillo	1554	
Fray Luis de León	1527	1591
Herrera	1534	1597
San Juan de la Cruz	1542	1591
Juan de la Cueva	1543	1610
Mateo Alemán	1547	1614?
Cervantes	1547	1616

GARCILASO DE LA VEGA (6a)

Retrato anónimo de Garcilaso de la Vega perteneciente al castillo de Batres (Madrid).

OBRA

Es *exclusivamente poética* y muy breve:

— unas pocas composiciones tempranas en los metros del *arte real* castellano;

— y en **metros italianos**, una *oda*, dos *elegías*, tres *églogas*, cuatro *canciones* y treinta y ocho *sonetos*.

● *No publicó ni un solo verso en vida*. Al morir su amigo *Juan Boscán*, la viuda de éste imprimió los textos de ambos en un solo volumen (1543). Pronto, sus poesías se publicaron aparte, y comenzó el reconocimiento de su *genialidad*, que *no ha cesado hasta nuestros días*.

Garcilaso no ha cesado de seducir a lectores y poetas de todos los tiempos. Rafael Alberti lo ha evocado así:

Si Garcilaso volviera
yo sería su escudero,
que buen caballero era.
Mi traje de marinero
se trocaría en guerrera
ante el brillar de su acero;
que buen caballero era.
¡Qué dulce, oírle, guerrero,
al borde de su estribera!
En la mano, mi sombrero;
que buen caballero era.

VIDA

● Garcilaso encarna como nadie el ideal renacentista del hombre completo: guerrero, cortesano, músico, poeta...

Nació en Toledo (h. 1501), de familia ilustre. Intervino en la guerra de las Comunidades a favor de Carlos I y tomó parte en diversas campañas imperiales. Ya casado, se enamoró de Isabel Freire, dama de la reina. No fue correspondido: ella se casó con otro y murió pocos años después. El poeta la cantó «en vida y en muerte». Murió Garcilaso en Niza (1536) de las heridas sufridas al intentar escalar una torre en Provenza, en acción de guerra contra Francia.

SIGNIFICADO DE SU OBRA

● Garcilaso empieza, en efecto, cultivando la poesía del *arte real* de los Cancioneros. Cuando Juan Boscán, como dijimos, le hace leer poetas italianos (a Petrarca mismo), queda deslumbrado: allí no hay juegos conceptuales, sino que un corazón enamorado trata de *comunicar, con elegante naturalidad, emociones sinceras*. No se trata de exhibir ingenio, sino de que dos espíritus, el del *poeta* y el del *lector, se fundan en un mismo sentimiento*.

Por otra parte, el ***endecasílabo*** —de mayor amplitud que el octosílabo— permitía que las frases fluyeran con mayor naturalidad. Y las estrofas (tan perfectas, en especial el *soneto*) propiciaban un *juego más libre*.

● Garcilaso, en suma, aprende una nueva armonía entre la *forma poética* y la *emoción lírica*. No sólo implanta unos metros: aporta un ***lirismo que busca la comunión con el lector***. Fue una *revolución* que cambiaría el rumbo de la poesía española. En rigor, *con él empieza nuestra lírica moderna*. Nadie ha dejado de reconocer en Garcilaso la calidad de fundador y maestro indiscutible de la *lírica amorosa*.

TEMAS: EL AMOR, LA NATURALEZA

● El **tema** casi exclusivo de Garcilaso ***es el amor***. Es la gran fuerza capaz de dar sentido a la vida; pero, a menudo, es también algo inalcanzable o frágil, y el desamor puede sumir al enamorado en un «dolorido sentir». Son aspectos que se hallaban ya en el «amor cortés» y, sobre todo, en Petrarca, pero en Garcilaso resultan hondamente vividos, de una intensa autenticidad.

● Junto al amor, ocupa un lugar muy especial la ***Naturaleza***. Como marco de los sentimientos, parece que se contagia de la plenitud o de la tristeza, pero lo que domina es el paisaje estilizado, bello, armónico. Lo mostrarán de modo eminente los fragmentos de la *Égloga I* que leeremos.

EL LENGUAJE Y LA MÉTRICA

● Según el ideal renacentista, *naturalidad* y *elegancia* se aúnan en Garcilaso. Quiso «huir de la afectación» sin caer en la «sequedad». Consiguió un *equilibrio clásico* entre pasión y contención. Equilibrio también entre lengua culta y lengua familiar: aprovecha ciertas expresiones coloquiales por su intensidad afectiva. Junto a ello, su anhelo de armonía y perfección se manifiesta en recursos como los paralelismos, las simetrías, la elegancia de la adjetivación... A este respecto, son memorables los *epítetos* con que plasma la perfección de la naturaleza.

La impresión que nos deja su estilo es de equilibrio, de fluir armonioso.

● A la perfecta **versificación** se debe, en buena medida, esa impresión. Su asimilación del ritmo nuevo es absoluta. De los *endecasílabos*, y de sus combinaciones con *heptasílabos*, sabe obtener todas las modulaciones que requieren los sentimientos. Tal vez nadie ha igualado a Garcilaso en musicalidad.

Magistral es también su manejo de las nuevas estrofas: sonetos, tercetos, estancias, liras...

POESÍA ITALIANIZANTE Y MÉTRICA TRADICIONAL

● La revolución poética de Garcilaso encontró resistencias entre los partidarios del octosílabo tradicional. Los acusaban a él y a Boscán de «traidores», de que sus versos resultaban «blandos y feminiles», y de que no se sabía «si eran verso o prosa». Se reconocía así, por un lado, la nueva emoción lírica; y, por otro, la elegante sencillez de su lenguaje.

Pero el triunfo de la nueva escuela italianizante fue absoluto. Incluso apartó a muchos poetas del cultivo de la métrica tradicional octosilábica. Sin embargo, a fines del siglo XVII, ésta será recuperada por nuestros grandes líricos (Lope y Góngora, sobre todo), que alternan su uso con el del endecasílabo. En ese contacto entre ambos metros, el octosílabo castellano se refina y se hará apto para la nueva expresión poética.

Entre las estrofas que Garcilaso introdujo figura la **lira**. Se llama así porque esa palabra aparece en el primer verso de la canción *A la flor de Gnido*:

> *Si de mi baja* ***lira***
> *tanto pudiese el son que, en un momento,*
> *aplacase la ira*
> *del animoso viento*
> *y la furia del mar y el movimiento...*

Tras Garcilaso, esta estrofa sería genialmente empleada, entre otros, como veremos, por **Fray Luis de León** y por **San Juan de la Cruz**, en algunos de los poemas más hermosos de nuestra lengua.

POESÍAS

Los sonetos

Tras el prematuro intento de Santillana, en el siglo XV (Sonetos fechos al itálico modo)*,* ***Garcilaso aclimata*** *definitivamente* ***el soneto****, de origen italiano,* ***en la poesía española****.*

He aquí un soneto de los primeros que escribió; aún conserva alguna huella de «amor cortés» y de la sutileza conceptuosa del estilo cancioneril. Es una intensa exaltación de la amada y del amor. Comprobemos lo que antes decíamos: el amor es la gran fuerza que da sentido a la vida.

En la lírica de Garcilaso aún resuenan las imágenes idealizadas del amor cortés, como la que muestra esta miniatura tardomedieval.

SONETO V

Escrito está en mi alma vuestro gesto[1]
y cuanto yo escribir de vos deseo.
Vos sola lo escribistes[2]; yo lo leo
tan solo, que aun de vos me guardo en esto[3].

5 En esto estoy y estaré siempre puesto,
que aunque no cabe en mí cuanto en vos veo,
de tanto bien lo que no entiendo creo,
tomando ya la fe por presupuesto[4].

Yo no nací sino para quereros;
10 mi alma os ha cortado a su medida;
por hábito del alma misma os quiero.

Cuanto tengo confieso yo deberos;
por vos nací, por vos tengo la vida,
por vos he de morir, y por vos muero.

- **Pedro Salinas tituló uno de sus libros así: *La voz a ti debida*. Se trata de unas palabras de Garcilaso en su *Égloga III*. Pero muestra cómo esa idea se anticipa en los primeros versos de este soneto.**
- **Hay en todo el soneto una hiperbólica exaltación de la amada (aún no ha alcanzado Garcilaso su definitiva naturalidad). Incluso podrás percibir algo vecino a la idea de una amada casi divina; ¿en qué versos?**
- **Los tercetos son bellísimos. En especial los dos últimos versos. Comenta cómo culmina en ellos la idea principal del soneto; y subraya la construcción bimembre y paralela de ese final.**

---

[1] *gesto*, rostro, expresión. [2] *escribistes*, escribisteis (vos: 2.ª persona del plural). El poeta dice que ella es la verdadera autora (inspiradora) de sus versos. [3] Sentido de la frase: «Yo lo leo tan a solas, ya que, en esto, me oculto hasta de vos» (el enamorado cortés debía ocultar su amor). [4] Quiere decir que no cabe en el entendimiento humano tanta belleza como ve en ella, por lo que ha de acudir a la fe, como si tanto bien fuera divino. (Nótese el retorcimiento conceptuoso.)

Veamos a continuación un famosísimo soneto que nos habla de la belleza*, del* goce *de la* juventud *y de su* transitoriedad*. Recordemos que estos temas aparecían en las* Coplas *de* ***Jorge Manrique****; pero, ante la fugacidad de la belleza y el poder destructor del tiempo, el poeta medieval adoptaba una* actitud ascética: *despego de lo mundano. En Garcilaso, en cambio, vamos a ver la* actitud vitalista *propia del Renacimiento pleno. Y son los* clásicos latinos *los que le sirven de modelo. Ante todo,* ***Horacio*** *(siglo* I *a. de C.), con su famoso* Carpe diem *(«Agarra el día», esto es, «aprovecha el instante»). Luego,* ***Ausonio*** *(siglo* IV*), con unas palabras destinadas a ser muy repetidas:* Collige, virgo, rosas...

(«Corta, muchacha, las rosas, en tanto que está fresca la flor y fresca tu juventud / y recuerda que con igual rapidez pasa tu vida»). Muchos poetas renacentistas recogieron este tema. Y en la *página 117* *veremos un soneto posterior de* ***Góngora*** *basado en éste de Garcilaso.*

SONETO XXIII

En tanto que de rosa y azucena
se muestra la color en vuestro gesto[5],
y que vuestro mirar ardiente, honesto,
enciende el corazón y lo refrena;

5 y en tanto que el cabello, que en la vena
del oro[6] se escogió, con vuelo presto
por el hermoso cuello blanco, enhiesto,
el viento mueve, esparce y desordena:

coged de vuestra alegre primavera
10 el dulce fruto antes que el tiempo airado
cubra de nieve la hermosa[7] cumbre[8].

Marchitará la rosa el viento helado,
todo lo mudará la edad ligera[9]
por no hacer mudanza en su costumbre.

---

[5] *gesto*, rostro. [6] *en la vena del oro*, en un filón de oro. [7] *hermosa*: léase con aspiración inicial, igual que *hacer* en el último verso. [8] *cumbre*, la cabeza (que se cubrirá de canas = nieve). [9] *la edad ligera*, el tiempo, que pasa rápido.

COMENTARIO DE TEXTO. SONETO XXIII

Introducción

a Sitúa el soneto dentro de la obra de Garcilaso y del espíritu renacentista.

b Enuncia con claridad el tema del texto (tres elementos habrás de tener en cuenta: la belleza, el tiempo, el goce de la vida). En un pasaje de las *Coplas* de Manrique (¿cuál?) aparecen los mismos temas: ¿cuál es la diferencia de enfoque entre Manrique y Garcilaso? ¿Conoces otros tratamientos del tema?

Análisis (contenido y expresión)

c Relaciona la estructura métrica y el desarrollo interno. Fíjate en la sintaxis: ¿cuál es la oración principal de los 11 primeros versos?; ¿de qué clase son las subordinadas que la preceden y la siguen? ¿Tiene ello que ver con el tema?

d En los cuartetos, ¿cómo se exalta la belleza de la mujer?

e Comenta el efecto de equilibrio, tanto por su construcción como por su sentido, que producen los *versos 3 y 4*.

f Compara la frase encabalgada en los *versos 9-10* con los versos de Ausonio que hemos citado antes: ¿qué añade o varía Garcilaso?

g Señala las imágenes con que se habla del poder del tiempo y de la caducidad de la belleza.

h ¿Qué idea remata el soneto? Observa el juego «conceptista» de esos dos últimos versos.

Conclusión

i Síntesis y valoración del poema, sin olvidar lo que tiene de representativo de la época.

Las Églogas

Son poemas bucólicos en que dos o más pastores *expresan alternativamente* sus quejas amorosas. *La* **Égloga I** *es la más célebre de Garcilaso. Consta de 421 versos, distribuidos en* estancias *(estrofas de endecasílabos y heptasílabos, con orden fijado por el poeta y que se repite a lo largo del poema).*

En ella, Salicio *lamenta la infidelidad de Galatea, y* Nemoroso *evoca su amor a* Elisa *y llora su muerte, con versos de belleza incalculable. Ambos pastores son el mismo Garcilaso, que transmuta poéticamente su experiencia amorosa: primero, el desvío de Isabel Freire y, luego, su muerte.*

ÉGLOGA I

[1] El dulce lamentar de dos pastores,
Salicio juntamente y Nemoroso,
he de cantar sus quejas imitando;
cuyas ovejas al cantar sabroso
5 estaban muy atentas, los amores,
de pacer olvidadas, escuchando. [...]

SALICIO:

[5] ¡Oh más dura que mármol a mis quejas
y al encendido fuego en que me quemo,
más helada que nieve, Galatea!
10 Estoy muriendo, y aun la vida temo;
témola con razón, pues tú me dejas,
que no hay sin ti el vivir para qué sea[10].
Vergüenza he[11] que me vea
ninguno en tal estado,
15 de ti desamparado,
y de mí mismo yo me corro[12] agora.
¿De un alma te desdeñas ser señora,
donde siempre moraste, no pudiendo
della salir un hora?
20 Salid sin duelo, lágrimas, corriendo. [...]

[8] Por ti el silencio de la selva umbrosa,
por ti la esquividad y apartamiento
del solitario monte me agradaba;
por ti la verde hierba, el fresco viento,
25 el blanco lirio y colorada rosa
y dulce primavera deseaba.
¡Ay, cuánto me engañaba!
¡Ay, cuán diferente era
y cuán de otra manera
30 lo que en tu falso pecho se escondía!

El sentimiento amoroso que Garcilaso expresa en las Églogas *hace depender la armonía del mundo de la plenitud del amor. Esta equilibrada correspondencia se proyecta sobre la naturaleza; de ahí la belleza elegantemente idealizada del paisaje.*

---

[10] Para nada sirve vivir sin ti. [11] *he*, tengo. [12] *corro*, avergüenzo.

Bien claro con su voz me lo decía
la siniestra corneja[13], repitiendo
la desventura mía.
¡Salid sin duelo, lágrimas, corriendo! [...]

NEMOROSO:

35 **[18]** Corrientes aguas, puras, cristalinas,
árboles que os estáis mirando en ellas,
verde prado de fresca sombra lleno,
aves que aquí sembráis vuestras querellas,
hiedra que por los árboles caminas,
40 torciendo el paso por su verde seno,
yo me vi tan ajeno
del grave mal que siento,
que de puro contento
con vuestra soledad me recreaba,
45 donde con dulce sueño reposaba,
o con el pensamiento discurría
por donde no hallaba
sino memorias llenas de alegría;

[19] y en este mismo valle, donde agora
50 me entristezco y me canso en el reposo,
estuve ya[14] contento y descansado.
¡Oh bien caduco, vano y presuroso!
Acuérdome, durmiendo aquí algún hora,
que, despertando, a Elisa vi a mi lado.
55 ¡Oh miserable hado!
¡Oh tela[15] delicada
antes de tiempo dada
a los agudos filos de la muerte!
Más convenible[16] fuera aquesta suerte
60 a los cansados años de mi vida,
que es más que el hierro fuerte,
pues no la ha quebrantado tu partida. [...]

[29] ¿Quién me dijera, Elisa, vida mía,
cuando en aqueste valle al fresco viento
65 andábamos cogiendo tiernas flores,
que habria[17] de ver, con largo apartamiento,
venir el triste y solitario día
que diese amargo fin a mis amores?
El cielo en mis dolores
70 cargó la mano tanto
que a sempiterno llanto
y a triste soledad me ha condenado;
y lo que siento más es verme atado
a la pesada vida y enojosa,
75 solo, desamparado,
ciego, sin lumbre, en cárcel tenebrosa. [...]

- **Hemos hablado de lo que significa el amor (y el desamor) en la poesía de Garcilaso. Ello se expresa de forma bellísima en diversos pasajes de esta *Égloga I*; muéstralo.**
- **Lo anterior va unido a la *intensidad expresiva*. Destaca aquellas expresiones que te parezcan cargadas de mayor emoción.**
- **¿Cómo es la *naturaleza* que aparece en esta égloga (y que podríamos encontrar igualmente en una novela pastoril)?**
- **La *adjetivación* petrarquista tiende a calificar los objetos por sus cualidades ideales más simples. Observa cómo ciertos epítetos presentan las cosas en su máxima plenitud, dándonos una sensación de perfección y serenidad clásicas.**

[13] La corneja que, al paso del caminante, salía volando hacia la izquierda (*siniestra*), era señal de mal augurio. [14] *ya*, antes. [15] La *tela* de la vida de Elisa, cortada por las Parcas. [16] *convenible*, conveniente. [17] *habria*: léase bisílaba, por sinéresis.

FRAY LUIS DE LEÓN (6b)

VIDA Y PERSONALIDAD

● Nació en Belmonte (Cuenca), en 1527, de padres con ascendientes judíos. Muy joven se hizo agustino, y estudió en Salamanca y Alcalá. Fue catedrático en la de Salamanca, donde su ascendencia y sus ideas renovadoras le granjearon numerosos adversarios. Denunciado por haber traducido el bíblico *Cantar de los Cantares* al castellano (cosa prohibida entonces), fue procesado por la Inquisición y estuvo preso durante casi cinco años. Al recobrar la libertad, es fama que reanudó sus clases con estas palabras: «Decíamos ayer...» Más tarde dejó la cátedra para desempeñar altos cargos en su orden. Murió en 1591.

● Fue un hombre de carácter enérgico y un intelectual riguroso. Rasgos centrales de su personalidad son el *anhelo de plenitud*, la *sed de armonía*. Vivió este mundo como un *destierro*, con *nostalgia del cielo*.

● Fray Luis logró armonizar el *espíritu cristiano* y el *humanismo clásico*: conoció tan profundamente la Biblia como a los clásicos (sobre todo, Horacio). Gran humanista, *escribió varias obras en latín*. En castellano, es excelso como *prosista* y como *poeta*.

Escena escolar en la Universidad de Salamanca, de la que Fray Luis fue profesor. Está pintada en la puerta del aula donde el escritor impartió sus clases.

OBRAS EN PROSA

● Citemos *La perfecta casada* (sobre las virtudes de la mujer cristiana) o la *Exposición del Libro de Job* (escrito en prisión, las tribulaciones de este personaje bíblico le dan pie para hablar de sus propias congojas).

● También en la cárcel escribió su obra en prosa más importante: *De los nombres de Cristo* (1574-1575). En ella comenta los nombres que la Sagrada Escritura da a Cristo (*Pastor, Amado, Esposo, Jesús*, etc.), poniendo de relieve la presencia del Redentor en la Naturaleza y en el hombre, con una visión exaltada por el amor.

EL ESTILO DE SU PROSA

● Siguió la norma de la *naturalidad*, lo que no equivale a *espontaneidad*; en arte, hasta lo más simple resulta de un trabajo riguroso. Y Fray Luis , como buen humanista, trabajó la prosa castellana con el propósito de que alcanzara la dignidad artística de la latina. Introdujo, por ejemplo, efectos rítmicos.

Su conciencia estilística se manifiesta cuando dice que el buen escritor, entre las palabras «*que todos hablan, elige las que le convienen, y mira el sonido de ellas, y aun cuenta a veces las letras, y las pesa y las mide y las compone, para que no solamente digan con* ***claridad*** *lo que pretenden decir, sino también con* ***armonía y dulzura***».

● Esta labor en la ***prosa*** es comparable a la de Garcilaso en el verso. Por ello, ambos son **nuestros clásicos renacentistas por antonomasia**.

EL POETA

● No se publicaron en vida sus versos (corrían copiados de mano en mano). La *primera edición de sus poesías* la hizo, en 1637, **Quevedo**, para oponerla a las nuevas corrientes estilísticas que Góngora estaba imponiendo (*culteranismo*).

● La ***poesía original*** de Fray Luis es escasa: veintitrés poemas. Pero bastan para hacer de él ***uno de los mayores poetas españoles de todos los tiempos***. (Sin embargo, su labor poética incluye además, y en mayor número, *imitaciones* y *traducciones* en verso castellano de poemas bíblicos, latinos e italianos.)

● A su **lengua poética** puede aplicarse lo que hemos dicho de su prosa: el mismo trabajo riguroso. Su *perfección* y «armonía» conviven con momentos de gran *intensidad* emocional, de singular *fuerza comunicativa*.

En cuanto a la **métrica**, es insuperable su dominio de los efectos rítmicos. Compuso la mayoría de sus poemas en *liras*, y en su lectura se verán las variadas modulaciones de ritmo y de tono: ora suave y apacible, ora nervioso y desgarrado.

SUS GRANDES TEMAS

● Aparte unos pocos poemas profanos —puro ejercicio—, Fray Luis es un poeta esencialmente *religioso* y desarrolla diversos *temas morales*. Pero destaquemos sus mayores inquietudes y anhelos: desde una *visión dramática de la existencia terrena*, Fray Luis buscó el consuelo por dos caminos: *la vida retirada* y *el sueño de la «morada celeste»*. De ahí, **tres grupos temáticos** en los que se incluyen sus poemas sin duda más grandes, como los que vamos a leer:

— El ***sentimiento de desamparo***, o ***la no plenitud del hombre en la tierra***, le inspira poemas como la oda *En la Ascensión*.

— ***El ideal de la vida retirada*** es el tema, por ejemplo, de la *Canción a la vida solitaria*.

— ***La prefiguración de la vida del cielo*** aparece, entre otras, en la *Oda a Salinas*.

En estos tres grupos, insistimos, encontraríamos poemas bellísimos como los titulados *Esperanzas burladas*, *A Nuestra Señora*, *Al apartamiento*, *De la vida del cielo*, *Morada del cielo*, o los dirigidos *A Felipe Ruiz* o *A Juan de Grial*, etc.

El elogio horaciano de la vida retirada es uno de los temas poéticos que Fray Luis actualiza con maestría tal que funda un nuevo modelo.

La imitación

El ***método poético*** adoptado por todos los escritores europeos del Renacimiento y, por tanto, por Garcilaso y Fray Luis, consiste en imitar a los grandes *poetas clásicos*. Tal método, recomendado por Petrarca y los humanistas, consiste en leer a los antiguos —también a los italianos— reteniendo en la memoria las acuñaciones verbales que gusten y todo cuanto llame la atención. Y, después, al escribir, echar mano de aquel recuerdo para enriquecer la escritura propia.

El escritor —como tantas veces se afirmó entonces— debe *parecerse a la abeja*, que, libando de flor en flor, *elabora su propia miel*. Quien sólo se limite a acarrear recuerdos, sin convertirlos en obra propia, se parecerá a la hormiga: será mal poeta, plagiario.

De ahí que los estudiosos hallen continuamente *«fuentes» en los escritores de los siglos XVI y XVII* —porque el método imitativo prosiguió—; no se *trata* de un *demérito* sino al contrario: *prueba de su cultura humanística*.

• La ***imitación*** dejó de aplicarse como método en el *Romanticismo* del siglo XIX, que impuso el criterio de la ***originalidad*** entre los valores literarios máximos.

PROSA

De los nombres de Cristo

Fray Luis se consideró siempre inocente de los cargos que lo llevaron a la cárcel y víctima de turbias maquinaciones. En este gran libro introduce la siguiente alegoría *acerca de la persecución que sufrió (I,3):*

En la orilla contraria de donde Marcelo[1] y sus compañeros estaban, en un árbol que en ella había, estuvo asentada una avecilla[2] de plumas y figura particular, casi todo el tiempo que Juliano decía[3], como oyéndole, y, a veces, como respondiéndole con su canto. Y esto, con tanta suavidad y armonía, que Marcelo y los demás habían puesto en ella los ojos y los oídos. Pues al punto que Juliano acabó, 5 sintieron ruido hacia aquella parte, y, volviéndose, vieron que lo hacían dos grandes cuervos[4] que, revolando sobre el ave que he dicho, y cercándola al derredor, procuraban hacerle daño con las uñas y con los picos.

Ella, al principio, se defendía con las ramas del árbol, encubriéndose entre las más espesas. Mas, creciendo la porfía, y apretándola[5] siempre más a doquiera que iba, forzada, se dejó caer en el agua, 10 gritando y como pidiendo favor[6]. Los cuervos acudieron también al agua, y volando sobre la haz[7] del río, la perseguían malamente, hasta que, al fin, el ave se sumió toda en el agua, sin dejar rastro de sí. Aquí[8] Sabino alzó la voz, y, con un grito, dijo:

—¡Oh, la pobre, cómo se nos ahogó!

Y así lo creyeron sus compañeros, de que mucho se lastimaron[9]. Los enemigos, como victoriosos, 15 se fueron alegres luego.

Mas como había pasado un espacio de tiempo, y Juliano con alguna risa consolase a Sabino, que maldecía los cuervos, y no podía perder[10] la lástima de *su pájara*, que así la llamaba, de improviso, a la parte adonde Marcelo estaba, y casi junto a sus pies, la vieron sacar del agua la cabeza, y luego salir del arroyo, toda fatigada y mojada.

20 Como[11] salió, se puso sobre una rama baja que estaba allí junto, adonde extendió sus alas, y las sacudió del agua. Y después, batiéndolas con presteza, comenzó a levantarse por el aire cantando con una dulzura nueva. Al canto, como llamadas, otras muchas aves de su linaje acudieron a ella de diferentes partes del soto. Cercábanla, y, como dándole el parabién, le volaban al derredor. Y luego, juntas todas, y como en señal de triunfo, rodearon tres o cuatro veces el aire con vueltas alegres. Des-25 pués, se levantaron en alto poco a poco, hasta que se perdieron de vista.

Fue grandísimo el regocijo y alegría que de este suceso recibió Sabino. Mas, mirando en este punto a Marcelo, le vio demudado en el rostro y turbado algo y metido en gran pensamiento[12], de que mucho se maravilló. Y queriéndole preguntar qué sentía, violе que, levantando al cielo los ojos, como entre los dientes y con un suspiro disimulado, dijo:

30 —Al fin, Jesús es Jesús.

- **Recuerda qué es una alegoría, y explica la que este pasaje expone.**
- **Sabino es un fraile muy joven. ¿Cómo es su carácter? ¿Y cómo es Juliano?**
- **¿Por dónde sale el ave del agua? ¿Tendrá ese hecho alguna significación?**
- **¿Qué quiere decir el comentario final de Marcelo?**

[1] *De los nombres de Cristo* es un extensísimo coloquio entre Marcelo —que representa al propio Fray Luis—, Sabino y Juliano. [2] *avecilla*: representa alegóricamente a Fray Luis. [3] *decía*, hablaba (en efecto, Juliano ha estado hablando hasta entonces). [4] Los enemigos del poeta. [5] *apretándola*, poniéndola en mayores apuros. [6] *favor*, ayuda, socorro. [7] *haz*, superficie. [8] *Aquí*, en ese momento. [9] *lastimaron*, lamentaron. [10] *perder*, dejar de sentir. [11] *Como*, apenas. [12] *metido en gran pensamiento*, ensimismado.

POESÍAS

El desamparo

Fray Luis, probablemente en la cárcel, evoca el único episodio de la vida de Cristo que cantó: la Ascensión. *Ninguno, en efecto, podía atraer más a su espíritu, ansioso siempre de escapar del mundo. Nótese su intenso sentimiento de* desamparo *en un mundo aflictivo.*

EN LA ASCENSIÓN

¿Y dejas, Pastor santo,
tu grey en este valle hondo, escuro,
con soledad y llanto;
y tú, rompiendo el puro
5 aire, te vas al inmortal seguro[13]?

Los antes bienhadados[14]
y los agora tristes y afligidos,
a tus pechos criados,
de ti desposeídos,
10 ¿a dó[15] convertirán[16] ya sus sentidos?

¿Qué mirarán los ojos,
que vieron de tu rostro la hermosura,
que no les sea enojos?
Quien oyó tu dulzura
15 ¿qué no tendrá por sordo y desventura?

Aqueste mar turbado
¿quién le pondrá ya freno?; ¿quién concierto
al viento fiero airado?
Estando tú encubierto,
20 ¿qué norte guiará la nave al puerto?

Ay, nube envidïosa[17]
aun de este breve gozo, ¿qué te aquejas[18]?
¿Dó vuelas presurosa?
¡Cuán rica tú te alejas!
25 ¡Cuán pobres y cuán ciegos, ay, nos dejas!

---

[13] *inmortal seguro*, el cielo. [14] *los bienhadados*: felices, porque Cristo estaba con ellos. [15] *a dó*, a dónde. [16] *convertirán*, volverán. [17] Tenía envidia de que Cristo habitara entre los hombres. [18] *¿qué te aquejas?*, por qué te quejas (de este breve gozo de la Humanidad).

COMENTARIO DE TEXTO. EN LA ASCENSIÓN

Introducción

a Sitúa este poema dentro de los temas fundamentales de la poesía de Fray Luis.

b El poeta se sitúa entre los apóstoles en el momento de la Ascensión. ¿Cuál es el sentimiento con que imagina vivir aquel momento? ¿Qué relación puede tener tal enfoque con las experiencias vitales de Fray Luis?

c Estructura: estrofas utilizadas y distribución del contenido en ellas.

Análisis (contenido y expresión)

d *Estrofa I.*— Señala, entre otras cosas, las siguientes: valor de la interrogación (válido también para estrofas posteriores); adjetivos y sustantivos con que se caracteriza la vida terrena; contraste entre los *versos 1-3* y los *versos 4-5*; fuerza del verbo «rompiendo»; efecto del encabalgamiento.

e *Estrofas II y III.*— ¿Qué se prolonga y qué se precisa de lo ya planteado? Sigue fijándote en los efectos de contraste u oposición.

f *Estrofa IV.*— ¿Con qué imágenes se habla del mundo? En especial, ¿qué idea del vivir humano nos da el *verso 20*?

g *Estrofa V.*— Nótese cómo las exclamaciones dominan ahora sobre las interrogaciones: ¿por qué? En los dos versos finales aparece un nuevo contraste: señálese. Valórese la intensidad emocional del último verso. El poema termina con el mismo verbo que lo abría («dejas»); justifícalo en relación con el tema central.

Conclusión

h Opina sobre el alcance de este poema, pensando en la vida de Fray Luis. ¿Y qué alcance puede tener para el lector de hoy? Perfección y emoción en este poema.

La vida retirada

Como hemos visto, el apartamiento del mundo era una de las vías por las que Fray Luis buscó el consuelo o el alivio a los sinsabores de la existencia terrena. La soledad, el contacto con la naturaleza, la meditación y el estudio alimentaban su anhelo de armonía y de plenitud, y lo aproximaban a Dios. Así lo vemos en esta celebérrima oda, que se inspira en el poema de Horacio, Beatus ille... *(«Dichoso el que se aleja de los negocios mundanos.»)*

ODA A LA VIDA SOLITARIA

¡Qué descansada vida
la del que huye del mundanal ruïdo,
y sigue la escondida
senda por donde han ido
5 los pocos sabios que en el mundo han sido;

que no le enturbia el pecho[19]
de los soberbios grandes el estado,
ni del dorado techo
se admira[20], fabricado
10 del sabio moro[21], en jaspes sustentado!

No cura[22] si la fama
canta con voz su nombre pregonera,
ni cura ni encarama[23]
la lengua lisonjera
15 lo que condena la verdad sincera.

¿Qué presta[24] a mi contento
si soy del vano dedo señalado;
si en busca de este viento [25]
ando desalentado,
20 con ansias vivas, con mortal cuidado[26]?

¡Oh monte, oh fuente, oh río![27]
¡Oh secreto seguro, deleitoso!
Roto casi el navío[28],
a vuestro almo[29] reposo
25 huyo de aqueste mar tempestuoso.

Un no rompido[30] sueño,
un día puro, alegre, libre quiero;
no quiero ver el ceño
vanamente severo
30 de a quien la sangre ensalza o el dinero.

Despiértenme las aves
con su cantar sabroso no aprendido;
no los cuidados graves
de que es siempre seguido
35 el que al ajeno arbitrio[31] está atendido.

Vivir quiero conmigo,
gozar quiero del bien que debo al cielo,
a solas, sin testigo,
libre de amor, de celo,
40 de odio, de esperanzas, de recelo.

Del monte en la ladera,
por mi mano plantado tengo un huerto,
que con la primavera,
de bella flor cubierto,
45 ya muestra en esperanza[32] el fruto cierto;

y, como codiciosa
por ver y acrecentar su hermosura[33],
desde la cumbre airosa
una fontana pura
50 hasta llegar corriendo se apresura;

[19] No le da envidia. [20] No le causan admiración los palacios suntuosos. [21] Popularmente, se atribuyen a los moros las obras antiguas y suntuosas. [22] *cura*, se preocupa. [23] *encarama*, ensalza. [24] *presta*, ayuda. [25] *viento*, fama, éxito. [26] *cuidado*, preocupación. [27] En este verso comienza la evocación de «La Flecha», finca cerca de Salamanca que el poeta frecuentaba. [28] *navío*, metáfora: Fray Luis se presenta como un navío quebrantado, que se acoge a puerto. [29] *almo*, nutricio, vivificador. [30] *rompido*, interrumpido. [31] *arbitrio*, albedrío, voluntad. [32] *en esperanza*, la flor es esperanza de fruto seguro. [33] *hermosura*, con *h-* aspirada.

y luego, sosegada,
el paso entre los árboles torciendo,
el suelo de pasada,
de verdura vistiendo,
55 y con diversas flores va esparciendo.

El aire el huerto orea
y ofrece mil olores al sentido;
los árboles menea
con un manso ruïdo
60 que del oro y del cetro[34] pone olvido.

Ténganse su tesoro
los que de un falso leño[35] se confían;
no es mío[36] ver el lloro
de los que desconfían
65 cuando el cierzo y el ábrego porfían[37].

La combatida antena[38]
cruje, y en ciega noche el claro día
se torna; al cielo suena
confusa vocería,
70 y la mar enriquecen a porfía[39].

A mí una pobrecilla
mesa, de amable paz bien abastada[40],
me basta; y la vajilla
de fino oro labrada,
75 sea de quien la mar no teme airada.

Y mientras miserable-
mente[41] se están los otros abrasando
con sed insacïable
del peligroso mando[42],
80 tendido yo a la sombra esté cantando;

a la sombra tendido,
de hiedra y lauro eterno coronado,
puesto el atento oído
al son dulce, acordado[43],
85 del plectro[44] sabiamente meneado.

- **Explica el significado de los versos 11-15 y 16-20.**
- **¿Es lo mismo la fama para Fray Luis que para Jorge Manrique? ¿Por qué?**
- **¿Qué valores encierra la vida retirada para el poeta?**
- **¿Reaparece aquí el paisaje renacentista?**
- **Comenta el contraste entre la paz del campo y el desasosiego del tráfago mundano.**
- **En los versos 66-69 hay varios encabalgamientos; ¿qué efecto consiguen?**

Una aventura casi mística

Fray Luis dedicó esta maravillosa oda al músico ciego, amigo suyo y compañero del claustro salmantino, Francisco Salinas. Al oírle tocar el órgano, su alma, liberada por la música, se evade a la busca de Dios, con quien entabla un coloquio armónico. Encierran estas estrofas toda la nostalgia de cielo del poeta, su más alto sueño de plenitud.

Señalemos, por otra parte, la influencia del platonismo*: para Platón, y luego San Agustín, la belleza (aquí, la música) hace que el espíritu se eleve hacia la Belleza suprema.*

Oda a Francisco Salinas

El aire se serena
y viste de hermosura y luz no usada[45],
Salinas, cuando suena
la música extremada
5 por vuestra sabia mano gobernada.

A cuyo son divino,
el alma que en olvido[46] está sumida,
torna a cobrar el tino
y memoria perdida[47]
10 de su origen primera esclarecida.

---

[34] *del oro y del cetro*, de la riqueza y del poder. [35] *falso leño*, nave insegura. [36] *no es mío*, no me interesa. [37] De los navegantes, que sienten temor cuando vientos contrarios ponen en peligro la nave. [38] *antena*, palo del barco. [39] Porque sus tesoros se hunden al fondo del mar. [40] *abastada*, abastecida. [41] Encabalgamiento muy audaz, imitado de Horacio, que parte en dos una palabra. [42] Con insaciable ambición de tener poder, que es siempre peligroso. [43] *acordado*, afinado. [44] *plectro*, púa para pulsar los instrumentos de cuerda; el poeta prefiere escuchar tranquilo la armonía del Universo, cuyo plectro pulsa sabiamente el Creador.

[45] Una larga tradición estética identificaba la hermosura con la luz. [46] Olvidada de su destino celestial, porque está sumida en preocupaciones mundanas. [47] De su origen divino; *origen* era palabra femenina.

Y como se conoce,
en suerte y pensamientos se mejora,
el oro desconoce[48]
que el vulgo vil adora,
15 la belleza caduca engañadora.

Traspasa el aire todo,
hasta llegar a la más alta esfera[49],
y oye allí otro modo
de no perecedora
20 música, que es de todas la primera.

Ve cómo el gran Maestro[50],
a aquesta inmensa cítara[51] aplicado,
con movimiento diestro
produce el son sagrado
25 con que este eterno templo[52] es sustentado.

Y como está compuesta
de números concordes[53], luego envía
consonante respuesta,
y entre ambos a porfía
30 se mezcla una dulcísima armonía.

Aquí el alma navega
por un mar de dulzura, y finalmente,
en él ansí se anega,
que ningún accidente
35 extraño o peregrino oye o siente[54].

¡Oh desmayo dichoso!
¡Oh muerte que das vida! ¡Oh dulce olvido!
¡Durase[55] en tu reposo
sin ser restituido
40 jamás a aqueste bajo y vil sentido!

A este bien os llamo,
gloria del apolíneo sacro coro[56],
amigos a quien[57] amo
sobre todo tesoro,
45 que todo lo visible es triste lloro.

¡Oh, suene de contino[58],
Salinas, vuestro son en mis oídos,
por quien al bien divino
despiertan los sentidos,
50 quedando a lo demás adormecidos!

Tañedora de laúd, *obra de Bartolomeo Veneto.*

- **¿Qué efectos produce la música en el poeta, según las estrofas 1-3?**
- **La estrofa 3ª deja traslucir lo que Fray Luis pensaba del mundo; señálalo.**
- **Muestra cómo las estrofas 6ª y 7ª, al hablar del cielo, encierran los anhelos de armonía y de plenitud del autor. Hay, en particular, una imagen bellísima; coméntala (comparándola con la imagen de un mar tempestuoso que hemos visto en los dos poemas anteriores).**
- **Lo que Fray Luis nos cuenta parece un *éxtasis*. En la estrofa 8ª, aparecen exclamaciones gozosas y extrañas antítesis, muy propias del lenguaje místico. Pero ¿se trata aquí de un verdadero éxtasis? Razona tu respuesta, apoyándote en las dos últimas estrofas.**

---

[48] *desconoce*, aborrece. [49] Es idea pitagórica, según la cual los astros emitían música cuya armonía acorde producía su mutuo equilibrio en el espacio; la última esfera del Universo era la de Dios. [50] *el gran Maestro*, Dios, concebido como citarista del gran concierto universal. [51] *cítara*, instrumento de cuerda. [52] El Universo. [53] El alma, por estar hecha a imagen y semejanza de Dios, entra en amoroso intercambio armónico (*números concordes*) con la música divina. [54] Se trata del éxtasis místico. [55] *Durase*, ojalá hubiese durado. [56] Los poetas de Salamanca, que son gloria de las musas (el coro de Apolo). [57] *quien*, por quienes; hasta el siglo XVIII, no se estableció la concordancia moderna. [58] *de contino*, continuamente.

SAN JUAN DE LA CRUZ (6c)

VIDA

● Abulense como Santa Teresa (Fontiveros, 1542), se llamó *Juan de Yepes y Álvarez*. A los veintidós años profesó como carmelita y estudió en la Universidad de Salamanca con maestros ilustres como Fray Luis de León. Santa Teresa lo sumó a su empresa reformadora, y, con la regla por ella adoptada, fundó también varios conventos. La reforma carmelitana le atrajo enemigos, y sufrió prisión en Toledo. Luego obtuvo importantes cargos en la Orden y continuó su labor reformadora, no sin problemas. Murió en Úbeda (1591) y fue canonizado en 1726. Pío XI lo proclamó, en 1926, *Doctor de la Iglesia*.

● Fue un hombre austero y amable; un contemplativo de intensa afectividad y fina sensibilidad, y, a la vez, de entendimiento sutil.

San Juan de la Cruz, retratado por Pacheco.

OBRAS

● Toda su obra es *ascético-mística*. Y, en sus grandes poemas y en parte de su *prosa*, declaradamente mística.

● Su obra poética es muy escasa (veintidós poesías) y en ella debemos distinguir:

— **Poemas mayores**: *Noche oscura del alma*, *Cántico espiritual* y *Llama de amor viva*.

— **Otros poemas**: romances, canciones, etc., algunos muy bellos.

● Los tres grandes poemas van acompañados de extensos **comentarios en prosa**, donde el autor trata de explicar el sentido de sus versos. No olvidemos que éstos eran fruto de sus experiencias místicas, las cuales son, de suyo, *inefables*. De ahí sus expresiones extrañas, de difícil comprensión. Pero ¿puede ser «explicada» una poesía surgida de un rapto de inspiración no gobernada por la razón, sino por una especial *iluminación* y un contacto con Dios?

El mismo San Juan advierte que sus poesías *no se pueden explicar con exactitud*, y que no hay por qué atarse a sus propias interpretaciones: espera que cada lector «se aproveche según su modo y caudal de espíritu». Por lo demás —añade—, su poesía «no ha menester claramente entenderse para hacer efecto de amor en el alma». Y así es: aun cuando, a veces, no la entendamos, nos emocionará y nos fascinará.

MUNDO POÉTICO

● En su empeño de comunicar sus experiencias místicas (amor divino, unión con Dios), San Juan —siguiendo el ejemplo del *Cantar de los Cantares*— encuentra que lo mejor para dar alguna idea de ello es acudir al *amor humano* como símbolo.

Y toda su poesía será *poesía de amor* (de Amor). En sus versos entran las más intensas peripecias de la experiencia amorosa, de las más torturadoras a las más gozosas, de las más tiernas a las más ardientes. En ningún poeta es tan intensa la *pasión de amor* —divino en el Santo—, con el incontenible deseo —y logro— de la fusión con el Amado.

● Junto a ello, como en Garcilaso, hay en sus poemas *elementos pastoriles y bucólicos*, con deliciosas notas de *paisaje*. Admira la finísima sensibilidad del poeta ante la *naturaleza*, cuya belleza es reflejo de la belleza de Dios y conduce a Él (platonismo cristiano).

ESTILO

● Paradójicamente, de aquella dificultad de *expresar lo inexpresable* procede el alto valor literario de su **estilo**. Porque el poeta tiene que forzar *el lenguaje*, acudiendo a insólitas *antítesis* y *paradojas*, y, sobre todo, a «*extrañas figuras*»: imágenes, metáforas, símbolos y otros hallazgos insólitos que él mismo califica a veces de «dislates». Y es que, en los momentos más altos, la expresión se hace *insólita, alucinada*.

Añádase una *intensidad afectiva* que llega a una increíble *vehemencia*, o la irresistible *fragancia* y *frescura* de muchos pasajes. Todo ello da a la poesía de San Juan de la Cruz una *hondura* y una *belleza* inigualables.

CIMA DE LA LÍRICA ESPAÑOLA

San Juan es, por supuesto, una figura cimera de la literatura religiosa de nuestro Siglo de Oro. La admiración por su *poesía* es compartida por todos los críticos, independientemente de que sean creyentes o no. Con criterios estrictamente *literarios*, no ha de temerse el situar su obra poética, y especialmente el *Cántico espiritual*, en la más alta cumbre de la poesía española de todos los tiempos.

POEMAS

Noche oscura de la *Subida del Monte Carmelo*

Las ocho liras que sirven de partida a este voluminoso libro fueron tal vez escritas por San Juan en la prisión de Toledo. Como el propio autor dice, «toda la doctrina que entiendo [=pretendo] tratar en esta Subida del Monte Carmelo *está incluida en las siguientes canciones, y en ellas se contiene el modo de subir hasta la cumbre del monte, que es el alto estado de perfección que aquí llamamos unión del alma con Dios». En efecto, el Alma, en su noche (es decir, mediante el abandono de todas las apetencias mundanas en la* vía purgativa*), se escapa de su casa (de su cuerpo), guiada exclusivamente por el amor que en ella arde* (vía iluminativa) *hasta alcanzar la unión con Cristo* (vía unitiva). *Frente a los intentos místicos de Fray Luis de León, se apreciará en San Juan la audaz fuerza amorosa de sus expresiones, su impetuoso vuelo espiritual.*

NOCHE OSCURA DEL ALMA

En una noche oscura,
con ansias, en amores inflamada,
¡oh dichosa ventura!,
salí sin ser notada,
5 estando ya mi casa sosegada.

A oscuras y segura,
por la secreta escala disfrazada,
¡oh dichosa ventura!,
a oscuras y en celada[1],
10 estando ya mi casa sosegada.

En la noche dichosa,
en secreto que nadie me veía,
ni yo miraba cosa,
sin otra luz ni guía,
15 sino la que en mi corazón ardía.

Aquesta me guiaba
más cierto[2] que la luz del mediodía,
adonde me esperaba
quien yo bien me sabía,
20 en parte donde nadie parecía[3].

¡Oh noche que guiaste!
¡Oh noche amable más que la alborada!
¡Oh noche que juntaste
Amado con amada,
25 amada en el Amado transformada!

En mi pecho florido,
que entero para él solo se guardaba,
allí quedó dormido,
y yo le regalaba,
30 y el ventalle[4] de cedros aire daba.

---

[1] *en celada*, a escondidas. [2] *más cierto*, con más seguridad. [3] En lugar solitario, donde no había nadie. [4] *ventalle*, abanico; los cedros próximos son como un abanico que les envía su aire.

El aire de la almena,
cuando yo sus cabellos esparcía,
con su mano serena
en mi cuello hería[5],
35 y todos mis sentidos suspendía.

Quedéme y olvidéme,
el rostro recliné sobre el Amado;
cesó todo y dejéme[6],
dejando mi cuidado
40 entre las azucenas olvidado.

---

[5] *hería*, con *h* aspirada. [6] *dejéme*, abandonéme.

El Cántico espiritual, *una arrebatada búsqueda de la felicidad sólo posible en brazos del Amado, contiene algunas de las más bellas expresiones amorosas de la poesía de todos los tiempos.*

COMENTARIO DE TEXTO. NOCHE OSCURA DEL ALMA

Introducción

a Enuncia con la mayor brevedad el tema y el sentido (o sentidos) del texto.

b En cuanto a su estructura interna, pueden reconocerse las tres etapas o *vías* del proceso místico: intenta distinguirlas.

Análisis (contenido y expresión)

c En las tres primeras liras, notarás varias reiteraciones; su construcción sintáctica es compleja y nos impone un ritmo cortado, algo así como un avance lento y penoso. Precísalo y trata de indicar si todo ello se adapta al contenido esencial de estas estrofas.

d En esos mismos versos destaca los detalles que te resulten más significativos e intenta imaginar su posible sentido místico (por ejemplo: ¿qué pueden simbolizar la *casa sosegada*, la *escala*, la *luz*?). ¿Llama la atención algún verso por su sonoridad?

e ¿Percibes un cambio de ritmo al llegar a la estrofa 4ª? ¿Qué otras cosas puedes destacar en ella?

f *Estrofa 5ª.*— Valor de las exclamaciones. ¿Qué concepto expresan los *versos 23-25* y cómo se pone de relieve?

g *Estrofas 6ª y 7ª.*— Lirismo y delicadeza de esta escena amorosa.

h La estrofa final da, ante todo, una profunda impresión de paz; ¿qué idea prevalece? ¿Qué tipo de ritmo observas? En fin, ¿cómo explicar la belleza de estos versos?

Conclusión

i Vivencias y arte de San Juan de la Cruz.

Cántico espiritual

Es una **cumbre de la lírica mundial***. El poeta desarrolla una audaz alegoría: la Esposa (el alma) sale en busca del Esposo (Cristo), en un ambiente bucólico, pastoril. Pregunta por él a las criaturas, clama por su presencia, hasta que se le aparece. Termina el coloquio con la unión mística. Consta el* Cántico *(1577-1584) de cuarenta liras (inspiradas en el bíblico* Cantar de los Cantares*) y en él se dan, de modo eminente, los rasgos que hemos señalado en San Juan: vehemencia amorosa, audacia expresiva, belleza...*

CÁNTICO ESPIRITUAL
(Fragmentos)

ESPOSA:

¿Adónde te escondiste,
Amado, y me dejaste con gemido?
Como el ciervo huiste
habiéndome herido;
5 salí tras ti clamando, y eras ido.

Pastores los que fuerdes[7]
allá por las majadas al otero[8];
si por ventura vierdes
Aquel que yo más quiero,
10 decidle que adolezco, peno y muero. [...]

¡Oh bosques y espesuras
plantadas por la mano del Amado!
¡Oh prado de verduras,
de flores esmaltado,
15 decid si por vosotros ha pasado!

CRIATURAS:

Mil gracias derramando
pasó por estos sotos con presura[9],
y, yéndolos mirando,
con sola su figura
20 vestidos los dejó de hermosura[10].

ESPOSA:

Ay, ¿quién podrá sanarme?
Acaba de entregarte ya de vero[11].
No quieras enviarme
de hoy más ya[12] mensajero,
25 que no saben decirme lo que quiero.

Y todos cuantos vagan[13]
de ti me van mil gracias refiriendo,
y todos más me llagan[14]
y déjame muriendo
30 un no sé qué que quedan balbuciendo[15]. [...]

Descubre tu presencia,
y máteme tu vista y hermosura.
Mira que la dolencia
de amor, que no se cura
35 sino con la presencia y la figura.

¡Oh, cristalina fuente,
si en esos tus semblantes plateados
formases de repente
los ojos deseados
40 que tengo en mis entrañas dibujados!
¡Apártalos[16], Amado,
que voy de vuelo!

ESPOSO:

Vuélvete, paloma[17],
que el ciervo vulnerado[18]
45 por el otero asoma
al aire de tu vuelo, y fresco toma. [...]

ESPOSA:

Mi Amado, las montañas[19],
los valles solitarios, nemorosos[20],
las ínsulas extrañas,
50 los ríos sonorosos,
el silbo de los aires amorosos.

---

[7] *fuerdes*, fuéredes, fueseis; el mismo fenómeno en *vierdes* (verso 8). [8] *majadas*, refugios de ganados y pastores; *otero*, cerro. [9] *presura*, prisa. [10] *hermosura*, con *h* aspirada. [11] *de vero*, de veras. [12] *de hoy más ya*, de ahora en adelante; suplica al Esposo que le hable sin intermediarios. [13] Cuantos se dedican a la vida contemplativa. [14] *llagan*, hieren, lastiman (al no poder gozar las maravillas que cuentan). [15] Porque no acaban de declarar perfectamente lo que dicen. [16] El Amado se ha aparecido, y la Esposa se turba con su mirada. [17] Exhorta a la Esposa a que renuncie a la unión: no ha llegado aún el momento. [18] Sin embargo, como el ciervo herido, acude a la llamada de la cierva enamorada. [19] En esta estrofa y en la siguiente, el Amado —que es imposible de describir— se identifica con las cosas admirables y misteriosas que enuncia la Esposa. [20] *nemorosos*, frondosos.

La noche sosegada
en par de los levantes de la aurora[21],
la música callada,
55 la soledad sonora,
la cena que recrea y enamora. [...]

En la interior bodega
de mi Amado bebí, y cuando salía
por toda aquesta vega,
60 ya cosa no sabía,
y el ganado perdí, que antes seguía.

Allí me dio su pecho,
allí me enseñó ciencia muy sabrosa,
y yo le di de hecho
65 a mí, sin dejar cosa;
allí le prometí de ser su esposa.

La experiencia del amor místico que San Juan describe se apoya en las más delicadas e intensas imágenes del amor humano y discurre en un ambiente bucólico poblado de criaturas, interlocutores ocasionales de la Amada.

ESPOSO:

Entrádose ha la Esposa
en el hermoso huerto deseado,
y a su sabor reposa,
70 el cuello reclinado
sobre los dulces brazos del Amado. [...]

En soledad vivía,
y en soledad ha puesto ya su nido,
y en soledad la guía
75 a solas su querido,
también en soledad de amor herido.

ESPOSA:

Gocémonos, Amado,
y vámonos a ver en tu hermosura
al monte y al collado
80 do mana el agua pura:
entremos más adentro en la espesura.

Y luego a las subidas
cavernas de la piedra nos iremos
que están bien escondidas,
85 y allí nos entraremos
y el mosto de granadas gustaremos.

Allí me mostrarías
aquello que mi alma pretendía,
y luego me darías
90 allí tú, vida mía,
aquello que me diste el otro día. [...]

[21] Cuando va a amanecer.

- **Se llamaba *poesía a lo divino* a un género que consistía en partir de una poesía o una historia amorosa y darle un sentido religioso. Hay quien piensa que el *Cántico espiritual* puede leerse como un gran poema de amor humano, independientemente de su intención espiritual. ¿Lo consideras admisible?**
- **Señala los elementos *pastoriles* o *bucólicos* del texto. Recordando las *Églogas* de Garcilaso, di cómo introduce San Juan tales elementos en la «aventura amorosa» que nos cuenta.**
- **Subraya las expresiones de mayor *intensidad afectiva*.**
- **¿Qué querrán decir los versos 47-56? En la segunda de esas dos liras, hay unos ejemplos de *oxímoron* (figura que consiste en unir dos palabras que se contradicen). ¿Por qué acude San Juan, como otros místicos, a esas expresiones «ilógicas»?**
- **Entresaca del poema otras expresiones o pasajes que te hayan atraído por su extrañeza o por su belleza.**

Caza de amor

No necesitó siempre San Juan la poesía difícil para describir sus experiencias místicas. Veamos un poema octosilábico que se basa en la caza de cetrería, la cual ya había servido como alegoría amorosa: el azor o el neblí eran el amante que perseguía a la paloma o amada. San Juan de la Cruz, a su vez, vuelve a lo divino *ese tema y lo convierte en alegoría del vuelo místico del alma hacia Dios. Sigue siendo «un amoroso lance».*

El empleo sutil de la alegoría en poemas como la «Caza de amor» le permite a San Juan remontar el vuelo de su palabra a sublimes alturas.

Tras de un amoroso lance[22],
y no de esperanza falto,
volé tan alto, tan alto,
que le di a la caza alcance.

5 Para que yo alcance diese
a aqueste lance divino,
tanto volar me convino
que de vista me perdiese;
y, con todo, en este trance
10 en el vuelo quedé falto[23];
mas el amor fue tan alto,
que le di a la caza alcance.

Cuando más alto subía,
deslumbróseme la vista,
15 y la más fuerte conquista
en oscuro se hacía[24];
mas, por ser de amor el lance,
di un ciego y oscuro salto,
y fui tan alto, tan alto,
20 *que le di a la caza alcance.*

Cuanto más alto llegaba
de este lance tan subido,
tanto más bajo y rendido
y abatido me hallaba.
25 Dije:—«No habrá quien lo alcance»;
y abatíme tanto, tanto,
que fui tan alto, tan alto,
que le di a la caza alcance.

Por una extraña manera,
30 mil vuelos pasé de un vuelo,
porque esperanza de cielo
tanto alcanza cuanto espera;
esperé sólo este lance,
y en esperar no fui falto,
35 pues fui tan alto, tan alto,
que le di a la caza alcance.

- **Estamos ante un estribillo seguido de cuatro estrofas con el mismo verso final: ¿cómo se llama esta forma métrica?**
- **¿Por qué dice en el verso 10 «quedé falto»? ¿Con qué fuerza superó la situación?**
- **En los versos 13-20 hay una referencia a la «noche oscura del alma». Comenta su significado e interpreta, en especial, una bella expresión: «di un ciego y oscuro salto».**
- **En la penúltima estrofa hay algunas paradojas muy características del lenguaje místico; señálalas y justifícalas.**

---

[22] *lance*, encuentro. [23] falto de fuerzas. [24] *hacía*, con *h* aspirada, como *hallaba* (verso 24).

LAZARILLO DE TORMES (6d)

El Lazarillo, *al tiempo que creaba un nuevo género, consiguió fijar magistralmente algunos de los personajes inolvidables de la literatura castellana.*

APARICIÓN Y TRIUNFO DEL *LAZARILLO*

La *Vida de Lazarillo de Tormes* debió de publicarse en 1552 ó1553, pero nos ha llegado en tres ediciones de 1554 (Burgos, Alcalá y Amberes), *sin nombre de autor*. Su éxito fue fulminante, pero, cinco años después, fue prohibida. No obstante, siguió leyéndose en ediciones hechas en el extranjero, donde también proliferaron las traducciones. En 1573 volvió a autorizarse su impresión, pero expurgada. Hasta 1834 no volvió a publicarse el texto completo en España.

EL PROBLEMA DEL AUTOR

● Se desconoce por completo *quién pudo ser el autor*. Se ha atribuido a varios escritores (el diplomático Diego Hurtado de Mendoza; el poeta y prosista toledano Sebastián de Horozco; el fraile jerónimo Juan de Ortega, etc.). Pero *ninguna atribución ha podido probarse*.

● Ni siquiera sabemos qué fue o *cómo pensó el autor*. La novela está tan sutil y maliciosamente escrita que resulta equívoca. Para algunos críticos, su autor era un erasmista que, con su sátira, propugnaba una reforma de las costumbres del clero. Otros críticos dudan razonablemente de su sinceridad religiosa, y hoy se abre camino la hipótesis de que *pudo ser un judío*, converso sólo a medias: de ahí que, por precaución, guardara celosamente el anonimato.

En todo caso, parece indudable que era un *espíritu crítico y disconforme* ante diversos aspectos de la sociedad de su tiempo.

ORIGINALIDAD Y SENTIDO DEL *LAZARILLO*

En el *Lazarillo*, por *primera vez en la historia de la narrativa europea*, **la realidad contemporánea** se convierte en materia de un relato. No nos conduce a ámbitos imaginarios o exóticos (como otras novelas de la época), sino que nos lleva al mundo cotidiano de Castilla, y por sus zonas sociales más miserables.

● Y así, también por vez primera, se hace **protagonista** de un relato a un ***personaje de condición humildísima***, que va edificando su vida a topetazos con la adversidad. Nada más lejos de los héroes de los relatos anteriores: caballeros andantes, aventureros intrépidos, refinados pastores... Lázaro de Tormes sufre hambre, engaños, burlas y explotación.

● ***El*** *Lazarillo* ***es la historia de un proceso «educativo» para la deshonra y la vileza, que Lázaro aceptará al final. Ello es interpretable como una denuncia del autor (un marginado, casi seguro) contra una sociedad que impedía salir de su miseria a los desheredados.***

Aunque el tono de la novela es ligero y hasta cómico a ratos, late en ella un amargo inconformismo.

PRIMERA NOVELA MODERNA

La crítica internacional reconoce el *Lazarillo* como la *primera novela moderna*. En efecto, la novela —género literario de la modernidad— presenta, por debajo de sus *variedades*, dos rasgos fundamentales:

— la **acción** transcurre en *tiempo y lugares* bien concretos (frecuentemente, los del autor); y

— los **personajes** van haciéndose, modificándose, en consonancia con los azares de su vivir. (En la novela «no realista», nada altera la condición del personaje: será siempre igual a sí mismo, cualesquiera que sean los sucesos en que se vea envuelto.)

Esos dos rasgos están ya presentes en el *Lazarillo*.

● Añádase su carácter de ***relato en primera persona***, que será inseparable de la picaresca.

EL LENGUAJE DEL *LAZARILLO*

● Los relatos «no realistas» (caballerescos, pastoriles, moriscos, etc.) se escribían con un estilo elevado: su naturaleza fantástica les permite ser narrados con un idioma refinado, alejado del normal. Y todos sus personajes emplean el mismo tono: *hablan la lengua literaria propia del género, y no la de su propio carácter*.

● El ***Lazarillo***, que trata de realidades sórdidas, está escrito en un *lenguaje llano, sin artificios, directo*. Y cada personaje se expresa de acuerdo con su condición individual, y según lo que pide el momento: júbilo, tristeza, cólera, etc.

El autor trasladó a la novela este hallazgo expresivo que en otro género, el de la comedia humanística (*La Celestina*), había hecho Fernando de Rojas.

● Es lo que llamamos *polifonía lingüística,* que será característica de la novela moderna. Cervantes, medio siglo después, aprenderá del *Lazarillo* —junto a la lección del *realismo*— esa polifonía y la desarrollará en géneros novelescos no picarescos (el *Quijote*, en especial).

EL *LAZARILLO* Y LA NOVELA PICARESCA

Todo género narrativo está caracterizado por ciertos rasgos de la **estructura** y de los **personajes**. El *Lazarillo* fijó los rasgos propios del género picaresco: *relato autobiográfico, orígenes deshonrosos del personaje principal*, etc.

● Medio siglo después, **Mateo Alemán** siguió ese modelo en su *Guzmán de Alfarache* (1599), novela importantísima, y estableció el tipo definitivo del pícaro. Lo hizo acentuando su *encanallamiento* y su *cinismo*. Lázaro de Tormes, más que un pícaro, era un desventurado; aunque, a medida que la adversidad endurecía su carácter, se iba haciendo más cínico.

● El **pícaro** —tal como aparece a partir del *Guzmán*— es un personaje listo, *sin oficio*, que urde tretas para *robar o vivir a costa del prójimo*, con escaso *sentido moral*, y que suele ser *víctima de sus propios ardides*. Todo ello apuntaba ya en el *Lazarillo*, verdadero fundador de la **novela picaresca**, género característicamente español, que fue muy cultivado durante el siglo XVII e imitado en otros países.

● Una novedad propia de Mateo Alemán, y que otros autores adoptarían, es la adición de ***digresiones morales*** con que se comenta y juzga el comportamiento del pícaro.

Citemos otros títulos de novelas picarescas: *La pícara Justina* (1605) de Francisco López de Úbeda (como se ve, también hay pícaras), *Vida del escudero Marcos de Obregón* (1618) de Vicente Espinel, *Teresa del Manzanares* (1632) de Castillo Solórzano, *Estebanillo González* (1646), de autor incierto, etc. Un lugar muy especial, por su estructura y por su genialidad, ocupa ***El Buscón*** de Quevedo, que estudiaremos en su momento.

FRAGMENTOS

El *Lazarillo* debe leerse o releerse completo: es una delicia. Aquí proponemos la lectura y comentario de unos pocos pasajes.

El prólogo

Comienza el relato con un prólogo, que Lázaro, como pregonero de Toledo, dirige a un caballero («vuestra merced»), diciéndole que, pues le ha pedido que le cuente su ***caso***, *va a complacerle narrándole su vida desde el principio.*

En efecto, el relato adopta la forma de una extensa ***carta mensajera***. *Se llamaba así, en Italia y en España, a un tipo* de cartas verdaderas o inventadas *que, siguiendo el ejemplo de* Pietro Aretino *(1538), publicaban numerosos autores, contando sucesos y chismes de su alrededor, y sucesos reales* *o fingidos de su vida. Pero ninguna de esas* cartas mensajeras *iba a alcanzar la trascendencia y la complejidad del* ***Lazarillo****.*

El ***caso*** *que desea ver aclarado «vuestra merced», es un runrún malicioso que corre por Toledo: se asegura allí que la mujer de Lázaro es la amante del arcipreste de San Salvador, y que la ha casado con él para encubrir sus relaciones. Aunque el pregonero lo niega al final de la novela, ninguna duda queda de la certeza del rumor.*

En su ***autobiografía****, Lázaro va evolucionando, deformándose su buen natural, hasta que acepte como feliz aquel deshonroso matrimonio. Esta evolución del personaje (que no permanece fijo, como en los relatos anteriores) es uno de los rasgos que caracterizan al Lazarillo como* ***primera novela moderna****.*

El ***prólogo*** *advierte que el libro admite dos lecturas:*

Yo por bien tengo que cosas tan señaladas, y por ventura nunca oídas ni vistas, vengan a noticia de muchos y no se entierren en la sepultura del olvido, pues podría ser que alguno que las lea halle algo que le agrade, y a los que no ahondaren tanto los deleite.

Puede hacerse, pues, una lectura superficial*, regocijada, y otra* honda*, para adivinar algo que el autor no explica: ¿su crítica de las gentes de iglesia, y de la sociedad cristiana regida por la hipocresía?*

El sarcasmo del autor anónimo es patente al hacerle decir a Lázaro, como remate del prólogo:

Confesando yo no ser más santo que mis vecinos, de esta nonada[1], que en este grosero estilo escribo,
5 no me pesara que hayan parte[2] y se huelguen con ello todos los que en ella algún gusto hallaren, y vean que vive un hombre con tantas fortunas[3], peligros y adversidades [...]. Y pues vuestra merced escribe se le escriba y relate el caso muy por extenso, parecióme no tomarle por el medio sino del[4] principio, porque se tenga entera noticia de mi persona; y también porque consideren los que heredaron nobles estados cuán poco se les debe, pues Fortuna fue con ellos parcial, y cuánto más hicieron los que, siéndoles contraria,
10 con fuerza y maña remando, salieron a buen puerto.

Pero el «buen puerto» a que Lázaro llegará es la deshonra.

TRATADO I

SU FAMILIA Y SERVICIO CON EL CIEGO

Pues sepa vuestra merced, ante todas cosas, que a mí llaman Lázaro de Tormes, hijo de Tomé González y de Antonia Pérez, naturales de Tejares, aldea de Salamanca. Mi nacimiento fue dentro del río Tormes[5], por la cual causa tomé el sobrenombre.

Este es el párrafo inicial del Lazarillo. *También Amadís de Gaula había nacido en un río. Se trata de un* ***rasgo folclórico*** *universal. Su vida comienza, pues, como la de un héroe; pero ¡qué distinto va a ser su destino! Enseguida va a faltar al cuarto mandamiento:*

Siendo yo niño de ocho años, achacaron a mi padre ciertas sangrías[6] mal hechas en los costales de los
15 que allí a moler venían, por lo cual fue preso y confesó y no negó, y padeció persecución por justicia [...]. En este tiempo, se hizo cierta armada contra moros, entre los cuales fue mi padre, que a la sazón estaba desterrado por el desastre ya dicho, con cargo de acemilero de un caballero que allá fue. Y con su señor, como leal criado, feneció su vida.

---

[1] *nonada*, cosa sin importancia. [2] *hayan parte*, participen (leyéndola). [3] *fortunas*, desgracias. [4] *del*, desde el. [5] En un molino a orillas del Tormes. [6] *sangrías*, hurtos de harina. El nombre *Tomé* alude probablemente a sus hábitos de «tomar» lo ajeno.

Empieza la carrera de Lázaro como mozo de muchos amos, cuando su madre lo confía a un ciego mendigo para que sea su sirviente. El ciego es ruin y astuto. He aquí la primera «enseñanza» que le da:

Salimos de Salamanca y, llegando a la puente, está a la entrada de ella un animal de piedra que casi tie-
20 ne forma de toro, y el ciego mandóme que llegase cerca del animal y, allí puesto, me dijo:

—Lázaro, llega el oído a este toro y oirás gran ruido dentro de él.

Yo simplemente llegué, creyendo ser así. Y como sintió que tenía la cabeza par de la piedra, afirmó recio la mano y diome una gran calabazada en el diablo del toro, que más de tres días me duró el dolor de la cornada, y díjome:

25 —Necio, aprende, que el mozo del ciego un punto ha de saber más que el diablo.

Y rió mucho la burla.

Parecióme que, en aquel instante, desperté de la simpleza en que, como niño dormido, estaba. Dije entre mí: «Verdad dice este, que me cumple avivar el ojo y avisar[7]; pues solo soy, y pensar cómo me sepa valer.»

De esta manera brutal es arrancado Lázaro de su inocencia infantil, y comienza entre él y el ciego **un intercambio de tretas y ardides**: *el niño, para engañar al amo; éste, para vengarse. Léase, por ejemplo, el famoso* **episodio del jarro de vino**:

30 Usaba poner cabe sí[8] un jarrillo de vino, cuando comíamos, y yo muy de presto le asía y daba un par de besos[9] callados, y tornábale a su lugar. Mas duróme poco, que en los tragos conocía la falta y, por reservar su vino a salvo, nunca después desamparaba el jarro, antes lo tenía por el asa asido; mas no había piedra imán que así atrajese a sí como yo con una paja larga de centeno que para aquel menester tenía hecha, la cual, metiéndola en la boca del jarro, chupando el vino, lo dejaba a buenas no-
35 ches. Mas, como fuese el traidor tan astuto, pienso que me sintió, y dende[10] en adelante mudó propósito y asentaba su jarro entre las piernas y tapábale con la mano, y así bebía seguro.

Yo, que estaba hecho al vino, moría por él, y viendo que aquel remedio de la paja no me aprovechaba ni valía, acordé en el suelo del jarro hacerle una fuentecilla y agujero sutil, y delicadamente, con una muy delgada tortilla de cera, taparlo. Y al tiempo de comer, fingiendo haber frío, entrábame
40 entre las piernas del triste ciego a calentarme en la pobrecilla lumbre que teníamos, y al calor de ella, luego derretida la cera, por ser muy poca, comenzaba la fuentecilla a destilarme en la boca, la cual yo de tal manera ponía, que maldita la gota se perdía. Cuando el pobreto iba a beber, no hallaba nada. Espantábase, maldecíase, daba al diablo el jarro y el vino, no sabiendo qué podía ser.

—No diréis, tío, que os lo bebo yo —decía—, pues no le quitáis de la mano.

45 Tantas vueltas y tientos dio al jarro, que halló la fuente y cayó en la burla; mas así lo disimuló como si no lo hubiera sentido.

Y luego otro día, teniendo yo rezumando mi jarro como solía, no pensando el daño que me estaba aparejado[11] ni que el mal ciego me sentía, sentéme como solía; estando recibiendo aquellos dulces tragos, mi cara puesta hacia el cielo, un poco cerrados los ojos por mejor gustar el sabroso licor, sintió el
50 desesperado ciego que ahora tenía tiempo de tomar de mí venganza, y con todas sus fuerzas alzando con dos manos aquel dulce y amargo jarro, lo dejó caer sobre mi boca, ayudándose, como digo, con todo su poder, de manera que el pobre Lázaro, que de nada de esto se guardaba, antes, como otras veces, estaba descuidado y gozoso, verdaderamente me pareció que el cielo, con todo lo que en él hay, me había caído encima.

---

[7] *avisar*, estar siempre sobre aviso, alerta. [8] *cabe*, junto a. [9] *besos*, tragos. [10] *dende*, de allí. [11] *aparejado*, preparado.

55 Fue tal el golpecillo que me desatinó y sacó de sentido, y el jarrazo tan grande, que los pedazos de él se me metieron por la cara, rompiéndomela por muchas partes, y me quebró los dientes, sin los cuales hasta hoy me quedé.

60 Desde aquella hora quise mal al mal ciego y, aunque me quería y regalaba y me curaba, bien vi que se había holgado del cruel castigo. Lavóme con vino las roturas que con los pedazos del jarro me había hecho, y sonriéndose decía:

65 —¿Qué te parece, Lázaro? Lo que te enfermó te sana y da salud.

Una gran parte de las aventuras que Lázaro se atribuye son cuentos folclóricos *de antigua tradición popular y perfectamente documentados. El autor los va ensartando, haciendo que el muchacho sea su protagonista. El* **episodio de las uvas** *debe de tener igual origen popular, pero no se ha logrado documentarlo. Han regalado al ciego un racimo de uvas, y propone a Lázaro comerlo alternativamente, tomando cada vez un grano. Pero, enseguida, el ciego empieza a tomarlos de dos en dos; él decide cogerlos de tres en tres.*

Acabado el racimo, estuvo un poco con el escobajo en la mano y, meneando la cabeza, dijo:

—Lázaro, engañado me has. Juraré yo a Dios que has tú comido las uvas tres a tres.

—No comí —dije yo—: mas, ¿por qué sospecháis eso?

70 Respondió el sagacísimo ciego:

—¿Sabes en qué sé que las comiste tres a tres? En que comía yo dos a dos y callabas.

TRATADO III

AL SERVICIO DE UN ESCUDERO

Alcanza aquí la novela una cumbre genial. El cura de Maqueda (amo de Lázaro en el Tratado II*) era avaro, pero aún tenía algo que robarle: los panes. El tercer amo, un* **escudero** (*noble de baja condición),* no tiene absolutamente nada. *Y el criado tiene que alimentarlo, procurando no herir su dignidad. Porque acaba queriendo a este fantasmón y mendigando para los dos, aunque no comprende su altanería, su «honra»; pero adivina su desgracia. Aparece, por vez primera, la* **fraternidad humana** *como motivo novelesco.*

A continuación ofrecemos uno de los momentos más conmovedores de la novela: Lázaro se compadece de su desventurado amo. Le han regalado una uña de vaca y algunas tripas cocidas.

Y comienzo a cenar y morder en mis tripas y pan, y disimuladamente miraba al desventurado señor mío, que no partía sus ojos de mis faldas, que aquella sazón[12] servían de plato. Tanta lástima haya Dios de mí, como yo había de él, porque sentí lo que sentía, y muchas veces había por ello pasado y

75 pasaba cada día. Pensaba si sería bien comedirme[13] a convidarle; mas por me haber dicho que había comido, temíame no aceptaría el convite. Finalmente, yo deseaba que aquel pecador ayudase a su trabajo del mío[14], y se desayunase como el día antes hizo, pues había mejor aparejo, por ser mejor la vianda y menos mi hambre.

---

[12] *sazón*, vez, ocasión. [13] *comedirme*, anticiparme. [14] Su trabajo es el hambre, que Lázaro quiere remediar con su propio trabajo de mendigo.

Quiso Dios cumplir mi deseo, y aun pienso que el suyo; porque como[15] comencé a comer, y él se anda-
80 ba paseando, llegóse a mí y díjome:

—Dígote, Lázaro, que tienes en comer la mejor gracia que en mi vida vi a hombre, y que nadie te lo verá hacer que no le pongas gana aunque no la tenga.

«La muy buena que tú tienes —dije yo entre mí— te hace parecer la mía hermosa».

Con todo, parecióme ayudarle, pues se ayudaba y me abría camino para ello, y díjele:

85 —Señor, el buen aparejo hace buen artífice[16]. Este pan está sabrosísimo, y esta uña de vaca tan bien cocinada y sazonada, que no habrá a quien no convide[17] con su sabor.

—¿Uña de vaca es?

—Sí, señor.

—Dígote que es el mejor bocado del mundo, y que no hay faisán que así me sepa.

90 —Pues pruebe, señor, y verá qué tal está.

Póngole en las uñas la otra, y tres o cuatro raciones de pan de lo más blanco. Y sentóse al lado y comienza a comer como aquel que lo había gana, royendo cada huesecillo de aquellos mejor que un galgo lo hiciera.

Pero el desventurado hidalgo, acosado por sus acreedores, tiene que huir, y el pobre **Lázaro** *queda disponible otra vez. Ya* **no volverá a pasar hambre con sus nuevos amos**; *pero le suceden otras desventuras con otros amos, hasta que conoce al arcipreste de San Salvador de Toledo, con cuya barragana se casa. La gente murmura de tal matrimonio, pero él cierra los ojos y confiesa estar «en la cumbre de toda buena fortuna».*

---

[15] *como*, apenas. [16] El buen instrumento (*aparejo*) hace que parezca bueno quien lo maneja (*artífice*). [17] *convide*, estimule.

COMENTARIO DE TEXTO. EPISODIO DE LA UÑA DE VACA

Introducción

a Lázaro no es malo por naturaleza, sino porque la vida lo ha torcido. Razónalo.

b ¿Qué siente el muchacho por su amo? ¿Lo mueve la caridad cristiana o la fraternidad?

Análisis (contenido y expresión)

c Lázaro se ha convertido en un perspicaz psicólogo. Señala datos que lo confirmen.

d El criado no desea humillar al amo. ¿Cómo se comporta? ¿Con qué deseo manifiesta su buen natural?

e Pero el escudero es astuto. ¿Qué táctica emplea para que el mozo le dé parte? ¿Se da cuenta Lázaro?

f ¿Qué contesta Lázaro al verse elogiado? ¿Con qué intención lo dice?

g El hidalgo, ni para aceptar la uña, deja de fingir grandeza (línea 89). ¿Lo adviertes?

h Lázaro asiste a la escena con regocijo y con un claro desdén hacia aquel pobre fantasmón. ¿Puedes mostrarlo, observando cómo se refiere a él, cómo lo califica y designa, con qué lo compara?

Conclusión

i Cuando se habla del «realismo» de la literatura española suele recordarse el *Libro de Buen Amor*, *La Celestina*, el *Lazarillo*. ¿Lo encuentras justificado en el primero y el tercer caso?

j ¿Podría utilizar el autor de esta novela el lenguaje elevado que, por ejemplo, emplea Fray Luis de León en *De los nombres de Cristo*? ¿Por qué causa?

MIGUEL DE CERVANTES (6e)

Cervantes según el retrato de Segrelles, fiel a la descripción que el autor hizo de sí mismo.

Autorretrato

Cuando tenía sesenta y seis años Cervantes publicó el siguiente *autorretrato*, en el prólogo de las *Novelas ejemplares*, que nos compensa de no poseer ningún retrato pictórico suyo (los que se han tenido por tales son falsos):

«Este que veis aquí, de rostro aguileño; de cabello castaño; frente lisa y desembarazada; de alegres ojos y de nariz corva, aunque bien proporcionada; las barbas de plata, que no ha veinte años que fueron de oro; los bigotes grandes; la boca pequeña; los dientes ni menudos ni crecidos, porque no tiene sino seis, y esos mal acondicionados y peor puestos, porque no tienen correspondencia los unos con los otros; el cuerpo entre dos extremos, ni grande ni pequeño; la color viva, antes blanca que morena, algo cargado de espaldas y no muy ligero de pies; este digo que es el rostro del autor de La Galatea *y de* Don Quijote de la Mancha.»

VIDA

Nació en Alcalá de Henares en 1547. Pasó su infancia y primera juventud en diversas ciudades de España y en Italia. Como soldado, a los veinticuatro años, luchó en Lepanto (1571); una herida le dejó inútil la mano izquierda. En 1575 fue apresado por los turcos y estuvo *cautivo* en Argel cinco años (1575-1580).

Libre, al fin, se instaló en Madrid. A los treinta y siete años tuvo una hija natural, Isabel. Contrajo un matrimonio desgraciado (con Catalina de Salazar). Durante dos lustros recorre Andalucía como cobrador de rentas del Estado. Acusado de irregularidades administrativas, sufrió en 1597 tres meses de cárcel, y el proceso no acabó hasta 1603, con su exculpación.

Se instala en Valladolid y publica el *Quijote* (1605). Tiene cincuenta y ocho años. Por un oscuro asunto (un hombre asesinado ante su casa) padece nueva cárcel, pero es absuelto. En 1608 se traslada a Madrid con su hermana y su hija. Vive pobremente. Un embajador que lo visita, exclama: «¿A tal hombre no le tiene España muy rico y sustentado del erario público?»

Murió el 23 de abril de 1616 (día en que también falleció William Shakespeare). Cuatro días antes había terminado la novela *Persiles y Sigismunda*.

● Vivió Cervantes, de joven, los grandes ideales del imperio; y, en su madurez, vio los signos de la decadencia española. A veces se transparenta su tristeza, pero no cede a la amargura desengañada. Es fácil imaginar a Cervantes como un hombre de honda humanidad, digno ante la desgracia, incapaz de rencor, tolerante, con una gran capacidad de comprensión, fundada en un hondo conocimiento del corazón humano.

OBRAS POÉTICAS

● Cervantes se afanó en ser poeta: «la gracia que no quiso darme el cielo», como él mismo decía. Sus poesías se han perdido en gran parte. Pero en sus novelas y comedias aparecen textos líricos que lo acreditan como poeta discreto. (En *La gitanilla*, por ejemplo, hay un soneto y un romance deliciosos). Famoso es también un soneto irónico *Al túmulo de Felipe II*. (V. texto.)

● En verso escribió el ***Viaje del Parnaso*** (1614), en que Cervantes enjuicia a los poetas españoles con elogio o amable sátira.

Al túmulo de Felipe II

—«¡Voto a Dios que me espanta esta grandeza
y que diera un doblón por describilla!
Porque ¿a quién no sorprende y maravilla
esta máquina[1] insigne, esta riqueza?
5 Por Jesucristo vivo, cada pieza
vale más de un millón, y que es mancilla
que esto no dure un siglo, oh gran Sevilla,
Roma triunfante en ánimo y nobleza.
Apostaré que el ánima del muerto,
10 por gozar de este sitio, hoy ha dejado
la gloria donde vive eternamente.»
Esto oyó un valentón y dijo: —«Es cierto
cuanto dice voacé[2], señor soldado,
y el que dijere lo contrario, miente.»
15 Y luego incontinente[3]
caló el chapeo[4], requirió la espada[5],
miró al soslayo, fuese y no hubo nada.

[1] *máquina*, el gran monumento funerario. [2] *voacé*, vuestra merced, en lenguaje vulgar y desgarrado. [3] *incontinente*, al instante. Estos tres versos que se añaden a los catorce del soneto se llaman *estrambote*. [4] *chapeo*, sombrero. [5] La tomó por la empuñadura (sin sacarla).

TEATRO

Fue la *gran vocación de Cervantes*. Recordemos que, en la segunda mitad del siglo XVI, se estaban ensayando diversas fórmulas teatrales. En una **primera época**, Cervantes, siguiendo la *orientación renacentista*, se inclina por un **teatro clásico**. Se caracterizaba éste por sus temas nobles y un estilo elevado; además, se sometía a la *regla de las tres unidades*: de *acción*, de *lugar* y de *tiempo* (la acción transcurría en un mismo escenario y en un día). Su obra más famosa de esta tendencia es la tragedia *Numancia* (¿1580?).

● Pero Lope de Vega —como veremos— hace triunfar una fórmula distinta y revolucionaria, que *no respeta las reglas, mezcla lo cómico y lo trágico*, etc. Cervantes, en una **segunda época**, se somete a tal fórmula y escribe varias comedias nuevas. Citemos *El rufián dichoso, La gran sultana, Pedro de Urdemalas, Los baños de Argel*[6]...

Pero esas obras no alcanzaron gran éxito, y para Cervantes fue una gran desilusión ver triunfar un tipo de teatro —el lopesco— tan distinto de sus propios ideales artísticos.

ENTREMESES

En cambio, Cervantes acertó plenamente con sus ocho **entremeses**. Sigue con ellos el camino de los *pasos* de Lope de Rueda: son, pues, *obritas teatrales cortas, de carácter popular y cómico, que se representaban en los entreactos de las obras largas*.

● Los entremeses cervantinos son *modelos del género*; el autor crea, con trazos certeros, *tipos inolvidables*, enredados en conflictos de gran sabor *costumbrista*. Constituyen un *retrato admirable de las clases populares de la época*. Tienen justa fama los titulados *El viejo celoso, La cueva de Salamanca, La elección de los alcaldes de Daganzo* y, sobre todo, ***El retablo de las maravillas***.

CERVANTES NOVELISTA

Pero si Cervantes ocupa un lugar de excepción en la literatura mundial, es por sus dotes excepcionales de narrador. Recordemos las novelas que se leían en su tiempo: *pastoriles, caballerescas, moriscas, bizantinas* y *picarescas*. Cervantes *afronta todos estos géneros* con distinta actitud:

— Cultiva el género **pastoril** en su *primera novela: La Galatea* (1585).
— Los **libros de caballerías** le indujeron a escribir su genial parodia, el *Quijote*.

[6] *baños*, prisiones.

—Elementos de la **novela morisca** hay en la *historia del cautivo*, inserta en el *Quijote*.

—La **novela bizantina** fue el modelo de su última obra: el *Persiles*.

—En cuanto a las **novelas picarescas**, admiró su realismo, pero no compartía su amarga imagen de los hombres. Por ello, escribe una amable novela sobre *pícaros*, pero que no es picaresca: *Rinconete y Cortadillo*.

● Aún lleva más lejos su *curiosidad experimental*: introduce en España un género de amplia difusión en Italia: la **novela corta**. A ello responden las *Novelas ejemplares*.

● Enseguida daremos detalles de estas obras. Pero subrayemos ahora cómo Cervantes cultiva *simultáneamente* los géneros «realistas» y «no realistas». Pero, en éstos (*Galatea*, *Persiles*), **busca siempre la verosimilitud**. Su estética era incompatible con las ***fantasías*** habituales en tales géneros. Por eso, hallamos su verdadera genialidad en las obras de carácter realista como el *Rinconete* y, sobre todo, el *Quijote*.

LA GALATEA

Es, lo hemos dicho, su primera novela, y la publica en 1585, a los treinta y ocho años. El género *pastoril* —que, como sabemos, introdujo en España *La Diana* de Jorge de Montemayor, y que es *característicamente renacentista*— atrajo lo más noble del alma de Cervantes, y lo estimó siempre por su alta *idealización* del amor. Aun en su lecho de muerte prometía escribir una segunda parte de *La Galatea*.

NOVELAS EJEMPLARES

● Son doce novelitas, escritas desde principios del siglo y publicadas en 1613. Al frente de dicho volumen, el autor se jacta de ser «el primero que ha novelado en lengua castellana». Quería decir que era el primero en escribir lo que, en Italia, llamaban *novella*, palabra que significaba 'relato corto', pero más complejo que el cuento. El éxito del libro fue tal, que sólo en el *siglo XVII* hubo sesenta ediciones (traducciones incluidas).

● En las *Novelas ejemplares* suelen distinguirse varios grupos:

—hay unas en que domina la imaginación ***idealista*** (más italianizantes), como *La española inglesa*;

—otras son fruto de observación ***realista***, y entre ellas destacan *El coloquio de los perros*, *El licenciado Vidriera*, *El celoso extremeño* y, sobre todo, *Rinconete y Cortadillo*;

—en algunas se mezclan las visiones ***realistas*** con la ***idealización*** de ciertos personajes: tal es el caso de dos joyas como *La Gitanilla* y *La ilustre fregona*.

● ¿En qué sentido son *ejemplares* estas novelas? En algunas de ellas no faltan elementos escabrosos. Sin embargo, profundizando en ellas, será posible ver una clara lección: que no cabe moral si no se funda en el respeto a lo natural y lo razonable, y en el ejercicio de la libertad.

Entre los libros de lectura obligada en este curso, bien podría figurar una de las *Novelas ejemplares*. Recomendemos dos sensiblemente distintas: *Rinconete y Cortadillo* o *La ilustre fregona*.

LOS TRABAJOS DE PERSILES Y SIGISMUNDA

Es, lo hemos dicho, su última obra. Cervantes adopta las *convenciones del género bizantino* (naufragios, secuestros, peligros, azar que salva a los protagonistas, tierras extrañas...), pero procura que todos los trances sean *creíbles*, firme en su aborrecimiento de la desmesura imaginativa y de la mentira novelesca.

En este largo relato, *Persiles*, heredero del reino de Tule (Islandia), y *Sigismunda*, hija de un rey, están enamorados, y sufren persecuciones y prisiones —«trabajos»—, hasta que se reúnen en Roma, donde se casan.

EL QUIJOTE. SU PROPÓSITO

El ingenioso hidalgo don Quijote de la Mancha es la obra cumbre de nuestra literatura, editada cientos de veces, y traducida a todas las lenguas cultas del mundo. Las *dos partes* de que consta se publicaron en 1605 y 1616.

● Inicialmente, tal vez Cervantes se propuso escribir una novela corta para *ridiculizar los libros de caballerías*. Pero ese propósito inicial quedó pronto desbordado.

● Ciertamente afirma: «No ha sido otro mi deseo que poner en aborrecimiento de los hombres las fingidas y disparatadas historias de los libros de caballerías». En efecto, aquel género medieval se prolongaba en obras deleznables pero de gran éxito. Eran muchos los humanistas y moralistas que lo condenaban. Y Cervantes era de esa opinión.

Para combatirlos y *mostrar sus disparates*, hace que un *hidalgo enloquezca leyendo tales libros* y que, en su locura, *intente implantar* los **ideales** *caballerescos*. Y lo lanza a la **vida real** de la España de su tiempo. Todas las aventuras que don Quijote emprende, con el más puro espíritu caballeresco, fracasan. Son falsas, por tanto, las desmesuradas hazañas que contaban el *Amadís* y sus sucesores.

● Pero, según avanzaba en su relato, Cervantes no podía dejar de ver que aquellos libros de caballerías, por debajo de sus desmesuras, eran depositarios de *hermosos ideales*: heroísmo, caballerosidad, magnanimidad, generosidad, defensa de los oprimidos... Por eso, junto a su parodia, hay cierta melancolía: aquellos ideales no tienen cabida en el mundo mezquino del momento. De ahí la fecunda ***ambigüedad*** del Quijote que tantos comentarios habría de suscitar.

● Por otra parte, el hidalgo entra en contacto con múltiples ambientes y tipos de la vida española de su tiempo; y ello permite que el novelista trace un *lúcido panorama de aquella realidad social y exprese su propia visión del mundo* con una amplitud que desborda igualmente el proyecto inicial de poner en la picota los libros de caballerías.

TRASCENDENCIA DEL *QUIJOTE*

El *Quijote* tuvo un éxito fulminante, pero, en el siglo XVII, se leyó simplemente como un *libro humorístico* que se burlaba de los libros de caballerías y otras ridiculeces.

● En el XVIII se le considera ya como *obra clásica* y como *modelo de lenguaje*. Es imitado en Europa, donde los críticos lo sitúan entre las grandes creaciones del ingenio humano. Goethe, el máximo escritor alemán, lo llama «tesoro de deleites y enseñanzas». Los españoles empiezan a sentirse orgullosos de la novela.

● En el XIX, aumenta su fama y se enriquece su interpretación. Para los *románticos*, don Quijote es símbolo del hombre que lucha por sus ideales contra un mundo que los rechaza. Y ven algo profundamente triste bajo el humor cervantino: «en esa sonrisa hay una lágrima», dijo Víctor Hugo.

● Desde entonces, las *interpretaciones* del *Quijote* se suceden; filósofos, historiadores de las ideas, críticos y políticos intentan desentrañar sus complejos mensajes.

● Y así, el hidalgo llega a encarnar el ***impulso ideal*** que, en el corazón del hombre, convive con el ***sentido común*** representado en la novela por Sancho Panza. A don Quijote lo mueven la ***fe en la justicia, el ansia de libertad, el valor y el***

Argumento del Quijote

La acción principal está constituida por tres viajes o salidas que realiza don Quijote. Las dos primeras se relatan en la primera parte, y la última, en la segunda.

• El hidalgo manchego *don Alonso Quijano*, llamado el Bueno, enloquece leyendo libros de caballerías y, con el nombre de *don Quijote de la Mancha*, y su viejo caballo *Rocinante*, se lanza por la Mancha guiado por nobles ideales: deshacer entuertos, proteger a los débiles, y merecer a Dulcinea (que es una labradora, Aldonza, idealizada por él). En una venta que imagina ser castillo, se hace armar caballero entre las burlas del ventero y de las mozas del mesón. Libera a un muchacho a quien su amo está azotando por perderle las ovejas (pero apenas se marcha prosigue la paliza). Apaleado por unos mercaderes, un conocido lo devuelve a su aldea. Ya repuesto, convence con promesas a *Sancho Panza* para que lo acompañe en sus aventuras. Y siempre sale mal parado: lucha contra unos gigantes... que no son sino molinos de viento; arremete contra unos rebaños de ovejas que le parecían ejércitos; da libertad a unos criminales, que luego le apedrean, etc. Sus amigos, el *Canónigo* y el *Barbero*, salen en su busca, y lo traen engañado a su pueblo, metido en una jaula.

• En la segunda parte, don Quijote sale otra vez acompañado de Sancho, quien, en una ocasión, intenta hacerle creer que una rústica que viene montada en un asno es Dulcinea encantada. Atravesando Aragón, llegan a los dominios de unos *Duques*, que se divierten a su costa. Mandan como gobernador de una «ínsula» (que no es sino una aldea) a Sancho, quien da pruebas de un excelente sentido; pero cansado de los sinsabores del poder (o pesadas bromas organizadas por los Duques) se vuelve con don Quijote. Tras otras peripecias, van a Barcelona y allí don Quijote es vencido por el *Caballero de la Blanca Luna* (su amigo Sansón Carrasco, disfrazado), quien le impone regresar a su pueblo. El caballero, física y moralmente derrotado, vuelve al lugar y, al poco, muere curado de su locura.

amor. Sancho, rústico y glotón, no entiende tales idealidades; pero, poco a poco, la ***fidelidad a su señor*** le hace participar de aquella bondad de espíritu y anhelo de bien. Así, se ha podido hablar de la *progresiva quijotización de Sancho*.

He aquí algunas de las razones por las que el *Quijote* no ha dejado de seducir a gentes de las más diversas épocas y latitudes.

SU LENGUAJE

Con el *Quijote*, la *prosa española alcanza su cumbre*. No posee un estilo uniforme: es admirablemente **polifónico**. Resuenan en él, combinándose, *todos los estilos que había creado la prosa del Renacimiento*, a veces bajo la forma de *parodia* o imitación burlesca. Y es admirable la riqueza polifónica con que se expresan sus múltiples personajes: cada uno habla según su condición o según la situación en que se halla.

En ese magno **concierto de estilos**, característico de la novela moderna, se oyen las voces de la ciudad y de la aldea, de los cabreros y de los aristócratas, de mozas de partido o de clérigos, de la más noble retórica o del dicterio más vulgar... Y, sobre todo, la infinidad de tonos de don Quijote, según sea su talante, y la expresión sensata, cazurra y sabrosísima de Sancho, tan amigo de los refranes.

EL *QUIJOTE* DE AVELLANEDA

En 1614, un año antes de la publicación de la segunda parte del *Quijote*, apareció en Tarragona una continuación apócrifa de la primera. Se declaraba su autor el licenciado **Alonso Fernández de Avellaneda**, natural de Tordesillas (Valladolid).

> En este libro llegan a la aldea de don Quijote unos caballeros, que van a Zaragoza a participar en unas justas. Uno de ellos es don *Álvaro Tarfe*, que se aloja en la casa del hidalgo. Éste marcha también a participar en el torneo, acompañado de Sancho y haciéndose llamar el *Caballero Desamorado* porque ha renunciado a Dulcinea. Don Quijote gana el premio y regresa. En Alcalá y en Madrid le suceden increíbles aventuras. Sancho se queda en la última ciudad sirviendo a un marqués. Por último, Tarfe hace recluir al caballero en el manicomio de Toledo.

Se ignora quién se ocultó bajo el seudónimo de *Avellaneda*. Era, sin duda, amigo de Lope de Vega y feroz adversario de Cervantes, por quien se creyó injuriado. Su obra es meritoria y a ratos divertida, pero ni de lejos resiste la comparación con el original. Cervantes sufrió mucho con este incidente, y, al publicar su segunda parte, arremetió justamente contra su émulo.

DON QUIJOTE DE LA MANCHA

La lectura íntegra de este libro inmortal debe ser propósito firme de todo español. Aquí, nos limitaremos a ofrecer un episodio característico, que dará pie a sabrosos comentarios. Pero sugerimos que todos los alumnos acudan a clase con su **Quijote** (ha de haber uno en cada casa) y que, bajo la dirección del profesor, se dediquen unos días a leer otras páginas, a comentarlas y a realizar actividades conexas.

Don Quijote, Andresillo y Juan Haldudo

Estamos en el capítulo IV de la Primera Parte. En la venta que él imaginaba ser castillo, don Quijote ha sido armado caballero; es decir, que se le ha otorgado el poder de luchar en defensa de la justicia y contra toda clase de opresión. Claro que todo ha sido una burla de un ventero y otras gentes que le han seguido la corriente a don Quijote para librarse de aquel loco. No obstante, el flamante caballero se siente más que nunca portador de altos ideales. He aquí la primera ocasión que se le presenta de ejercer su noble misión de defender a los humildes y abatir a los soberbios (ya se verá con qué resultado).

La del alba[1] sería cuando don Quijote salió de la venta tan contento, tan gallardo, tan alborozado por verse ya armado caballero, que el gozo le reventaba por las cinchas[2] del caballo [...].

[1] *la del alba*, la hora del alba. [2] *cincha*, correa ancha con la que se sujeta la silla de montar al cuerpo del caballo.

Viñetas para ilustrar diversas escenas del Quijote *en una edición del siglo* XVIII.

No había andado mucho cuando le pareció que a su diestra mano, de la espesura de un bosque que allí estaba, salían unas voces delicadas, como de persona que se quejaba, y apenas las hubo oído cuando dijo:

—Gracias doy al cielo por la merced que me hace, pues tan presto me pone ocasiones delante donde yo pueda cumplir con lo que debo a mi profesión y donde pueda coger el fruto de mis buenos deseos. Estas voces, sin duda, son de algún menesteroso o menesterosa que ha menester mi favor y ayuda.

Y volviendo las riendas, encaminó a Rocinante hacia donde le pareció que las voces salían. Y a pocos pasos que entró por el bosque, vio atada una yegua a una encina, y atado en otra a un muchacho desnudo de medio cuerpo arriba, hasta de edad de quince años, que era el que voces daba, y no sin causa, porque le estaba dando con una pretina[3] muchos azotes un labrador de buen talle, y cada azote lo acompañaba con una reprehensión y consejo. Porque decía:

—La lengua queda[4] y los ojos listos.

Y el muchacho respondía:

—No lo haré otra vez, señor mío; por la pasión de Dios que no lo haré otra vez, y yo prometo de tener de aquí adelante más cuidado con el hato[5].

Y viendo don Quijote lo que pasaba, con voz airada dijo:

—Descortés caballero, mal parece tomaros con[6] quien defender no se puede; subid sobre vuestro caballo y tomad vuestra lanza —que también tenía una lanza arrimada a la encina donde estaba arrimada la yegua—, que yo os haré conocer ser de cobardes lo que estáis haciendo.

El labrador, que vio sobre sí aquella figura llena de armas blandiendo la lanza sobre su rostro, túvose por muerto y, con buenas palabras, respondió:

—Señor caballero, este muchacho que estoy castigando es un criado mío, que me sirve de guardar una manada de ovejas que tengo en estos contornos, el cual es tan descuidado que cada día me falta una; y porque castigo su descuido o bellaquería[7], dice que lo hago de miserable, por no pagarle la soldada[8] que le debo, y por Dios y por mi alma que miente.

—¿«Miente» delante de mí[9], ruin villano? —dijo don Quijote—. Por el sol que nos alumbra que estoy por pasaros de parte a parte con esta lanza. Pagadle luego[10] sin más réplica; si no, por el Dios que nos rige que os concluya y aniquile en este punto. Desatadlo luego.

El labrador bajó la cabeza y, sin responder palabra, desató a su criado, al cual preguntó don Quijote que cuánto le debía su amo. Él dijo que nueve meses, a siete reales cada mes. Hizo la cuenta don Quijote

[3] *pretina*, cinturón de cuero. [4] *la lengua queda*, la lengua quieta, callada. [5] *hato*, rebaño. [6] *tomaros con*, emprenderla con, pelear con. [7] *bellaquería*, maldad. [8] *soldada*, salario, paga. [9] ¿Te atreves a decir que miente delante de mí? [10] *luego* significaba «enseguida».

y halló que montaban setenta y tres reales, y díjole al labrador que al momento los desembolsase si no quería morir por ello. Respondió el medroso villano[11][...]:

—El daño está, señor caballero, en que no tengo aquí dineros; véngase Andrés conmigo a casa, que yo se los pagaré un real sobre otro.

—¿Irme yo con él —dijo el muchacho— más? ¡Mal año![12] No, señor, ni por pienso; para que, en viéndose solo, me desuelle como a un San Bartolomé.

—No hará tal —replicó don Quijote—. Basta que yo se lo mande para que me tenga respeto. Y con que él me lo jure por la ley de caballería que ha recibido[13], le dejaré ir libre y aseguraré la paga.

—Mire vuestra merced, señor, lo que dice —dijo el muchacho—, que este mi amo no es caballero ni ha recibido orden de caballería alguna; que es Juan Haldudo el rico, el vecino de Quintanar.

—Importa poco eso —respondió don Quijote—, que Haldudos puede haber caballeros; cuanto más que cada uno es hijo de sus obras.

—Así es verdad —dijo Andrés—, pero este mi amo, ¿de qué obras es hijo, pues me niega mi soldada y mi sudor y trabajo?

—No niego, hermano Andrés —respondió el labrador—, y hacedme placer de veniros conmigo, que yo juro por todas las órdenes que de caballería hay en el mundo de pagaros, como tengo dicho, un real sobre otro, y aun sahumados[14].

—Del sahumerio os hago gracia[15] —dijo don Quijote—. Dádselos en reales, que con eso me contento. Y mirad que lo cumpláis como lo habéis jurado; si no, por el mismo juramento os juro de volver a buscaros y a castigaros, y que os tengo de hallar aunque os escondáis más que una lagartija. Y si queréis saber quién os manda esto, para quedar con más veras obligado a cumplirlo, sabed que soy el valeroso don Quijote de la Mancha, el desfacedor[16] de agravios y sinrazones, y a Dios quedad, y no se os parta de las mientes lo prometido y jurado, so pena de la pena pronunciada.

Y en diciendo esto, picó a Rocinante y, en breve espacio, se apartó de ellos. Siguióle el labrador con los ojos y, cuando vio que había traspuesto el bosque y que ya no parecía[17], volvióse a su criado Andrés y díjole:

—Venid acá, hijo mío, que os quiero pagar lo que os debo, como aquel deshacedor de agravios me dejó mandado [...].

---

[11] *el medroso villano*, el atemorizado aldeano. [12] Exclamación equivalente a «¡Nunca!». [13] Don Quijote toma al labrador por un caballero noble. [14] *y aun sahumados*, y hasta perfumados. (¿En qué se nota que el labrador ha calado a don Quijote y que habla con fingimiento y mala intención?). [15] «Os perdono el perfume». [16] *desfacedor*: don Quijote emplea estas formas con *f* en vez de *h*, ya anticuadas en tiempos de Cervantes, porque imita el lenguaje de los viejos libros de caballerías. [17] *ya no parecía*, ya no se le veía.

Y asiéndole del brazo le tornó a atar a la encina, donde le dio tantos azotes que le dejó por muerto.

—Llamad, señor Andrés, ahora —decía el labrador— al *desfacedor*[18] de agravios; veréis cómo no *desface* aqueste.

[18] El labrador imita ahora en son de burla la manera de hablar de don Quijote.

- **Indica, ante todo, sinceramente, si el relato ha prendido tu atención, si lo has seguido con interés. ¿Podrías dividirlo en grandes apartados?**
- **Caracteriza y juzga a los personajes. Para empezar: ¿Cómo te imaginas a Juan Haldudo, el labrador? ¿Cómo calificarías su comportamiento? En cuanto a Andrés, ¿qué dirías?**
- **Dediquemos un apartado especial a don Quijote. ¿Qué siente al ver cómo tratan al muchacho? ¿Cómo juzgas su comportamiento al confiar en Juan Haldudo? Siempre se ha dicho que en don Quijote se mezclan aspectos nobles y aspectos ridículos: ¿es así en este episodio?**
- **¿Qué ideas se desprenden de este relato? ¿Qué hay de cómico y qué hay de patético en él?**
- **¿Se transparenta aquí algo de lo que pensaba Cervantes de la vida, de los hombres, de los ideales (o de la falta de ideales)?**

EJERCICIOS

Repaso de Gramática

1 Indica qué clase de coordinación aparece en las siguientes oraciones:

— Por vos he de morir y por vos muero.

— Deslumbróseme la vista, mas di un ciego y oscuro salto.

— Lázaro, llega el oído a este toro y oirás un gran ruido dentro de él.

— Don Quijote estaba loco, pero conservaba nobles ideales.

• *¿Qué otras clases de proposiciones coordinadas hay? Pon ejemplos.*

2 Busca en los fragmentos del Lazarillo frases en que aparezcan demostrativos, posesivos e indefinidos. Cópialas anotando si son *adjetivos* o *pronombres* y qué función desempeñan.

3 He aquí (levemente retocada) una frase del episodio del *Quijote* que hemos leído. Indica de cuántas proposiciones consta y de qué clase son:

— Mire vuestra merced lo que dice, porque este mi amo no es caballero ni ha recibido orden de caballería ninguna.

Expresión escrita

He aquí varias propuestas para elegir:

• **«Carpe diem».**— Basándote en lo dicho sobre el tema, escribe una carta a una persona de tu edad haciéndole ver lo rápido que pasa el tiempo e invitándola a aprovecharlo.

• **Adjetivación.**—Repasa lo que observamos en las páginas 79 y 83 acerca del *adjetivo epíteto* en Garcilaso, y redacta una breve descripción paisajística en que algunos sustantivos vayan oportunamente precedidos de epítetos.

• **Las personas de la narración.**— En la página 100 figura el episodio del Lazarillo sobre la «calabazada» contra el toro de piedra del puente de Salamanca. Reescríbelo empleando no la primera persona sino la *tercera*. Verás lo que cambia (incluso tendrás que añadir, a veces, ciertas palabras, como el nombre de los personajes, para que quede claro).

7 EL SIGLO XVII (I)

El sueño del caballero, *obra de Antonio de Pereda (siglo XVII), ilustra bien el desengaño, la fugacidad de la vida, el desorden del mundo y otros motivos propios de la cultura barroca.*

EL MARCO HISTÓRICO

● El siglo XVII está marcado por la **decadencia** y **la crisis económica.**

● Reinaron en este siglo **Felipe III** (1598-1621), **Felipe IV** (1621-1665) y **Carlos II** (1665-1700). Los reyes gobiernan por medio de *validos* o primeros ministros (duques de Lerma y de Uceda, conde-duque de Olivares, etc.).

● *España pierde su hegemonía en Europa.* Continuaron las costosas guerras en los Países Bajos; y Holanda se independizó. En guerra con Francia, se perdieron el Rosellón, Cerdaña y Artois (1659).

● *En el interior* se sublevaron Cataluña (1640-1652) y Portugal (1640), que alcanzó la independencia. En el reinado de Carlos II, un débil mental, no se pudo poner remedio a tales desventuras; al contrario: el rey murió sin descendencia, lo que preparó la guerra de Sucesión, con que se abrirá el siglo XVIII.

EL MARCO SOCIAL

● Las guerras, la peste y las crisis económicas diezmaron la población española, que baja hasta los *ocho millones* de habitantes (tal vez, seis millones). La agricultura se empobrece. La industria y el comercio declinan.

● La *nobleza* y el *clero* aumentan su poder, en connivencia con reyes y validos (es lo que se ha llamado la «reacción monárquico-señorial» frente a las *clases medias*). Se incrementa el número de eclesiásticos con gentes movidas por la ambición o que huyen de la pobreza. Las crisis afectan especialmente a los *artesanos* y *campesinos*. Crece la miseria y aumenta la delincuencia.

● Tales circunstancias crean un clima de **malestar**, unos sentimientos de *inestabilidad,* de *descontento* y hasta de *angustia* (veremos cómo lo refleja la literatura).

LA CULTURA

● La creciente influencia de la Iglesia y el papel que España había tenido en la *Contrarreforma* marcaron la cultura de nuestro siglo XVII. En muchos aspectos se produce un retorno a *actitudes medievales*: se vuelve a una concepción *teocéntrica*, frente al Humanismo renacentista. La Inquisición vigila toda *explicación de la Naturaleza o del hombre* que no se base en la *directa acción divina*. Por ello, cesan prácticamente en España la investigación científica y la filosofía racional que apuntaban con el Renacimiento, y se impide el «pernicioso» contacto con Europa. Así, España se retrasa respecto de la *filosofía* europea (Descartes) o la *ciencia* (Kepler, Galileo, Newton) con que estaba empezando la modernidad.

En cambio, cobran nuevo impulso el pensamiento *ascético* tradicional con su actitud *desengañada* ante la vida terrena y las cosas mundanas.

● Paradójicamente, esta época de *crisis* y *decadencia* es también de **esplendor artístico.** El genio español, imposibilitado de crear en otros terrenos, *se manifiesta en el quehacer estético.* Y así, estamos en nuestro **segundo Siglo de Oro,** que transcurre entre la *muerte de Cervantes* (1616) y *la de Calderón* (1681).

Es la época del **Barroco**, que —aparte la literatura— cuenta con pintores excelsos, como *José Ribera «el Españoleto», Zurbarán, Murillo, Valdés Leal* y el genial ***Diego Velázquez*** (1599-1660). En Arquitectura, el Barroco se manifiesta en las obras de *Gómez de Mora* (la Clerecía, de Salamanca) o de los hermanos *Churriguera,* ya en el siglo XVIII. Por fin, escultores admirables fueron *Gregorio Fernández, Martínez Montañés, Alonso Cano* o *Pedro de Mena.*

EL BARROCO Y EL SENTIMIENTO DEL DESENGAÑO

● El término *barroco* se formó por cruce de dos palabras: la portuguesa *barroco* (perla irregular) y la italiana *barocco* (razonamiento retorcido). Tuvo, pues, origen peyorativo; hoy designa, simplemente, la cultura característica del siglo XVII. Y la **cultura barroca** es consecuencia de las circunstancias que acabamos de repasar: decadencia, crisis, malestar, tensiones religiosas.

● Una palabra clave de esa cultura es el **desengaño.** Ello significa el derrumbamiento del idealismo renacentista, con su amor a la vida y su visión armónica del mundo. Ahora dominará *una concepción negativa del mundo y de la vida.* Anticipemos algunos aspectos que hemos de encontrar en los textos:

— *el mundo carece de valor:* es caótico, y está lleno de dolor y de peligros;

— *la vida es inconsistente:* es «una sombra, una ficción»; «la vida es sueño»; además, vivimos engañados porque hay un divorcio entre la *apariencia* y la *realidad* de las cosas;

— *la vida es breve, fugaz:* todo cambia y se nos escapa; el tiempo pasa destruyéndolo todo y destruyéndonos: vivir es *ir muriendo.*

● Pero varias son las **actitudes** que pueden adoptar los escritores frente a la *gravedad de los tiempos* y ante ese *desengaño* generalizado. Veamos algunas:

— *la queja o la protesta* (dentro de lo que admita la censura): se aprecia en cierta literatura satírica y en algunas páginas de la picaresca;

— *la angustia vital,* cuyas manifestaciones más hondas veremos en la lírica de Quevedo;

— *la búsqueda de consuelo,* en varios terrenos. En la *religión,* la citada *actitud ascética* predicaba apartarse del mundo y poner los ojos en la otra vida. En la *filosofía,* tuvo gran vigencia el *estoicismo,* que invitaba también a despegarse de lo mundano y a aceptar serenamente los sufrimientos y la muerte. Son actitudes que abundan en la poesía, en la prosa doctrinal, etc.;

—*la evasión,* ora refugiándose en la estética pura (Góngora, en parte), ora ofreciendo formas de *diversión,* a lo que respondió en buena medida, como veremos, el *teatro* de la época.

TENDENCIAS ESTILÍSTICAS

En las épocas *conflictivas* y de *menor libertad de expresión,* suelen aumentar como compensación los *artificios del estilo.* Ello se observa bien en el Barroco: nuestros autores prolongan y aumentan la tendencia a la *ostentación formal* que había empezado a manifestarse con el **Manierismo** (Herrera).

● Frente a la «naturalidad» y la «armonía» renacentistas, el **estilo barroco** se caracterizará por el *artificio*, la *intensidad* y la *extremosidad.*

● Ello tendrá manifestaciones diversas, pero destacan dos grandes tendencias estilísticas: el *culteranismo* y el *conceptismo.*

No *todos los* escritores del seiscientos siguen tales tendencias. Los hay que mantienen un *gran equilibrio entre el pensamiento y su expresión* (los Argensola, Rioja, Rodrigo Caro, etc.). El **barroquismo** se reduce en ellos a su *desengaño* ante lo humano y a su *actitud moralizadora.*

CULTERANISMO Y CONCEPTISMO

Se manifiestan tanto en prosa como en verso; **Góngora** es el más eminente escritor culterano, y **Quevedo** el maestro de los conceptistas. Fueron enemigos acérrimos.

Ambos movimientos *rompen el equilibrio clásico entre forma y contenido,* pero lo hacen de modo diferente:

—El **culteranismo** se preocupa sobre todo por desarrollar la *forma;* busca la belleza, la riqueza sensorial, la ornamentación exuberante, la brillante dificultad. Lo caracterizan esencialmente el léxico culto, el retorcimiento sintáctico y las metáforas audaces. El resultado puede ser de una gran *belleza formal.*

—El **conceptismo** se preocupa esencialmente por el *contenido,* por el «fondo». Busca la sutileza, la profundidad o la densidad (por lo que la forma resulta *condensada*). Sus recursos más característicos serán los juegos de palabras, los dobles sentidos. El resultado suele admirar por su *ingenio.*

Son dos **estilos difíciles.** El culterano, por las *complicaciones de la forma y por sus alardes cultos.* El conceptista, por los *conceptos* o asociaciones sintéticas que hace entre ideas, a veces muy alejadas.

● Las lecturas que siguen a esta lección nos darán suficientes muestras de ambos estilos. Pongamos ahora dos ejemplos breves pero ilustrativos.

• ***Observa en estos ejemplos lo que acabamos de exponer.***

Estilo culterano. Góngora, en su *Fábula de Polifemo y Galatea,* describe así a la ninfa, desnuda al amanecer:

Purpúreas rosas sobre Galatea
l'Alba entre lilios cándidos deshoja:
duda el Amor cuál más su color sea,
o púrpura nevada, o nieve roja.

[Esto es: Se diría que la luz del alba deshoja sobre Galatea rosas rojas que se mezclan con la blancura de azucena de su piel; el dios Amor, Cupido, duda cuál es el verdadero color de la ninfa, si púrpura cubierta de nieve, o nieve teñida de rojo.]

Estilo conceptista. En *La hora de todos* de Quevedo se increpa así un tabernero que agua el vino:

—*Diluvio de la sed, ¿por qué llamas borrachos a los anegados? ¿Vendes por azumbres lo que llueves a cántaros, y llamas zorras a los que haces patos?*

[Observa cómo juega el autor con el lenguaje, partiendo de las siguientes aclaraciones. Dice *diluvio de la sed* porque sacia la sed de vino con agua. *El azumbre* es una medida de unos dos litros; el tabernero, pues, vendía el vino por azumbres. Luego, si la expresión *llover a cántaros* significa «llover mucho», aquí quiere decir que el tabernero echa mucha agua al vino; pero, a la vez, *cántaro* era una medida mayor que el azumbre. O sea, que vendía al por menor el agua que echaba al por mayor. La palabra *zorras* significaba también «borrachos», y aquí son más bien *patos,* por el agua en que los ha sumido el tabernero.]

LOS GÉNEROS LITERARIOS EN EL SIGLO XVII

He aquí lo que nos ofrece el panorama literario del siglo barroco:

— La **lírica** *prolonga la calidad* que había alcanzado en el XVI, pero desarrolla una *temática* y unos *artificios más complejos,* por obra de tres genios: **Lope de Vega, Góngora** y **Quevedo**, a quienes dedicaremos próximas LECTURAS. (Lope y Quevedo son admirables también en otros géneros.)

Junto a los autores citados, son muchos los grandes poetas de este siglo que merecen ser leídos: Villamediana, los hermanos Argensola, Medrano, Fernández de Andrada, Rioja, Sor Juana Inés de la Cruz, etc.

— La **narrativa** alcanza gran auge. Desaparecen los *libros de caballerías,* tras el éxito fulminante del *Quijote*. Pero siguen escribiéndose *novelas pastoriles, moriscas, bizantinas* (Lope) y, sobre todo, *picarescas* (Quevedo, etc.).

La *novela corta,* creada por Cervantes, fue también cultivada por Lope y, con singular atractivo, por una penetrante escritora, **María de Zayas** (*Novelas amorosas y ejemplares*).

— La **prosa didáctica** cuenta con la excepcional figura de **Baltasar Gracián** (LECTURA 7c), cuyas obras alcanzaron gran difusión europea.

— Y el **teatro** llega a su máximo esplendor, gracias a la fórmula de la *comedia nueva* creada por **Lope de Vega** y adoptada, a lo largo del siglo, por discípulos de enorme talento, como veremos.

Pasamos a estudiar a **Góngora, Quevedo** y **Gracián**. Y en la Lección 8 completaremos el panorama del siglo XVII con el estudio del teatro (**Lope** y **Calderón**). **Véase también el cuadro cronológico de la página 135.**

El gusto barroco por el artificio invadía todas las manifestaciones de la vida de la época. Artilugios como esta fantasiosa tarasca, *pintada por Mateo Barahona, solían formar parte de los desfiles procesionales del Corpus.*

OTRAS LITERATURAS

Literaturas europeas del siglo XVII

Francia
—Corneille. —Racine. —Molière. —Pascal. —La Fontaine.

Inglaterra
—Milton.

LUIS DE GÓNGORA (7a)

PERSONALIDAD, AMIGOS Y ENEMIGOS

● Luis de Góngora y Argote nació en Córdoba (1561). Estudió Cánones en Salamanca, pero le interesaba más la poesía. Se ordenó sin vocación. A los cincuenta y seis años, ya famoso, se instaló en Madrid, donde fue nombrado capellán real. Su empeño en vivir como gran señor y su pasión por el juego lo pusieron al borde de la ruina. Retirado a Córdoba, murió en 1627.

● Tuvo un carácter desabrido, arrogante y mordaz, que le acarreó muchas enemistades. La más resonante fue la de *Quevedo*, tan agresivo como él, y que profesaba una estética diferente (el *conceptismo*). Ambos se insultaron ferozmente en verso. Atacó también a *Lope de Vega*, a quien acusó de concesiones al vulgo y de ceder a la facilidad («Potro es gallardo, pero va sin freno», dijo de él). Lope zahirió también el gongorismo, pero, en el fondo, admiraba y envidiaba a Góngora.

● Contó también el cordobés con apasionados amigos, que lo imitaron y lo exaltaron como principal poeta español. Y, a poco de morir, sus obras empezaron a publicarse con doctos comentarios: era tratado como los clásicos griegos o latinos.

EL CULTERANISMO O GONGORISMO

● Ya hemos expuesto sus características. Maticemos ahora que, en realidad, el *culteranismo* no se opone al *conceptismo*, sino que comparte con él unos rasgos fundamentales y **añade** ciertos elementos originales. En efecto, ambos movimientos tienen como base el ***concepto***. Se daba este nombre a una operación del *ingenio* que establece relaciones entre las cosas y las palabras que las designan, mediante el empleo de síntesis, metáforas, perífrasis, alusiones, etc.

● Lo que Góngora aportó a esa tendencia común fue una serie de elementos que provenían de su especial sensibilidad y genio: los *valores sensoriales* y los suntuosos *alardes ornamentales*: referencias mitológicas, el gusto latinizante de hipérbatos y cultismos, sugestivos efectos sonoros y, sobre todo, *metáforas* de una novedad y una audacia desconocidas.

Luis de Góngora, retratado por Velázquez al final de su vida (1622).

Quevedo y los conceptistas, en cambio, usan un lenguaje más llano, pero hacen difícil su estilo por la *concentración de significados*, según vimos.

LAS DOS ÉPOCAS DE GÓNGORA

● Se advierten en la poesía de Góngora **dos épocas**: una anterior a 1610 y otra posterior a ese año. En la primera, sus rasgos culteranos son mucho menores. Pero, a partir de 1610, da un inmenso salto por la audacia y la densidad de sus artificios, acentuando grandemente su *hermetismo* en obras de gran aliento y extensión.

● Durante siglos, el Góngora de la *primera época* fue siempre muy elogiado (se le llamó «príncipe de la luz»); en cambio, se rechazó la *segunda* como una aberración (el poeta se había convertido en «príncipe de las tinieblas»).

● Pero esa *segunda época* fue revalorizada —al celebrarse el tercer centenario de Góngora en 1927— por los jóvenes poetas de la llamada precisamente *generación del 27*. Lorca, Alberti, Gerardo Diego, etc., ponderaron la inmensa calidad lírica de los poemas más difíciles de Góngora (las *Soledades* y el *Polifemo*). Y un poeta y erudito, **Dámaso Alonso**, explicó y estudió de modo definitivo tal poesía.

SU OBRA

Aparte dos comedias poco relevantes, la obra del cordobés es exclusivamente **lírica**. Escribe poesía *religiosa* y, sobre todo, *profana*.

● Su **inspiración** se orienta hacia dos polos opuestos: por un lado, el *burlesco* o humorístico; por otro, la *refinada idealización*. Ambas direcciones se entremezclan en algunas obras, como la *Fábula de Píramo y Tisbe* (1618). En este sentido, aunque con estilo muy diferente, poco lo separa de su enemigo Quevedo.

● Sus obras maestras, aparte la fábula aludida, son los poemas ya citados ***Soledades*** y ***Fábula de Polifemo y Galatea***, en que nuestra lengua alcanza un punto máximo de *esplendor formal*.

● En fin, hay que señalar la *variedad* de su **versificación** y la *maestría* con que utilizó todas las formas de su tiempo, tanto las de origen popular (escribió bellísimos romances, letrillas, etc.), como las de origen italiano (ahí están sus prodigiosos sonetos, sus octavas, sus silvas...).

POESÍAS

Una letrilla satírica

La veta satírica de Góngora aparece en esta famosa letrilla. Es uno de sus primeros poemas, escrito a los veinte años (1581). Hay aquí un poeta inconformista que se burla de los valores más serios de su tiempo, y les opone el ideal de una vida tranquila, hecha de placeres sencillos.

Ándeme yo caliente
y ríase la gente.
Traten otros del gobierno
del mundo y sus monarquías,
5 mientras gobiernan mis días
mantequillas y pan tierno,
y las mañanas de invierno
naranjada[1] y agua ardiente,
y ríase la gente.

10 Coma en dorada vajilla
el Príncipe mil cuidados[2],
como píldoras dorados[3],
que yo en mi pobre mesilla
quiero más una morcilla
15 que en el asador reviente,
y ríase la gente. [...]

Pues Amor es tan crüel,
que de Píramo y su amada[4]
hace tálamo[5] una espada
20 do se junten ella y él,
sea mi Tisbe un pastel,
y la espada sea mi diente,
y ríase la gente.

[1] *naranjada*, confitura de naranja. [2] *cuidados*, preocupaciones, inquietudes. [3] «Cuidados dorados como píldoras» (preocupaciones mal disimuladas). [4] *Píramo*, personaje griego que se suicidó al creer que su amada Tisbe había muerto; ella, al verlo, se quitó la vida con la misma espada. [5] *tálamo*, lecho nupcial.

- **Destaca los contrastes que se establecen aquí entre la vida azarosa y la vida tranquila. ¿Qué desprecia el poeta y hacia qué placeres sencillos se inclina?**
- **Aunque escribió algunos espléndidos poemas amorosos (tal vez por puro ejercicio), Góngora rehuyó las complicaciones sentimentales: ¿se aprecia ello aquí?**
- **Hemos dicho que el estilo de su primera época es relativamente sencillo: ¿es así en este poema? Pero, ¿aparece ya algún rasgo culterano? Comenta las alusiones mitológicas.**

Un soneto amoroso

Escrito al año siguiente (1582), es de un tono muy distinto al poema anterior: ahora, Góngora rinde tributo a una tradición que ya conocemos por el soneto XXIII de Garcilaso (En tanto que de rosa y azucena...). *Será muy interesante releer aquel poema (recordando lo que comentamos entonces) y compararlo con éste, sobre el que también proponemos un comentario detallado. Pero comencemos por apreciar, en una primera lectura, la perfección de Góngora como sonetista.*

Mientras por competir con tu cabello
oro bruñido al sol relumbra en vano;
mientras con menosprecio en medio el llano
mira tu blanca frente el lilio[6] bello;

5 mientras a cada labio, por cogello,
siguen más ojos que al clavel temprano,
y mientras triunfa con desdén lozano[7]
del luciente cristal tu gentil cuello,

goza cuello, cabello, labio y frente,
10 antes que lo que fue en tu edad dorada
oro, lilio, clavel, cristal luciente,

no sólo en plata o viola troncada[8]
se vuelva, mas tú y ello juntamente
en tierra, en humo, en polvo, en sombra, en nada.

---

[6] *lilio*, lirio blanco, azucena. [7] *lozano*, palabra que puede significar «altivo» y «hermoso». [8] *viola troncada*, violeta tronchada.

COMENTARIO DE TEXTO. SONETO AMOROSO

Introducción

a El soneto, dentro de una tradición clásica, habla de la belleza, del tiempo y del goce de la vida. ¿Cómo enunciarías exactamente el tema? ¿Conoces otros tratamientos o enfoques?

Análisis (contenido y expresión)

b Analiza la métrica.

c Observa la estructura del poema: ¿cómo se distribuye el contenido entre cuartetos y tercetos? Es muy importante la construcción sintáctica: ¿cuál es el verbo principal y dónde está?; ¿de qué clase son las subordinadas que lo rodean? ¿En qué medida contribuye todo ello a poner de relieve el tema central del soneto?

d En los cuartetos se exalta la belleza de la mujer. ¿Qué partes del cuerpo se evocan y con qué se las compara? Ciertas expresiones muestran la «victoria» de la belleza; señálalas.

e Destaca los valores sensoriales y la sonoridad de los cuartetos.

f Los *versos 9 y 11* son enumeraciones: ¿qué elementos se recogen en ellas? ¿Sabes cómo se llama este procedimiento? Sus efectos.

g Comenta las imágenes de la caducidad de la belleza en los *versos 12-13* (compara con las imágenes de los cuartetos).

h El último verso es una nueva enumeración: coméntala, fijándote en que ahora hay un término más que en las enumeraciones anteriores: ¿hacia qué palabra se conduce nuestra atención?

Conclusión

i Síntesis y valoración del soneto, atendiendo especialmente al arte de Góngora. Por su tema y su estilo, ¿hasta qué punto resulta representativo de su tiempo?

Soneto a Córdoba

Estando el poeta en Granada en 1585, y prolongándose su estancia más de lo esperado, le escribieron sus amigos cordobeses preguntándole si se había olvidado de su ciudad natal. Con ese motivo, compuso el siguiente soneto, muestra perfecta de su gran calidad de sonetista.

¡Oh excelso muro! ¡Oh torres coronadas
de honor, de majestad, de gallardía!
¡Oh gran río[9], gran rey de Andalucía,
de arenas nobles, ya que no doradas!

5 ¡Oh fértil llano, oh sierras levantadas
que privilegia el cielo y dora el día!
¡Oh siempre gloriosa patria mía
tanto por plumas cuanto por espadas!

Si entre aquellas rüinas y despojos
10 que enriquece Genil y Darro baña[10],
tu memoria no fue alimento mío,

nunca merezcan mis ausentes ojos
ver tu muro, tus torres y tu río,
tu llano y sierra, ¡oh patria!, ¡oh flor de España!

- **¿Qué versos expresan con mayor intensidad el amor de Góngora por su ciudad natal?**
- **Se prodiga la figura denominada anáfora. ¿En qué consiste?**
- **Explica el significado de los versos 5-6.**
- **¿Dónde hay diéresis? Explica en qué consiste. (Libro de primer curso, página 234.)**
- **Observa cómo en los versos finales se recogen elementos que habían ido apareciendo a lo largo del texto. ¿Había algo parecido en el soneto amoroso anterior?**

Una letrilla religiosa

Es de 1621, esto es, de la plenitud artística de Góngora. *Ni el tema ni el metro se prestaban a muchas complicaciones. Se advertirán, sin embargo, en esta famosa letrilla, abundantes rasgos típicos de la madurez del poeta: cultismos (*púrpura, rosicler, dosel*), metáforas (Niño Jesús =* clavel y púrpura; *Virgen María =* Aurora*), conceptos (la noche vista como una* monarquía de tinieblas, *por su oscuridad y también porque todavía el Redentor no había traído su luz al mundo), etc. El efecto total es bellísimo.*

Caído se le ha un clavel[11]
hoy a la Aurora[12] del seno:
¡qué glorioso que está el heno[13]
porque ha caído sobre él!

5 Cuando el silencio tenía[14]
todas las cosas del suelo,
y coronada de hielo
reinaba la noche fría,
en medio la monarquía[15]
10 de tiniebla tan crüel,
caído se le ha un clavel, etc.

De un solo clavel ceñida
la Virgen, aurora bella,
al mundo se lo dio, y ella
15 quedó cual antes florida;
a la púrpura[16] caída
sólo fue el heno fiel[17].

Caído se le ha un clavel, etc.

....

- **Máximo ideal conceptista —y culterano— es evitar o eludir el nombre del objeto, y aludirlo con otro nombre (o un rodeo). Observa aquí ese rasgo.**
- **Las cosas se embellecen con comparaciones y metáforas. Compruébalo.**

---

[9] El Guadalquivir. [10] Son los ríos de Granada, que bañan los despojos de la ciudad mora. [11] *clavel*, el Niño Jesús. [12] *Aurora*, la Virgen María. [13] El heno del pesebre. [14] *tenía*, era dueño (durante la noche). [15] *en medio la monarquía*, en medio del reinado. [16] *a la púrpura*, al clavel, a Jesús. [17] «Sólo el heno de un humilde pesebre se dispuso a acogerlo».

Las Soledades

En mayo de 1613 —el poeta vive aún en Córdoba— corren por Madrid copias manuscritas de la primera Soledad *y del* Polifemo. *Sus lectores quedan o escandalizados o seducidos. Escandalizaban su dificultad, sus artificios, lo complicado de su comprensión. Entusiasmaba a otros su pasmosa belleza formal. Contra quienes le acusan, Góngora, desdeñoso, escribe:* «Honra me ha causado hacerme oscuro a los ignorantes.»

El nuevo estilo de estos poemas hace más densos los artificios que ya aparecían en la época anterior: cultismos, latinismos, metáforas audaces, giros helenizantes, hipérbatos, etc. El resultado es deslumbrante. Esta poesía no conmueve nuestros sentimientos; se hace admirar por los **sentidos** *(con su música, su color) y por el* intelecto *que crea tan poderosas imágenes.*

• *Las* **Soledades** *iban a ser cuatro poemas de exaltación de la Naturaleza, por la que pasa un peregrino en cuatro edades: juventud, adolescencia, madurez y senectud. Góngora sólo escribió la primera y parte de la segunda: unos dos mil versos en silvas.*

El recurso a la mitología clásica es habitual en la obra gongorina. Vaso griego con una representación del Rapto de Europa (Museo de la Villa Giulia, Roma).

SOLEDAD PRIMERA
(Fragmento)

Era del año la estación florida
en que el mentido robador de Europa
—media luna las armas de su frente,
y el Sol todos los rayos de su pelo—,
5 luciente honor del cielo,
en campos de zafiro pace estrellas;
cuando el que ministrar[18] podía la copa
a Júpiter mejor que el garzón de Ida
—náufrago y desdeñado, sobre ausente—,
10 lagrimosas de amor dulces querellas
da al mar; que condolido,
fue a las ondas, fue al viento
el mísero gemido,
segundo de Arión dulce instrumento.

[18] *ministrar*, administrar, servir.

EXPLICACIÓN

Versos 1-6

Era la primavera, estación en que el Sol entra en la constelación y signo zodiacal de Tauro.

El dios Zeus, bajo la apariencia de un toro —al que la constelación de Tauro está consagrada—, fue *mentido* o artero raptor —*robador*— de *Europa,* princesa de Fenicia. Tauro es descrito por sus astas (v. 3) y por su luminoso pelo que le hace brillar tanto como el Sol. Esa constelación es gala del cielo, en cuyo azul —*campos de zafiro*— *pace estrellas.*

Versos 7-14

En esa estación primaveral, un apuesto joven, náufrago, ausente y desdeñado por su amada, se queja llorando y da sus lágrimas al mar. Éste se conduele o apiada de él; sus míseros gemidos hicieron que las olas y el viento respetaran su vida.

El náufrago es más bello que Ganimedes (el garzón o mancebo que, por su hermosura, raptó Júpiter en Ida, isla de Creta, para que le sirviera de copero). El gemido del joven obró el mismo efecto que la lira de Arión (el cual, embarcado, cuando iban a asesinarlo los marineros para robarle, hizo sonar su instrumento y acudieron delfines; huyó a lomos de uno de ellos).

- **¿Cómo se elude el término primavera, y cómo se alude a esa estación?**
- **¿Cómo se elude Tauro, y cómo se alude a esa constelación?**
- **¿Se emplea mucho el hipérbaton? Señala ejemplos.**

Fábula de Polifemo

Consta de sesenta y tres octavas reales. En esta fábula mitológica, el cíclope Polifemo (gigante con un solo ojo en la frente) ama a la ninfa Galatea, que lo desdeña; ella se enamora de Acis. El feroz Polifemo aplasta a Acis con una peña, y la sangre del joven, convertida en agua, se transforma en río. (Reproducimos un fragmento del comienzo: estrofas 4-6.)

POLIFEMO
(La caverna del cíclope)

Donde espumoso el mar siciliano
el pie argenta de plata al Lilibeo
(bóveda o de las fraguas de Vulcano,
o tumba de los huesos de Tifeo),
5 pálidas señas cenizoso un llano
—cuando no del sacrílego deseo—
del duro oficio da. Allí una alta roca
mordaza es a una gruta de su boca.

Guarnición tosca de este escollo duro
10 troncos robustos son, a cuya greña
menos luz debe, menos aire puro
la caverna profunda, que a la peña;
caliginoso lecho, el seno oscuro
ser de la negra noche nos lo enseña
15 infame turba de nocturnas aves,
gimiendo tristes y volando graves.

De este, pues, formidable de la tierra
bostezo, el melancólico vacío
a Polifemo, horror de aquella sierra,
20 bárbara choza es, albergue umbrío
y redil espacioso, donde encierra
cuanto las cumbres ásperas cabrío,
de los montes, esconde: copia bella
que un silbo junta y un peñasco sella.

EXPLICACIÓN

Versos 1-8

Allá donde, con sus espumas, el mar siciliano recubre de plata el pie del monte Lilibeo (es decir, el volcán Etna), que, según unos, sirve de bóveda a las fraguas subterráneas del dios Vulcano y, según otros, de tumba de Tifeo (uno de los gigantes castigados por los dioses por pretender escalar el cielo), un llano cubierto de cenizas da indicios o señales de una u otra cosa: o del deseo sacrílego de Tifeo (el cual vomita cenizas desde su tumba) o del duro oficio de Vulcano (las cenizas de la herrería saldrían por la boca del volcán). En aquel lugar, una alta roca cubre la entrada de una gruta, como si fuese una mordaza que tapase su boca.

Versos 9-16

Al escollo duro (en que está la caverna de Polifemo) le sirven de tosca *guarnición* o adorno (y protección) unos robustos troncos, cuya desordenada y densa enramada (*greña*) es tan espesa, que la caverna tiene aún menos luz y menos aire por culpa de ellos que por la peña que tapa su entrada. Una infame turba de aves nocturnas, que gimen tristes y vuelan lentas y pesadas, enseña o muestra que aquel lugar es el lecho caliginoso (oscuro, tenebroso) donde se retira a descansar durante el día la noche misma. (No cabe, pues, mayor oscuridad.)

Versos 17-24

El melancólico o triste hueco de esta caverna (*bostezo formidable* o temible de la tierra) sirve de choza bárbara a Polifemo, horror de aquella sierra; es un albergue sombrío, que también le sirve de espacioso redil donde encierra todo el ganado cabrío que, durante el día, cubre (*esconde*) los montes. Es una bella abundancia (*copia*) de ganado, que acude y se junta atraída por un silbido de Polifemo, y que queda encerrada (*sella*) por el peñasco que cubre la gruta (y que el cíclope mueve como si fuera una ligera puerta).

- **Observa, en la primera octava, las *referencias mitológicas* típicas del culteranismo.**
- **¿Con qué adjetivos se expresa la oscuridad de la gruta?**
- **Observa el verso 15. ¿En qué sílabas caen los dos acentos intermedios? ¿Qué efecto produce ese relieve fónico?**
- **Señala las *hipérboles* que te choquen.**
- **No todas las metáforas gongorinas persiguen la belleza. Algunas se proponen la *intensidad expresiva* o el *ingenio*. ¿De qué tipo son las metáforas *mordaza*, *greña* o *bostezo de la tierra*?**

Episodio del enceguecimiento de Polifemo por Ulises y sus compañeros, en un vaso griego.

FRANCISCO DE QUEVEDO (7b)

Quevedo, retratado por Velázquez.

VIDA Y PERSONALIDAD

● Francisco de Quevedo y Villegas nació en Madrid (1580), en el seno de una familia hidalga. Estudió en las Universidades de Alcalá y Valladolid. En esta ciudad nació su rivalidad con Góngora. Tuvo ambiciones políticas y, de 1613 a 1620, estuvo en Italia como consejero del duque de Osuna, virrey de Nápoles. Al caer éste en desgracia, Quevedo fue postergado. Con Felipe IV volvió al favor real. Se casó a los cincuenta y cuatro años, pero pronto se separó. En 1639, por oscuras causas políticas, es detenido y sufre dura cárcel en San Marcos de León durante cuatro años. Un año después de ser liberado, murió en Villanueva de los Infantes (1645).

● Su personalidad es contradictoria: ora grave y angustiado, ora desenfadado y burlón. Tradicionalmente, dominó su imagen de escritor chocarrero. Hoy atrae más, sin duda, el altísimo poeta y el hondo moralista. Con todo, sus dos facetas tienen una raíz común: el *desengaño*, que explica tanto sus pensamientos graves como sus sátiras mordaces. Nadie expresó tan radicalmente como él el desengaño barroco en todos los terrenos.

● Como escritor, se ha dicho de él que ***equivale a toda una literatura*** (Jorge Luis Borges). Su obra es extensa y admirable, tanto en verso como en prosa.

QUEVEDO, POETA

En su abundante obra poética (en torno al millar de composiciones) destacaremos —aparte poesías de circunstancias— los siguientes aspectos:

—**Poesía filosófica y moral**. En ella se encierran los grandes temas barrocos: brevedad e inconsistencia de la vida, fugacidad del tiempo, omnipresencia de la muerte (vivir es ir muriendo). Quevedo expresa con intensidad inigualable su angustia vital, a veces aliviada por la fe cristiana o por la doctrina estoica.

—**Poesía amorosa**. Partió del «amor cortés» y el petrarquismo, pero desarrolló de modo impresionante un ideal de amor como «alma del mundo» y vencedor de la muerte. Con todo, también aquí acechaba el desengaño, que le inspiró hermosos versos desolados.

—**Poesía satírica y burlesca**. De su desengaño nacen también sus burlas, a menudo risotadas amargas con las que desahoga su dolor. O sátiras con las que fustiga esa realidad que le ha desengañado, poniendo en la picota toda clase de deformaciones o ridiculeces.

● Cultivó Quevedo todas las *formas métricas* de su tiempo con igual perfección. Pero en su obra domina ampliamente el soneto: es sin duda *nuestro máximo sonetista*.

OBRA EN PROSA

Es también copiosa y de enorme variedad. Destaquemos:

—**Una novela picaresca**: *Vida del Buscón*, de la que luego hablaremos.

—**Obras satíricas**:

Destacan los ***Sueños***, cinco obritas breves, como *El sueño del infierno*, *El mundo por de dentro*, etc., en que, por medio de invenciones fantásticas, traza un panorama de lacras humanas.

Una obra análoga, pero más amplia, es *La hora de todos y la Fortuna con seso*, fantasía en que muestra cómo, si la Fortuna se volviera justa, todo el mundo se trastocaría, pues nada es como debería ser.

— **Obras ascéticas**: *La cuna y la sepultura*, sobre la brevedad de la vida, etc. [Ver recuadro adjunto.]

— **Obras políticas**: *Política de Dios* y *Vida de Marco Bruto*, en las que expone ideas generales sobre la gobernación, pensando en los problemas de España.

Y otras muchas que aquí no reseñamos.

EL ESTILO DE QUEVEDO

● Tanto en la prosa como en el verso, Quevedo es un virtuoso del idioma: nadie le ha superado en esto. Jugó con la lengua, en serio o en broma, hasta extremos asombrosos. Es, como sabemos, *cima del conceptismo*. Así —frente a los follajes ornamentales del gongorismo— le caracteriza la ***densidad*** con que acumula *juegos de palabras, comparaciones inesperadas, antítesis y contrastes, paradojas...*

● Todo ello estará al servicio, ora de la condensación del pensamiento, ora de la intensidad emocional, ora de la mordacidad desenmascaradora. El resultado es siempre deslumbrante.

Al comienzo de ***La cuna y la sepultura,*** *encontramos estas líneas tan características de Quevedo y del pensamiento barroco:*

«Son la cuna y la sepultura el principio de la vida y el fin de ella. Y con ser, al juicio del divertimiento[1], las dos mayores distancias, la vista desengañada no sólo las ve confines[2], sino juntas, con oficios recíprocos y convertidos en sí propios: siendo verdad que la cuna empieza a ser sepultura, y la sepultura cuna a la postrera vida.

Empieza el hombre a nacer y a morir; por esto, cuando muere, acaba a un tiempo de vivir y de morir.»

[1] *divertimiento*, espíritu inconsciente. [2] *confines*, cercanas.

OBRAS LÍRICAS

Queja por la vejez y por la muerte

Tema obsesivo de Quevedo fue la angustia por el rápido paso del tiempo y por la muerte. Para él, recordémoslo, vivir es ir muriendo. Este asombroso soneto lo muestra.

«¡Ah de la vida!»[1] ¿Nadie me responde?
¡Aquí de los antaños[2] que he vivido!
La Fortuna mis tiempos ha mordido;
las horas mi locura las esconde[3].

5 ¡Que sin poder saber cómo ni adónde
la salud y la edad se hayan huido!
Falta la vida, asiste lo vivido[4],
y no hay calamidad que no me ronde.

Ayer se fue; Mañana no ha llegado;
10 Hoy se está yendo sin parar un punto:
soy un *fue*, y un *será* y un *es* cansado.

En el Hoy y Mañana y Ayer, junto
pañales y mortaja, y he quedado
presentes sucesiones de difunto.

- **Escribió Quevedo en una carta: «Hoy cuento yo cincuenta y dos años, y en ellos cuento otros tantos entierros míos. Mi infancia murió irrevocablemente; murió mi niñez, murió mi juventud, murió mi mocedad; ya también falleció mi edad varonil. Pues ¿cómo llamo vida a una vejez que es sepulcro, donde yo mismo soy entierro de cinco difuntos que he vivido?»**
  ¿Se recogen estas ideas en el soneto anterior?
- **Destáquese el primer terceto, y en especial el verso 11.**

[1] Al entrar a una casa se llamaba desde el zaguán: «¡Ah de la casa!» Quevedo adopta esa fórmula para llamar a la vida (que juzga extinguida para él). [2] «¡Aquí de la justicia!» era el modo de pedir que ésta acudiera a socorrer. El poeta pide que le asistan los tiempos pasados (*antaños*) que ha vivido. [3] Las locuras cometidas le han hecho perder el tiempo pasado y lo han hecho irrecordable. [4] Ahora ya le falta la vida, y sólo está presente el desgaste a que conduce lo que se ha vivido.

Poeta del amor

Paradójicamente, Quevedo, que fue desamorado y misógino, y que apenas cantó a mujeres concretas, es nuestro máximo poeta del amor, concebido por él como la única fuerza capaz de vencer a la muerte. Se ha dicho (Dámaso Alonso) que el siguiente soneto es «seguramente el mejor de Quevedo, probablemente el mejor de la literatura española».

AMOR MÁS PODEROSO QUE LA MUERTE

Cerrar podrá mis ojos la postrera
sombra que me llevare el blanco día[5],
y podrá desatar esta alma mía
hora a su afán ansioso lisonjera[6].

5 Mas no, de esa otra parte, en la ribera
dejará la memoria, en donde ardía[7]:
nadar sabe mi llama[8] el agua fría,
y perder el respeto a ley severa[9].

Alma, a quien todo un dios prisión[10] ha sido,
10 venas, que humor[11] a tanto fuego han dado,
medulas[12], que han gloriosamente ardido[13],

su cuerpo dejará, no su cuidado[14];
serán ceniza, mas tendrán sentido[15];
polvo serán[16], mas polvo enamorado.

- **¿Qué metáfora hay en el verso 2?**
- **¿Por qué la *hora* es *lisonjera* con el alma (verso 4)?**
- **Dice Quevedo en otro soneto: «Del vientre a la prisión vive en naciendo, / de la prisión iré al sepulcro amando / y siempre en el sepulcro estaré ardiendo.» ¿Se relacionan estos versos con el soneto anterior y con éste?**

Un soneto burlesco

El siguiente soneto es pieza maestra del humor quevedesco, y ápice del conceptismo. *Se burla de una gran nariz y del narigudo que la posee:*

Érase un hombre a una nariz pegado[17],
érase una nariz superlativa,
érase una nariz sayón y escriba[18],
érase un peje[19] espada muy barbado;

[5] La muerte podrá cerrar mis ojos arrebatándome la vida. [6] Y la hora final podrá desatar el alma del cuerpo, mostrándose así lisonjera con mi alma. [7] Pero el alma, al pasar a la otra ribera (del río mitológico, Leteo, que las almas atravesaban, y donde se olvidaban de todo), no perderá o dejará su memoria, porque en ella habita el recuerdo de su amor, y es donde toda el alma ardía. [8] *llama,* alma. [9] La ley que impide al alma el retorno después de la muerte, cruzará otra vez el Leteo, en busca de su cuerpo. [10] El dios de Amor la tuvo encarcelada. [11] *humor,* sangre. [12] *medulas* no era voz esdrújula. [13] De amor. [14] El alma dejará su cuerpo, no su pasión. [15] La venas serán ceniza, pero seguirán sintiendo. [16] Las medulas serán polvo.

[17] Este chiste remeda lo que dijo el orador romano Cicerón, al ver a su yerno Léntulo, que era muy pequeño, con una gran espada: «¿Quién lo ha atado a esa espada?» [18] *sayón y escriba,* nariz judaica (popularmente, se atribuye a los judíos grandes narices; Quevedo era antisemita); pero *sayón* significa «rebelde» y «saya grande»: caía, pues, la nariz como una gran saya; y *escriba* evoca la curvatura de espalda de quien escribe. [19] *peje,* «pez» y «mal sujeto»; la nariz era, pues, un pez espada con muchas barbas en la punta («agallas» y «pelos»); y el narigudo era un mal sujeto con gran barba.

5 era un reloj de sol mal encarado[20],
érase una alquitara[21] pensativa,
érase un elefante boca arriba[22],
era Ovidio Nasón[23] más narizado.

Érase el espolón de una galera,
10 érase una pirámide de Egipto,
las doce tribus[24] de narices era;

érase un naricísimo infinito,
muchísimo nariz, nariz tan fiera
que en la cara de Anás fuera delito[25].

- **La *figura* por la cual una palabra o una expresión significan dos cosas a la vez se llama *silepsis.* ¿Qué silepsis te llaman la atención en este soneto?**
- **Se trata de una figura muy grata a los *conceptistas,* ¿por qué?**
- **Casi todos los versos empiezan del mismo modo. ¿Cómo se llama esa figura?**
- **«Érase...» Así empiezan los cuentos. ¿Por qué procede así Quevedo?**

PROSA

El *Buscón*

Hacia los veintitrés años, Quevedo escribe su única novela, titulada La vida del Buscón, llamado Pablos. *Pertenece al* **género picaresco** *y, por tanto, el pícaro cuenta su vida en primera persona desde que nació en Segovia.*

• El Buscón, *el anónimo* Lazarillo de Tormes *y la* Vida del pícaro Guzmán de Alfarache *son nuestras* ***novelas picarescas*** *más importantes. Quevedo, sin embargo, no hizo en la suya la fuerte crítica social de las otras dos: nunca se burla más que de pobretes, ni trata de los temas comprometidos que le preocuparán en la madurez.* El Buscón *es, sobre todo, un* ***alarde de ingenio y de gracia verbal.***

EL DÓMINE CABRA. *Uno de los fragmentos más justamente famosos de* El Buscón *es el retrato del dómine Cabra, a cuyo colegio va Diego Coronel de pupilo, y con él su criado Pablos. Es un ejemplo admirable de hipérbole barroca, con numerosos rasgos conceptistas (comparaciones especialmente).*

Él era un clérigo cerbatana[26], largo[27] sólo en el talle, una cabeza pequeña, pelo bermejo (no hay más que decir para quien sabe el refrán)[28], los ojos avecindados en el cogote, que parecía que miraba por cuévanos[29], tan hundidos y oscuros que era buen sitio el suyo para tiendas de mercaderes; la nariz, entre Roma[30] y Francia, porque se le había comido de unas búas[31] de resfriado, que aun no fueron de vicio
5 porque cuestan dinero; las barbas descoloridas de miedo de la boca vecina, que, de pura hambre, pare-

---

[20] *reloj de sol,* porque su nariz sobresalía de él como la varilla o gnomon del reloj *mal encarado,* «sombrío: no le daba el sol», y «con cara torva». [21] *alquitara,* alambique: un depósito del que sale un tubo (la nariz) por el que gotea el líquido destilado; *pensativa* evoca otra vez la inclinación. [22] La nariz era monstruosa, como un elefante boca arriba; y el narigón, por encima de la boca, era un elefante. [23] Escritor romano, de la familia de los Nasones, llamado así por su gran nariz (*nasus,* «nariz»). [24] *doce tribus,* las de Israel; nueva referencia a los judíos. [25] *Anás,* judío del Evangelio, uno de los responsables de la Pasión de Cristo; Quevedo, chistosamente, interpreta el nombre como si significara «sin nariz»; tan grande es ésta, que sería ofensiva hasta en un judío chato. [26] *cerbatana,* canuto largo para arrojar proyectiles soplando. [27] *largo,* silepsis: altísimo y generoso. [28] El refrán aludido decía: «Ni perro ni gato de aquella color»; la mala fama de quienes tenían el pelo rojizo se debía a la creencia de que así fue el cabello de Judas. [29] *cuévano,* cesto hondo de poca anchura. [30] *Roma* significa también «roma», «chata». [31] *búas,* bubas, tumorcillos producidos por diversas enfermedades; Cabra las tenía por catarro, no por el llamado «mal francés» (de ahí la alusión a Francia) o sífilis, que se contrae por vicio que hay que pagar.

cía que amenazaba a comérselas; los dientes, le faltaban no sé cuántos, y pienso que por holgazanes y vagabundos se los habían desterrado; el gaznate largo como de avestruz, con una nuez tan salida, que parecía se iba a buscar de comer forzada de la necesidad; los brazos secos, las manos como un manojo de sarmientos cada una. Mirando de medio abajo, parecía tenedor o compás, con dos piernas largas y 10 flacas. Su andar muy espacioso; si se descomponía algo, le sonaban los huesos como tablillas de San Lázaro[32]. La habla ética[33]; la barba grande, que nunca se la cortaba por no gastar, y él decía que era tanto el asco que le daba ver la mano del barbero por su cara, que antes se dejaría matar que tal permitiese; cortábale los cabellos un muchacho de nosotros. Traía un bonete los días de sol, ratonado con mil gateras[34] y guarniciones de grasa; era cosa que fue paño, con los fondos en caspa. La sotana, según decían algunos, 15 era milagrosa, porque no se sabía de qué color era. Unos, viéndola tan sin pelo, la tenían por de cuero de rana; otros decían que era ilusión; desde cerca parecía negra, y desde lejos entre azul. Llevábala sin ceñidor; no traía cuello ni puños. Parecía, con los cabellos largos y la sotana mísera y corta, lacayuelo de la muerte. Cada zapato podía ser tumba de filisteo[35]. Pues su aposento, aun arañas no había en él. Conjuraba los ratones de miedo que no le royesen algunos mendrugos que guardaba. La cama tenía en el suelo, 20 y dormía siempre de un lado por no gastar las sábanas. Al fin, él era archipobre y protomiseria.

---

[32] Eran unas tablillas que hacían sonar los leprosos para pedir limosna. [33] *ética,* tuberculosa. [34] *gateras,* agujeros. [35] *filisteos* son los hombres desmesuradamente grandes; el nombre designa propiamente a los miembros de un pueblo enemigo de los israelitas que vivía al norte de Egipto.

COMENTARIO DE TEXTO. RETRATO DEL DÓMINE CABRA

Introducción

a Abundan descripciones como la del dómine Cabra en *El Buscón.* ¿A qué crees que se debe, dada la estética del conceptismo?

b ¿Puede advertirse algún tipo de compasión o de piedad en las descripciones de Quevedo? ¿Lo calificarías de irónico o de sarcástico?

Análisis (contenido y expresión)

c ¿Cuál es el orden con que se describe el *cuerpo* del dómine? (Hasta la línea 11.)

d ¿Qué otros detalles de Cabra se dan después?

e Las cosas se *humanizan,* adquieren rasgos humanos. Ejemplifica.

f Y, al revés, Cabra se *cosifica* a veces. Muéstralo.

g Las comparaciones degradan y envilecen a Cabra. Da algún ejemplo.

h En la descripción de la nariz, se presentan en alto grado los recursos conceptistas. Explica con claridad qué dice Quevedo.

i ¿Qué rasgo esencial de Cabra se destaca en su *etopeya* o retrato moral? Señala todas las veces en que se insiste en él.

j ¿Habrá inventado Quevedo algunas de las palabras que usa? ¿Cómo están formadas y qué significan?

Conclusión

k Ante este retrato, ¿crees que ha habido progresos en la sensibilidad desde el siglo XVII?

l Insistimos en una pregunta anterior: ¿es «realista» la descripción conceptista?

m Da ejemplos, tomándolos del texto, de los principales recursos formales o *figuras* del conceptismo: *símiles, metáforas, hipérboles* y *dilogías* (vocablos con dos significados simultáneos).

El mundo por de dentro

En los textos leídos hasta ahora hemos podido advertir que el humor ácido de Quevedo manifiesta una actitud hostil ante las cosas humanas. Pero, en ellos, el humor, el juego, parecen dominantes. En otras muchas obras, como en **Los sueños** *(a cuya serie pertenence el titulado* El mundo por de dentro*), lo humorístico cede ante el pesimismo, la amargura y el desengaño.*

UNA MUJER «HERMOSA» Y EL DESENGAÑO. *Es el Desengaño, precisamente, quien en esta obra acompaña a Quevedo por la «calle mayor del mundo» para que lo conozca mejor. Es la calle de la Hipocresía. En ella le muestra cómo muchas cosas aparentemente sinceras —el dolor de una viuda, la diligencia de un agente de la justica, la grandeza de un caballero— son mero fingimiento. Incluso lo es la belleza de una mujer hermosísima. Frente a la inocencia gozosa con que los escritores del Renacimiento exaltan a la mujer, este gran desengañado de la época barroca ve sólo falsedad y engaño en los rasgos que tanto ponderaban los poetas del siglo anterior. He aquí, por ejemplo, lo que dice el Desengaño a Quevedo, el cual ha elogiado la belleza de una mujer que han visto.*

¿Viste esa visión, que acostándose fea se hizo esta mañana hermosa ella misma y hace extremos[36] grandes? Pues sábete que las mujeres lo primero que se visten, en despertando, es una cara, una garganta y unas manos, y luego las sayas. Todo cuanto ves en ellas es tienda[37] y no natural. ¿Ves el cabello? Pues comprado es y no criado. Las cejas tienen más de ahumadas que de negras; y si como se
5 hacen cejas se hicieran las narices, no las tuvieran[38]. Los dientes que ves y la boca era, de puro negra, un tintero, y a puros polvos se ha hecho salvadera[39]. La cera de los oídos se ha pasado a los labios[40], y cada uno es una candelilla. ¿Las manos? Pues lo que parece blanco es untado. ¿Qué cosa es ver una mujer, que ha de salir otro día[41] a que la vean, echarse la noche antes en adobo, y verlas acostar las caras hechas cofines[42] de pasas, y a la mañana irse pintando sobre lo vivo como quieren? ¿Qué es ver
10 una fea o una vieja querer, como el otro tan celebrado nigromántico[43], salir de nuevo de una redoma? ¿Estásla mirando? Pues no es cosa suya. Si se lavasen las caras, no las conocerías. Y cree que en el mundo no hay cosa tan trabajada como el pellejo de una mujer hermosa, donde se enjugan y secan y derriten más jabelgues[44] que sus faldas desconfiadas de sus personas. Cuando quieren halagar algunas narices, luego se encomiendan a la pastilla y al sahumerio o aguas de olor, y a veces los pies disimu-
15 lan el sudor con las zapatillas de ámbar. Dígote que nuestros sentidos están en ayunas de lo que es mujer y ahitos[45] de lo que parece. Si la besas, te embarras los labios; si la abrazas, aprietas tablillas y abollas cartones; si la alcanzas, te embarazas[46], si la sustentas, te empobreces; si la dejas, te persigue; si la quieres, te deja. Dame a entender de qué modo es buena[47], y considera ahora este animal soberbio con nuestra flaqueza, a quien hacen poderoso nuestras necesidades, más provechosas, sufridas o cas-
20 tigadas que satisfechas[48], y verás tus disparates claros.

> **Comprueba en el texto los rasgos ya señalados del estilo quevedesco.**
> **Comenta críticamente la misoginia del autor. ¿Crees que ello enturbia su calidad literaria?**

---

[36] *extremos,* ostentación de su belleza. [37] *tienda,* artificio comprado en las tiendas. [38] Estaban de moda las narices pequeñas; ninguna mujer se pondría nariz; preferiría no tenerla. [39] *salvadera,* recipiente donde se guardaban los polvos (que se echaban sobre lo escrito para secar la tinta). [40] Los labios se abrillantaban con cera (Quevedo sugiere que con cerumen de los oídos); de ese modo eran *candelillas,* velas de cera pequeñas. [41] *otro día,* al día siguiente. [42] *cofines,* cestillos. [43] *nigromántico,* nigromante, que practica la magia negra; se creía que podían ocultarse en una *redoma* o vasija pequeña; las mujeres, que deben su belleza a las redomas en que guardan sus ungüentos de belleza, son como nigromantes, pues salen de tales vasijas. [44] *jabelgue,* cal para blanquear. [45] *ahítos,* hartos. [46] *embarazar,* quedar obstaculizado por tantas cosas falsas. [47] Explícame cómo puedes pensar que es buena. [48] Es mejor reprimir nuestras necesidades que satisfacerlas.

BALTASAR GRACIÁN (7c)

VIDA

● Baltasar Gracián nació en Belmonte (Zaragoza) en 1601. Muy joven, se hizo jesuita, enseñó en diversos centros de la Compañía y alcanzó fama como predicador.

Gracias al mecenazgo de un culto y rico amigo (Lastanosa), amplió su formación y vio publicadas muchas de sus obras. Pero, como la Compañía prohibía a sus miembros escribir sobre asuntos no religiosos, tuvo que publicarlas con seudónimo. Pese a ello, sufrió continuas sanciones, que culminaron en 1658, a sus 57 años, cuando el general de la Compañía le prohíbe escribir y ordena que se le encierre. Quiso abandonar la orden y hacerse franciscano, pero ese mismo año murió en Tarazona (Zaragoza).

SU IDEOLOGÍA

Gracián profesó una **filosofía del hombre** radicalmente **pesimista**, como la de muchos escritores barrocos.

«El mundo es un cero», dice. Dios creó un mundo «armoniosamente concertado», pero «el hombre lo ha confundido todo». La vida es lucha: «Todo es arma y todo guerra.» Los hombres, a menudo, son «fieras», «horribles monstruos». O bien, seres mediocres: «Las medianías son ordinarias en número y aprecio; las eminencias, raras en todo».

Pero ese pesimismo no fue paralizante para Gracián; por el contrario, luchó denodadamente con sus obras para mejorar la condición humana, ofreciendo *modelos* dignos de ser imitados, como vamos a ver. Con una *moral acomodaticia*, prodigó, sobre todo, avisos y consejos para esquivar las asechanzas de la vida y navegar con éxito por el proceloso mundo. Contó siempre con el refugio de la esperanza religiosa.

OBRA

● Gracián es nuestro máximo escritor didáctico. Toda su obra —en prosa— se orienta al *perfeccionamiento tanto mundano como espiritual del hombre*. Pero debemos distinguir varios tipos de obras:

● Ante todo, aquellos *tratados* en que ofrece modelos de hombres destacados, siempre pensando en individuos de las capas altas de la sociedad:

— *El héroe*; llama así al «varón gigante», capaz de ejercer un papel dirigente en el mundo.

— *El discreto*, que es el individuo culto, juicioso, prudente, ingenioso, que brilla en sociedad.

— *El político*, donde, basándose en Fernando el Católico, traza el arquetipo del político hábil y eficaz.

● Con el título de *Oráculo manual y arte de prudencia*, sintetizó las enseñanzas de los libros anteriores en trescientas máximas (enseguida leeremos algunas).

● Remate de su tarea educativa es su *Agudeza y arte de ingenio*, sobre los modos y procedimientos para ser *ingenioso* (máxima cualidad intelectual entonces), no sólo en la literatura, sino también en los comportamientos y en las acciones. Se ha considerado a esta obra como una teoría del *conceptismo*.

● Y queda, en fin, su obra maestra, ***El Criticón.*** Tras su empresa didáctica para formar *hombres eminentes*, Gracián concibe un proyecto de máxima envergadura: un *relato alegórico* que muestre al hombre *cuál es su paso por la tierra* (los *peligros* que le acechan, las *virtudes* que lo defienden), y cuál es su *feliz destino final*. Es una verdadera **epopeya en prosa** en tres partes (1651,1653 y 1655). Insistiremos en su importancia al leer un pasaje de la obra.

ESTILO

El **conceptismo** llega en Gracián a su más alto punto. Escribe sentenciosamente, *aforísticamente*, con enorme concentración, empleando normalmente *frases breves*, prodigando las *antítesis*, los *dobles sentidos* y otras *sutilezas conceptuales*. En su *Agudeza y arte de ingenio* dijo: «*Preñado* ha de ser el verbo, no hinchado; que signifique, no que resuene.» Y como espíritu selecto, buscó incluso cierto hermetismo: «Conviene la *oscuridad* para no ser *vulgar.*»

FAMA DE GRACIÁN

Siempre fue *mayor en el extranjero* que en España. Sus obras se tradujeron pronto a las principales lenguas europeas. Influyó en los grandes pensadores franceses y alemanes. En el siglo XIX, el filósofo Schopenhauer lo declara su escritor preferido: «*El Criticón* es para mí uno de los mejores libros del mundo.» Y Nietzsche, otro gran filósofo alemán, escribió a propósito del *Oráculo*: «Europa no ha producido nada más fino ni complicado en materia de sutileza moral».

ORÁCULO MANUAL

Como hemos dicho, Gracián sintetizó en este libro sus enseñanzas en forma de máximas o reflexiones breves que alcanzan el número de trescientas. He aquí unas pocas en que se apreciarán ideas características del autor sobre la vida y el comportamiento humano.

18. *Aplicación y minerva*[1]. No hay eminencia sin entrambas[2], y, si concurren[3], exceso[4]. Más consigue una medianía con aplicación que una superioridad sin ella. Cómprase la reputación a precio de trabajo[5]: poco vale lo que poco cuesta. Aun para los primeros empleos[6] se deseó en algunos la aplicación[7]; raras veces desmiente al genio[8]. No ser eminente en el empleo vulgar por querer ser mediano en el sublime, excusa tiene de generosidad[9]; pero contentarse con ser mediano en el último[10], pudiendo ser excelente en el primero, no la tiene[11]. Requiérense, pues, naturaleza y arte, y sella[12] la aplicación.

27. *Pagarse*[13] *más de intensiones*[14] *que de extensiones.* No consiste la perfección en la cantidad sino en la calidad. Todo lo muy bueno fue siempre poco y raro: es descrédito lo mucho. Aun entre los hombres, los gigantes suelen ser los verdaderos enanos. Estiman algunos los libros por la corpulencia, como si se escribiesen para ejercitar antes los brazos que los ingenios. La extensión sola nunca pudo exceder de medianía, y es plaga de hombres universales[15], por querer estar en todo, estar en nada. La intensión da eminencia, y heroica, si en materia sublime[16].

99. *Realidad y apariencia.* Las cosas no pasan por lo que son, sino por lo que parecen; son raros los que miran por dentro, y muchos los que se pagan[17] de lo aparente. No basta tener razón con cara de malicia.

- **¿Qué consecuencias para la educación puede tener la máxima 18?**
- **Aparte otros alcances, ¿qué relación ves entre lo que se dice en el número 27 y el ideal de estilo conceptista?**
- **El divorcio entre realidad y apariencia es sintomático del Barroco (lo hemos visto, hasta ahora, en Quevedo). Ante ello, ¿qué parece pensar Gracián?**
- **¿Has podido ver en estos breves textos las características fundamentales del estilo del autor? Coméntalo.**

---

[1] *minerva,* inteligencia. [2] Es decir, sin trabajo combinado con el talento natural. [3] *si concurren,* si se dan juntas. [4] *exceso,* hay una culminación de calidad en el hombre. [5] La verdadera reputación (o fama o mérito) se adquiere trabajando. [6] *primeros empleos,* puestos de mayor responsabilidad. [7] Se prefiere la aplicación al talento. [8] La aplicación, por otra parte, no está reñida con el genio o gran talento natural. [9] Porque indica que se aspira a más, aunque no se tengan fuerzas para ello. [10] *en el último* empleo, en la más baja dedicación y ocupación. [11] No tiene excusa. [12] *sella,* confirma: la unión de *naturaleza* (talento) y *arte* (buen orden y método) es sellada o confirmada por la *aplicación* (trabajo y estudio). [13] *Pagarse,* sentirse satisfecho o contento. [14] *intensiones,* intensidades; palabra usada para oponerla a *extensiones:* lo intenso satisface más que lo extenso; Gracián repitió esta idea numerosas veces y la acuñó en aforismos que se han hecho famosos, como «Lo bueno, si breve, dos veces bueno»; «Más obran (= más poder de acción tienen) quintaesencias que fárragos». [15] *plaga de hombres universales,* defecto grave de los hombres, con ambiciones generales e inconcretas. [16] Y si la materia o asunto en que se ejerce la intensión es sublime (muy por encima de lo común), la eminencia es entonces heroica. [17] *se pagan,* se contentan.

EL CRITICÓN

Argumento

El argumento de esta obra, que quiso ser epopeya de la vida humana, es el siguiente:

Primera parte. *Primavera de la niñez. Critilo (el hombre juicioso), náufrago en las costas de Santa Elena, encuentra a Andrenio (el hombre natural). Le enseña a hablar, y comienza a educarlo. Viene a España; Andrenio se deja llevar por los instintos y Critilo lo corrige desde supuestos racionales. En Madrid, Falsirena engaña a Andrenio; Critilo condena a las mujeres.*

Segunda parte. *En el otoño de la varonil edad. Andrenio y Critilo suben a la montaña de la edad adulta, habitada por hombres meditativos. Se entrevistan con amigos. Van a Francia. Critilo encuentra a la Ninfa de las Artes y de las Letras; ello le permite enjuiciar a los principales escritores españoles. Critica a los hipócritas. Llegan a la casa de los locos, en la que está representada toda la humanidad.*

Tercera parte. *En el invierno de la vejez. Van a Roma; desde sus colinas ven la rueda del tiempo, lo fugitivo de la vida y lo inevitable de la muerte. Pasan a la isla de la inmortalidad, donde sólo se entra por el sendero de la virtud y del valor.*

El fragmento que insertamos pertenece al capítulo IV de la primera parte. Andrenio ha contado cómo ha vivido siempre entre las fieras, sin conocer a ningún humano; Critilo, a su vez, se dispone a contarle su vida. Pero lo interrumpe la aparición de unos barcos en el horizonte, lo que suscita un diálogo que recoge muy bien la filosofía pesimista de Gracián.

Dichoso tú, que te criaste entre las fieras, y ay de mí, que entre los hombres, pues cada uno es un lobo para el otro[18], si ya no es peor el ser hombre. Tú me has contado cómo viniste al mundo; yo te diré cómo vengo de él, y vengo tal, que aun yo mismo me desconozco; y así no te diré quién soy, sino quién era. Dicen que nací en el mar y lo creo, según es la inconstancia de mi fortuna.

5 Al pronunciar esta palabra *mar*, puso los ojos en él y al mismo punto se levantó a toda prisa.

Estuvo un rato como suspenso, entre dudas de reconocer y no conocer; mas luego, alzando la voz y señalando:

—¿No ves, Andrenio —dijo—, no ves? Mira allá, acullá lejos. ¿Qué ves?

—Veo —dijo éste— unas montañas que vuelan[19], cuatro alados monstruos marinos, si no son nu-
10 bes, que navegan.

—No son sino naves —dijo Critilo—, aunque bien dijiste nubes[20], que llueven oro en España.

Estaba atónito Andrenio, mirándoselas venir, con tanto gusto como deseo. Mas Critilo comenzó a suspirar, ahogándose entre penas.

—¿Qué es esto? —dijo Andrenio—. ¿No es ésta la deseada flota que me decías?

15 —Sí.

—¿No vienen allí hombres?

—También.

—¿Pues de qué te entristeces?

—Y aun por eso. Advierte, Andrenio, que ya estamos entre enemigos y ya es tiempo de abrir los
20 ojos: ya es menester vivir alerta. Procura de ir con cautela en el ver, en el oír y mucho más en el hablar. Oye a todos y de ninguno te fíes. Tendrás a todos por amigos, pero guardarte has de todos como enemigos.

---

[18] Es una frase del latino Plauto: *Lupus est homo homini* («El hombre es un lobo para el hombre»). [19] Andrenio no había visto nunca barcos. [20] Las naves traían las riquezas de América. (Nótese el juego entre *naves* y *nubes*.)

Estaba admirado Andrenio, oyendo estas razones, a su parecer tan sin ella[21], y arguyóle de esta suerte:

25 —¿Cómo es esto? Viviendo entre las fieras, no me preveniste de algún riesgo, ¿y ahora con tanta exageración me cautelas[22]? No era mayor el peligro entre los tigres y no temíamos, ¿y ahora de los hombres tiemblas?

—Sí —respondió con un gran suspiro Critilo—, que si los hombres no son fieras es porque son más fieros: que de su crueldad aprendieron muchas veces ellas. Nunca mayor peligro hemos tenido

30 que ahora que estamos entre ellos. [...] ¡Qué de engaños, qué de enredos, traiciones, hurtos, homicidios, adulterios, envidias, injurias, detracciones[23] y falsedades que experimentarás entre ellos! Todo lo cual no se halla ni se conoce entre las fieras. Créeme que no hay león, no hay tigre, no ha basilisco[24], que llegue al hombre: a todos excede en fiereza.

---

[21] Primero *razones* significaba «palabras» o «frases»; ahora, jugando con el significado, dice que aquellas palabras parecen privadas de «razón». [22] *me cautelas,* me aconsejas cautela o recelo. [23] *detracciones*, infamias, calumnias. [24] *basilisco*, animal fabuloso que mataba con sólo mirar.

- **Ya en el primer párrafo aparece la idea principal del texto: ¿cuál es?**
- **Señala cómo se amplifica posteriormente esa idea inicial (a partir de la línea 19).**
- **Partiendo de una visión tan negativa de la naturaleza humana, Critilo da unos avisos prácticos para vivir. Son muy representativos de la posición gracianesca: obsérvalos en las líneas 19-22.**
- **Señala algunos rasgos característicos del estilo conceptista: por ejemplo, la preferencia por las frases cortas, la sentenciosidad, los juegos con los conceptos de algunas palabras... Pon ejemplos.**

EJERCICIOS

Repaso de Gramática

1 Indica qué clase de subordinación hay en las siguientes oraciones (cuando se trate de subordinadas sustantivas, indica su función con respecto a la principal):

— Mientras eres joven, goza de la vida, antes de que se marchite tu belleza.

— Vi que el sol bebía los arroyos, del hielo desatados.

— Si se lavasen las caras, no las conocerías.

— Dichoso tú, que te criaste entre las fieras.

— Tú me has contado cómo viniste al mundo; yo te diré cómo vengo de él.

(Debes aprovechar la ocasión para repasar las clases de subordinadas; insistiremos en su estudio.)

2 En las siguientes frases, identifica las formas verbales o perífrasis e indica su valor:

— Sea mi Tisbe un pastel.

— Hoy se está yendo sin parar un punto.

— Polvo serán, mas polvo enamorado.

— Es menester vivir alerta.

Expresión escrita

• **Narración: un mito.**— Góngora desarrolla el mito o fábula de Polifemo y Galatea, y en otros textos hemos visto diversas alusiones mitológicas: Filomena o Filomela, Hero y Leandro, Píramo y Tisbe, el rapto de Europa, Arión, Vulcano, Tifeo... Son bellas historias cargadas de sugerencias. Los grandes mitos clásicos fueron recogidos, por ejemplo, en un libro maravilloso del poeta latino Ovidio, *Las Metamorfosis*, que fue llamado «Biblia de los poetas». Consulta en la biblioteca ese libro, u otro tratado de Mitología, o un diccionario enciclopédico, escoge un mito y resúmelo en un *texto narrativo* personal.

• **Una caricatura.**— Hemos visto la formidable caricatura que del dómine Cabra trazó Quevedo. Compón ahora tú la caricatura de un personaje conocido por ti o inventado.

EL SIGLO XVII (II). EL TEATRO

AUGE DEL TEATRO

● Como vimos en la página 76, a lo largo del siglo XVI, el teatro había adoptado tres modalidades principales:

— *religioso* (representaciones en los templos y en las procesiones del Corpus),
— *palaciego y estudiantil* (con temas pastoriles, caballerescos, clásicos, alegóricos, etc.), y
— *popular.*

● Este *teatro para el público* en general lo habían implantado, como dijimos, las compañías italianas que, desde 1530, aproximadamente, recorrían España, interpretando su repertorio en las plazas públicas. Interesaban especialmente sus *commedie dell'arte*: piezas improvisadas, con tipos fijos (Arlequín, Colombina, Pantalón, etc.), fuertemente cómicos. Y recordemos que **Lope de Rueda** creó hacia 1554 la *primera compañía española* y alcanzó un enorme éxito.

El corral del Príncipe, durante la representación de una obra de Lope. Maqueta del Museo del Teatro de Almagro.

● Pronto se formaron otras compañías, y se abrieron los primeros locales estables para las representaciones: los llamados ***corrales***, que explotaban cofradías piadosas con fines benéficos. Eran patios o corrales entre casas, con un tablado para los actores. El público solía permanecer de pie.

LA COMEDIA ESPAÑOLA

● Ya vimos cómo Cervantes (y otros autores) buscan afanosamente una fórmula teatral que guste al público, cada vez más ávido de espectáculos. Pero es **Lope de Vega** quien acierta a fijarla *hacia 1590;* el género que él establece, y que el público acepta fervorosamente, se denomina ***comedia española*** o, simplemente, ***comedia.***

> ***Comedia*** significaba entonces sólo «obra teatral del tipo fijado por Lope» y podía ser *comedia* propiamente dicha, pero también *tragicomedia* (o *drama).* Nuestro teatro no produjo verdaderas *tragedias*.

● Para constituir el nuevo género, Lope toma elementos de otros autores anteriores a él, o de contemporáneos suyos, en especial del **grupo dramático valenciano** (Virués, Tárrega, etc.). Pero funde tales elementos con otros de propia invención, y crea un *esquema dramático* que estará vigente durante más de un siglo (hasta mediados del XVIII).

SU FUNCIÓN SOCIAL

● Dentro del panorama literario barroco, la *comedia* tiene como propósito «deleitar aprovechando». Ello quiere decir que, por un lado, se propuso **educar**, esto es, divulgar e inculcar al pueblo los valores imperantes (políticos, sociales, religiosos). Ello se manifiesta especialmente en las obras más ambiciosas (de las que veremos muestras).

Por otro lado, y sobre todo, fue **un arte de diversión**: la mayoría de las comedias sacaban al público de sus preocupaciones y sinsabores cotidianos, y lo llevaban a un mundo «literario», brillante, atractivo.

UN ARTE AL MARGEN DE LOS PRECEPTOS CLÁSICOS

● Basándose en la *Poética* de Aristóteles, los clásicos habían establecido unos *preceptos* a los que debían ajustarse los escritores. Tales preceptos habían sido resucitados por los humanistas del siglo XVI. Entre aquellas normas destacan la *regla de las tres unidades* (la obra teatral había de tener *unidad de acción,* y debía desarrollarse en *un día como máximo* y en *un mismo lugar*) o la exigencia de *separar netamente tragedia y comedia,* etc.

Para Lope aquellas normas iban contra «lo natural». Quería un teatro más libre, más movido, más vivo. En su ***Arte nuevo de hacer comedias*** afirma:

> *Cuando he de escribir una comedia,*
> *encierro los preceptos con seis llaves.*

● Los defensores de los preceptos clásicos atacaron la concepción de Lope. Fue en vano: el pueblo le dio la razón, y pronto se le sumaron numerosos autores doctos.

CARACTERES PRINCIPALES DE LA COMEDIA

● Retengamos los siguientes:

— ***Rechazo de las tres unidades,*** para hacer más compleja la trama (el *enredo*), más rica en peripecias, sin límites de tiempo y con continuos cambios de escenario. Incluso es frecuente que haya *acciones paralelas* o *doble acción* (frente a su clásica «unidad»).

— ***Mezcla de lo cómico y lo trágico,*** en nombre de lo que ocurre en la vida misma (*Buen ejemplo nos da naturaleza / que por tal variedad tiene belleza*).

— ***Mezcla de personajes nobles y plebeyos***; éstos intervienen en las acciones de aquéllos (lo que no había sucedido antes en el teatro español).

— ***División en tres actos*** (de *planteamiento, nudo* y *desenlace*). El acto o *jornada* se divide, a su vez, en breves *escenas,* con los mencionados cambios de lugar y tiempo.

— ***Lírica intercalada.*** Cancioncillas y bailes interrumpen el curso de la acción (aunque a su servicio), y añaden espectacularidad a la representación.

— ***Variedad métrica*** (o *polimetría*). En la comedia, *siempre en verso,* alternan *endecasílabos, octosílabos,* etc., con predominio de éstos. Y se usan *estrofas variadas*: romances, redondillas, cuartetos, décimas, sonetos, etc.

— ***Intenso color nacional.*** Aunque los personajes no sean españoles, siempre se comportan y se expresan como tales. El público los siente propios y puede identificarse con ellos.

PERSONAJES. LA FIGURA DEL DONAIRE

● Los **protagonistas** de la comedia suelen ser un ***caballero joven,*** apuesto, valeroso, capaz de los más tiernos sentimientos; y la ***dama,*** bella y osada, que une sus fuerzas a las del galán para superar todos los obstáculos que se oponen a su amor.

● En casi todas las comedias aparece el ***gracioso*** o *figura del donaire:* un criado del protagonista, glotón, chistoso y apicarado, que interviene activamente en la trama, ayudando a su amo, aconsejándole y sirviéndole de contraste para que luzca su brío y gentileza. Suele enamorarse de la *criada de la dama,* produciéndose así una de esas *acciones paralelas* que hemos mencionado.

TEMAS PRINCIPALES. LA HONRA

● Los ideales que Lope exalta en la comedia, y que *se mantendrán constantes en sus discípulos,* son el **monárquico** y el **religioso**. Y ocupan un lugar fundamental en sus obras el **sentimiento amoroso** y la **defensa de la honra.**

● Para él, **el amor** es una *pasión noble e inevitable,* que puede experimentarse *dentro de cada clase social,* pero que no debe aspirar a salir de ella, para que el *orden jerárquico de la sociedad* no se rompa. El amor estimula otras nobles virtudes, como el valor, la hidalguía y el espíritu de aventura.

● El **honor** o la **honra** consisten en la *estimación inmaculada* que una mujer o un hombre *merecen a los demás,* y en su propia seguridad de merecer tal estima. Puede perderse por *actos propios* (cobardía, traición, robo, etc.); y por *actos ajenos* (insulto, provocación, infidelidad de la esposa, etc.). En este último caso, la honra sólo puede recobrarse mediante la *venganza* inmediata, de la que sólo queda libre el rey.

El *tema del honor perdido y recuperado* fue muy del gusto del público, y aparece en una gran parte de las comedias del siglo XVII.

● Según los criterios de la época, *poseen honra los nobles* de árbol genealógico limpio; y también los *villanos ricos* y *cristianos viejos* (pero no los que tienen mezcla de sangre judía o mora).

El *honor de los villanos* es, en varias obras importantes, mancillado por nobles. Ello origina intensos conflictos, en que el protagonista vengador es un *labrador rico*. De este modo, Lope ennoblece teatralmente la *figura del villano*, que hasta entonces sólo aparecía como personaje cómico (el *bobo*).

LOPE Y EL VULGO

● La comedia fijada por Lope gustó pronto al público, por su *amenidad*, por *lo atractivo de los personajes*, por la *viveza* y *belleza de los diálogos*, etc. A los preceptistas que lo acusaron de plegarse a los gustos del vulgo, Lope les replicó con este desplante un tanto cínico:

Y escribo por el arte que inventaron
los que el vulgar aplauso pretendieron;
porque, como las paga el vulgo, es justo
hablarle en necio para darle gusto.

● Pero, si se sometió a sus gustos, también es cierto que, a la vez, los *mejoró*, al imponer los valores poéticos y el indudable refinamiento que resplandecen en sus obras. Acaso nunca, como en ellas, un arte «popular» o «de diversión» fue compatible con una extraordinaria *calidad*.

● Por otra parte, *conoció* como nadie la *psicología del pueblo español*. **Lope es el poeta nacional por excelencia.**

Estudiaremos su ingente figura en la LECTURA 8a.

EL TEATRO EUROPEO EN EL SIGLO XVII

● Como en España, el *teatro* conoce su apogeo, durante este siglo, en Inglaterra y en Francia. Sería interesante comparar los tres tipos de teatro. Como dijimos, en nuestro país, es el **teatro popular** (el de los «corrales») el que adquiere la condición de teatro *nacional*.

● Análogo fue el caso de **Inglaterra,** donde los dramaturgos componen preferentemente para unos típicos locales populares. Y también allí fueron compatibles el espectáculo «popular» y la más alta calidad literaria: baste citar a Shakespeare.

● En **Francia**, en cambio, es el teatro cortesano el que alcanzó más alto desarrollo. Y es un teatro rigurosamente sometido a las *reglas clásicas* (separación de lo cómico y lo trágico, regla de las tres unidades, etc.). Con todo, un comediógrafo genial supo armonizar los preceptos clásicos con unas raíces de fuerte sabor popular.

● ***Animamos al alumno a que amplíe, por su cuenta, el conocimiento del panorama teatral europeo. Las grandes obras maestras que lo enriquecen deben figurar en los proyectos de lecturas personales. En los recuadros adjuntos proporcionamos unos datos como punto de partida.***

El teatro inglés: Shakespeare

• *William Shakespeare* (1564-1616) es la figura máxima del *teatro inglés* y, tal vez, del *teatro universal*. Formó su propia compañía, en la que interpretaba como actor; para ella escribió sus obras.

• Su producción es escasa, si se compara con la de un Lope, por ejemplo: *treinta y siete* obras, entre *tragedias, dramas y comedias*.

Entre las **comedias**, es forzoso recordar *El sueño de una noche de verano* y *El mercader de Venecia*. Y entre sus **dramas**, *Ricardo III* y *Enrique V*, ambas de asunto histórico inglés.

• Pero donde Shakespeare alcanza su mayor genialidad es en sus cinco **tragedias**: *Romeo y Julieta, Hamlet, Otelo, El rey Lear* y *Macbeth*. En cada una de ellas, el protagonista encarna supremamente alguna de las grandes pasiones o de los caracteres humanos: Otelo, los celos; Hamlet, la irresolución; Lear, el amor paternal; Macbeth y su mujer, la ambición; Julieta y Romeo, el amor.

El teatro francés: Molière

• La **tragedia** clásica del XVII cuenta con grandes autores como **Corneille** y **Racine**.

• La **comedia**, con *Jean-Baptiste Poquelin*, **Molière** (1622-1667), que es el mayor comediógrafo del mundo. También como actor, poseyó su propia compañía. Y sus obras poseen una fuerza cómica y satírica irresistible. Con el *Tartufo* desenmascaró a los falsos devotos. Y se burló de los defectos humanos en *El misántropo, El avaro, El burgués gentilhombre, La escuela de las mujeres*, etc.

RELACIONES ENTRE EL TEATRO FRANCÉS Y EL ESPAÑOL

Las comedias españolas tuvieron éxito en Francia y los *autores franceses se inspiraron en ellas,* aunque acomodándolas al gusto *clásico.*

● Algunas de las obras que los franceses consideran entre las más grandes de su teatro se inspiran precisamente en obras nuestras. Así:

—*El Cid,* de Corneille; deriva de *Las mocedades del Cid,* de Guillén de Castro; y *El mentiroso,* del mismo autor, procede de *La verdad sospechosa*, de Juan Ruiz de Alarcón.

—Molière, en *La princesa de Elida* y en *Don Juan,* se inspira en *El desdén con el desdén,* de Moreto, y *El burlador de Sevilla*, de Tirso de Molina, respectivamente.

● Otros muchos escritores galos son deudores de los nuestros, cuya influencia, por lo demás, se extendió por toda Europa, gracias a las traducciones.

LITERATURA BARROCA

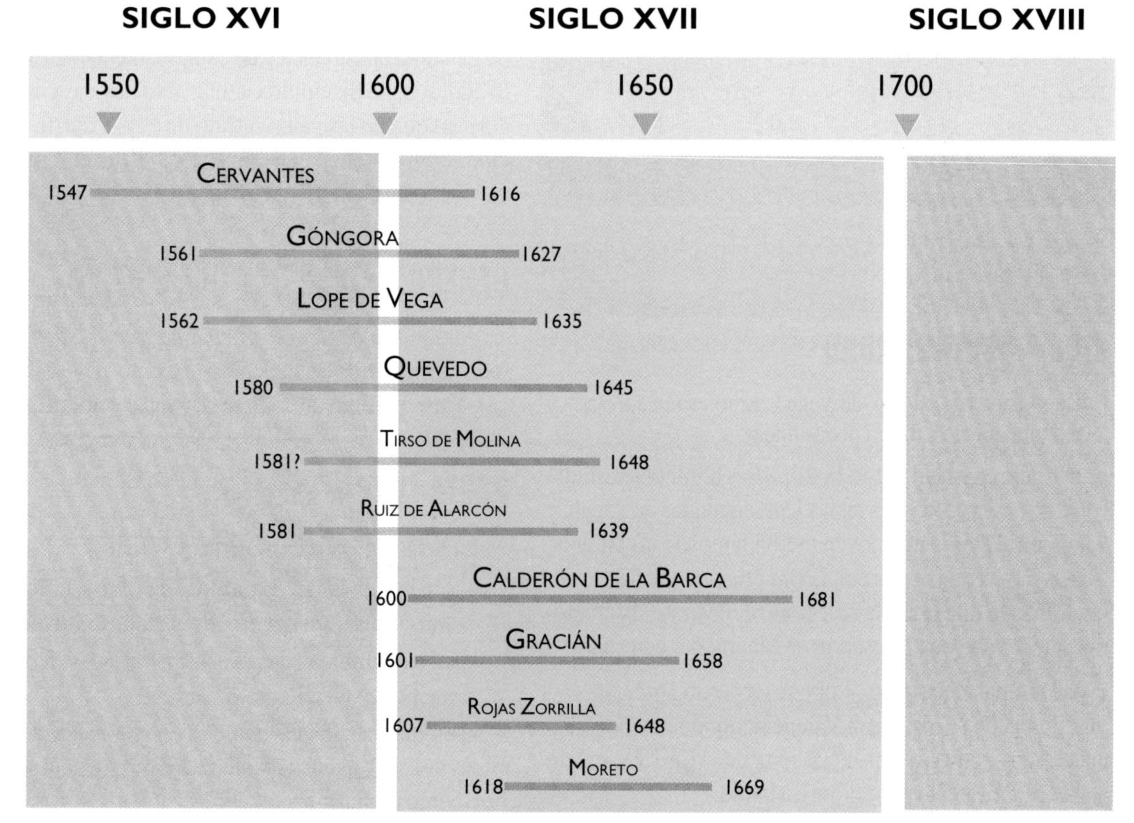

LOPE DE VEGA (8a)

Retrato de Lope de Vega, por Francisco Pacheco. Museo Lázaro Galdiano (Madrid).

VIDA Y PERSONALIDAD

La vida de Lope Félix de Vega Carpio es tan apretada y turbulenta que no cabe en pocas líneas.

- Nació en Madrid (1562), de padres humildes. Estudió con los jesuitas, y tal vez en las Universidades de Alcalá y Salamanca. Desde muy joven fueron famosos sus amores: así sus largas relaciones con *Elena Osorio*, que acabó dejándolo, a lo que el poeta reaccionó con versos difamatorios que le valieron un destierro de Madrid por ocho años.

- Durante el destierro, Lope se casó con *Isabel de Urbina*; con ella se instala en Valencia, donde hay una vida teatral muy activa, y escribe ya comedias. En 1594 muere Isabel. Y en 1595 Lope regresa a Madrid.

- Nuevos amores (con *Micaela Luján*). Y un nuevo matrimonio con *Juana de Guardo*. A los cuarenta y tres años entra al servicio del frívolo *duque de Sessa*, al que sirve en degradantes aventuras amorosas. Pero, al morir su hijo Carlos y Juana, reacciona y *se ordena sacerdote* (1614).

- Pero el amor vuelve a tentarle: en 1616 se enamora de la bellísima *Marta de Nevares*, de *veintiséis años*; él cuenta *cincuenta y seis*. Tienen varios hijos. Vive en pleno escándalo, pero su popularidad es inmensa. Marta queda ciega y luego pierde la razón. Lope, ya viejo, está junto a ella, cuidándola hasta que muere en 1632.

- Otras tristezas se acumulan en sus últimos años: una de sus hijas se escapa de casa; otro de sus hijos pierde la vida en América. Lope morirá en Madrid en 1635. Su entierro fue una multitudinaria manifestación de duelo y admiración.

- La vida de Lope es un *mosaico de luz y de sombras*, de gallardía apasionada y de caídas lamentables. El pueblo lo adoraba; un discípulo cuenta: «No hay casa de hombre curioso que no tenga un retrato de él.» Y corría una oración semiblasfema, que empezaba: «Creo en Lope de Vega, poeta del cielo y de la tierra..»

GÉNEROS LITERARIOS QUE CULTIVÓ

Aunque su *dedicación principal fue el teatro*, cultivó todos los géneros de su tiempo (excepto la novela picaresca). Y así, escribió obras **líricas**, **épicas** y **narrativas**.

POETA LÍRICO

La **lírica** de Lope es muy rica y variada:

— En buena parte, la publicó en libros, como las *Rimas, Rimas sacras, Rimas humanas y divinas*…

— Y hay infinidad de poesías intercaladas en obras dramáticas o novelescas.

- Su **inspiración** es tanto religiosa (y alcanza entonces cimas de espiritualidad dignas de los místicos del siglo anterior) como profana.

● Los **temas**, *en ambas vertientes,* tienen fuertes *raíces autobiográficas*: transmite sus estados emocionales más trascendentes o los acontecimientos menos discretos de su apasionado vivir. Sus versos, a veces, eran crónicas poco disimuladas de sus amoríos, que el público leía con avidez. Pero logra siempre felices resultados, y *ocupa una primera línea en nuestra lírica*, tanto por su autenticidad como por su genialidad expresiva.

● Maestro en todos los **metros**, son admirables sus romances, sus sonetos y sus poemillas de inspiración popular.

OBRAS ÉPICAS

● En Italia, dos grandes poetas renacentistas habían dado brillantes modelos de una poesía épica culta: **Ariosto** (*Orlando furioso*) y **Tasso** (*Jerusalén liberada*). Imitándolos, Lope escribe *La hermosura de Angélica* y *La Jerusalén conquistada*.

● Escribió más poemas épicos: *La Dragontea* (sobre la derrota del pirata inglés Drake), *El Isidro* (sobre el patrón de Madrid), *La Gatomaquia* (de carácter *épico-burlesco*, protagonizada por gatos), etc.

OBRAS EN PROSA

● Prolongando *géneros novelescos renacentistas*, Lope publica una novela pastoril (*La Arcadia*) y una novela bizantina (*El peregrino en su patria*).

● Escribió también cuatro *novelas cortas* a imitación de las ejemplares cervantinas, tituladas *Novelas a Marcia Leonarda*, que no alcanzan a su modelo.

● Pero su obra en prosa más importante, *rigurosamente magistral*, es ***La Dorotea***, subtitulada «acción en prosa» y dialogada como *La Celestina*. En ella, ya con setenta años, Lope recuerda con nostalgia su mocedad, sus amores con Elena Osorio, evocados serenamente con un estilo terso y juvenil.

CREADOR DE LA COMEDIA. FECUNDIDAD

Por fin, como sabemos, Lope es el creador de la fórmula teatral denominada *comedia española*. Sus características han quedado expuestas en la lección.

● Increíble parece que un hombre que vivió tan intensamente desarrollara una obra tan desmesurada. Por su fecundidad y facilidad, fue llamado *Fénix de los Ingenios* y *Monstruo de la Naturaleza*. En efecto, escribió unas ***1.500 obras teatrales*** (hoy se conservan 314 comedias y 42 autos sacramentales).

Ello supone una *media diaria de más de doscientos versos*, si contamos desde los dieciocho años hasta la fecha de su muerte. Pero es que, además, como hemos visto, escribió muchas obras no teatrales, en verso y en prosa (y los títulos citados son sólo una pequeña parte).

PRINCIPALES COMEDIAS DE LOPE

● De **temas históricos** y **legendarios de España** son abundantes comedias suyas. A este grupo pertenecen títulos fundamentales como *Fuenteovejuna*, *El caballero de Olmedo*, *Peribáñez y el Comendador de Ocaña*, etc.

● De **asuntos inventados** son otras muchas obras, como *La dama boba*, *El castigo sin venganza*, *El perro del hortelano*...

● Para componer las obras del primer grupo, Lope estudió profundamente nuestra historia y nuestras tradiciones. El *Romancero viejo* le suministró abundantes temas, así como las *canciones populares*, que introduce frecuentemente en sus comedias.

● Escribió también comedias *religiosas*, *mitológicas*, de *historia extranjera*, etc. Y abundantes **autos sacramentales**; de este género trataremos al hablar de **Calderón**.

SU LENGUA LITERARIA

Como Cervantes, Lope se sintió inclinado a la *llaneza expresiva*; pero su actitud no fue tan firme.

● En la pugna entre *culteranos y conceptistas*, se mantuvo más próximo a su amigo Quevedo, aunque *sintió admiración y envidia de Góngora*, al que a veces imitó, aunque en otras se burló de él: hubiera deseado gozar del reconocimiento de los doctos que tanto alababan a su rival.

● Pero su éxito se lo daba el pueblo en los *corrales*, y a él se consagró cultivando, en lo esencial, la *claridad*. Lo adoraba el pueblo, pero Góngora y sus seguidores lo despreciaban. Ése fue su drama de artista. La posteridad, sin embargo, ha reconocido su genialidad.

POETA DE UN PUEBLO

Lope es ejemplo de una de las actitudes del hombre barroco: si bien conoció el paso de la grandeza a la decadencia, no reaccionó con actitud crítica. Más bien se entregó a evocar los aspectos gloriosos y a dar a los españoles sentimientos de seguridad y de grandeza. O bien, espectáculos de evasión, de distracción gozosa. Él mismo encarnó gallardías y escándalos con su vivir y crear apasionados. Y el pueblo lo amó: quizá nunca ha tenido nación alguna un poeta con el que se haya identificado tan profundamente.

Discípulos de Lope de Vega

Pertenecen a la escuela de Lope de Vega autores dramáticos muy importantes, cuyo estudio merecería ampliarse:

—**Guillén de Castro,** valenciano (1569-1613), autor de un drama famosísimo: *Las mocedades del Cid.*

—**Tirso de Molina** (Fray Gabriel Téllez), madrileño (1584-1648), a quien se deben dos obras fundamentales: *El burlador de Sevilla* (creación del tipo de don Juan), y *El condenado por desconfiado* (sobre el tema de la predestinación: un ermitaño, que duda de su destino final, se condena, mientras que un bandolero se salva por haberse arrepentido a tiempo).

—**Juan Ruiz de Alarcón,** mejicano (1581-1639), de gran penetración psicológica en obras como *La verdad sospechosa* (contra el vicio de mentir), o *Las paredes oyen* (contra la maledicencia).

• Lugar especial ocupa **Calderón de la Barca** (1600-1681), al que se dedica la LECTURA **8b.**

POESÍAS LÍRICAS

De tipo tradicional

Las cancioncillas tradicionales anónimas cantadas por el pueblo sedujeron, como sabemos, a muchos poetas. A ninguno como a Lope, que solía introducirlas en sus comedias. He aquí algunas:

I

—Por el montecico sola,
¿cómo iré?
¡Ay Dios, si me perderé!

¿Cómo iré, triste, cuitada,
5 de aquel ingrato dejada?
Sola, triste, enamorada,
¿dónde iré?
¡Ay Dios, si me perderé!

II

Sí os partiéredes[1] *al alba*
quedito, pasito[2], *amor,*
no espantéis al ruiseñor.

Si os levantáis de mañana
5 de los brazos que os desean,
porque en los brazos no os vean
de alguna envidia liviana[3],
pisad con planta de lana,
quedito, pasito, amor,
10 *no espantéis al ruiseñor.*

---

[1] *partiéredes,* partierais, marcharais. [2] *quedito, pasito*, ¡silencio, cuidado! [3] «Para no verte expuesto a fáciles envidias.»

III

Río de Sevilla,
¡quién te pasase
sin que la mi servilla[4]
se me mojase!
5 Salí de Sevilla
a buscar mi dueño;
puse al pie pequeño
dorada servilla.

Como estoy a la orilla
10 mi amor mirando,
digo suspirando:
¡quién te pasase
sin que la mi servilla
se me mojase!

IV

Blanca me era yo
cuando entré en la siega;
diome el sol, y ya soy morena.

Blanca solía yo ser
5 antes que a segar viniese,
mas no quiso el sol que fuese
blanco el fuego en mi poder.
Mi edad, al amanecer,
era lustrosa azucena;
10 *diome el sol, y ya soy morena.*

- **Algunos de estos poemitas obedecen a una inspiración claramente andaluza; otros, en cambio, responden a una tradición más castellana; señala los más claros.**
- **¿Hay alguna canción de trabajo? ¿Y alguna *alba*?**
- **A la vista de la canción IV, ¿cuál era entonces el ideal de la tez femenina?**
- **Di qué tipos de versificación reconoces en estas cancioncillas.**

Sonetos

Si Lope es genial en sus poemas de corte popular, como los que hemos visto, alcanza la misma altura en los de pretensión más elevada o culta, como los siguientes. Ambos constituyen cumbres de nuestra lírica.

El primero es un soneto de amor humano e inspiración autobiográfica. Su amante Elena Osorio lo ha despedido, y él, bajo la alegoría de un pastor a quien ha robado su manso *o corderillo preferido, pide humildemente su devolución al poderoso rival* —el mayoral— *que se lo ha robado (era, en efecto, sobrino de un cardenal).*

Suelta mi manso, mayoral extraño,
pues otro tienes de tu igual decoro[5],
deja la prenda que en el alma adoro,
perdida por tu bien y por mi daño.
5 Ponle su esquila de labrado estaño
y no le engañen tus collares de oro;
toma en albricias[6] este blanco toro
que a las primeras yerbas[7] hace un año.
Si pides señas, tiene el vellocino[8]
10 pardo, encrespado, y los ojuelos tiene
como durmiendo en regalado sueño.
Si piensas que no soy su dueño, Alcino,
suelta y verásle si a mi choza viene,
que aún tienen sal[9] las manos de su dueño.

[4] *servilla,* zapato ligero de suela muy delgada. [5] De tu mismo rango. [6] *en albricias,* como regalo (a cambio de devolverle el corderillo). [7] *a las primeras yerbas,* en la próxima primavera. [8] *vellocino,* lana. [9] La sal que se da al ganado, y que él le ofrecía en su mano al manso amado.

Como contraste —un contraste tan lopesco—, he aquí un soneto religioso. Poemas como éste justifican que Lope, gran pecador, haya sido considerado también como el más grande poeta religioso del siglo XVII.

¿Qué tengo yo que mi amistad procuras?
¿Qué interés se te sigue, Jesús mío,
que a mi puerta, cubierta de rocío,
pasas las noches del invierno oscuras?

5 ¡Oh, cuánto fueron mis entrañas duras,
pues no te abrí! ¡Qué extraño desvarío
si de mi ingratitud el hielo frío
secó las llagas de tus plantas puras!

¡Cuántas veces el ángel me decía:
10 alma, asómate agora a la ventana,
verás con cuánto amor llamar porfía[10]!

¡Y cuántas, hermosura soberana:
«Mañana le abriremos», respondía,
para lo mismo responder mañana!

[10] verás con cuánto amor porfía en llamar.

Un profundo sentido religioso, expresado a veces en clave de arrepentimiento, inspiró a Lope poemas de gran belleza. En la imagen, Cristo muerto sostenido por un ángel, *de Alonso Cano.*

- **El primer soneto, ¿te parece expresar una reacción airada, lógica de un amante burlado, o una recreación literaria, puramente artística, de aquel suceso?**
- **En el segundo soneto destaca la intensidad emocional (interrogaciones, exclamaciones...), junto a lo perfecto de la construcción (por ejemplo, ¿por qué nos impresionan los dos versos finales?).**

PERIBÁÑEZ Y EL COMENDADOR DE OCAÑA

Drama de villano y noble

Peribáñez, *escrita por Lope hacia 1613, es una de las obras más famosas de nuestro teatro clásico. Inspirada, tal vez, en una tradición local, sirvió al escritor para plantear en escena un tema que le era grato: el derecho que tiene el villano —un labrador rico, en este caso— a defender su honra cuando es atropellada por un noble. Lope plantea ese conflicto en numerosas obras (las «comedias de comendadores» como* Fuenteovejuna, El infanzón de Illescas, El mejor alcalde el rey, *etc.). En ellas, el rey da la razón al villano, ya que el aristócrata ha atentado contra el orden moral y jerárquico que le obliga a tutelarlo y a ser ejemplar con sus súbditos. Con ello, Lope respondía también a un movimiento favorable a los labradores, desmoralizados por la completa ruina del campo.*

ACTO PRIMERO

En el pueblo toledano de Ocaña, el joven labrador Peribáñez acaba de casarse con Casilda, y se están celebrando sus bodas con danzas y músicas. Reciben las felicitaciones de todos. Casilda manifiesta su amor al marido, y éste le corresponde con estos hermosos requiebros:

PERIBÁÑEZ:

Toda esta villa de Ocaña
poner quisiera a tus pies,
y aun todo aquello que baña
Tajo hasta ser portugués,
5 entrando en el mar de España[11].
El olivar más cargado
de aceitunas me parece
menos hermoso, y el prado
que por el mayo florece,
10 sólo del alba pisado.
No hay camuesa[12] que se afeite[13]
que no te rinda[14] ventaja,
ni rubio y dorado aceite
conservado en la tinaja
15 que me cause más deleite.
Ni el vino blanco imagino
de cuarenta años tan fino
como tu boca olorosa,
que, como al señor la rosa,
20 le huele al villano el vino. [...]

Entre los festejos de la boda hay toros, y un novillo derriba al Comendador, que es llevado inconsciente a casa de los recién casados. Allí se repone, pero queda enamorado de Casilda.

Ya en su palacio, el Comendador confiesa su irresistible pasión a su criado Luján. Éste le aconseja hacer regalos al matrimonio para ganar su confianza. Y le informa de quién es Peribáñez con estas palabras:

Es Peribáñez labrador de Ocaña,
cristiano viejo y rico, hombre tenido
en gran veneración por sus iguales,
y que, si se quisiese alzar[15] ahora
25 en esta villa, seguirán su nombre
cuantos salen al campo con su arado,
porque es, aunque villano, muy honrado.

La acción se traslada a Toledo, adonde han acudido Peribáñez y Casilda para presenciar unos festejos regios. Allí, el Comendador encarga a un pintor que le haga un retrato a Casilda sin que ella se dé cuenta.

- **En los requiebros de Peribáñez a Casilda, ¿con qué cosas la compara? ¿Por qué le hace hablar así Lope?**
- **¿En qué estrofa están escritos esos requiebros?**
- **Pasemos a los versos de Luján sobre Peribáñez. ¿Qué cualidades destaca de él? Dijimos que Lope extiende el sentimiento del *honor* a ciertos campesinos; adviértelo aquí.**
- **¿Se han respetado las *unidades* en este acto?**

[11] El Atlántico. [12] *camuesa*, variedad de manzana. [13] *se afeite*, empiece a tomar el color rosado en su fina piel. [14] *rinda*, conceda; la tez de Casilda es más fina y sonrosada que la de una manzana. [15] *alzar*, sublevar, organizar una tropa.

ACTO SEGUNDO

De nuevo en Ocaña, el Comendador no piensa más que en conquistar a Casilda, con la complicidad de sus criados. Uno de ellos, Leonardo, ha entablado relaciones con una prima de Casilda, Inés, que parece dispuesta a facilitar los planes del Comendador. Y Luján ha entrado a trabajar como segador en las tierras de Peribáñez. Aprovechando un viaje de éste a Toledo, el mismo Comendador, una noche, llega hasta la ventana de Casilda y, fingiendo ser uno de los segadores, mantiene con ella este diálogo:

CASILDA:
¿Es hora de madrugar,
amigos?

COMENDADOR:
Señora mía,
30 ya se va acercando el día,
y es tiempo de ir a segar.
Demás que, saliendo vos,
sale el sol, y es tarde ya.
Lástima a todos nos da
35 de veros sola, por Dios.
No os quiere bien vuestro esposo,
pues a Toledo se fue
y os deja una noche. A fe
que si fuera tan dichoso
40 el Comendador de Ocaña,
(que sé que os quiere bien,
aunque le mostréis desdén
y sois con él tan extraña[16]),
que no os dejara, aunque el rey
45 por sus cartas le llamara,
que dejar sola esa cara
nunca fue de amantes ley.

CASILDA:
Labrador de lejas[17] tierras,
que has venido a nuesa[18] villa
50 convidado del agosto[19],
¿quién te dio tanta malicia? [...]
El Comendador de Ocaña
servirá dama de estima,
no con sayuelo de grana[20]
55 ni con saya de palmilla[21] [...]

Escena de siega. La era, *por Houasse.*

Olerále a guantes de ámbar,
a perfumes y pastillas[22],
no a tomillos ni a cantueso,
poleo y zarzas floridas.
60 Y cuando[23] el Comendador
me amase como a su vida,
y se diesen virtud y honra
por amorosas mentiras,
más quiero yo a Peribáñez
65 con su capa la pardilla
que al Comendador de Ocaña
con la suya guarnecida[24] [...]
Vete, pues, el segador:
mala fuese[25] la tu dicha,
70 que si Peribáñez viene,
no verás la luz del día.

[16] *extraña,* huraña. [17] *lejas,* lejanas. [18] *nuesa,* nuestra. [19] Llamado por la época de la siega, buscando trabajo. [20] *sayuelo de grana,* sayo largo de una tela, la grana, que usaban las labradoras. [21] *palmilla,* cierta clase de paño. [22] *pastillas* que se quemaban y desprendían buen aroma. [23] *cuando,* aun cuando, aunque. [24] *guarnecida,* bordada, con adornos lujosos. [25] *fuese,* sea: Lope, con estas construciones (*el segador, la tu dicha*) y el empleo de *fuese,* imita la lengua de los romances viejos.

Casilda despierta a los segadores y el Comendador tiene que huir.

Mientras tanto, en Toledo, Peribáñez ha ido al taller de un pintor a hacerle un encargo para la iglesia de Ocaña. Allí descubre el retrato de su mujer. Descubre así las intenciones del Comendador y regresa sin dilación a Ocaña para velar por su honor. Ya cerca de su casa, oye que un labrador canta esta canción:

La mujer de Peribáñez
hermosa es a maravilla;
el Comendador de Ocaña
75 de amores la requería.
La mujer es virtuosa
cuanto hermosa y cuanto linda;
mientras Pedro[26] está en Toledo
de esta suerte respondía:
80 «Más quiero yo a Peribáñez
con su capa la pardilla,
que no a vos, Comendador,
con la vuesa[27] guarnecida.»

Aunque Peribáñez no había dudado de su mujer, este romance lo reconforta.

Pero el rey ha pedido tropas para una campaña contra los moros. Y el Comendador decide nombrar a Peribáñez capitán de una compañía de labradores, para alejarlo así de Ocaña. Al recibir la orden, se reavivan las inquietudes del protagonista.

- **¿Con qué estilo le habla el Comendador a Casilda? ¿Y con qué actitud le responde ella?**
- **Parece que Lope se inspiró para escribir esta comedia en una cancioncilla popular. En los pasajes que hemos seleccionado aparece dos veces, con una leve variación. ¿La has descubierto?**
- **¿Qué opinión te merece la manera como Lope va conduciendo la acción? La *suspensión* (¡no digamos el *suspense*!) era una cualidad importante para el espectáculo: ¿cómo se consigue en este acto?**

ACTO TERCERO

Peribáñez se dispone a abandonar Ocaña con su compañía de labradores, y el Comendador los recibe. Peribáñez le pide que le ciña la espada, y el prócer le hace jurar que, con ella, servirá a Dios y al rey. Así lo jura, pero añade otras palabras cargadas de segunda intención.

PERIBÁÑEZ:
Eso juro; y de traerla
85 en defensa de mi honor,
del cual, pues voy a la guerra,
adonde vos me mandáis
ya por defensa quedáis
como señor de esta tierra.
90 Mi casa y mujer, que dejo
por vos, recién desposado,
remito a vuestro cuidado
cuando de los dos me alejo [...]
Vos me ceñisteis la espada,
95 conque ya entiendo de honor,
que antes[28] yo pienso, señor,
que entendiera poco o nada;
y pues iguales[29] los dos
con este honor nos dejáis,
100 mirad cómo lo guardáis
o quejaréme de vos.

[26] *Pedro,* Peribáñez, esto es, Pedro Peribáñez. [27] *vuesa,* vuestra. [28] *antes* de llevar espada, signo de ser caballero. [29] *iguales* en poseer honra.

La compañía labradora se marcha. El Comendador planea entrar en casa de Casilda, mientras unos músicos le dan una serenata. Peribáñez, sospechando la añagaza, regresa y se esconde, sin que Casilda lo advierta, en la habitación vecina. Los músicos cantan en la calle esta gallarda canción, donde luce todo el garbo de Lope:

Cogióme a tu puerta el toro,
linda casada;
no dijiste: Dios te valga.
105 El novillo de tu boda
a tu puerta me cogió;
de la vuelta que me dio,
se rió la villa toda.
Y tú, grave y burladora,
110 *linda casada,*
no dijiste: Dios te valga.

Por fin, el Comendador, ayudado por la traidora Inés, llega a presencia de Casilda.

COMENDADOR:
Yo soy el Comendador,
yo soy tu señor.

CASILDA:
No tengo
señor, más que a Pedro.

COMENDADOR:
Vengo
115 esclavo, aunque soy señor. [...]

CASILDA:
Mujer soy de un capitán,
si vos sois Comendador.
Y no os acerquéis a mí,
porque a bocados y a coces
120 os haré...

COMENDADOR:
Paso[30] y sin voces.

PERIBÁÑEZ (*escondido*):
¡Ay honra!, ¿qué aguardo aquí?
Mas soy pobre labrador,
bien será llegar y hablarle...
Pero mejor es matarle.

(*Sale con la espada en la mano.*)
125 Perdonad, Comendador,
que la honra es encomienda[31]
de mayor autoridad.
(*Lo hiere.*)

COMENDADOR:
¡Jesús! ¡Muerto soy! ¡Piedad!

Peribáñez marcha con Casilda. El criado Leonardo halla malherido a su señor.

LEONARDO:
¡Herido! ¿De quién?

COMENDADOR:
No quiero
130 voces ni venganzas ya.
Mi vida en peligro está,
sola la del alma[32] espero [...].
No es villano, es caballero,
que pues le ceñí la espada
135 con la guarnición[33] dorada,
no ha empleado mal su acero.

Muere el Comendador y Peribáñez mata también a Luján y a Inés. Los sucesos llegan hasta oídos del rey, que se enfurece al ver que un villano ha matado a un noble, y ofrece mil escudos de renta a quien entregue a Peribáñez.

Pero he aquí que el mismo Peribáñez se presenta ante los reyes, acompañado de Casilda. Da cuenta de todo lo sucedido. Pero no pide perdón: ha decidido que Casilda misma le lleve ante el rey y que sea ella la que cobre la recompensa ofrecida: «para que, viuda de mí, / no pierda prenda tan alta».

---

[30] *Paso*, poco a poco, despacio. [31] El Comendador, como tal, tiene una *encomienda* o beneficio de una Orden militar, que le obliga a defenderla. Pues la honra, dice Peribáñez, aun es *encomienda* u obligación mayor. [32] La vida del alma, la salvación. [33] *guarnición*, pieza que protege el puño de la espada.

El relato de Peribáñez enternece a la reina y admira al rey, quien habla así:

¡Que un labrador tan humilde
estime tanto su fama!
¡Vive Dios, que no es razón
140 matarle! Yo le hago gracia…

- **El Comendador nombra capitán a Peribáñez y le ciñe la espada. ¿Suponía eso un gran cambio? ¿En qué insiste ahora el protagonista? Comenta cómo sus palabras, cargadas de intención, encierran unas sutiles advertencias.**
- **¿Cómo se desarrolla el desenlace? Actitud de Casilda ante el Comendador. ¿Se explica el momento de vacilación de Peribáñez?**
- **¿Cómo se comporta el Comendador ante la llegada de la muerte? ¿Y qué dice de Peribáñez?**
- **Esta obra, como otras semejantes, termina con la intervención del rey. ¿Por qué crees que se hacía así?**
- ***Una última e importante cuestión: comprueba y explica hasta qué punto en* Peribáñez *se dan los rasgos caracterizadores de la comedia española del Siglo de Oro.***

CALDERÓN DE LA BARCA (8b)

VIDA

- **Pedro Calderón de la Barca** nació en Madrid (1600), de familia acomodada. Estudió con los jesuitas, y luego en Alcalá y Salamanca. A los veintitrés años estrenó sus primeras comedias, y Lope de Vega lo elogió. Al morir éste, Felipe IV lo encargó del teatro de Palacio. Ya escritor glorioso, a los cincuenta y un años se ordena sacerdote y se retira a Toledo. El rey vuelve a llamarlo y lo nombra su capellán de honor. Murió en Madrid (1681).

- La vida de Calderón contrasta con la de Lope. Salvo alguna aventura juvenil, apenas ofrece anécdotas destacables. Fue un hombre de carácter severo y aristocrático, de ideas tradicionales y de pensamiento pesimista (la vida le parecía «una ilusión, un engaño»… o un «sueño»).

- Siguió la fórmula teatral de Lope, pero —frente a la improvisación y vitalidad del Fénix— Calderón aportó al teatro *reflexión constructiva y hondura de pensamiento*.

Retrato de Calderón, por Antonio de Pereda (Colección particular, Madrid).

OBRA

Calderón se consagró exclusivamente al teatro. Se conservan de él *120 comedias, 80 autos sacramentales* y una veintena de piezas menores (entremeses, etc.). En su producción, se distinguen **dos épocas**:

- En la **primera** —hasta los treinta y cinco o cuarenta años— *siguió más de cerca el modelo de comedia lopesca*; entre sus mejores obras de esa época figuran *La dama duende* y *Casa con dos puertas mala es de guardar.*

- En su **segunda época**, mantiene la fórmula lopesca, pero *trabaja con mayor cuidado los detalles*. También elabora con más atención la forma, *acentuando su barroquismo*, en una síntesis personal de las dos grandes tendencias del momento: una base conceptista con elementos ornamentales gongorinos. Por otra parte, aborda **temas** de *mayor profundidad.*

- Las dos obras maestras de Calderón —cumbres del teatro mundial— son *El alcalde de Zalamea* (que enseguida estudiaremos) y, sobre todo, *La vida es sueño*, joya del teatro filosófico (cuyo estudio será más adecuado para el próximo curso).

- Añadamos que Calderón se sintió muy atraído por los **dramas de honor**, que cultivó con inigualada intensidad: *El médico de su honra, El mayor monstruo los celos, A secreto agravio, secreta venganza*, etc.

LOS AUTOS SACRAMENTALES

Desde la Edad Media, en la *fiesta del Corpus* se representaban obras con temas religiosos muy diversos. Poco a poco, se fue imponiendo, como tema más adecuado para aquel día, la *exaltación de la Eucaristía*. Las obras que lo desarrollan se llamaron **autos sacramentales**.

- En los *siglos XVI y XVII,* las ciudades rivalizan en dar mayor esplendor a tal fiesta, y *encargan autos a los mejores autores*. Estas obras se representaban en tablados o «carros» lujosamente engalanados.

- ¿Qué es un **auto sacramental**? Es una obrita en *un acto* y *en verso*, con *personajes alegóricos* (la Idolatría, la Iglesia, el Pecado, etc.), que desarrollaba, también alegóricamente, un *argumento espiritual* (normalmente la Redención del hombre por Cristo), y que acababan con una *exaltación y adoración de la Eucaristía.*

Ilustración alegórica para una edición de La vida es sueño, *obra cumbre del teatro calderoniano.*

Lope compuso muchas de esas obras, pero quien alcanzó la mayor perfección en el género fue Calderón.

- Entre los principales autos de Calderón de la Barca se hallan *La cena del rey Baltasar, La devoción de la Misa* y *El gran teatro del mundo.*

Como muestra de lo que es un auto sacramental, veamos el argumento de este último. El Director de una compañía teatral (Dios) reparte los papeles que han de representar unos actores: una mujer hermosa, un rey, un rico, un pobre, etc. Al final de la «función», cada actor recibirá la paga que haya merecido según su actuación en el mundo.

El «ciclo de Calderón»

Si, por un lado, Calderón es el máximo discípulo de Lope, por otro, inicia un nuevo «ciclo». Así se ha llamado al teatro de quienes siguen a Calderón en su mayor cuidado constructivo y en su barroquismo. Dos autores merecen ser recordados:

- **Francisco de Rojas Zorrilla** (1607-1648), de gran fuerza dramática en *Del rey abajo, ninguno*, sobre el tema del honor, pero autor también de deliciosas comedias como *Entre bobos anda el juego.*

- **Agustín Moreto** (1618-1669), hábil y elegante en sus comedias *El desdén con el desdén*, de gran sutileza amorosa, y *El lindo don Diego*, comedia de «figurón» (personaje afeminado y ridículo).

EL ALCALDE DE ZALAMEA

Argumento y significación

Se inspira este drama en otro anterior atribuido a Lope, pero lo supera de modo absoluto. En él, un alcalde de pueblo —poder civil*— prende a un capitán que ha violado a su hija; pero el general don Lope de Figueroa le reclama al prisionero para someterlo a la jurisdicción* militar. *El alcalde Pedro Crespo, lejos de entregárselo, ordena ajusticiarlo. Y así:*

- *por un lado, hallamos a un* villano con honor *—como en Lope—, que lo defiende cuando es ultrajado;*
- *por otro, se afirma la unidad de la justicia, que se ejerce en nombre del rey, sin privilegios para nadie.*

• Calderón continúa, pues, la defensa de los derechos de los villanos o campesinos, que Lope había iniciado. Pero no hay en ello nada de «revolucionario». La pirámide social del siglo XVII permanece firme: en la base, la clase llana; en el centro, los nobles y los militares; en el vértice el rey, que interviene para recomponer el orden cuando aquella estructura ha sufrido alguna alteración por el mal comportamiento de alguno de sus miembros. (Lo mismo sucedía con los «dramas de comendadores», como Peribáñez: *no se atacaba en ellos a la nobleza, sino a uno de sus miembros que se comportaba indignamente.)*

JORNADA PRIMERA

La villa de Zalamea (Badajoz) se dispone a recibir a unas tropas que se dirigen a Portugal. El capitán **don Álvaro** *se alojará en casa del rico labrador* **Pedro Crespo.** *Tiene éste una hermosa hija,* ***Isabel***. *El capitán se encuentra con ella y la requiebra indebidamente, pero aparecen Pedro Crespo y su hijo* ***Juan***, *y se produce un altercado. Reprochan al capitán que ponga en peligro la honra o buena opinión que se tiene de ellos. Don Álvaro se asombra de que unos labradores hablen de honra: «*¿Qué opinión tiene un villano?*». A lo que Juan contesta: «*Aquella misma que vos, / pues no hubiera un capitán / si no hubiera un labrador.*»*

En los dramas de Calderón —y singularmente en El Alcalde de Zalamea*— no se ponen en tela de juicio los privilegios dentro de la estricta organización social de la época. Lo que se condena son los abusos, el desvío respecto al orden establecido. En la imagen, una escena cotidiana de la España del siglo XVII.*

Crece la disputa y todos echan mano a las espadas. Pero llega en ese momento el general **don Lope de Figueroa.** *Enterado del incidente, ordena al capitán que se aloje en otra casa, y él se queda allí. Y la jornada I culminará con un soberbio diálogo en que se perfilan admirablemente los caracteres de don Lope y de Crespo:*

Cartel anunciador de una representación de El Alcalde de Zalamea. *Cuando la «espada» (el capitán) abusa de su poder y ultraja el honor de Pedro Crespo, el alcalde no duda en «romper la baraja».*

CRESPO:
Mil gracias, señor, os doy
por la merced que me hicisteis
de excusarme[1] la ocasión
de perderme.

DON LOPE:
¿Cómo habíais,
5 decid, de perderos vos?

CRESPO:
Dando muerte a quien pensara
ni aun el agravio menor...

DON LOPE:
¿Sabéis, vive Dios, que es
capitán?

CRESPO:
Sí, vive Dios;
10 y aunque fuera general,
en tocando[2] a mi opinión,
lo matara.

DON LOPE:
A quien tocara,
ni aun al soldado menor,
sólo un pelo de la ropa,
15 viven los cielos, que yo
le ahorcara.

CRESPO:
A quien se atreviera
a un átomo de mi honor,
viven los cielos también,
que también le ahorcara yo.

DON LOPE:
20 ¿Sabéis que estáis obligado
a sufrir, por ser quien sois[3],
estas cargas?

---

[1] *excusarme,* evitarme. [2] *en tocando,* en afectando, haciendo daño. [3] Los villanos tenían la obligación de dar alojamiento a la tropa cuando iba de camino.

CRESPO:
Con mi hacienda;
pero con mi fama no.
Al Rey la hacienda y la vida
25 se ha de dar; pero el honor
es patrimonio del alma,
y el alma sólo es de Dios.

DON LOPE:
¡Vive Cristo, que parece
que vais teniendo razón!

CRESPO:
30 Sí, vive Cristo, porque
siempre la he tenido yo.

DON LOPE:
Yo vengo cansado, y esta
pierna que el diablo me dio
ha menester descansar.

CRESPO:
35 Pues ¿quién os dice que no?
Ahí me dio el diablo una cama
y servirá para vos.

DON LOPE:
Y ¿diola hecha el diablo?

CRESPO:
Sí.

DON LOPE:
Pues a deshacerla voy;
40 que estoy, voto a Dios, cansado.

CRESPO:
Pues descansad, voto a Dios.

DON LOPE:
Testarudo es el villano:
tan bien jura como yo.

CRESPO: (*aparte*):
(Caprichudo es el don Lope:
45 no haremos migas los dos.)

- **¿De qué medio se vale Calderón para mostrar que ambos personajes manifiesten idéntica firmeza de carácter?**
- **Incluso, parece un poco mayor la firmeza de Pedro Crespo. ¿Lo adviertes?**
- **Cuatro versos de esta escena son famosísimos, y concentran la tesis del drama. ¿Cuáles?**
- **¿En qué metro y estrofa están escritos estos versos?**

JORNADA SEGUNDA

Nos limitaremos a resumirla. Don Álvaro desea ciegamente a Isabel y está dispuesto a todo. Su empeño llega a un punto en que el general le ordena abandonar Zalamea. El capitán se dispone a acatar la orden, pero no sin antes haber conseguido a Isabel. Aprovechando una ausencia del general, don Álvaro, con varios soldados, irrumpe en casa de Crespo, rapta a la muchacha y se la lleva al monte. Crespo los persigue, pero es vencido y atado a un árbol, mientras el capitán viola a Isabel. Pero no lejos de allí pasa Juan, a cuyos oídos llegan los gritos de la muchacha; sin saber que se trata de su hermana, se lanza gallardamente a defender a la que gime. ¿Qué pasará? El ánimo del espectador queda, una vez más, en suspenso.

JORNADA TERCERA

Isabel, destrozada, encuentra a su padre y le cuenta lo sucedido. Juan ha luchado con el capitán, lo ha herido y luego, rodeado de soldados, ha logrado escapar. A don Álvaro lo han llevado a Zalamea para que lo curen. Padre e hija regresan al pueblo. Allí se enteran de que Crespo ha sido nombrado alcalde por el concejo. Otra noticia: aquel mismo día llegará el rey Felipe II a Zalamea.

La primera decisión del nuevo alcalde es detener al capitán. Don Álvaro protesta, pues no está sujeto a la autoridad civil. Y viene ahora una escena estremecedora: Pedro Crespo se rebaja a pedirle al capitán que se case con su hija, para reparar el honor perdido. Le hace ver que, aunque villano, es rico y goza del respeto y la estimación del pueblo; su hija reúne las más hermosas cualidades... En fin, Crespo lleva su conmovedora humildad hasta a arrodillarse ante el orgulloso e infame capitán. Pero veamos cómo se desarrolla, a partir de ahí, la escena.

CRESPO:
Restaurad una opinión
que habéis quitado. No creo
que desluzcáis vuestro honor,
porque los merecimientos
50 que vuestros hijos, señor,
perdieren por ser mis nietos,
ganarán con más ventaja,
señor, con ser hijos vuestros. [...]
Mirad
55 que a vuestros pies os lo ruego
de rodillas y llorando
sobre estas canas que el pecho,
viendo nieve y agua, piensa
que se me están derritiendo.

CAPITÁN:
60 Ya me falta el sufrimiento[4],
viejo cansado y prolijo,
agradeced que no os doy
la muerte a mis manos hoy,
por vos y por vuestro hijo[5];
65 porque quiero que debáis
no andar[6] con vos más crüel,
a la beldad de Isabel.
Si vengar solicitáis
por armas vuestra opinión,
70 poco tengo que temer;
si por justicia ha de ser,
no tenéis jurisdicción.

CRESPO:
¿Que, en fin, no os mueve mi llanto?

CAPITÁN:
Llantos no se han de creer
75 de viejo, niño y mujer.

CRESPO:
¡Que no pueda dolor tanto
mereceros un consuelo!

CAPITÁN:
¿Qué más consuelo queréis,
pues con la vida volvéis?

CRESPO:
80 Mirad que, echado en el suelo,
mi honor a voces os pido.

CAPITÁN:
¡Qué enfado[7]!

CRESPO:
Mirad que soy
Alcalde en Zalamea hoy.

CAPITÁN:
Sobre mí no habéis tenido
85 jurisdicción: el consejo
de guerra enviará por mí.

CRESPO:
¿En eso os resolvéis[8]?

CAPITÁN:
Sí,
caduco y cansado viejo.

CRESPO:
¿No hay remedio?

CAPITÁN:
Sí, el callar
90 es el mejor para vos.

CRESPO:
¿No otro?

CAPITÁN:
No.

[4] *sufrimiento,* paciencia. [5] Por lo que me habéis hecho vos y vuestro hijo. [6] *andar,* comportarme. [7] *enfado,* molestia. [8] ¿Decidís eso?

CRESPO:

Pues juro a Dios
que me lo habéis de pagar.
¡Hola[9]! (*Levántase y toma la vara.*)

UN LABRADOR (*dentro*):

¡Señor!

CAPITÁN:

¿Qué querrán
estos villanos hacer?

LABRADORES (*saliendo*):

95 ¿Qué es lo que mandas?

CRESPO:

Prender
mando al señor Capitán.

CAPITÁN:

¡Buenos son vuestros extremos[10]!
Con un hombre como yo,
y en servicio del Rey, no
100 se puede hacer.

CRESPO:

Probaremos.
De aquí, si no es preso o muerto,
no saldréis.

CAPITÁN:

Yo os apercibo
que soy un capitán vivo[11].

CRESPO:

¿Soy yo acaso alcalde muerto?
105 Daos al instante a prisión.

CAPITÁN:

No me puedo defender:
fuerza es dejarme prender.
Al rey de esta sinrazón
me quejaré.

CRESPO:

Yo también
110 de esotra (y aun bien[12] que está
cerca de aquí, y nos oirá
a los dos). Dejar es bien
esa espada.

CAPITÁN:

No es razón
que...

CRESPO:

¿Cómo no, si vais preso?

CAPITÁN:

115 Tratad con respeto...

CRESPO[13]:

Eso
está muy puesto en razón:
con respeto le llevad
a las casas, en efeto,
del concejo; y con respeto
120 un par de grillos[14] le echad
y una cadena; y tened,
con respeto, gran cuidado
que no hable a ningún soldado;
y a esos dos[15] también poned
125 en la cárcel, que es razón,
y aparte, porque después,
con respeto a todos tres
les tomen la confesión[16].
Y aquí, para entre los dos,
130 si hallo harto paño[17], en efeto,
con muchísimo respeto
os he de ahorcar, ¡juro a Dios!

El capitán es conducido a prisión y sus cómplices declaran los detalles de su crimen. Vuelve Juan, pero Crespo manda que lo encarcelen también, por haber abandonado su obligación de soldado (aunque sea, en realidad, para tenerlo a salvo). El general Figueroa, enterado de los sucesos,

---

[9] *¡Hola!*, interjección para llamar. [10] *extremos*, decisiones. [11] *vivo*, en activo, en ejercicio de sus funciones. [12] *aun bien*, por cierto. [13] Nótese el cambio de tono de Crespo: hay en sus palabras una rabia contenida y una sorna furiosa. ¿Qué hábil repetición lo revela? [14] *grillos*, grilletes, aros con que se sujetaban las cadenas a los tobillos de los presos. [15] Se refiere a sus cómplices. [16] *confesión*, declaración. [17] *si hallo harto paño* o tela que cortar; es decir, si encuentro en vuestras declaraciones material suficiente.

vuelve a casa de Crespo, cuyo nombramiento ignora. Viene indignado porque «un alcaldillo de aquí / al capitán tiene preso». *Y comenta:*

Escena de una representación de El Alcalde de Zalamea.

DON LOPE:
¡A palos le he de matar!

CRESPO:
Pues habéis venido en balde,
135 porque pienso que el alcalde
no se los dejará dar.

De nuevo en el diálogo se confrontan dos personalidades fuertes. Don Lope sigue hablando del susodicho alcalde con mucha ira. Y pregunta a Pedro dónde vive:

CRESPO:
Bien cerca vive de aquí.

DON LOPE:
Pues a decirme vení[18]
quién es el alcalde.

CRESPO:
Yo.

DON LOPE:
140 ¡Vive Dios, que si sospecho...!

CRESPO:
¡Vive Dios, como os lo he dicho!

DON LOPE:
Pues, Crespo, lo dicho, dicho.

CRESPO:
Pues, señor, lo hecho, hecho.

DON LOPE:
Yo por el preso he venido
145 y a castigar este exceso.

CRESPO:
Pues yo acá le tengo preso
por lo que acá ha sucedido.

DON LOPE:
¿Vos sabéis que a servir pasa
al Rey, y soy su juez yo?

CRESPO:
150 ¿Vos sabéis que me robó
a mi hija de mi casa? [...]

DON LOPE:
Yo sabré satisfacer
obligándome a la paga.

CRESPO:
Jamás pedí a nadie que haga
155 lo que yo me pueda hacer.

Don Lope intenta sacar de la cárcel al capitán, pero el pueblo ofrece resistencia. Llega entonces el rey y es informado por don Lope de lo sucedido. Dirigiéndose al alcalde, aprueba su sentencia, pero le señala que no tiene autoridad para ejecutarla, pues ello corresponde a un tribunal militar. Sin embargo, la sentencia de muerte ya se ha cumplido. Ello enfurece al rey, pero no tarda en aplacarse ante el razonamiento de Crespo:

---

[18] *vení,* venid, acceded.

REY:
¿Pues cómo así os atrevisteis...?

CRESPO:
Vos habéis dicho que está
bien dada aquesta sentencia:
luego esto no está hecho mal.

REY:
160 El consejo[19] ¿no supiera
la sentencia ejecutar?

CRESPO:
Toda la justicia vuestra
es sólo un cuerpo no más;
si este tiene muchas manos,
165 decid, ¿qué más se me da
matar con aquesta un hombre
que estotra había de matar?
Y ¿qué importa errar lo menos
quien ha acertado lo más? [...]

REY:
170 Don Lope, aquesto ya es hecho.
Bien dada la muerte está;
que errar lo menos no importa,
si acertó lo principal.

Tras esto, Isabel decidirá ingresar en un convento. Y Juan, absuelto, entrará en el ejército al servicio de don Lope.

---

[19] *El consejo* de guerra.

- ***Sobre el diálogo entre Crespo y el capitán.*** **Juzga las actitudes de ambos. Y observa la habilidad con que Calderón hace pasar a Pedro de su postura humilde a su actitud enérgica y cargada de autoridad.**
- ***Sobre el nuevo diálogo entre don Lope y el alcalde.*** **Muestra las semejanzas entre estas réplicas y su lenguaje y las del diálogo de la Jornada primera. ¿Adviertes entre los dos personajes simpatía, por debajo de su rivalidad?**
- ***Sobre la última escena.*** **Recuerda el *Peribáñez*: ¿en qué momento aparece el rey? ¿Cuál era su papel en los conflictos entre clases o estamentos sociales? ¿Qué argumento utiliza Crespo para defender su decisión? ¿Por qué, finalmente, el rey refrenda la justicia civil, es decir, la ejercida por los labradores?**
- ***Sobre el conjunto de la obra.*** **Juzga qué aspectos de este drama son exclusivos de su tiempo y si presenta problemas que pueden resultar «modernos».**

EJERCICIOS

Repaso de Gramática

1 Centrémonos aquí en las proposiciones sustantivas. En las siguientes oraciones, subraya la subordinada e indica qué función desempeña:

— Toda esta villa de Ocaña / poner quisiera a tus pies (= Quisiera poner toda esta villa de Ocaña a tus pies).
— Peribáñez dio muerte a quien atentaba contra su honor.
— Juro a Dios que me lo habéis de pagar.
— Don Lope pregunta dónde vive el Alcalde.
— ¿Os gustaría visitar el Corral de Comedias de Almagro?
— Peribáñez estaba feliz de haberse casado con Casilda.
— No es seguro que se vaya a representar *Peribáñez*.

2 Perífrasis verbales. En las frases anteriores hay algunas perífrasis: identifícalas y señala su valor exacto. ¿Cuáles son los principales tipos de perífrasis *modales* y *aspectuales* en español? Pon un ejemplo de cada clase.

Expresión escrita

• **¿Justicia o venganza**? —Reflexiona sobre la conducta del Alcalde de Zalamea y redacta un breve texto *argumentativo* expresando el juicio que te merece.

9 EL SIGLO XVIII

Con la llegada de los borbones al trono comienza a abrirse camino en España el espíritu de la Ilustración. Francia será el modelo, aunque sólo en aquello que no ponga en cuestión los fundamentos del Antiguo Régimen. En la imagen, los infantes Fernando y Gabriel de Borbón.

EL MARCO HISTÓRICO

● Muerto el último de los Austrias, Carlos II, sin descendientes, y tras una guerra de Sucesión, se instaura en España la ***casa de Borbón,*** con **Felipe V**, que reinó de 1700 a 1746 y a quien sucedió su hijo **Fernando VI** (1746-1759).

● **Carlos III** (1759-1788), hermano del anterior, fue el gran rey reformador y modernizador del siglo. Encarnó a la perfección el espíritu ilustrado. Su reinado fue particularmente benéfico.

● En tiempos de **Carlos IV** (1788-1808) estalló la *Revolución francesa* (1789), que España combatió, aliada con otros países, aunque también encontró partidarios entre nosotros.

● En conjunto, durante el XVIII mejoran las condiciones de vida en España, y aumenta considerablemente la población (diez millones a finales del siglo). Con todo, la población activa no pasa del 25 por 100: abundan los nobles y los eclesiásticos inactivos, y había además unos 140.000 mendigos. Pero el progreso fue reduciendo nuestras diferencias con Europa.

EL MARCO SOCIOCULTURAL. CRISIS DE LA CONCIENCIA EUROPEA

Ya a finales del siglo XVII se había iniciado la llamada *crisis de la conciencia europea.* Consiste ésta en que *todas las creencias y convicciones* (religiosas, políticas, filosóficas, científicas o seudocientíficas, etc.) dominantes hasta el siglo XVII *se someten a discusión.*

● Decae el poder de la *nobleza* y crece el *predominio de la burguesía,* que se caracteriza por el *espíritu crítico.* Fruto de él es el gran movimiento de la **Ilustración,** que impone el reinado de la *razón frente a la fe;* el XVIII se denomina por eso *Siglo de las Luces.* Se rechaza el *principio de autoridad;* nada debe admitirse porque alguna autoridad lo haya afirmado; debe comprobarse. Y avanza el *escepticismo* religioso, con influyentes pensadores como *Voltaire* y *Rousseau.*

CONSECUENCIAS. EL DESPOTISMO ILUSTRADO

● Se postula la *separación entre la Iglesia y el Estado.* Y, en Francia, se editan los treinta y siete volúmenes de la ***Enciclopedia*** (1751-1780, dirigida por Diderot y D'Alembert), que intenta compilar todo el saber humano fundándose sólo en principios racionalistas. En muchas almas, el Cristianismo es sustituido por el *deísmo* (vaga creencia en Dios sin adscripción a religión alguna) o el *agnosticismo* (imposibilidad de probar racionalmente la existencia de Dios).

● Los gobiernos practican el **Despotismo ilustrado,** bajo el lema: «*Todo para el pueblo, pero sin el pueblo.*» Al pueblo se le tutela —y se le teme—, procurando su felicidad, pero sin que intervenga en los asuntos públicos. Para mejorar su vida, y hacerlo más culto y razonable, se establecen industrias públicas, academias, museos, escuelas, centros de investigación... *La Ilustración y el Despotismo ilustrado son solidarios.*

● Todo este fermento ideológico, de *bases igualitarias y reformistas,* culmina en la **Revolución francesa** (1789), que producirá reacciones defensivas contra aquellas ideas en muchos países, entre ellos España.

PENETRACIÓN DE LAS LUCES EN ESPAÑA

● La nueva dinastía borbónica estimula la *introducción de las luces racionalistas,* a la vez que intenta *reformas* para acabar con el desfase entre España y Europa, que se había hecho enorme. Se opondrán a ello los sectores tradicionalistas, que acusan a los reformistas de *herejes* y *antiespañoles.*

Pero lentamente la Ilustración va penetrando en España por vías como éstas:

—las *traducciones de libros,* franceses sobre todo;

—la *difusión de la flosofía racionalista y deísta,* y de las *ideas jurídicas* basadas en el *derecho natural* (no en el divino); estas doctrinas estuvieron prohibidas en las Universidades, pero se difundieron en libros y folletos;

—los *viajes,* a que se aficiona la burguesía; y la *imitación de lo francés;*

—la *aparición de los primeros periódicos,* desde 1758.

● La entrada de las nuevas corrientes y las resistencias que provocan nos lleva a distinguir, en el panorama de la España dieciochesca, varios **sectores ideológicos:**

—***los reformistas,*** apoyados por la Corona y animados por las ideas de la Europa ilustrada;

—***los tradicionalistas,*** enemigos de las reformas, apegados a los valores tradicionales y nostálgicos de la España del pasado;

—pero también hubo espíritus ***revolucionarios,*** más radicales que los reformistas y que fueron rechazados por los dos sectores anteriores y por el gobierno.

● Dentro del reformismo, y en lo que se refiere a lo religioso, también debemos señalar ***actitudes distintas:*** unas sinceramente cristianas, otras frías, y hasta algunas hostiles a la religión.

Las ideas de Voltaire y Rousseau, aunque divergentes en muchos aspectos, coincidían en reivindicar el poder de la razón y la libertad de pensamiento.

INSTITUCIONES CULTURALES

Como reflejo del espíritu ilustrado, se crearon numerosas instituciones culturales, muchas veces a imitación de Francia. Éstas fueron las principales:

—*Biblioteca Nacional* (1712), con fondos iniciales de la biblioteca real.

—*Real Academia Española* (1713), fundada por Juan Manuel Martínez Pacheco, marqués de Villena, para mantener la pureza del idioma (su lema fue «Limpia, fija y da esplendor»). A tal fin elaboró el admirable *Diccionario de autoridades* (en seis tomos, donde el significado de cada palabra va ilustrado con breves textos de escritores notables). Publicó asimismo una *Ortografía* (1741) y una *Gramática* (1771).

—*Real Academia de la Historia* (1735), para investigar sobre el pasado de España.

—*Museo del Prado* (1785) y *Jardín Botánico.*

● Otras instituciones atendieron a las reformas económicas y culturales; así, las *Sociedades Económicas de Amigos del País* para difundir nuevas ciencias y técnicas. Análogo, y muy importante, fue el *Instituto de Gijón,* alentado por Jovellanos.

En Cataluña —donde Felipe V reprimió el uso de la lengua catalana— se fundó la *Academia de Buenas Letras* de Barcelona.

LA LITERATURA ESPAÑOLA EN EL SIGLO XVIII

El siglo XVIII, *fundamental para la modernización de España,* no ofrece idéntico esplendor en la literatura. Y ello porque:

—*hay una preferencia por las actividades de pensamiento;* el cultivo de las letras pasa a ser una *actividad complementaria;*

—*predomina la razón sobre el sentimiento;* se reprime este gran motor del arte, en nombre de la sensatez;

—*triunfa el Neoclasicismo,* de origen francés (e italiano), que impone reglas a la creación literaria, encorsetándola.

• En la **literatura** del siglo XVIII, conviene distinguir, *grosso modo,* sus dos mitades, con las tendencias que ahora enumeramos y luego estudiaremos (*véase también el cuadro cronológico de la pág.* 161):

PRIMERA MITAD

—Hay una literatura **barroca,** en franca decadencia, aunque da todavía algún escritor destacable (Torres Villarroel).

—La **lucha contra el barroco** coincide con los primeros influjos del *clasicismo francés.*

—Se cultiva poco la *literatura de creación:* interesan más el ensayo y la prosa crítica (su gran figura: el Padre Feijoo).

SEGUNDA MITAD

En ella se suceden las siguientes tendencias:

—**Neoclasicismo** (hasta fin de siglo). Se aceptan los *principios estéticos* fijados en el siglo XVII por el *clasicismo francés.*

— En el **teatro** se impone la regla de *las tres unidades* (quebrantada, como sabemos, por nuestra comedia del siglo XVII). Y se distinguirán netamente la tragedia y la comedia (en la que brillará Moratín).

— La **lírica** apenas tiene manifestaciones de interés (pudor por lo sentimental); arraigan, en cambio, las *odas filosóficas* y las ***fábulas*** moralizadoras (Iriarte, Samaniego).

— Paralelamente, florece una interesante **prosa crítica** (Cadalso, Jovellanos...).

—**Prerromanticismo,** que, en las últimas décadas del siglo, *se opone al Neoclasicismo* y rehabilita la *expresión del sentimiento.* Se tratan, en todos los géneros, temas *emotivos, nocturnos* y *lacrimosos,* que preludian el Romanticismo del siglo siguiente. Algunos escritores pasaron del Neoclasicismo al Prerromanticismo (Meléndez Valdés, Quintana, etc.).

A continuación se hallarán los pormenores esenciales de estas etapas y tendencias.

LA LUCHA CONTRA EL BARROCO EN LA PRIMERA MITAD DEL SIGLO

● A principios de siglo, como hemos señalado, se perpetúa una literatura barroca decadente (excesos culteranos, dramas exagerados...). El único escritor interesante *fiel a los gustos barrocos* fue el salmantino **Diego de Torres Villarroel** (1693-1770), imitador de Quevedo en vivaces cuadros costumbristas (*Visiones y visitas de Torres con Quevedo por Madrid*). Pero su obra más importante es el relato de su *Vida,* tan variada y pintoresca que parece una novela; y, en efecto, está escrita con el garbo de una novela picaresca.

● Contra los gustos barrocos luchan la *Real Academia Española* e importantes escritores:

● **Ignacio Luzán** (1702-1754) fue *precursor del Neoclasicismo.* En su *Poética* (1737), siguiendo a preceptistas franceses e italianos, expuso las reglas clásicas, pero su obra influyó poco y sólo décadas más tarde.

● **Fray Benito Feijoo y Montenegro** (1676-1764), benedictino y catedrático de Teología en Oviedo, cultivó un solo género: el ***ensayo,*** en volúmenes titulados *Teatro crítico universal* y *Cartas eruditas* (ocho y cinco tomos, respectivamente). En ellos trata cuestiones muy variadas (de Filosofía, Física, Literatura, etc.) y difunde los avances del saber europeo. Muchos de esos ensayos *combaten supersticiones y falsas creencias populares.* Y es que Feijoo aplica *la razón,* compatible para él con una sólida fe religiosa. Con todo, fue muy atacado, hasta que el rey, en un acto de despotismo ilustrado, prohibió que se le combatiera.

Por otra parte, es importante señalar su *estilo sencillo y transparente,* lo que supone un alejamiento de los retorcimientos barrocos y un paso hacia la prosa moderna (insistiremos en ello al final de esta lección).

● En fin, **Francisco de Isla** (1703-1781), jesuita, ridiculizó el barroquismo de la oratoria sagrada en su célebre novela *Historia del famoso predicador fray Gerundio de Campazas, alias Zotes.*

SEGUNDA MITAD DEL SIGLO. EL NEOCLASICISMO Y LA PROSA CRÍTICA

● La repulsa de la literatura barroca hace que los jóvenes escritores vuelvan los ojos hacia Francia, cuyo prestigio cultural era inmenso. En el siglo XVII —llamado «el Gran Siglo Francés»— se había fraguado una literatura fundada en los ideales *clásicos,* que los escritores ilustrados toman como modelo. Así se implanta en España el **Neoclasicismo,** movimiento de poca duración. Veamos lo que significó.

● **En teatro,** como ya dijimos, se adoptó la *regla de las tres unidades* (acción, lugar y tiempo). Se estableció una radical *separación entre lo cómico y lo trágico.* Y prevalecieron *temas burgueses contemporáneos* (con la consiguiente *proscripción de lo imaginativo y heroico*).

Durante el siglo XVIII, si bien se imponen los temas filosóficos en la literatura, también se cultivan géneros centrados en la descripción de ambientes populares. Tal es el caso de los sainetes sobre el Madrid castizo escritos por Ramón de la Cruz. En la imagen, Madrid visto desde el puente de Segovia, de Giuseppe Canella (siglo XVIII).

—La ***tragedia*** apenas dio obras de mérito. Destaquemos *La Raquel*, de **Vicente García de la Huerta** (1734-1787), de tema medieval castellano.

—La ***comedia,*** en cambio, cuenta con un autor importante: **Moratín,** de quien trataremos en la LECTURA 9b.

—Al margen de la estética neoclásica, hay un teatro popular, de gran éxito: los ***sainetes,*** obras cortas, herederas del entremés, y que cultivó con gracia **Ramón de la Cruz** (1731-1794), reflejando ambientes castizos madrileños.

● En poesía se tratan insustanciales temas *pastoriles, anacreónticos* (exaltación de placeres sencillos) o *filosóficos.* La lengua poética carece de fuerza emotiva y de creatividad: domina un estilo prosaico y desvaído. Fue, ya lo hemos dicho, una actividad marginal.

—Como tal, la cultivaron, por ejemplo, Cadalso y Jovellanos.

—El poeta neoclásico más destacable es **Juan Meléndez Valdés** (1754-1817), que, primero, cultivó con gracia y delicadeza la lírica de tema pastoril y, luego, la poesía filosófica.

—Pero hay un género que merece mención especial: ***la fábula.*** Es una poesía que corresponde bien a la dimensión educadora de la Ilustración. Y así, entre lo más interesante de la época, figuran las *Fábulas morales* de **Félix María Samaniego** (1745-1801) y las *Fábulas literarias* de **Tomás de Iriarte** (1750-1791).

● No hay, prácticamente, **narrativa** a partir del P. Isla.

● En cambio, la **prosa crítica** es, tal vez, el género que alcanzó mayor altura en el siglo XVIII (desde Feijoo en la primera mitad). Prosista eminente es **Jovellanos**, del que trataremos en la LECTURA 9a. Añadamos aquí un párrafo sobre otro sugestivo prosista: Cadalso.

● **José Cadalso** (1741-1782), gaditano, viajó por Europa, fue oficial de caballería y murió temprana y trágicamente en el bloqueo de Gibraltar. Escribió poesía, teatro y un curioso libro titulado *Noches lúgubres*, elegía en prosa en que evoca un amor desgraciado con tonos prerrománticos.

Pero debe, sobre todo, su fama, a las *Cartas marruecas.* Gazel, un joven moro de viaje por España, cuenta sus impresiones. Es un artificio que permite ver nuestro país como con ojos extraños, críticos. Y, en efecto, el libro constituye una visión crítica de la decadencia y los defectos españoles. A ello contribuye también un amigo de Gazel, Nuño, que aporta el punto de vista de un español ilustrado. Es una de las obras más atractivas del siglo XVIII.

Meléndez Valdés «*De la primavera*»
(Fragmentos)

He aquí una muestra de la poesía anacreóntica *tan del gusto dieciochesco. Debe su nombre al poeta griego* ***Anacreonte*** *(siglo V a. de J.C.), que cantó los placeres de la amistad, del amor, del vino y los banquetes.*

La blanda primavera
derramando aparece
sus tesoros y galas
por prados y vergeles...

5 De hoja el árbol se viste,
las laderas de verde,
y en las vegas de flores
ves un rico tapete.

Revolantes las aves
10 por el aura enloquecen,
regalando el oído
con sus dulces motetes...

Mientras que en la pradera,
dóciles a sus leyes,
15 pastores y zagalas
festivas danzas tejen.

¿Y nosotros, amigos,
cuando todos los seres
de tan rígido invierno
20 desquitarse parecen,

en silencio y en ocio
dejaremos perderse
estos días, que el tiempo
liberal nos concede?...

25 Un instante, una sombra
que al mirar desaparece,
nuestra mísera vida
para el júbilo tienen.

Ea pues, a las copas,
30 y en un grato banquete
celebremos la vuelta
del abril floreciente.

Cadalso: *Cartas Marruecas*

Aunque el programa vigente no propone lecturas de Cadalso, ofrecemos aquí unos fragmentos de su obra más importante, para que se aprecie su enfoque y su estilo.

[**1**] El amor de la patria es ciego como cualquiera otro amor; y si el entendimiento no le dirige, puede muy bien aplaudir lo malo, desechar lo bueno, venerar lo ridículo y despreciar lo respetable [...].

La predilección con que se suele hablar de todas las cosas antiguas, sin distinción de crítica, es menos efecto de amor hacia ellas que de odio a nuestros contemporáneos[1].

[**2**] La decadencia de tu patria en este siglo es capaz de demostración con todo el rigor geométrico. ¿Hablas de población? Tiene diez millones escasos de almas, mitad del número de vasallos españoles que contaba Fernando el Católico. Esta disminución es evidente. Veo algunas pocas casas nuevas en Madrid, y tal cual ciudad grande; pero sal por esas provincias y verás a lo menos dos terceras partes de casas caídas, sin esperanza de que una sola pueda algún día levantarse. Ciudad tienes en España que contó algún día quince mil familias, reducidas hoy a ochocientas. ¿Hablas de ciencias? En el siglo antepasado [*es decir,* en *el* XVI] tu nación era la más docta de Europa, como la francesa en el pasado, y la inglesa en el actual; pero hoy, del otro lado de los Pirineos, apenas se conocen los sabios que así se llaman por acá. ¿Hablas de agricultura? Ésta siempre sigue la proporción de la población. Infórmate de los ancianos del pueblo, y oirás lástimas. ¿Hablas de manufacturas? ¿Qué se han hecho de las antiguas de Córdoba, Segovia y otras? Fueron famosas en el mundo, y ahora las que las han reemplazado están muy lejos de igualarlas en fama y mérito: se hallan muy en sus principios respecto a las de Francia e Inglaterra [...].

[**3**] El atraso de las ciencias en España en este siglo, ¿quién puede dudar que proceda de la falta de protección que hallan sus profesores? Hay cochero en Madrid que gana trescientos pesos duros, y cocinero que funda mayorazgos; pero no hay quien no sepa que se han de morir de hambre como se entregue a las ciencias, exceptuadas las del ergo[2] que son las únicas que dan qué comer.

Los pocos que cultivan las otras son como los aventureros voluntarios de los ejércitos, que no llevan paga y se exponen más. Es un gusto oírles hablar de matemáticas, física moderna, historia natural, derecho de gentes, y antigüedades y letras humanas, a veces con más recato que si hiciesen moneda falsa. Viven en la oscuridad y mueren como vivieron: tenidos por sabios superficiales en el concepto de los que saben poner setenta y siete silogismos seguidos sobre si los cielos son fluidos o sólidos [...].

[**4**] Bien sé que, para igualar nuestra patria con otras naciones, es preciso cortar muchos ramos podridos de este venerable tronco, injerir[3] otros nuevos y darle un fomento continuo; pero no por eso le hemos de aserrar por medio, ni cortarle las raíces, ni menos me harás creer que, para darle su antiguo vigor, es suficiente ponerle hojas postizas y frutos artificiales[4].

Para hacer un edificio en que vivir, no basta la abundancia de materiales y de obreros; es preciso examinar el terreno para los cimientos, los genios[5] de los que lo han de habitar, la calidad de sus vecinos y otras mil circunstancias, como la de no preferir la hermosura de la fachada a la comodidad de sus viviendas[6].

---

[1] Observa cómo, para Cadalso, el amor a la patria ha de ir acompañado de lucidez y de espíritu crítico (como corresponde al talante de la Ilustración). [2] *Las del ergo,* la Teología y la Filosofía escolásticas, que utilizaban *silogismos,* un tipo de razonamientos en latín cuya conclusión iba encabezada con la palabra *ergo,* «luego», «por tanto». [3] *Injerir,* injertar. [4] Con una imagen muy gráfica, Cadalso resume tres posturas distintas frente al problema de España: por un lado, la de los *tradicionalistas* o *casticistas,* partidarios de conservar la patria como está (añadiéndole, si acaso, adornos inútiles); en el extremo opuesto, la de los *extranjerizantes,* y tal vez *revolucionarios,* que quisieran cambiar totalmente el país, cortándole hasta las raíces; entre ambas posturas está la de Cadalso, que es la de un *reformismo moderado* (podar lo inservible, injertar savia nueva, revitalizar ese «árbol de la patria»). [5] *Genios,* temperamentos, costumbres. [6] En este último párrafo se manifiesta un espíritu práctico muy característico de los ilustrados.

EL PRERROMANTICISMO

En arte, a cada *acción* suele oponerse una *reacción* contraria. Esta alternancia pendular produce, a *fines de siglo*, la instauración del **Prerromanticismo**, que *se opone al Neoclasicismo* por los siguientes rasgos:

—***afirma los derechos del sentimiento frente a la razón;*** como consecuencia, se defiende a la literatura frente a otras actividades más «útiles»;

—***el sentimiento podrá expresarse arrebatadamente,*** sin el pudor que imponen las «buenas maneras»; domina la manifestación del dolor;

—***muestra recelo ante las reglas,*** aunque *no se rechazan* abiertamente (sí lo harán los románticos);

—***hay una preferencia por los paisajes desapacibles*** (tormentas, escenas nocturnas y tumbales, etc., frente a la *naturaleza serena* de los neoclásicos), pues ahora la naturaleza se asocia al sentimiento arrebatado de los autores o de los personajes.

● Contribuyeron a formar la sensibilidad prerromántica varios poetas ingleses (*Macpherson, Young, Gray*), el pensador suizo *Juan Jacobo Rousseau,* el novelista francés *Bernardino de Saint-Pierre,* etc.

En España, algunos escritores neoclásicos presentan, al final de sus vidas, rasgos prerrománticos (el mismo **Meléndez Valdés,** por ejemplo). Pero tales rasgos son ya netos en la llamada *segunda escuela salmantina* y en la *sevillana.*

● *Pertenecen a la segunda escuela salmantina* (por su vinculación estudiantil a Salamanca) el poeta **Nicasio Álvarez Cienfuegos** (1765-1809) y **Manuel José Quintana** (1772-1857), que escribió poemas neoclásicos y evolucionó después hacia los nuevos gustos; publicó una admirable obra en prosa: *Vidas de españoles célebres.*

● En *Sevilla,* algunos escritores quisieron reverdecer las antiguas glorias de Herrera (siglo XVI) y otros autores andaluces. Y, al igual que en el XVI, sus estilos son más coloreados y ricos que el de los castellanos, pero dentro de una inspiración prerromántica. Figuran, entre ellos, los poetas **Manuel María de Arjona** (1771-1820), **José Marchena** y, también, **José María Blanco White** (1775-1841), sacerdote que se hizo anglicano y que publicó *en inglés* unas *Cartas desde España,* duramente críticas de la vida española. Por fin, **Alberto Lista** (1775-1848), poeta y prosista, que fue maestro del gran escritor romántico Espronceda.

He aquí un típico documento prerromántico. Es un pasaje del enciclopedista francés Diderot, que, en 1760, escribe:

¿Qué necesita el poeta? ¿Una naturaleza bárbara o cultivada, tranquila o tormentosa? ¿Preferirá la belleza de un día puro y sereno al horror de una noche oscura donde el mugido de los vientos se mezcla por intervalos al murmullo sordo y continuo del trueno lejano, y donde se ve el relámpago inflamar los cielos sobre nuestra cabeza? ¿Preferirá un estanque a una catarata que se quebranta y rompe entre los peñascos, estremeciendo al pastor que la oye lejos, apacentando su rebaño en la montaña? ¿Cuándo veremos nacer poetas? Después de grandes desastres y grandes desdichas, cuando los pueblos empiecen a respirar, y las imaginaciones, excitadas por espectáculos terribles, se atrevan a pintar cosas que ni siquiera podemos concebir los que no hemos sido testigos de ellas.

PROBLEMAS LINGÜÍSTICOS EN EL SIGLO XVIII

Durante el siglo XVIII, **el idioma español adquiere su perfil moderno.** *Los sistemas fonológico y morfológico están definitivamente fijados, y la sintaxis queda configurada prácticamente como es hoy,* en sus usos normales. En esa centuria, la actividad idiomática fue intensa, y afrontó los siguientes *problemas*:

I. **Lucha contra el estilo barroco,** que había degenerado en hinchazón y alardes cultistas. La sencillez del lenguaje es defendida victoriosamente por la Academia, y de ello es ya ejemplo, como dijimos, la prosa de Feijoo, al que seguirán los neoclásicos posteriores.

II. **Empleo total del español como lengua de cultura.** Muchos libros seguían escribiéndose en *latín;* y esta lengua era *obligatoria en la universidad.* Varios hombres ilustres (Feijoo, Jovellanos...) combaten tal práctica. A principios del siglo XIX, la Junta de Regencia, que gobernó al acabar la guerra de la Independencia, por inducción de *Quintana,* ordenó el empleo exclusivo del español.

III. **Defensa contra los galicismos.** La presión de la cultura francesa hizo que, unas veces por necesidad (había que nombrar nuevas cosas o conceptos), y otras por *moda innecesaria,* se introdujeran numerosos *galicismos.* Para combatir estos últimos surgieron ***movimientos puristas.*** El más radical de ellos fue el ***casticismo,*** que propugnaba el empleo de sólo aquellas palabras «de casta», es decir, utilizadas en España desde antiguo. Ello constituía un freno a la modernización del léxico. Postura más flexible fue la de los puristas moderados, defensores de la aceptación de *neologismos necesarios.*

Entraron entonces abundantes galicismos en nuestro idioma: *bayoneta, báscula, brillar, gabinete, metralla, detalle, funcionario* y muchos más.

ILUSTRACIÓN Y NEOCLASICISMO

SIGLO XVII	SIGLO XVIII	SIGLO XIX
1700	1750 · 1800	1850

Autor	Nacimiento	Muerte
Padre Feijoo	1676	1764
Torres Villarroel	1693	1770
Luzán	1702	1754
Padre Isla	1703	1781
D. Ramón de la Cruz	1731	1794
García de la Huerta	1734	1787
Cadalso	1741	1782
Jovellanos	1744	1811
Samaniego	1745	1801
Iriarte	1750	1791
Meléndez Valdés	1754	1817
L. F. de Moratín	1760	1828
Quintana	1772	1857

OTRAS LITERATURAS

Siglo XVIII

Francia	Italia	Inglaterra	Alemania
—Voltaire. —Rousseau.	—Goldoni.	—Defoe. —Fielding.	—Goethe. —Schiller.

JOVELLANOS (9a)

VIDA

● Gaspar Melchor de Jovellanos (Gijón, 1744) es *uno de los españoles más eminentes en nuestra historia civil.* Bajo el reinado de Carlos III, acometió sus empresas cívicas; bajo el de Carlos IV, fue perseguido.

Muy joven, desempeñó altos cargos en la Justicia de Sevilla y Madrid. Con fe de ilustrado, perteneció a varias Reales Academias. Al reinar Carlos IV, se le apartó de la Corte con un cargo en Asturias, y allí contribuyó al desarrollo del Principado; creó el Instituto de Estudios Asturianos, donde se enseñaba con espíritu moderno. Tras una breve rehabilitación (Godoy lo nombró ministro de Justicia), se le confinó de nuevo en Asturias, acusado por sus ideas y hasta de hereje. A los cincuenta y siete años fue encarcelado en la Cartuja y, después, en el castillo de Bellver (Mallorca). Se le devolvió la libertad, tras siete años de prisión, al sobrevenir la invasión francesa. José Bonaparte quiso incorporarlo a su gobierno, pero él abrazó la causa de la independencia. Representó a Asturias en la Junta Central. Murió en Vega (Asturias), en 1811. Las Cortes de Cádiz lo proclamaron «Benemérito de la patria en grado eminente y heroico».

POESÍA Y TEATRO

● Su obra *estrictamente literaria* es escasa:

—Su **poesía** es de escaso valor. Escribió, por un lado, convencionales poemas bucólicos; más interesantes son algunas composiciones graves como la *Sátira sobre la mala educación de la nobleza.*

—Su **teatro** consta de una tragedia neoclásica (*El Pelayo*) y un drama curioso: *El delincuente honrado* (1774), con un fondo social y moral (contra el duelo); responde a lo que se llamó «comedia lacrimosa», por un sentimentalismo afín a las tendencias *prerrománticas.*

PROSA CRÍTICA Y DIDÁCTICA

● Es en este sector donde se hallan *sus escritos más importantes.* Sus temas son variados: políticos, históricos, económicos, filosóficos, filológicos, etc. En ellos instruye, formula críticas y propone *reformas para elevar la dignidad espiritual y material de España.* Destaquemos unos títulos:

—*Memoria para el arreglo de la policía de espectáculos* (1790), de la que proponemos unos fragmentos.

—*Informe sobre el expediente de la ley agraria* (1794), estudio en que propugna una valiente reforma de la propiedad agrícola, entre otras de las tierras eclesiásticas, por lo que fue incluida en el Índice de Libros Prohibidos (se tradujo pronto al francés, inglés y alemán).

—*Memoria del castillo de Bellver* (1802), estudio histórico y artístico del bello monumento mallorquín donde estuvo preso.

● La **prosa** de Jovellanos responde de modo eminente al ideal de estilo de su tiempo: es un modelo de claridad, de elegancia, con un perfecto equilibrio entre casticismo y modernidad.

SIGNIFICACIÓN DE SU OBRA

● Jovellanos fue un *reformador*, no un revolucionario. Quiso, como tantos ilustrados, *favorecer al pueblo*, pero *sin contar con él*; dirigirlo paternalmente, no procurar una mayor permeabilidad entre las clases sociales.

Pero si las medidas que preconizó pueden parecer hoy *reformas moderadas*, los tradicionalistas de su tiempo las consideraron *peligrosos alardes de subversión.* Insistamos en que, por sostener sus ideas, sufrió larga prisión.

Uno de nuestros máximos historiadores, *Américo Castro*, ha acuñado el término **jovellanismo** para denominar la actitud ideológica del gran polígrafo. Consistiría en «una actitud rectilínea en el orden moral, una constante aspiración al perfeccionamiento, un deseo de contribuir al renacimiento intelectual de la patria, un estímulo vivo para trabajar por el pueblo y, sobre todo, una austera impasibilidad nacida del conocimiento del deber y de la íntima satisfacción de la conciencia».

ESPECTÁCULOS Y DIVERSIONES PÚBLICAS

Escritor reformista

La Memoria para el arreglo de la policía de espectáculos y diversiones públicas, *dirigida al Consejo de Castilla, propone una reforma de éstos, conforme a las ideas ilustradas. Hace historia de juegos y espectáculos, y distingue dos tipos de diversiones: las de trabajadores y las de rentistas. Las primeras deben ser liberadas de reglamentaciones contra la libertad; las segundas deben procurar la elevación espiritual de las clases pudientes. El reformismo sano, a veces candoroso, de Jovellanos resplandece en estas páginas de prosa nobilísima.*

Una idea de la libertad

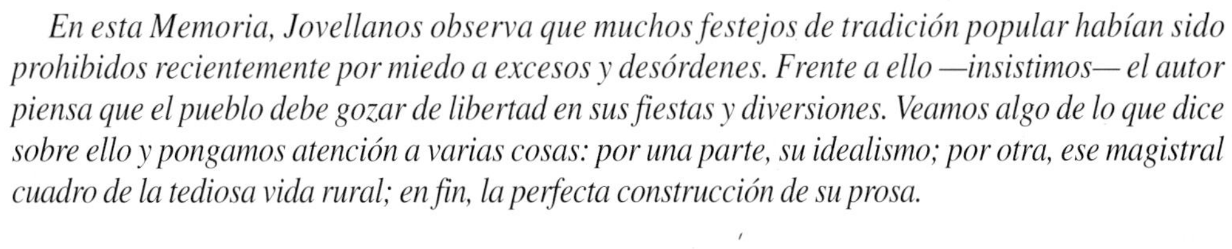

En esta Memoria, Jovellanos observa que muchos festejos de tradición popular habían sido prohibidos recientemente por miedo a excesos y desórdenes. Frente a ello —insistimos— el autor piensa que el pueblo debe gozar de libertad en sus fiestas y diversiones. Veamos algo de lo que dice sobre ello y pongamos atención a varias cosas: por una parte, su idealismo; por otra, ese magistral cuadro de la tediosa vida rural; en fin, la perfecta construcción de su prosa.

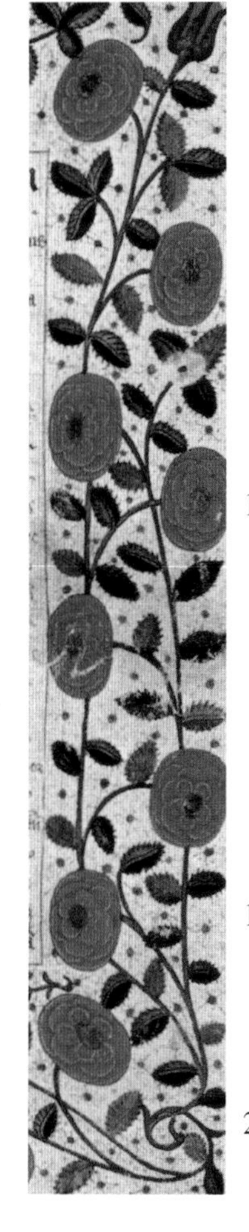

Este pueblo necesita diversiones, pero no espectáculos. No ha menester que el Gobierno le divierta, pero sí que le deje divertirse [...].

Cualquiera que haya corrido nuestras provincias habrá hecho muchas veces esta dolorosa observación. En los días más solemnes, en vez de la alegría y bullicio que debieran anunciar el contento de sus moradores, reina en las calles y plazas una perezosa inacción, un triste silencio, que no se pueden advertir sin admiración y lástima. Si algunas personas salen de sus casas, no parece sino que el tedio y la ociosidad las echan de ellas, y las arrastran al ejido[1], al humilladero[2], a la plaza o al pórtico de la iglesia, donde embozados en sus capas o al arrimo de alguna esquina, o sentados, o vagando acá y acullá, sin objeto ni propósito determinado, pasan tristemente las horas y las tardes enteras sin espaciarse ni divertirse. Y si a esto se añade la aridez e inmundicia de los lugares, la pobreza y desaliño de sus vecinos, el aire triste y silencioso, la pereza y falta de unión y movimiento que se nota en todas partes, ¿quién será el que no se sorprenda y entristezca a vista de tan raro fenómeno?

Explica a continuación Jovellanos que esta triste realidad se debe, como hemos dicho, a un exceso de prohibiciones y a una actitud demasiado severa de la autoridad ante los alborotos que pueden acompañar a las fiestas. Y he aquí lo que dice más adelante:

El estado de libertad es una situación de paz, de comodidad y de alegría; el de sujeción[3] lo es de agitación, de violencia y disgusto; por consiguiente, el primero es durable, el segundo expuesto a mudanzas. No basta, pues, que los pueblos estén quietos: es preciso que estén contentos, y sólo en corazones insensibles o en cabezas vacías de todo principio de humanidad y aun de política, puede abrigarse la idea de aspirar a lo primero sin lo segundo.

Los que miran con indiferencia este punto, o no penetran la relación que hay entre la libertad y la prosperidad de los pueblos, o, por lo menos, la desprecian, y tan malo es lo uno como lo otro. Sin embargo, esta relación es bien clara y bien digna de la atención de una administración justa y suave. Un pueblo libre y alegre será precisamente activo y laborioso, y siéndolo, será bien morigerado[4] y obe-

[1] *ejido,* terreno comunal de un pueblo, vecino a él, donde suelen estar las eras. [2] *humilladero,* lugar devoto a la entrada de un pueblo, donde hay una cruz, una imagen o una capilla. [3] *sujeción,* falta de libertad. [4] *morigerado,* de buenas costumbres.

diente a la justicia. Cuanto más goce, tanto más amará el gobierno en que vive, tanto mejor le obedecerá, tanto más de buen grado concurrirá a sustentarle y defenderle.

> - **Señala los aciertos descriptivos del párrafo sobre el aburrimiento de la vida aldeana, según el autor.**
> - **Es, sin duda, muy noble la actitud de Jovellanos, pero probablemente se prestará a discusión, y hasta habrá quien lo considere ingenuo; discútase.**
> - **En los dos últimos párrafos, en particular, puede observarse la cuidada construcción de las frases, con una clara tendencia a los paralelismos y a las construcciones bimembres, lo que produce una impresión de equilibrio clásico; señálalo.**

Contra las corridas de toros

Pero la libertad tiene algunos límites. Hay terrenos en que la autoridad puede intervenir para regular las diversiones. Así, por ejemplo, Carlos III había prohibido las corridas de toros. Y Jovellanos apoya tal medida. Hubo un tiempo —dice— en que la lidia había sido un «entretenimiento voluntario y gratuito de la nobleza». Pero la corrida también había sido criticada como «diversión sangrienta y bárbara». Además, y sobre todo, el toreo se había convertido finalmente en una profesión ejercida con ánimo de lucro por «cierta especie de hombres arrojados», con lo que la fiesta se había degradado. Y continúa Jovellanos:

Así corrió la suerte de este espectáculo, más o menos celebrado según su aparato[5], y también el
25 gusto y genio de las provincias que lo adoptaron, sin que los mayores aplausos bastasen a librarle de alguna censura eclesiástica, y menos de aquella[6] con que la razón y la humanidad se reunieron para condenarlo. Pero el clamor de sus censores, lejos de templar, irritó la afición de sus apasionados, y parecía empeñarlos más y más en sostenerlo, cuando el celo ilustrado del piadoso Carlos III [1785] lo proscribió generalmente, con tanto consuelo de los buenos espíritus como sentimiento de los que juz-
30 gan de las cosas por meras apariencias.

Es, por cierto, muy digno de admiración que este punto se haya presentado a la discusión como un problema difícil de resolver. La lucha de toros no ha sido jamás una diversión, ni cotidiana, ni muy frecuentada, ni de todos los pueblos de España, ni generalmente buscada y aplaudida. En muchas provincias no se conoció jamás; en otras, se circunscribió a las capitales, y dondequiera que fueron
35 celebradas lo fueron solamente a largos períodos[7] y concurriendo a verlas el pueblo de las capitales y tal cual aldea circunvecina. Se puede, por tanto, calcular que de todo el pueblo de España apenas la centésima parte habrá visto alguna vez este espectáculo. ¿Cómo, pues, se ha pretendido darle el título de diversión nacional?

Pero si tal quiere llamarse porque se conoce entre nosotros de muy antiguo, porque siempre se ha
40 concurrido a ella y celebrado con grande aplauso, porque ya no se conserva en otro país alguno de la culta Europa, ¿quién podrá negar esta gloria a los españoles que la apetezcan? Sin embargo, creer que el arrojo y destreza de una docena de hombres, criados desde su niñez en este oficio, familiarizados con sus riesgos y que al cabo perecen o salen estropeados de él, se puede presentar a la misma Europa como un argumento de valor y bizarría española, es un absurdo.

---

[5] *aparato*, boato, esplendor. [6] *aquella*, censura. [7] *a largos períodos*, no de manera continua.

LEANDRO FERNÁNDEZ DE MORATÍN (9b)

VIDA

● Nació en Madrid (1760). Su padre fue don Nicolás Fernández de Moratín, notable escritor. Lo protegieron Jovellanos y el ministro Godoy, lo que le permitió viajar por Europa. Se enamoró de una joven, Paquita Muñoz, pero no se decidió al matrimonio. Durante la invasión francesa (1808), se hizo *afrancesado* y aceptó cargos, lo que le obligó a exiliarse posteriormente. Pasó sus últimos años en Francia y murió en París en 1828.

● Es muy compleja la personalidad de Moratín: inteligente, burlón, descontentadizo, sensual y desamorado por egoísmo. Contó con grandes enemigos y amigos fieles. Fue afrancesado porque pensó que Bonaparte podía traer la modernización a España, a la que tanto amó.

MORATÍN, POETA

● Cultivó la poesía en dos vertientes principales: la *satírica* y la *lírica*. En la primera, es notable su *Sátira contra los vicios introducidos en la poesía española*, donde propugna su permanente ideal neoclásico. (Otra sátira suya de igual orientación, pero *en prosa*, es *La derrota de los pedantes*).

● Como **lírico**, es uno de los más notables de aquel siglo. En sus versos, por debajo de la frialdad neoclásica, se perciben latidos verdaderos y hondos. Destacan, entre sus poemas, los titulados *A Claudio*, *Elegía a las musas*, etc.

EL TEATRO DE MORATÍN

● Es el *principal autor dramático de la escuela neoclásica española*. Sólo escribió **cinco comedias**, que se caracterizan por *el total sometimiento a las reglas*, por su doble finalidad de *deleite* e *instrucción moral*, y por la *verosimilitud* de sus argumentos.

No compuso tragedias, que juzgaba incompatibles con su carácter; prefirió los temas ordinarios de la vida doméstica, para *adoctrinar* o *satirizar*.

● En tres de sus comedias —*El viejo y la niña, El barón* y *El sí de las niñas*— defiende la libertad de la mujer para elegir marido. Era una cuestión palpitante, en aquella época en que abundaban los matrimonios impuestos por interés.

● Las otras dos comedias —*La comedia nueva* o *El café* y *La mojigata*— poseen carácter satírico. La primera, contra *los malos autores dramáticos* que despreciaban las reglas. La segunda, *contra la falsa religiosidad*.

SIGNIFICACIÓN DE SU OBRA DRAMÁTICA

● Puede extrañar que, con sólo cinco comedias en su haber —ninguna de las cuales posee cualidades excepcionales—, Moratín fuese tan admirado en su tiempo: se le llamó el «Molière español». Pero ello se explica por su contexto histórico.

A mediados del siglo XVIII, el teatro sufría una grave decadencia. Además de comedias del siglo anterior, se representaban obras traducidas u obras nuevas de infames autores. El ambiente escénico era lamentable (*véase el recuadro adjunto*). Frente a ello, los ilustrados propugnaban un teatro *razonable y sensato*, ajustado a las normas clásicas y que abordara temas españoles. Varios autores lo intentaron. *Moratín acertó a lograrlo.*

Con todo, su éxito se produjo entre *minorías burguesas e instruidas*; el público, en general, siguió prefiriendo los espectáculos a que estaba acostumbrado.

Por lo demás, el *Neoclasicismo fue un episodio muy fugaz* en nuestro teatro, un paréntesis entre el teatro barroco y el romántico.

● Moratín *sigue interesando* hoy a la crítica, especialmente por *El sí de las niñas*, su máximo acierto, así como por su atractivo *estilo*, claro, llano, «moderno».

En la época había en Madrid tres teatros: el de la Cruz, el del Príncipe y el de los Caños del Peral. Sus espectadores respectivos, llamados *polacos*, *chorizos* y *panduros*, rivalizaban en barbarie. Iban a silbar al teatro «enemigo» sistemáticamente. Cierto franciscano se hizo famoso por interrumpir a los actores con chistes, arrojarles confites o remedar sus gestos. Y el público gozaba con tanta incivilidad.

La representación de los *autos sacramentales*, durante el Corpus, no se libraba de chocarrerías aún mayores. De ahí que los ilustrados consiguieran su prohibición en 1765.

EL SÍ DE LAS NIÑAS

Literatura y realidad en *El sí de las niñas*

Esta comedia es la más importante de Moratín. Escrita en 1801, y estrenada en 1806, se representó veintiséis días consecutivos: un gran éxito entonces. Se ha creído mucho tiempo que reflejaba las relaciones del escritor con Paquita Muñoz (la protagonista se llama, incluso, Francisca). En realidad, adaptó —superándola— una obrita breve del francés Marivaux (L'école des meres, *«La escuela de las madres»). Pero, evidentemente, aquel texto se adecuaba bastante bien a los recelos que sentía contra el matrimonio, que limitaría su libertad.*

Alegato feminista

El sí de las niñas, *aparte su testimonio para comprender a Moratín, importa también como* **alegato en defensa de los derechos de la mujer** *a casarse con quien ama, y no por conveniencias de familia, según era normal. Es, no obstante, una defensa tímida; ni Francisca ni Carlos se rebelan para defender su amor (tendrá que ser don Diego, el novio por interés, quien imponga un desenlace justo al conflicto). Estamos ya lejos de los héroes amatorios de nuestro teatro clásico, vehementes y rebeldes, y aún a distancia del inminente Romanticismo, que volverá por los fueros de la sinceridad apasionada en el amor.*

Argumento

En Guadalajara estudia interna en un convento la joven Francisquita. Allí han ido a buscarla su madre, doña Irene, y don Diego, anciano y digno caballero que va a casarse con la muchacha porque así lo ha concertado con la madre. De regreso a Madrid, se disponen a pasar la noche en Alcalá. Pero Francisca había conocido a Carlos, un joven y apuesto militar, y ambos se quieren. Le ha escrito contándole lo que ocurre (aunque no le ha precisado el nombre de su prometido) y Carlos llega a Alcalá dispuesto a evitar la boda.

Allí descubre desolado que el viejo con quien Paquita va a casarse es su propio tío, a quien quiere como a un padre y a quien debe todo lo que es. Decide entonces renunciar a su amor y escribe una carta de despedida a Francisca. Ella cree morir de dolor. Pero don Diego, que descubre el amor que se profesan su sobrino y su prometida, renuncia con buen sentido a sus pretensiones y apoya el matrimonio de los jóvenes. (Notemos que éstos no habían concebido en ningún momento rebelarse, y que la solución del caso la da don Diego precisamente en nombre de lo que dicta la razón. Si se quiere, es la razón defendiendo los derechos del corazón.)

Veamos tres momentos de la obra.

Una madre y una hija de antaño

He aquí cómo presenta doña Irene a su hija las ventajas del matrimonio que ha preparado ella. Y se observará cómo Paquita se nos aparece como una hija sumisa, a quien la educación estricta de la época ha hecho incapaz de rebelarse.

DOÑA IRENE.—Don Diego es un señor muy mirado, muy puntual. ¡Tan buen cristiano! ¡Tan atento! ¡Tan bien hablado! ¡Y con qué garbo y generosidad se porta! [...]. ¡Y qué casa tiene! Es mucho aquello. ¡Qué ropa blanca! ¡Qué batería de cocina! ¡Y qué despensa, llena de cuanto Dios crió...! Pero tú no parece que atiendes a lo que estoy diciendo.

5 DOÑA FRANCISCA.—Sí, señora, bien lo oigo; pero no la quería interrumpir a usted.

DOÑA IRENE.—Allí estarás, hija mía, como el pez en el agua. Pajaritas del aire que apetecieras las tendrías, porque, como él te quiere tanto, y es un caballero tan de bien y tan temeroso de Dios...

10 Pero, mira, Francisquita, que me cansa de veras el que siempre que te hablo de esto hayas dado en la flor[1] de no responderme palabra... ¡Pues no es cosa particular, señor!

DOÑA FRANCISCA.—Mamá, no se enfade usted.

15 DOÑA IRENE.—No es buen empeño de... Y ¿te parece a ti que no sé yo muy bien de dónde viene eso? ¿No ves que conozco las locuras que se te han metido en esa cabeza de chorlito? ¡Perdóneme Dios!

DOÑA FRANCISCA.—Pero... Pues ¿qué sabe usted?

20 DOÑA IRENE.—Me quieres engañar, ¿eh? ¡Ay, hija mía! He vivido mucho, y tengo yo mucha trastienda y mucha penetración para que tú me engañes.

25 DOÑA FRANCISCA.—(*Aparte, creyendo que su madre conoce sus relaciones con don Carlos.*) ¡Perdida soy!

30 DOÑA IRENE.—Sin contar con su madre... Como si tal madre no tuviera.... Yo te aseguro que, aunque no hubiera sido con esta ocasión, de todos modos era ya necesario sacarte del convento [...]. ¡Mire usted qué juicio de niña este! Que porque ha vivido un poco de tiempo entre monjas, ya se le puso en la cabeza el ser monja también... Ni qué entiende ella de eso, ni qué... En todos los estados se sirve a Dios, Frasquita; pe-

35 ro el complacer a una madre, asistirla, acompañarla y ser el consuelo de sus trabajos, esa es la primera obligación de una hija obediente... Y sépalo, si no lo sabe.

40 DOÑA FRANCISCA.—Es verdad, mamá... Pero yo nunca he pensado abandonarla a usted.

DOÑA IRENE.—Sí, que no sé yo...

DOÑA FRANCISCA.—No, señora. Créame usted. La Paquita nunca se apartará de su madre ni le dará disgustos [...].

45 DOÑA IRENE.—Pues hija, ya sabes lo que te he dicho. Ya ves lo que pierdes, y la pesadumbre que me darás si no te portas en un todo como corresponde... Cuidado con ello.

DOÑA FRANCISCA.—(*Aparte.*) ¡Pobre de mí!

Arriba y en la página 169: escenas de El sí de las niñas, *según los grabados de una edición de la obra.*

[1]*Dar en la flor de,* adquirir la costumbre de.

Doña Irene comunica a don Diego sus barruntos de que Francisca quiera ser monja, y él piensa que ello puede deberse al deseo de evitar aquel matrimonio porque no le complace. Pregunta a la muchacha, y la madre interviene para apartar tales sospechas; pero el caballero la hace callar: es Francisca la que debe responder francamente.

50 DON DIEGO.—Yo soy ingenuo; mi corazón y mi lengua no se contradicen jamás. Esto mismo le pido a usted, Paquita: sinceridad. El cariño que a usted le tengo no la debe hacer infeliz... Su madre de usted no es capaz de querer una injusticia, y sabe muy bien que a nadie se le hace dichoso por fuerza. Si usted no halla en mí prendas que la inclinen, si siente algún otro cuidadillo en su corazón, créame usted, la menor disimulación en esto nos daría a todos muchísimo que sentir.

COMENTARIO DE TEXTO. El SÍ DE LAS NIÑAS. (LÍNEAS 1-49)

Introducción

a Esta comedia, a diferencia de las del teatro del Siglo de Oro, está escrita en prosa. Y pinta un ambiente burgués.

b El personaje de la madre, o no aparece, o carece de importancia en el teatro del Siglo de Oro. Aquí, en cambio, es fundamental. ¿A qué lo atribuyes?

Análisis (contenido y expresión)

c ¿Qué elogia doña Irene en don Diego?

d ¿Con qué tipo de oraciones lo pondera? ¿Por qué?

e ¿Miente doña Francisca? ¿Qué hace?

f Doña Irene no entiende bien lo que le dice su hija. ¿Qué es lo que cree?

g ¿Cómo expresa doña Francisca su sumisión? ¿Es una heroína «moderna»? ¿Eran los neoclásicos reformistas o «revolucionarios»?

h Doña Irene pasa de la persuasión a la amenaza. ¿En qué momento?

i El lenguaje, liberado de las obligaciones que impone el verso, se hace más coloquial. Señala los rasgos que te parezcan más coloquiales.

Conclusión

j ¿Qué pretende combatir la comedia?

k ¿Es importante esta escena, dentro del plan general de la comedia? ¿Por qué?

El sentido crítico de don Diego

El anciano caballero, que ya ha descubierto los verdaderos sentimientos de Paquita, intentará, en la escena siguiente, impulsar a la joven a ser sincera (verdadera actitud de «educador»). Ella no le confesará la verdad, pero sus palabras tampoco son como para que don Diego se equivoque. Y se verá la firmeza con que expone sus críticas de aquella nefasta educación de la mujer.

55 DON DIEGO.—Pero ¡qué obstinado, qué imprudente silencio! Cuando usted misma debe presumir que no estoy ignorante de lo que hay.

DOÑA FRANCISCA.—Si usted lo ignora, señor don Diego, por Dios no finja que lo sabe; y si, en efecto, lo sabe usted, no me lo pregunte.

DON DIEGO.—Bien está. Una vez que no
60 hay nada que decir, que esa aflicción y esas lágrimas son voluntarias, hoy llegaremos a Madrid, y dentro de ocho días será usted mi mujer.

DOÑA FRANCISCA.—Y daré gusto a mi ma-
65 dre.

DON DIEGO.—Y vivirá usted infeliz.

DOÑA FRANCISCA.—Ya lo sé.

DON DIEGO.—Ve aquí los frutos de la educación. Esto es lo que se llama criar bien a
70 una niña: enseñarle a que desmienta y oculte las pasiones más inocentes con una pérfida disimulación. Las juzgan honestas una vez que las ven instruidas en el arte de callar y mentir. Se obstinan
75 en que el temperamento, la edad ni el genio no han de tener influencia en sus inclinaciones, o en que su voluntad ha de torcerse al capricho de quien las gobierna. Todo se les permite, menos la since-
80 ridad. Con tal que no digan lo que sienten, con tal que finjan aborrecer lo que más desean, con tal que se presten a pronunciar, cuando se lo manden, un sí perjuro, sacrílego, origen de tantos es-
85 cándalos, ya están bien criadas, y se llama excelente educación la que inspira en ellas el temor, la astucia y el silencio de un esclavo.

Un final feliz

Tras la escena anterior, don Diego promete a Paquita apoyarla contra las posibles iras de la madre. Luego, mantiene una conversación con su sobrino: para probar la sinceridad de su amor, le dice que está dispuesto a casarse con la joven. Pero Carlos tampoco se rebela. Eso sí, en un momento, llega a decirle que Francisca no será feliz, que lo seguirá queriendo a él. Con todo, le desea lo mejor a su tío y le pide que lo perdone. Entonces, don Diego manda venir a doña Irene y a su hija. Al revelar a la madre que ella quiere a otro hombre y que él renuncia al matrimonio proyectado, la señora monta en cólera y quiere pegar a la muchacha. Pero sale Carlos y lo impide. La escena continúa así:

DON DIEGO.—Aquí no hay escándalos. (*A doña Irene.*) Ese es de quien su hija de usted está enamo-
90 rada... Separarlos y matarlos viene a ser lo mismo... Carlos... No importa... Abraza a tu mujer.

(Se abrazan don Carlos y doña Francisca, y después se arrodillan a los pies de don Diego.) [...].

DOÑA FRANCISCA.—Conque ¿usted nos perdona y nos hace felices?

DON DIEGO.—Sí, prendas de mi alma, sí. *(Los hace levantar con expresión de ternura.)*

DOÑA IRENE.—¿Y es posible que usted se determine a hacer un sacrificio...?

95 DON DIEGO.—Yo pude separarlos para siempre y gozar tranquilamente la posesión de esta niña amable, pero mi conciencia no lo sufre... ¡Carlos!... ¡Paquita! ¡Qué dolorosa impresión me deja en el alma el esfuerzo que acabo de hacer...! Porque, al fin, soy hombre miserable y débil.

DON CARLOS.—Si nuestro amor, si nuestro agradecimiento pueden bastar a consolar a usted en tanta pérdida...

100 DOÑA IRENE.—¡Conque el bueno de don Carlos! Vaya que...

DON DIEGO.—Él y su hija de usted estaban locos de amor, mientras que usted y las tías fundaban castillos en el aire, y me llenaban la cabeza de ilusiones, que han desaparecido como un sueño... Esto resulta del abuso de autoridad, de la opresión que la juventud padece, y estas son las seguridades que dan los padres y los tutores, y esto lo que se debe fiar en el sí de las niñas... Por una casualidad, he sabido a tiempo el error en que estaba...
105

Y así, con nuevas finezas de don Diego para Paquita y Carlos, acaba la comedia.

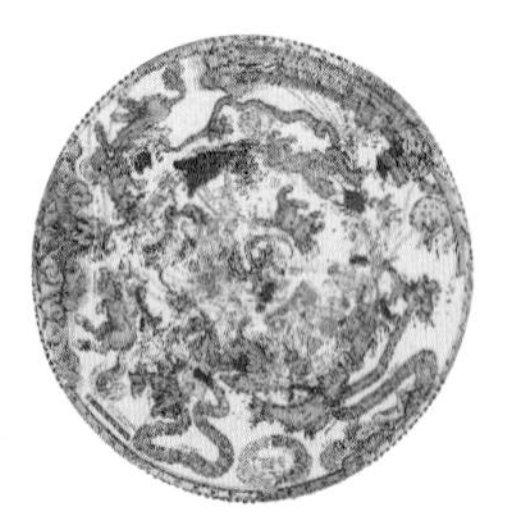

EJERCICIOS

Repaso de Gramática

1 Repasemos ahora las proposiciones adjetivas. En las siguientes oraciones, subraya la subordinada, indicando además qué función desempeña el pronombre relativo:

— Hay cochero en Madrid que gana trescientos pesos duros.

— Cadalso critica la predilección con que se suele hablar de lo antiguo.

— Jovellanos da testimonio del aburrimiento que veía en los pueblos.

— Conozco las locuras que se te han metido en la cabeza.

— El cariño que le tengo no la debe hacer infeliz.

— Acudió Carlos, a quien Paquita había escrito una carta.

— Eso resulta de la opresión que la juventud padece.

— He sabido a tiempo el error en que estaba.

2 Haz un análisis sintáctico completo de la siguiente oración:

— Los ilustrados anhelaban que se remediaran los males que aquejaban a España.

Expresión escrita

He aquí dos temas para elegir:

• **Diversiones y libertad**.— Hemos leído lo que Jovellanos pensaba sobre esta cuestión. ¿Crees que debe haber algunos límites a esa libertad en nombre de la convivencia, de la seguridad, de la salud, etc.? Expón tus ideas, apoyándote en experiencias o situaciones concretas.

• **La condición de la mujer ayer y hoy**.— Partiendo de lo que hemos visto en *El sí de las niñas*, muestra el contraste entre la situación de la mujer en tiempos pasados y en el presente, y señala en qué aspectos cabe progresar todavía.

10 EL ROMANTICISMO

El gusto romántico por los temas históricos y los ambientes tétricos queda plasmado en esta estampa, que representa a Zorrilla inspirándose «en vivo» ante los sepulcros de los Reyes Católicos.

SIGLO XIX. MARCO HISTÓRICO

● El siglo XIX se abre con la *guerra de la Independencia* y termina con el *desastre del 98*. Distingamos estas etapas:

— Reinado de **Fernando VII** (1814-1833). Se abre con seis años de rígido *absolutismo*, sigue con un trienio *liberal* —impuesto por el levantamiento de Riego (1920)— y termina con una nueva etapa *absolutista*. Comienza el proceso de independencia de los países americanos, que se irá consumando a lo largo del siglo.

— Reinado de **Isabel II** (1833-1868). Estalla la primera *guerra carlista*, a la que siguen diversas tensiones políticas que acabarán con el destronamiento de la reina por *la revolución de 1868* (la «Gloriosa»).

— Un paréntesis en que se intentan diversas soluciones políticas: la regencia del general **Serrano** (1869-1870) y el reinado de **Amadeo I** (1871-1873), una **Primera República** (1873-1874)...

— Se produce, en fin, la **Restauración** de la monarquía borbónica, con **Alfonso XII** (1875-1885), hijo de Isabel II. Muerto el rey, su esposa doña *María Cristina* asume la Regencia, hasta 1902, en que comenzará el reinado de **Alfonso XIII**. En **1898**, y en guerra con los *Estados Unidos*, España pierde sus últimas colonias (Filipinas y Cuba).

MARCO SOCIOCULTURAL

● En conjunto, el siglo XIX está marcado por la *decadencia* (liquidación del imperio), por los *enfrentamientos ideológicos* y *los conflictos sociales*.

● Las *tensiones políticas* fueron enormes entre los *conservadores*, que defendían sus privilegios, y los *liberales*, que pretendían abolirlos. Por otra parte, aparecen las *reivindicaciones obreras*, con movimientos revolucionarios (de signo socialista y anarquista).

● El *laicismo* se abre paso, y goza de gran influjo la *masonería*. El *catolicismo* se defiende frente a *librepensadores* y otras doctrinas adversas.

● España ofrece el espectáculo de un país inmaduro que trata de asimilar, con demasiada violencia y agresividad, doctrinas políticas, sociales y culturales que se han gestado fuera de ella, pero que son imprescindibles para el progreso.

● El censo de 1855 arroja un total de *quince millones de habitantes*, que pasan a *diecinueve millones* en 1911. El 65 por 100 de la población es rural. Penetran ciertos adelantos (ferrocarril, telégrafo, alumbrado eléctrico...) y se realizan esfuerzos de *industrialización*. Pero ello es incomparable con el avance de otros países europeos.

● La **instrucción pública** es ínfima. La *ley Moyano* (1857) impone la *escolaridad obligatoria* entre los *seis y los nueve* años. Pero, veinte años después, *tres de cada cuatro* españoles eran *analfabetos*. Aún, en 1901, el 63 por 100 de la población no sabía leer ni escribir.

● El ***desastre del 98*** será un golpe decisivo para que el país cobre conciencia de su postración.

● En lo **cultural** y lo **literario**, dos amplios movimientos dominan el siglo: el ***Romanticismo*** en su primera mitad; el ***Realismo***, en la segunda.

PRIMERA MITAD DEL SIGLO. EL ROMANTICISMO

El **Romanticismo*** no es una simple corriente literaria, sino un amplio *movimiento cultural, político y vital* que afectó a toda Europa y América.

● En su base, hay una *insatisfacción ante la realidad*, un profundo *descontento* respecto a una sociedad dominada por los valores burgueses. A ello se une una *crisis del Racionalismo* ilustrado.

Desde fines del siglo XVIII (con el *Prerromanticismo*, como vimos) se reacciona contra el Racionalismo y el Neoclasicismo. La *razón*, que tantos bienes prometía, no ha eliminado los problemas de los hombres. Además, éstos no se reducen a la *razón*: poseen también *sentimientos, emociones, fantasías, ideales*, y tienen *derecho a expresarlos*.

● Y esto no puede hacerse con *reglas* y ataduras, sino con *libertad*. No importa que las obras sean menos «perfectas» y «regulares» si, en cambio, *conmueven y emocionan*. La **libertad** en arte, pero *también en la política, en las costumbres*, etc., será la gran *consigna romántica*.

GOETHE
Un genio europeo entre el Clasicismo y el Romanticismo

En el paso del Clasicismo al Romanticismo, ocupa un lugar eminente el alemán Johann Wolfgang Goethe (1749-1832), *uno de los grandes genios de la literatura universal*. Vivió casi toda su vida en Weimar, como consejero del duque de Sajonia. Desde allí ejerció su magisterio sobre toda Europa. De robusta *doctrina clásica*, le imbuyó, sin embargo, un profundo sentimentalismo, de *orientación prerromántica*.

● Su novela ***Werther*** es la historia de un fracaso amoroso, a consecuencia del cual se suicida el protagonista. Su influjo fue tal que llevó al suicidio a muchos lectores, que se sintieron tan desdichados como él.

● Destacó Goethe como *pensador, poeta y autor dramático*; su drama *Clavijo* tiene protagonista español. Pero su obra cumbre es ***Fausto***, extenso *poema dialogado*, pero no representable. Desarrolla la leyenda medieval del hombre que vende el alma al diablo, a cambio de la eterna juventud y la felicidad. El autor realiza un portentoso examen de las *pasiones, que están en dramático conflicto con la finitud y limitación de los hombres*. Fausto sale derrotado en su anhelo de alcanzar la plenitud vital y la suprema sabiduría.

* Las palabras *Romanticismo* y *romántico* son adaptaciones de las francesas *Romantisme* y *romantique*. Esta última había significado «novelesco», pero a fines del XVIII se contagió del significado del inglés *romantic*, «pintoresco, sentimental», y del alemán *romantisch*, con que se calificaban las posturas anticlásicas. Esta aceptación de «anticlásico» será la que predomine.

ROMANTICISMO Y LIBERALISMO

● La insatisfacción romántica ante la realidad circundante puede llevar en dos direcciones: unos, vuelven sus ojos hacia el pasado; otros los ponen en un futuro distinto. De ahí, *dos tipos de Romanticismo*:

● Hay un **Romanticismo tradicional**, fundado en el anhelo de *restaurar los valores ideológicos, patrióticos* y *religiosos* que habían querido aniquilar los racionalistas dieciochescos. Y así, exaltan el Cristianismo, el Trono y la Patria como valores supremos. Esa orientación cuenta con importantes representantes en Alemania (*Schlegel, Novalis*), Inglaterra (*Walter Scott*), Francia (*Chateaubriand*), y también en España (*Duque de Rivas, Zorrilla*, etc.).

● Pero hay un **Romanticismo liberal** (y hasta revolucionario). El **liberalismo*** es un movimiento ideológico que ha irrumpido con mucha fuerza, y conduce la emoción romántica por otros derroteros. He aquí los principales rasgos de esta doctrina:

- —*Individualismo* o exaltación del libre desarrollo del individuo. El Estado sólo intervendrá como árbitro, para garantizar la *libre competencia de intereses* y evitar abusos. Pero no restringirá los derechos de iniciativa, propiedad y comercio (libre mercado).
- —*Afirmación de los derechos humanos*, que son sustancialmente los de *libertad de conciencia, de expresión y de reunión.*
- —*Fe en el progreso técnico*, que se producirá inexorablemente como resultado de la libre competencia entre individuos y pueblos.
- —*Limitación del poder del Estado*: las leyes deben ser pocas (porque siempre coartan la libertad), dictadas para ser respetadas, y establecidas por los propios ciudadanos (sufragio universal).

Estas ideas se impregnaron en España de turbulencia apasionada, en pro o en contra. La lucha entre *liberales y antiliberales* recubre de discusiones —y sangre— el siglo.

● El **Romanticismo liberal** está representado por el inglés *lord Byron*, los franceses *Víctor Hugo, Alejandro Dumas, Alfred de Vigny*, etc. **En España**, sus principales figuras fueron *Larra* y *Espronceda*.

Alfonso X el Sabio tras la conquista de Cádiz, de Matías Moreno (Palacio del Senado, Madrid). Un impulso similar de idealización de la Edad Media está presente en muchas obras románticas.

EL ALMA ROMÁNTICA. LOS GRANDES TEMAS

El *Romanticismo tradicional* y el *liberal* fueron, en muchos aspectos, antagónicos. Pero comparten *caracteres comunes*, como éstos:

● **Sentimiento de no plenitud**. Rasgo central del hombre romántico es, como hemos dicho, su *insatisfacción vital*. La vida —*fugaz e inconsistente*— no responde a sus anhelos. La *angustia* ante lo incompleto de la existencia humana va acompañada a menudo de la obsesión por la *muerte*.

● **Subjetivismo**. En las obras hay una *exaltación del «yo»*, con sus ansias infinitas, que chocan con los límites que les impone la realidad. Esos anhelos son de *amor*, pero también de *justicia social*, y, en suma, de *felicidad*. Pero,

* Las palabras *liberal* y *liberalismo*, introducidas en todas las lenguas, son de origen español. En nuestro idioma, *liberal* significaba «generoso, tolerante»; luego, en las Cortes de Cádiz, se llamaron así los partidarios de limitar el poder absoluto del rey (frente a los *absolutistas)*. Ese término, y *liberalismo*, fueron acogidos en toda Europa para designar el nuevo movimiento ideológico y a sus partidarios.

frente a ello, aparece a menudo el sentimiento de *soledad* o de *frustración*.

● **Fuga del mundo circundante**. Esa frustración, y ese *desacuerdo con el mundo*, pueden conducir a una *evasión de la realidad*, ya sea refugiándose con la imaginación en *mundos exóticos* —orientales, frecuentemente—, ya sea evocando un *pasado* brillante —medieval, sobre todo—. (Los neoclásicos habían preferido, como edad perfecta, la Antigüedad grecorromana.) Forma extrema de evasión sería el *suicidio* (conforme al citado ejemplo de *Werther*, que Larra adoptó).

● **La Naturaleza**. Frente al desinterés de los neoclásicos por el paisaje, éste es asociado por los románticos a sus estados de ánimo (o a los de sus personajes). Y, según sea éste, la Naturaleza se muestra melancólica, triste, tétrica, turbulenta...

● **Nacionalismo**. En oposición al internacionalismo dieciochesco, se exalta ahora lo *peculiar de cada país, de cada territorio*. Fruto de ello serán el **costumbrismo**, y la preferencia por los *temas legendarios e históricos* de cada país. Además, se desea conferir *rango literario a las lenguas vernáculas* (aparición de regionalismos y nacionalismos).

LA ESTÉTICA. CONTRA LAS NORMAS

● Los románticos ***se oponen a toda norma*** estética, en nombre de la ***libertad creadora*** del artista, no sólo para dar libre curso a sus *sentimientos*, sino también para escoger las *formas* de expresión sin traba ninguna.

● Así, frente a las normas que el Neoclasicismo había establecido, el Romanticismo se caracterizará, en el terreno estético, por estos rasgos:

— **En el teatro**, *se rechaza la regla de las tres unidades*, y *se mezclan lo trágico y lo cómico*; es decir, se vuelve a lo que había definido nuestro teatro barroco.

— *Mezclan igualmente verso y prosa* en muchas obras.

— **En la poesía**, se practica frecuentemente la *polimetría*, es decir, la variación de metros y estrofas.

— En general, deja de interesar ahora la «armonía», el «equilibrio», el «orden», la «perfección» de las formas: se buscará más bien su *dinamismo*, su intensidad *expresiva* y su *fuerza sentimental*.

— En fin, frente al imperio de la Razón, se dará entrada a lo *irracional*, a lo *misterioso*.

OTRAS LITERATURAS

Literaturas de Europa y América en el siglo XIX

Anticipamos los nombres de grandes autores europeos y americanos, no sólo del Romanticismo sino también de las posteriores corrientes del siglo (Realismo, Naturalismo, Simbolismo).

Francia

— Chateaubriand.
— Lamartine.
— Víctor Hugo.
— Stendhal.
— Flaubert.
— Zola.
— Baudelaire.
— Verlaine.
— Rimbaud.

Inglaterra

— Byron.
— Walter Scott.
— Dickens.
— Oscar Wilde.

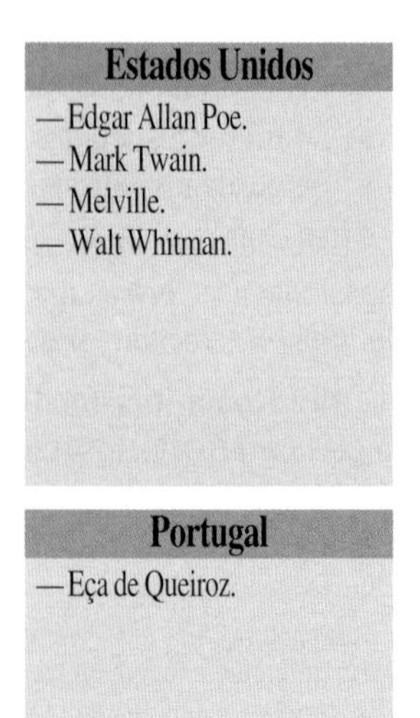

Estados Unidos

— Edgar Allan Poe.
— Mark Twain.
— Melville.
— Walt Whitman.

Italia

— Manzoni.
— Leopardi.

Rusia

— Pushkin.
— Dostoyevski.
— Tolstoi.

Portugal

— Eça de Queiroz.

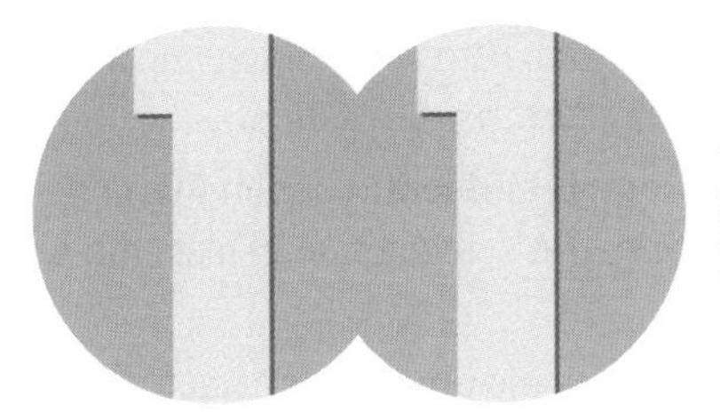

EL ROMANTICISMO ESPAÑOL

Larra, tanto por su vida y muerte como por su obra, ejemplifica bien el espíritu del Romanticismo español. En la imagen, Zorrilla recitando en un acto de homenaje a Larra, obra de Antonio M.ª Esquivel.

MOVIMIENTOS LITERARIOS ESPAÑOLES EN EL XIX

● A principios de siglo aún se manifiesta la *estética neoclásica*, pero ya con poca fuerza. Más fuertes son las *tendencias prerrománticas*, que conducen al pleno Romanticismo.

● El **Romanticismo** propiamente dicho tuvo, sin embargo, una duración *breve*: desde mediados de siglo, lo contrarresta un movimiento de signo diferente, aunque *no clásico* sino objetivista, como veremos: el **Realismo**.

En esta lección sólo tratamos del *Romanticismo español*. En la siguiente nos referiremos al período en que dominó el *Realismo*.

ESPAÑA, PAÍS ROMÁNTICO

● Antes aun de que el Romanticismo se implantara en nuestro país, muchos *románticos europeos* habían descubierto que *España era un país romántico*. Y ello porque:

—*Nuestra literatura barroca había conculcado las reglas*. Y así, por ejemplo, se proclama ahora el «romanticismo» de Calderón.

—*Don Quijote* es considerado también un «héroe romántico», pues lucha por un ideal en un mundo hostil.

—El *Romancero* aporta el testimonio de una Edad Media heroica y caballeresca.

—Los *paisajes agrestes* de España, las *ruinas de templos y monasterios* atraen a escritores, pintores y grabadores, como estímulos para su imaginación.

● Así, la *influencia de lo español* en la génesis europea del Romanticismo fue decisiva: nuestra literatura y nuestra realidad ofrecían ejemplos de los ideales de las nuevas generaciones.

PENETRACIÓN DEL ROMANTICISMO EN ESPAÑA

● A la vez que lo español influye en Europa, el Romanticismo europeo penetra en España, principalmente, *por Andalucía y Cataluña*:

—En Cádiz, en 1798-99, el cónsul alemán *Böhl de Faber* defendió la *comedia española* de los Siglos de Oro contra los neoclasicistas. Tal polémica hizo que se difundieran las ideas románticas.

—En Barcelona, la revista *El Europeo* (1823-24) combate el Neoclasicismo, en nombre de principios románticos.

● Pero la *circunstancia más importante* para la introducción del Romanticismo fue el *regreso*, a partir de 1833, *de varios centenares de liberales* españoles que se habían exiliado huyendo de la persecución absolutista de Fernando VII, y que se han imbuido de las nuevas ideas en Europa. Entre ellos están Martínez de la Rosa, el Duque de Rivas, Espronceda, etc.

ALCANCE DEL ROMANTICISMO

● El Romanticismo español alcanza su *apogeo hacia 1835*. Pero ese apogeo fue corto: pronto fue imponiéndose el *espíritu de una burguesía moderada*, poco sensible al idealismo romántico. Y hacia mediados de siglo, como hemos dicho, ya estaba presionando otra moda literaria francesa: el **Realismo**.

● Pero el Romanticismo dejó una huella. **Creó algunos géneros** importantes: *la novela histórica, la leyenda* y *el drama heroico*. O rehabilitó el **romance**, casi olvidado en el siglo XVIII.

● Y sobre todo, supuso la irrupción de muchas cosas con las que entramos en nuestra ***contemporaneidad***. Así, en la poesía, el giro hacia un *lirismo subjetivo*, que no dejará de tener vigencia hasta hoy. O, en un plano más general, el muy extendido *inconformismo del artista* en un mundo cada vez más deshumanizado.

● A continuación, haremos un rápido repaso de los principales géneros románticos.

LA POESÍA

● Los poetas románticos entronizan la *inspiración*, sin el contrapeso de un trabajo depurador. Por ello, los *hallazgos líricos* se mezclan con trivialidades y *tópicos*.

● Sus **temas** y **sentimientos** característicos son, unas veces, el *hastío* de vivir, la *melancolía*, el *desaliento*: otras, la *rebeldía* contra la sociedad o contra la vida misma. Por supuesto, *el amor*, con sus ilusiones y sus desengaños, ocupa un lugar central. Pero también son importantes los temas *legendarios, históricos* y *exóticos*.

Muy reveladores son sus **ambientes** preferidos: la *noche*, los lugares solitarios, los cementerios, el mar embravecido, la tormenta…

● En la **versificación**, como dijimos, es característica la *polimetría*: a menudo, los cambios de metro se deben a cambios emocionales dentro del poema. A la vez, responden al ideal de *liberta* creadora, al gusto por experimentar nuevas formas, sin sujetarse a las establecidas por la tradición.

LÍRICOS ROMÁNTICOS

A los principales líricos románticos dedicaremos apartados especiales:

—**Espronceda** (LECTURA 11b),

—**Bécquer** (LECTURA 11c) y

—**Rosalía de Castro** (LECTURA 11d).

Estos dos últimos escribieron ya en plena época realista.

● Pero dejemos constancia de otros poetas que destacaron: **Juan Arolas, Nicomedes Pastor Díaz, Gertrudis Gómez de Avellaneda, Carolina Coronado**, etc.

EL TEATRO

● Moratín y los neoclásicos habían tenido un éxito muy limitado. A comienzos del siglo XIX, el público seguía prefiriendo las viejas comedias «desarregladas» del Siglo de Oro. De ahí que el también «desarreglado» y rebelde teatro romántico triunfara pronto y alcanzara grandes éxitos entre 1834 (*La conjuración de Venecia*) y 1844 (*Don Juan Tenorio*). El teatro romántico presenta los siguientes caracteres:

—*Temas* legendarios, caballerescos, aventureros o de historia nacional, *siempre dramáticos*.

—*Protagonista* marcado por un *destino extraño, singular y misterioso*, que hace alardes de gallardía y de cinismo.

—Abundancia de escenas *nocturnas* y sepulcrales, desafíos y suicidios.

—*Rechazo de las «tres unidades»*: se entremezclan diversas *acciones* y éstas se producen en *lugares* y *tiempos* distintos.

—*Mezcla de lo trágico y lo cómico.*

—*División del drama en cinco actos*, y empleando versos de diversas medidas, combinados, en ocasiones, con la prosa.

—*Aspira sólo a conmover*, no a adoctrinar.

ESCRITORES DRAMÁTICOS

● Fue el granadino **Francisco Martínez de la Rosa** (1794-1865) quien, al volver de su exilio en Francia, introdujo la estética romántica con el éxito de *La conjuración de Venecia* (1834).

● La *batalla definitiva para imponer el nuevo teatro* la libró el cordobés Ángel de Saavedra, **Duque de Rivas**, con el estreno en Madrid de *Don Álvaro o la fuerza del sino* (1835). Parte del público selecto la rechazó por su «irregularidad»: todos los rasgos del teatro romántico que hemos señalado se acumulaban en la obra. Pero el escandaloso estreno hacía triunfar el Romanticismo en la escena.

El Duque de Rivas fue también notable poeta. Son excelentes sus *Romances históricos*, donde desarrolla temas españoles legendarios o del pasado épico.

● Son también importantes autores románticos: **Antonio García Gutiérrez** (1813-1884), que alcanzó un triunfo con *El trovador* (1836), y **Juan Eugenio Hartzenbusch** (1806-1880), con una obra famosísima: *Los amantes de Teruel.*

● Un lugar especial corresponde a **José Zorrilla** (1817-1893), vallisoletano, coronado como «poeta nacional». Fue un estimable **lírico.** Compuso inolvidables **leyendas** en verso (*A buen juez, mejor testigo*, etc.). Y entre sus **dramas**, citaremos *El zapatero y el rey* o *Traidor, inconfeso y mártir* (sin duda su obra más perfecta). Pero se le recordará siempre como autor de la obra más popular de nuestro Romanticismo: *Don Juan Tenorio* (1844).

● Paralelamente al drama romántico, hubo una **comedia** de temas burgueses contemporáneos (en la línea de Moratín). Lo cultivaron **Manuel Bretón de los Herreros** (*A la vejez, viruelas; Marcela o ¿a cuál de los tres?*, etc.) y **Ventura de la Vega** (*El hombre de mundo*).

LA PROSA. EL CUADRO DE COSTUMBRES

Tres géneros destacan en la **prosa romántica**: el *artículo periodístico*, el *cuadro de costumbres*, y la *novela histórica.*

● El **artículo periodístico** cuenta con la inmensa figura de **Larra**, a quien dedicamos la LECTURA 11a. Muchos artículos son, a la vez, *cuadros de costumbres.*

● El **cuadro de costumbres** gozó de gran favor entre 1820 y 1870. Son descripciones de *modos de vivir* y de *tipos populares.* Este género, creado en Francia, revelaba el interés de los románticos por todo lo que fuera representativo del *carácter nacional* y de lo *autóctono.* Triunfó pronto en España, que contaba con claros *antecedentes* (Cervantes, Torres Villarroel, etc.) Y lo cultivaron excelentemente, aparte Larra:

— **Ramón de Mesonero Romanos** (1803-1882), «El Curioso Parlante», que centró su interés en Madrid (*Escenas matritenses*).

— **Serafín Estébanez Calderón** (1799-1867), «El Solitario», autor de unas inolvidables *Escenas andaluzas*, sobre tipos y ambientes de su tierra.

● Los cultivadores de este género, a pesar de que el costumbrismo tenía un origen romántico, se burlaron a menudo de los excesos del Romanticismo. Y con su *observación de lo cotidiano*, contribuyeron al triunfo del **Realismo**, como veremos.

LA NOVELA HISTÓRICA

La inspiración *legendaria e histórica* no actuó sólo en el teatro: alcanzó a la *narrativa*, conforme al modelo de la **novela histórica** que había creado *Walter Scott*, autor de títulos tan famosos como *Ivanhoe*, *La novia de Lamermoor*, etc. (hubo 80 traducciones de sus obras al español, entre 1825 y 1851).

Cientos de novelas de ese género se escribieron entonces en España. Entre los autores principales cuentan: Trueba y Cossío, Navarro Villoslada y **Enrique Gil y Carrasco** (su novela *El Señor de Bembibre*, ambientada en el Bierzo medieval, es sin duda la obra más destacada del género).

MARIANO JOSÉ DE LARRA (11a)

Retrato de Larra, de autor anónimo (Museo Romántico, Madrid).

VIDA Y PERSONALIDAD

● Mariano José de Larra nació en Madrid (1809). Hijo de un médico militar afrancesado, vivió en Francia hasta los nueve años. Luego vive y estudia en Madrid. A los diecinueve, empieza a publicar entre dificultades económicas y de censura. Tiene que traducir dramas franceses que le espantan. A los veinte años contrae matrimonio, pero es un fracaso. Se enamora de una mujer casada, Dolores Armijo, cuyas alternativas de pasión y de frialdad le hacen sufrir.

Lanza otra serie de folletos satíricos (*El pobrecito hablador*) y publica artículos con el seudónimo que hizo famoso: *Fígaro*. A los veinticuatro años se separa de su mujer. Es elegido diputado liberal, pero el Parlamento no llega a constituirse. La situación política del país le exaspera. Y Dolores lo abandona. Doblemente desesperado, Larra se dispara un pistoletazo. Tenía veintiocho años (1837).

● Su **personalidad** combina *inteligencia* y *sensibilidad*. De ahí su *espíritu crítico* y su *amargura*. Su *mordacidad* le atrajo muchas antipatías.

Políticamente, fue un *liberal* cada vez más *progresista*. Animado por un *patriotismo crítico*, denunció el atraso de España, la incapacidad o la corrupción de los políticos, y la ramplonería del ambiente.

OBRA

● Larra ocupa un *lugar eminente en nuestra literatura* por sus **artículos periodísticos**; escribió más de doscientos.

● Compuso también una novela histórica (*El doncel de don Enrique el Doliente*) y una tragedia (*Macías*), ambas sobre este trovador medieval de trágica muerte.

● Destaquemos que Larra es el *primer español que vive exclusivamente de su actividad de escritor*, en una sociedad rudimentariamente capitalista. Las traducciones de teatro y la prensa constituyeron sus medios de vida.

LOS ARTÍCULOS PERIODÍSTICOS

● Sus artículos tuvieron que plegarse a las circunstancias políticas: son satíricos y agresivos cuando la censura lo permite; si no, expresan hábilmente entre líneas sus reticencias.

En todos ellos *exhibe románticamente una poderosa individualidad* en pugna con la realidad política literaria, cultural, etc. Combate la *organización del Estado*; ataca al *absolutismo* y al *carlismo*; se burla de la *sociedad*, que le parecía zafia e ignorante; y rechaza la vida familiar, achacándole, tal vez, sus propias frustraciones.

● Varios de sus artículos son verdaderos ***cuadros de costumbres***, aunque fuertemente *satíricos*.

ACTITUD LITERARIA DE LARRA

● Educado Larra en los *gustos neoclásicos*, nunca los repudió enteramente y siempre admiró a Moratín. Es más, le molestaban las exageraciones románticas.

Sin embargo, resulta indiscutiblemente hijo de su tiempo por su *actitud rebelde* (sin olvidar su muerte tan wertheriana, tan romántica). Además, *nunca creyó en los dogmas literarios*; al contrario: postuló la *libertad de creación al servicio del progreso*.

● Su **estilo** procuró ser *funcional*, ceñido a las ideas; buscó la *claridad* y la *fuerza*, no los adornos que sólo poseyeran un fin ornamental. No tuvo prejuicios puristas: las *palabras extranjeras* debían ser empleadas si resultaban *útiles*.

● Fígaro es *nuestro primer escritor rigurosamente contemporáneo*. Fue reconocido como maestro por los escritores de la *generación del 98*, y tal opinión persiste. Con él, en la prosa, y con Bécquer y Rosalía en la lírica, *nuestra literatura empieza a ser actual*.

ARTÍCULOS

Contra la mala educación

Larra declaraba que, como escritor costumbrista, carecía del «buen talento del Curioso Parlante *(Mesonero Romanos)». Es mucho más corrosivo que éste; más que* describir costumbres, *le importaba* corregirlas, *en ocasiones con el sarcasmo. Así, en su artículo* El castellano viejo, *describe la mala educación que se derrocha en una comida a la que asiste como invitado de un amigo, Braulio, grosero y mal educado, al que pone como prototipo de la «clase media» española, patriota y vanidosa.*

EL CASTELLANO VIEJO
(Fragmentos)

[...] A todo esto, el niño que a mi izquierda tenía, hacía saltar las aceitunas a un plato de magras con tomate, y una vino a parar a uno de mis ojos, que no volvió a ver claro en todo el día; y el señor gordo de mi derecha había tenido la precaución de ir dejando en el mantel, al lado de mi pan, los huesos de las suyas y los de las aves que había roído. El convidado de enfrente, que se preciaba de trinchador[1], se había encargado de hacer la autopsia de un capón, o sea gallo, que esto nunca se supo. Fuese por la edad avanzada de la víctima, fuese por los ningunos conocimientos anatómicos del victimario[2], jamás aparecieron las coyunturas[3] [...]. En una de las embestidas, resbaló el tenedor sobre el animal como si tuviera escama, y el capón, violentamente despedido, pareció querer tomar su vuelo como en tiempos más felices, y se posó en el mantel tranquilamente, como pudiera en un palo de un gallinero.

El susto fue general, y la alarma llegó a su colmo cuando un surtidor de caldo, impulsado por el animal furioso, saltó a inundar mi limpísima camisa. Levántase rápidamente a este punto[4] el trinchador con ánimo de cazar el ave prófuga y, al precipitarse sobre ella, una botella que tiene a la derecha, con la que tropieza su brazo, abandonando su posición perpendicular, derrama un abundante caldo de Valdepeñas sobre el capón y el mantel. Corre el vino, auméntase la algazara, llueve la sal sobre el vino para salvar el mantel... Una criada, toda azorada, retira el capón en el plato de su salsa; al pasar sobre mí, hace una pequeña inclinación, y una lluvia maléfica de grasa desciende, como el rocío sobre los prados, a dejar eternas huellas en mi pantalón color de perla. La angustia y el aturdimiento de la criada no conocen término. Retírase atolondrada sin acertar con las excusas; al volverse, tropieza con el criado que traía una docena de platos limpios y una salvilla[5] con las copas para los vinos generosos, y toda aquella máquina viene al suelo con el más horroroso estruendo y confusión [...].

¿Hay más desgracias? ¡Santo cielo! Sí, las hay para mí, infeliz. Doña Juana, la de los dientes negros y amarillos, me alarga de su plato y con su propio tenedor una fineza, que es indispensable aceptar y tragar. El niño se divierte en despedir a los ojos de los concurrentes los huesos disparados de las cerezas. Don Leandro me hace probar el manzanilla exquisito, que he rehusado, en su misma copa, que conserva las indelebles[6] señales de sus labios grasientos. Mi gordo fuma ya sin cesar, y me hace cañón de su chimenea[7] [...].

- **Señala *hipérboles* en este fragmento.**
- **Azorín, gran admirador de Larra, expresa reservas ante este artículo: «Larra exagera; acaso la pintura objetiva le lleva a extremos inaceptables. ¿Por qué el castellano viejo y no un castellano viejo, ha de ser como Larra lo pinta, desabridamente?» ¿Qué piensas tú de la actitud de Fígaro?**

[1] *trinchador,* buen partidor de aves. [2] *victimario,* el que ayuda a sacrificar las víctimas. [3] *coyunturas,* junturas de los huesos. [4] *a este punto,* en este momento. [5] *salvilla,* bandeja. [6] *indelebles,* imborrables. [7] Porque el humo se escapaba hacia los pulmones de Fígaro.

Contra la pena de muerte

El gran escritor, de mente progresista (aunque «dandy» y, en general, desdeñoso con el pueblo), fue uno de los primeros que combatió públicamente la pena de muerte.

En el siguiente artículo evoca una ejecución en Madrid.

UN REO DE MUERTE
(Fragmentos)

Un pueblo entero obstruye ya las calles del tránsito. Las ventanas y balcones están coronados de espectadores sin fin, que se pisan, se apiñan y se agrupan para devorar con la vista el último dolor del hombre.

—¿Qué espera esa multitud? —diría un extranjero que desconociese las costumbres—. ¿Es un rey el que va a pasar, ese ser coronado que es todo un espectáculo para el pueblo? ¿Es un día solemne? ¿Es una
5 pública festividad? ¿Qué hacen ociosos esos artesanos? ¿Qué curiosea esta nación?

Nada de eso. Ese pueblo de hombres va a ver morir a un hombre.

—¿Dónde va?

—¿Quién es?

—¡Pobrecillo!

10 —Merecido lo tiene.

—¡Ay, si va muerto ya!

—¿Va sereno?

—¡Qué entero va!

He aquí las preguntas y expresiones que se oyen resonar en derredor. Numerosos piquetes de infante-
15 ría y caballería esperan en torno del patíbulo [...]. ¡Siempre bayonetas en todas partes! ¿Cuándo veremos una sociedad sin bayonetas? ¡No se puede vivir sin instrumentos de muerte! Esto no hace, por cierto, el elogio de la sociedad ni del hombre [...].

Un tablado se levanta en un lado de la plazuela: la tablazón desnuda manifiesta que el reo no es noble[8]. ¿Qué quiere decir un reo *noble*? ¿Qué quiere decir garrote *vil*[9]? Quiere decir indudablemente que no hay
20 idea positiva ni sublime que el hombre no impregne de ridiculeces.

Mientras estas reflexiones han vagado por mi imaginación, el reo ha llegado al patíbulo [...]. Las cabezas de todos, vueltas al lugar de la escena, me ponen delante que ha llegado el momento de la catástrofe; el que sólo había robado acaso a la sociedad, iba a ser muerto por ella; la sociedad también da ciento por uno; si había hecho mal matando a otro, la sociedad iba a hacer bien matándole a él. Un mal se iba a re-
25 mediar con dos. El reo se sentó por fin. ¡Horrible asiento! Miré el reloj: las doce y diez minutos; el hombre vivía aún... De allí a un momento, una lúgubre campanada de San Millán, semejante al estruendo de las puertas de la eternidad que se abrían, resonó por la plazuela[10]. El hombre no existía ya; todavía no eran las doce y once minutos. «La sociedad, exclamé, estará ya satisfecha: ya ha muerto un hombre.»

- **El autor no ahorra los tintes románticos. Por ejemplo, en la *adjetivación*. Hazlo notar.**
- **¿Qué diversas *actitudes* de la gente revelan los comentarios que hace al paso del reo? Descríbelas una a una.**
- **Larra elude elegantemente la descripción de la muerte. ¿Cómo lo logra?**

[8] Si lo fuera, el patíbulo se adornaría con paños. [9] El *garrote* (estrangulamiento del reo por medio de una argolla sujeta al cuello) se considera más vil o denigrante que la horca. [10] *la plazuela* de la Cebada, donde se hacían las ejecuciones.

JOSÉ DE ESPRONCEDA (11b)

VIDA

● Nació cerca de Almendralejo (1808). En Madrid estudió con Alberto Lista, notable poeta neoclásico. A los quince años presencia la ejecución de Riego, héroe liberal, y funda con otros muchachos una sociedad secreta, *Los Numantinos*, para combatir el absolutismo. Sufrió por ello prisión.

Tres años después, huye a Lisboa para unirse a los exiliados liberales. Allí se enamora de Teresa Mancha y la sigue a Inglaterra. Vive después en Bélgica y Francia, donde toma parte en la revolución de 1830. Raptó a Teresa, que se había casado, y vuelve con ella a Madrid, acogiéndose a una amnistía. Teresa lo abandona, dejándole una niña de dos años, y, poco después, muere. Espronceda fue diplomático y diputado. Se enamoró otra vez, pero, a punto de casarse, a los treinta y cuatro años, murió en Madrid (1842).

● Representa Espronceda el *Romanticismo liberal más exaltado*. Su vida anárquica, disipada y generosa, es paradigma del hombre romántico.

OBRAS

● Cultivó los principales géneros de su tiempo:

—el poema épico: *El Pelayo*;

—la novela histórica: *Sancho Saldaña*;

—el teatro histórico: *Blanca de Borbón*.

● Pero fue, sobre todo, ***gran poeta lírico***. Reunió sus poemas en un libro (*Poesías*, 1840), en que alternan poemas juveniles, aún neoclásicos, con otros desbordadamente románticos. Son muy reveladores de su talante aquellos poemas en que canta a personajes *rebeldes* o *marginales*, hostiles a la sociedad: así, la famosísima *Canción del pirata*, y otros como *El mendigo*, *El verdugo*, *A Jarifa en una orgía*, etc.

● Junto a ellos están sus obras más ambiciosas: *El estudiante de Salamanca* y *El diablo mundo*. El primero es, sin duda, el mejor poema narrativo del siglo XIX: enseguida expondremos su argumento y leeremos unos fragmentos. Digamos ahora algo del segundo.

Espronceda, retratado por Antonio M.ª Esquivel (Biblioteca Nacional, Madrid).

● ***El diablo mundo***, publicado en fascículos a partir de 1840, quedó sin terminar. Consta de más de 8.000 versos, y quería ser un magno *poema lírico*, *filosófico* y *social*, una especie de *epopeya de la vida humana*. Su protagonista, llamado simbólicamente Adán, se enfrenta con la realidad, con las deformidades del mundo, y descubre la gran «injusticia» de la muerte.

Pero lo mejor de la obra es un poema inserto en ella, el *Canto a Teresa*, evocación de aquel gran amor desgraciado y una de las más hermosas elegías de nuestra literatura.

SIGNIFICACIÓN DE SU OBRA

La obra de Espronceda se corresponde con la exaltación, con las sombras y luces de su vivir. No es enteramente original: pesan sobre su obra influjos claros (el del inglés Byron, sobre todo), pero *aún luce más su talento cuando imita*: sus modelos parecen desvaídos ante el ímpetu de su arte.

Es un gran lírico, al que perjudican hoy los *excesos formales y temáticos del Romanticismo*, que, lógicamente, pertenecen a aquel tiempo y no al nuestro: rápida mutación de metros, sonoridades retumbantes, adjetivos lúgubres, efectistas rimas agudas, etc. Pero, a veces, sus versos brotan de una *refinada melancolía*, hondamente lírica. Escritores posteriores —Rubén Darío, Manuel Machado— recibieron su influjo.

POESÍAS

Canción del pirata

Es éste, sin duda, el más popular y conocido de los poemas esproncedianos. Sigue de cerca el Chant des pirates *(1827), del francés Fontan, pero lo supera ampliamente. Nuestro autor exalta la figura de un bandido, perseguido siempre, pero temido y, en cierto sentido, libre. Tema bien romántico, en cuyo tratamiento se notarán los rasgos del estilo de Espronceda que acabamos de describir.*

Con diez cañones por banda[1],
viento en popa a toda vela,
no corta el mar, sino vuela
un velero bergantín[2];
5 bajel[3] pirata que llaman
por su bravura el *Temido*
en todo el mar conocido
del uno al otro confín.

La luna en el mar riela[4],
10 en la lona gime el viento
y alza en blando movimiento
olas de plata y azul;
y ve el capitán pirata,
cantando alegre en la popa,
15 Asia a un lado, al otro Europa,
y allá a su frente Estambul:

—«Navega, velero mío,
sin temor
que ni enemigo navío,
20 ni tormenta, ni bonanza
tu rumbo a torcer alcanza,
ni a sujetar tu valor.

Veinte presas
hemos hecho
25 a despecho
del inglés
y han rendido
sus pendones
cien naciones
30 a mis pies.

Que es mi barco mi tesoro,
que es mi Dios la libertad;
mi ley, la fuerza y el viento;
mi única patria, la mar.

35 Allá muevan feroz guerra
ciegos reyes
por un palmo más de tierra,
que yo tengo aquí por mío
cuanto abarca el mar bravío,
40 a quien nadie impuso leyes.

Y no hay playa
sea cualquiera,
ni bandera
de esplendor,
45 que no sienta[5]
mi derecho
y dé pecho
a mi valor.

Que es mi barco mi tesoro...

50 A la voz de ¡barco viene!,
es de ver
cómo vira[6] y se previene
a todo trapo[7] a escapar:
que yo soy el rey del mar
55 y mi furia es de temer.

En las presas
yo divido
lo cogido
por igual:
60 sólo quiero
por riqueza
la belleza
sin rival.

Que es mi barco mi tesoro...

[1] *por banda,* por cada lado. [2] *bergantín,* barco de dos palos y vela cuadrada. [3] *bajel,* barco. [4] *riela,* brilla temblando. [5] *sienta,* acepte a la fuerza. [6] *vira,* cambia de rumbo. [7] *a todo trapo,* a toda vela.

65 ¡Sentenciado estoy a muerte!
Yo me río:
no me abandone[8] la suerte,
y al mismo que me condena
colgaré de alguna antena[9]
70 quizá en su propio navío.

Y si caigo,
¿qué es la vida?
Por perdida
ya la di
75 cuando el yugo
del esclavo
como un bravo sacudí.

Que es mi barco mi tesoro...

Son mi música mejor
80 aquilones[10],
el estrépito y temblor
de los cables sacudidos
del negro mar los bramidos
y el rugir de mis cañones.

85 Y del trueno
al son violento,
y del viento,
al rebramar,
yo me duermo
90 sosegado,
arrullado
por el mar.

Que es mi barco mi tesoro...»

---

[8] *no me abandone,* que no me abandone. [9] *antena,* palo del barco. [10] *aquilones,* los fuertes vientos del norte.

COMENTARIO DE TEXTO. CANCIÓN DEL PIRATA

Introducción

a Sitúa el poema con referencia a lo que hemos dicho sobre la personalidad de Espronceda y sus preferencias temáticas.

b En cuanto al **tema**, no bastará decir que es la exaltación de un pirata: indica de qué se jacta el personaje, qué rasgos de su carácter y qué ideas se ponen de relieve; y muestra lo que todo ello tiene de *romántico.*

Análisis (contenido y expresión)

c Comencemos por atender a la *estructura* y la *versificación.* Tenemos aquí una buena muestra de la *polimetría* tan grata a los poetas del momento.

— Hay primero dos *estrofas de introducción:* indica la clase de versos y la distribución de las rimas. Procura averiguar el nombre de la estrofa.

— A continuación, alternan tres tipos de estrofas: una tiene *seis versos* y es invención del poeta (analízala); otra, de *ocho versos,* es igual que las de la introducción, pero con tetrasílabos (es otra libertad que se ha tomado el autor); en fin, el *estribillo* responde a una métrica muy tradicional: ¿qué es?

— ¿Responde todo ello a lo que hemos dicho sobre los gustos formales —y métricos, en particular— de los románticos?

d En la *primera estrofa,* comenta los rasgos con que se presenta el barco pirata. En la *segunda,* fíjate en las notas de ambiente (¿qué tienen de característico?).

e ¿Qué idea desarrollan los *versos 17-30*?

f En el *estribillo* se concentran algunas ideas centrales del Romanticismo revolucionario: señálalas.

g Seguirás destacando, en las partes siguientes, los aspectos más llamativos del contenido (en especial, la rebeldía, los sentimientos antisociales, el desprecio por las leyes, etc.). Algo curioso: ¿qué «riqueza» es la que más valora el protagonista?

h En los *versos 65-77*, ¿qué actitud muestra el pirata ante la vida y la muerte? Ello va unido a una revelación muy importante que nos hace sobre su pasado. Haz reflexiones sobre todo ello.

i Nuevas notas de ambiente cierran el poema: señala lo que tienen de característico, recordando lo que dijimos sobre la utilización de la naturaleza por los románticos.

j En esas estrofas finales se manifiesta de forma eminente la *sonoridad* intensa que es grata a Espronceda; observa qué sonidos destacan. Puedes añadir alguna observación general sobre la sonoridad y musicalidad de todo el poema.

Conclusión

k La *Canción del pirata* es un poema típicamente romántico (por sus ideas, pero también por cierta teatralidad gesticulante). ¿Te sigue pareciendo atractivo para el lector de hoy?

EL ESTUDIANTE DE SALAMANCA

Es, insistimos, un gran poema narrativo. Consta de cerca de dos mil versos polimétricos. *Anticipemos una síntesis argumental. El protagonista es el disoluto don Félix de Montemar, cuya amada, Elvira, abandonada por él, muere de pena. Una noche se le aparece; él la sigue por las calles de Salamanca, donde contempla su propio entierro, y descubre que aquella mujer era el esqueleto de su amada, con quien se ve obligado a desposarse, antes de caer muerto.*

Veamos unos pocos fragmentos

• *El poema consta de cuatro partes. La* **primera** *comienza con este paisaje nocturno, que es una acabada síntesis de gustos y preferencias léxicas del Romanticismo:*

Era más de media noche,
antiguas historias cuentan,
cuando en sueño y en silencio,
lóbrega, envuelta la tierra,
5 los vivos muertos parecen,
los muertos la tumba dejan.
Era la hora en que acaso
temerosas[11] voces suenan
informes, en que se escuchan
10 tácitas[12] pisadas huecas,
y pavorosas fantasmas
entre las densas tinieblas
vagan, y aúllan los perros
amedrentados al verlas;
15 en que tal vez la campana
de alguna arruinada iglesia
da misteriosos sonidos
de maldición y anatema,
que los sábados convoca
20 a las brujas a su fiesta[13] [...].

Súbito rumor de espadas
cruje y un ¡ay! se escuchó;
un ay moribundo, un ay
que penetra el corazón,

[11] *temerosas*, temibles. [12] *tácitas*, esquivas, huidizas. [13] El aquelarre que las brujas celebran con el demonio los sábados por la noche, según creencia popular.

25 que hasta los tuétanos hiela
y da al que lo oyó temblor.
Un ay de alguno que al mundo
pronuncia el último adiós.

El ruido
30 cesó,
un hombre
pasó
embozado,
y el sombrero,
35 recatado,
a los ojos
se caló.

Se desliza
y atraviesa
40 junto al muro
de una iglesia,
y en la sombra
se perdió [...].

Ese hombre es don Félix de Montemar, que sube por la calle del Ataúd, alumbrada sólo por el candil que arde ante una imagen de Cristo. El tétrico paraje no le arredra: aun los fantasmas huirían a su paso. En Salamanca admiran al gallardo estudiante. He aquí una famosa octavilla sobre él:

Que su arrogancia y sus vicios,
45 caballeresca apostura,
agilidad y bravura,
ninguno alcanza a igualar;
que hasta en sus crímenes mismos,
en su impiedad y altiveza,
50 pone un sello de grandeza
don Félix de Montemar.

• *En la* **segunda parte***, Elvira aguarda a Félix. Inútilmente, porque él ya la ha olvidado. Espronceda evoca el jardín, bajo la luz de la luna; describe a Elvira errando sin esperanza, como Ofelia en* Hamlet*; y la invoca con famosas quintillas (especialmente bella y conocida es la segunda):*

Mas, ay, que se disipó
tu pureza virginal,
tu encanto el aire llevó
55 cual la ventura ideal
que el amor te prometió.

Hojas del árbol caídas,
juguetes del viento son;
las ilusiones perdidas,
60 ay, son hojas desprendidas
del árbol del corazón [...].

Tú eres, mujer, un fanal
transparente de hermosura;
¡ay de ti, si por tu mal
65 rompe el hombre en su locura
tu misterioso cristal! [...]

La desventurada muchacha muere de amor, no sin haber escrito a Félix una carta de despedida, perdonándolo.

• *La* **tercera parte** *combina —muy al gusto romántico— la narración con escenas dialogadas, auténticamente teatrales. En una de ellas, don Félix juega a las cartas con otros hombres. Habiendo perdido todo su dinero, desesperado y cínico, se juega un retrato que conservaba de su amada. Pero allí está un hermano de Elvira, don Diego de Pastrana, que se dispone a vengarla. En el duelo, don Félix mata a don Diego.*

• *La* **parte cuarta** *tiene más de mil versos. Don Félix ha matado a don Diego, y cuando regresa por la calle del Ataúd, ve una fantasmal mujer que reza ante la imagen de Cristo. Don Félix corteja a aquella sombra flotante. La aparición le pide que no continúe desafiando a Dios, pero él la sigue.*

Suenan campanas, lo rodean espectros... De pronto, silencio y soledad. Es la ciudad de los muertos, por la que pasa un entierro con dos cadáveres:

Calado el sombrero y en pie, indiferente,
el féretro mira don Félix pasar,
y al paso pregunta con su aire insolente
70 los nombres de aquellos que al sepulcro van.

Mas cuál su sorpresa, su asombro cuál fuera,
cuando horrorizado con espanto ve
que el uno don Diego de Pastrana era,
y el otro, ¡Dios Santo, y el otro era él! [...]

El estudiante se mofa de aquel «error»; y sigue instando a la dama para que se le rinda. Todo aquel misterio lo enardece más. Es un segundo Lucifer alucinado y perverso; llegan al fin a un extraño monumento, que es lecho y tumba a la vez. Félix pide a la visión que se descubra el rostro. El fantasma le tiende su mano helada y seca; pero él, temerario, le alza el velo: es un esqueleto. Los espectros los proclaman esposos. Y don Diego lo confirma. Montemar continúa alardeando cínicamente, y dice a Pastrana:

75 «En cuanto a ese espectro que decís mi esposa,
raro casamiento venísme a ofrecer;
su faz no es, por cierto, ni amable ni hermosa,
mas no se os figure que os quiera ofender.
Por mujer la tomo, porque es cosa cierta,
80 y espero no salga fallido mi plan,
que, en caso tan raro y mi esposa muerta,
tanto como viva no me cansará [...].»

El carïado[14], lívido esqueleto;
los fríos, largos y asquerosos brazos
85 le enreda en tanto en apretados lazos,
y ávido le acaricia en su ansiedad;
y con su boca cavernosa busca
la boca a Montemar, y, a su mejilla,
la ávida, descarnada y amarilla,
90 junta y refriega, repugnante faz [...].

Los espectros bailan una macabra danza, celebrando las espantosas nupcias. Por fin, Montemar desfallece y muere.

• *Llega la mañana. Por Salamanca corre la noticia de que el diablo, disfrazado de mujer, se ha llevado al infierno a Montemar. Espronceda acaba con un rasgo de humor:*

Y si, lector, dijerdes[15] ser comento[16],
como me lo contaron te lo cuento.

---

[14] *carïado*, con caries. [15] *dijerdes*, dijeres. [16] *comento*, embuste.

- **Señálense las palabras que, en los veinte primeros versos, orientan románticamente hacia lo misterioso, aterrador o fantasmal.**
- **¿Qué efecto consigue Espronceda cambiando la medida en los versos 29-43?**
- **Di qué calificativos aplicarías a la poesía de Espronceda: *íntima, gesticulante, delicada, conmovedora, enfática, esencial, patética.***

GUSTAVO ADOLFO BÉCQUER (11c)

VIDA

● Dos constantes dominan la *breve vida del más alto lírico español* del siglo XIX: la *pobreza* y el *sufrimiento*.

● Se llamó *Gustavo Adolfo Domínguez Bastida*, nació en Sevilla (1836), y firmó con el segundo apellido paterno, Bécquer, oriundo de Flandes. Quedó pronto huérfano, y se crió con su madrina, dama culta y sensible. Inició estudios de Náutica, que no pudo proseguir. Quiso ser pintor —como su padre y su hermano Valeriano—, y por fin, se consagró a las letras.

● A los dieciocho años se instala en Madrid, y pasa increíbles penurias escribiendo artículos y obras de teatro intrascendentes. A los veintiún años contrae la tuberculosis. En política adopta una actitud conservadora. Obtiene un cargo burocrático, pero es pronto despedido, porque «perdía» el tiempo escribiendo y dibujando.

● En su vida sentimental aparece la joven Julia Espín, a quien amó en silencio. Luego, amó con pasión a Elisa Guillén, que lo abandonó sumiéndolo en la desesperación. Y se casó con Casta Esteban, con quien tuvo dos hijos, y mantuvo el hogar ejerciendo el periodismo. Pero su esposa le es infiel, y el matrimonio se separa. Arrastra una vida bohemia y viste con desaliño. Murió en Madrid a los treinta y cuatro años (1870).

ROMÁNTICO REZAGADO

● Bécquer *escribe pasado el medio siglo, en pleno auge del Realismo*. Domina entonces —como veremos en la próxima lección— una poesía al gusto burgués, *prosaica* y con pretensiones *filosóficas*, poco dada al *intimismo lírico*.

Pero a él, y a unos pocos poetas, no les satisface aquella poesía. Tampoco les gusta la de los primeros románticos, como Espronceda, tan exaltada y gesticulante. Han vuelto sus miradas a una nueva *lírica alemana* (*Heine*, sobre todo). Es un **lirismo intimista**, caracterizado por la *sencillez formal y la hondura del sentimiento*.

● De ese clima *romántico tardío* (versión germánica del Romanticismo), se nutrirán Bécquer y Rosalía de Castro.

Gustavo Adolfo Bécquer visto por Valeriano Bécquer, hermano del poeta.

OBRAS EN PROSA

Su inmensa importancia como lírico no debe hacernos olvidar que *Bécquer fue un extraordinario prosista*; frente a la funcionalidad de la prosa realista, él dota a la suya de admirable *calidad poética*, verdaderamente *fascinante*. Destaquemos dos obras:

● ***Leyendas***. Pocas lecturas pueden resultar más apasionantes que estos veintiocho relatos. Presentan rasgos claramente románticos: el amor imposible (*El rayo de luna*), lo misterioso y sobrenatural (*Maese Pérez el organista*, *El Miserere*), lo exótico (*El caudillo de las manos rojas*), lo costumbrista (*La venta de los gatos*), y otros títulos inolvidables.

● ***Cartas desde mi celda***. Son sugestivas crónicas compuestas durante una estancia de reposo en el monasterio de Veruela.

LAS *RIMAS*

Son *ochenta y seis poemas*, y en ellos se funda la importancia de Bécquer en nuestra lírica.

● Las fue publicando en diversas revistas. Para editarlas, las reunió en un manuscrito que se perdió. Y volvió a reunirlas en un cuaderno que, con el título de *Libro de los gorriones,* se conserva en la Biblioteca Nacional. Por fin, tras la muerte de Bécquer, fueron publicadas, con el título definitivo de ***Rimas***, en 1871, por un grupo de amigos.

● Las *Rimas* son de extensión variable, pero abundan las breves. Es también variada su *versificación*: Bécquer emplea desde estrofas tradicionales a combinaciones personales de versos. Y muestra una clara preferencia por la *asonancia*. Pero veamos otros aspectos de su poética.

SU CONCEPCIÓN DE LA POESÍA

El propio Bécquer expuso sus *ideas poéticas* (en una reseña de *La soledad*, de su amigo Augusto Ferrán), que sintetizamos así:

> «Hay una poesía magnífica y sonora», «que se engalana con todas las pompas de la lengua»; es una poesía que agrada al oído, pero que no cala, que se desvanece.
>
> Frente a ella, hay otra poesía «natural, breve y seca», «desnuda de artificio», «que brota del alma como una chispa eléctrica, que hiere el sentimiento con una palabra y huye»; es como el sonido de un arpa que se queda vibrando y deja la frente «cargada de pensamientos sin nombre».

● No hay que decir que Bécquer prefiere ese segundo tipo de poesía, por él calificada de *natural, breve, seca y desnuda de artificios*.

> Pero hay que matizar esas declaraciones suyas. Ante todo, la poesía de Bécquer, bajo su *aparente naturalidad*, oculta un gran *cuidado constructivo*. No está tan «desnuda de artificios», pero éstos son sobrios y eficaces, no galas superfluas. Y cuando él la califica de seca, se está refiriendo a un *tono menor* casi conversacional, frente a la grandilocuencia de otros. Por lo demás, sus versos están llenos de *vibraciones hondas*, de ricos sentidos *simbólicos*.

● Concretando, la poesía de Bécquer se singulariza por los siguientes rasgos:

— Ante todo, su hondo *intimismo*.

— Un *tono menor*, nada grandilocuente.

— El *rigor formal*, por debajo de su aparente *sencillez*.

— En fin, hay que atraer la atención sobre su condición de poeta *simbolista* (es decir, la importancia de los *símbolos* en su obra), que será ejemplo de grandes poetas posteriores, como tendremos ocasión de ver.

● Y estos rasgos son los que hacen que Bécquer supere el puro Romanticismo y se convierta (como dijo Dámaso Alonso) en nuestro *primer poeta contemporáneo.*

TRASCENDENCIA DE BÉCQUER

Con una *obra poética muy breve*, Bécquer es uno de *nuestros más excelsos líricos.* Sin embargo, pocos de sus contemporáneos lo estimaban: Núñez de Arce, poeta admirado entonces, llamó a las *Rimas* «suspirillos germánicos».

● Su *reconocimiento pleno y su influjo* se produce en el siglo XX, con Antonio Machado o Juan Ramón Jiménez, a quienes seguirán los «poetas del 27» (Salinas, Alberti, Cernuda, etc.). Acabamos de aludir al lugar que le asignaba Dámaso Alonso; desde entonces, en efecto, la crítica lo sitúa como cabeza de la lírica contemporánea.

Bécquer: Imitación y originalidad

Ya en alguna ocasión hemos hecho ver que la imitación *no se opone a la* originalidad. *Bécquer* imitó *a veces a poetas de la Europa germánica, y también a líricos españoles amigos suyos, influidos por aquellos poetas. Pero* se alzó sobre sus modelos. *He aquí, como ejemplo,* un poemita de **Augusto Ferrán**:

Los mundos que me rodean
son los que menos me extrañan;
el que me tiene asombrado
es el mundo de mi alma.

Yo me asomé a un precipicio
por ver lo que había dentro,
y estaba tan negro el fondo
que el sol me hizo daño luego.

Véase cómo lo transformó Bécquer en su **rima XLVII:**

Yo me he asomado a las profundas simas
de la tierra y del cielo,
y les he visto el fin, o con los ojos
o con el pensamiento.

Mas, ¡ay!, de un corazón llegué al abismo,
y me incliné un momento,
y mi alma y mis ojos se turbaron:
¡tan hondo era y tan negro!

RIMAS

Al publicar las Rimas, *los amigos de Bécquer las ordenaron —en principio— por afinidades temáticas. Así, con ciertas reservas, pueden reconocerse cuatro series:*

a) Rimas I-XI: sobre la poesía misma, el poeta, la inspiración...

b) XII-XXIX: poemas de amor ilusionado o dichoso.

c) XXX-LI: poemas de amor triste o frustrado.

d) LII-LXXVI: de temas más generales: el dolor de vivir, la soledad, la angustia, la muerte...

Hay que añadir algunas rimas más (hasta las 86), descubiertas después, y de temas varios. Pero, insistimos, no todos los poemas de esos cuatro grupos encajan en la temática indicada. A continuación, escogemos algunas de las rimas más características y famosas.

Rimas sobre el poeta y la poesía

*En la **rima II**, el poeta se define a sí mismo a través de elocuentes* símbolos. *La* **VII**, *famosísima, habla —también simbólicamente— del genio escondido o la inspiración dormida. La* **XI** *habla de la mujer, la gran inspiradora de la poesía; o, mejor dicho, de diversos tipos de mujer, entre los que está la que constituye el ideal imposible del poeta.*

II

Saeta que voladora
cruza arrojada al azar,
y que no se sabe dónde
temblando se clavará;
5 hoja que del árbol seca
arrebata el vendaval,
sin que nadie acierte el surco
donde al polvo volverá;
gigante ola que el viento
10 riza y empuja en el mar,
y rueda y pasa, y se ignora
qué playa buscando va;
luz que en cercos temblorosos
brilla próxima a expirar,
15 y que no se sabe de ellos
cuál el último será;
eso soy yo, que al acaso[1]
cruzo el mundo, sin pensar
de dónde vengo, ni ádonde
20 mis pasos me llevarán.

VII

Del salón en el ángulo oscuro,
de su dueña tal vez olvidada,
silenciosa y cubierta de polvo
veíase el arpa.
5 ¡Cuánta nota dormía en sus cuerdas,
como el pájaro duerme en sus ramas,
esperando la mano de nieve
que sabe arrancarlas!

¡Ay! —pensé—. ¡Cuántas veces el genio
10 así duerme en el fondo del alma,
y una voz, como Lázaro, espera
que le diga: «¡Levántate y anda!»

XI

—Yo soy ardiente, yo soy morena,
yo soy el símbolo de la pasión;
de ansia de goces mi alma está llena.
¿A mí me buscas? —No es a ti, no.
5 —Mi frente es pálida, mis trenzas de oro;
puedo brindarte dichas sin fin;
yo de ternuras guardo un tesoro.
¿A mí me llamas? —No, no es a ti.

—Yo soy un sueño, un imposible,
10 vano fantasma de niebla y luz;
soy incorpórea, soy intangible;
no puedo amarte. —¡Oh, ven; ven tú!

[1] *al acaso,* al azar, sin rumbo.

- **Hemos dicho que Bécquer es un *poeta simbolista.* La *rima II* es un buen ejemplo de construcción simbolista de un poema: las cuatro primeras estrofas nos van presentando *símbolos* que van produciendo en el lector una impresión determinada; y la estrofa final desvela finalmente la significación de tales símbolos. ¿Qué ha querido decirnos el poeta sobre sí mismo? Juzga la expresividad de los símbolos.**
- **Observa cómo la *rima VII* es también *simbolista* (en las dos primeras estrofas, el símbolo o los símbolos; en la tercera, lo simbolizado). En cuanto a su sentido, ¿crees que en el fondo de muchas personas puede haber un «genio» escondido? ¿Qué tipo de impulso podría «despertarlo» según Bécquer? (Para los románticos, el genio era un don misterioso, de origen casi divino; después, los positivistas afirmarán que el genio no «nace», sino que «se hace» merced a factores de ambiente familiar, social, cultural, etc. He aquí un tema de debate.)**
- **La *rima XI* tiene tres estrofas, pero se puede dividir en *dos* partes: por su contenido, ¿qué distingue a las dos primeras estrofas de la tercera? Pero esas dos primeras estrofas, a su vez, se oponen entre sí: ¿por qué? Estas observaciones te mostrarán el *cuidado constructivo* con que procede Bécquer. Señala lo que tiene de romántica la concepción del amor que revela esta rima.**
- **Estas tres rimas pueden servir ya para mostrar la variedad de la *métrica* de Bécquer. Sería muy útil hacer un estudio detallado de la versificación de cada una.**

Rimas del amor exaltado

Como hemos dicho, las rimas XII-XXIX responden, en general, a una visión afirmativa y confiada de la belleza femenina y del amor. Hay alguna excepción, como la importante **rima XV,** *sobre la que precisamente propondremos un comentario. Pero veamos antes otras tres rimas que expresan efectivamente aquella ilusión o dicha de amar:*

«Yo sé cuál el objeto de tus suspiros es; /yo conozco la causa de tu dulce/ secreta languidez...» (Bécquer: Rima LIX).

XVII

Hoy la tierra y los cielos me sonríen,
hoy llega al fondo de mi alma el sol,
hoy la he visto..., la he visto y me ha mirado...
¡Hoy creo en Dios!

XXI

¿Qué es poesía? —dices mientras clavas
en mi pupila tu pupila azul.
¿Qué es poesía? Y ¿tú me lo preguntas?
Poesía... ¡eres tú!

XXIII

Por una mirada, un mundo;
por una sonrisa, un cielo;
por un beso..., ¡yo no sé
qué te diera por un beso!

- **Explica qué sentimientos concretos aparecen en las anteriores rimas y qué tono domina en ellas.**
- **Estamos ante algunas de las composiciones más breves de Bécquer. Y aquí está su máxima «sencillez». Observa su lenguaje casi conversacional: son versos que parecen destinados a ser dichos a media voz (frente a la grandilocuencia de la poesía de Espronceda, por ejemplo).**
- **Pero ¿están totalmente «desnudos de artificio»? Trata de señalar en ellos algunas *figuras* bien conocidas.**
- **Podría realizarse también un análisis de la *métrica.* Fijémonos al menos en que una de esas rimas responde a un género de tipo popular: ¿a qué rima y qué género nos referimos? (Bécquer inicia también ese gusto por las formas populares, especialmente andaluzas, que luego seguirán los Machado, Lorca, Alberti, etc.)**

XV

Cendal[2] flotante de leve bruma,
rizada cinta de blanca espuma,
rumor sonoro
de arpa de oro,
5 beso del aura[3], onda de luz,
eso eres tú.

Tú, sombra, aérea, que cuantas veces
voy a tocarte te desvaneces.
¡Como la llama, como el sonido,
10 como la niebla, como el gemido
del lago azul!

En mar sin playas onda sonante,
en el vacío cometa errante,
largo lamento
15 del ronco viento,
ansia perpetua de algo mejor,
eso soy yo.

¡Yo, que a tus ojos en mi agonía
los ojos vuelvo de noche y día;
20 yo, que incansable corro y demente
tras una sombra, tras la hija ardiente
de una visión!

[2] *cendal,* tela finísima y transparente (metáfora de *bruma*). [3] *aura,* brisa, vientecillo.

COMENTARIO DE TEXTO. RIMA XV

Introducción (tema y estructura)

a Como hemos dicho, esta rima tiene un carácter excepcional dentro de la serie en que se la incluyó. ¿Qué tipo de relación se establece entre el ***yo*** del poeta y el ***tú*** de esa mujer? De acuerdo con ello, ¿cómo enunciarías el **tema** de esta rima?

b Esta rima es una de las muestras más elocuentes del *rigor constructivo* de Bécquer. Comprobémoslo, ante todo, viendo cómo su **estructura** está perfectamente calculada en estrecha relación con el **tema**.

— Estamos ante una especie de «díptico» (*tú/yo*).

— Pero cada una de esas dos partes se subdivide, a su vez, en dos, tanto por su construcción sintáctica como por su estructura métrica. Trata de explicarlo con el mayor detalle posible. (Un análisis detenido mostraría unos rigurosos paralelismos y correlaciones entre las estrofas pares, por un lado, y las impares, por otro.)

— Lo anterior habrá permitido comprobar, de paso, qué tiene de particular el tipo de **versificación** y cuál es la maestría de Bécquer en este terreno.

Análisis (contenido y expresión)

c Por otra parte, el poema corrobora el esencial simbolismo de la poesía becqueriana. Ya la *1.ª estrofa* es una sarta de *símbolos.* ¿Qué impresión nos producen, antes de que, en el *verso 6,* se aclare a quién se refieren? Observa, además, la belleza de las imágenes y de la sonoridad.

d ¿Qué idea sobre la mujer se desarrolla en la *2.ª estrofa*? ¿Y qué *correlación* observas entre los *versos 9-11* y la enumeración de la estrofa anterior?

e En la *3.ª estrofa*, ¿qué impresiones nos producen ahora los símbolos? ¿Ha cambiado incluso la *sonoridad*?

f El *verso 16* no encierra un símbolo, sino una confesión muy directa del poeta: muestra su importancia para calar en el alma de Bécquer (¿es *romántico* en esto?).

g El poeta nos sigue hablando de sí mismo y de su pasión en la **última estrofa.** Sigue apreciando los rasgos románticos de contenido y de lenguaje. Y según los versos finales, esa mujer, ¿es real, pero inalcanzable? ¿o es un puro ideal inalcanzado?

Conclusión

h Una reflexión más sobre el *simbolismo.* El procedimiento seguido por Bécquer aquí (como en las rimas II o VII) ha sido «hacernos sentir» primero unas impresiones, hacernos llegar vagamente unas ideas y, luego, revelarnos de qué nos está hablando. ¿Te parece eficaz este procedimiento para hacer vibrar al lector?

i Después de nuestro comentario, vuelve a leer lo que el mismo Bécquer dijo sobre sus preferencias poéticas y las observaciones que sobre ello hicimos. ¿Qué precisiones harías ahora?

j En la lección sintetizamos los *rasgos principales* de la poesía de Bécquer: muestra cómo esos rasgos se dan cita en una rima como ésta.

Rimas del amor desgraciado

El más abundante cuerpo de poesía becqueriana está constituido por rimas amargas y dolientes, con tonos que van de la melancolía hasta la ira y la desesperación. No es raro que sean las más numerosas: el fracaso de sus amores con Elisa Guillén, que lo abandonó por otros hombres, no lo olvidó nunca.

XXX

Asomaba a sus ojos una lágrima
y a mi labio una frase de perdón;
habló el orgullo y se enjugó su llanto,
y la frase en mis labios expiró.

5 Yo voy por un camino, ella por otro;
pero al pensar en nuestro mutuo amor,
yo digo aún: «¿Por qué callé aquel día?»
Y ella: «¿Por qué no lloré yo?»

XXXVIII

Los suspiros son aire y van al aire,
las lágrimas son agua y van al mar.
Dime, mujer: cuando el amor se olvida
¿sabes tú a dónde va?

La *rima XXX* puede dar ejemplo, por un lado, de esa «sencillez» y «tono menor» tan becquerianos. Pero, por otro, hasta en esos versos puede verse su rigor constructivo: véanse los reiterados paralelismos de frases, mediante los cuales se pone de relieve, otra vez, un enfrentamiento entre poeta y amada (yo/ella). Por lo demás, ¿cuál es aquí la causa del fracaso del amor?

Rimas de la vida y de la muerte

En fin, como hemos señalado, Bécquer compuso una serie de rimas en las que encerró profundas y amargas reflexiones sobre la condición humana, *sobre el dolor y la soledad, sobre el sentido (o sinsentido) de la vida, sobre la muerte... En algunas de estas rimas, Bécquer roza la altura u hondura de nuestros grandes poetas barrocos (Quevedo, Calderón...). He aquí tres muestras.*

LX

Mi vida es un erial[4]:
flor que toco se deshoja;
que en mi camino fatal
alguien va sembrando el mal
5 para que yo lo recoja.

LXIX

Al brillar un relámpago nacemos
y aún dura su fulgor cuando morimos:
¡tan corto es el vivir!
La gloria y el amor tras que corremos
5 sombras de un sueño son que perseguimos:
¡despertar es morir!

LXVI

¿De dónde vengo?... El más horrible y áspero
de los senderos busca;
las huellas de unos pies ensangrentados
sobre la roca dura,
5 los despojos de un alma hecha jirones
en las zarzas agudas
te dirán el camino
que conduce a mi cuna.

¿Adónde voy? El más sombrío y triste
10 de los páramos cruza,
valle de eternas nieves y de eternas
melancólicas brumas.
En donde esté una piedra solitaria
sin inscripción alguna,
15 donde habite el olvido,
allí estará mi tumba.

[4] *erial,* tierra yerma. Para conseguir el ritmo de este octosílabo, omítase la sinalefa (*vida/es*) o hágase hiato en *erial.*

- ***Rima LX.* Es un resumen desolado de cómo veía Bécquer su vida. Coméntalo. Y pondera la redonda perfección de la breve estrofa utilizada (¿de qué estrofa se trata?).**
- ***Rima LXIX.* Dentro de su brevedad, recoge, con densidad y perfección, ideas centrales de una desengañada y romántica visión de la vida: di cuáles son las ideas fundamentales (hay algo que te recordará el título de un gran dramaturgo barroco, ¿no? Pero ¿qué variación introduce Bécquer en su idea?). Una vez más, destaca la perfección de la estructura.**
- ***Rima LXVI.* ¿Encuentras alguna relación entre esta rima y la II? Advierte la presencia de símbolos y aclara su sentido profundo. En suma, ¿qué nos dice el poeta de sí mismo? ¿Qué versos destacarías por su belleza o por su emoción? (Por cierto, hay uno que escogería Luis Cernuda, poeta del 27, como título de uno de sus libros: *Donde habite el olvido*, de 1934.)**
- **En varias rimas de Bécquer hemos visto una preferencia por la construcción binaria del poema: compruébalo una vez más en las dos últimas rimas.**

ROSALÍA DE CASTRO (11d)

VIDA

Nació en Santiago de Compostela (1837). Fue hija ilegítima, lo que quizá sea una de las raíces de la incurable amargura que definió su carácter. Comenzó a escribir versos hacia los once años. En 1858 se casó con el notable historiador gallego Manuel Murguía. Con él vivió en diversos lugares de Castilla, pero no le abandonaba la punzante nostalgia de su tierra. Regresaron a Galicia (La Coruña, Santiago, Padrón). Tuvieron siete hijos y Rosalía alternó las tareas domésticas con su vocación literaria. Su vida estuvo llena de dificultades económicas y de tristezas. Murió de cáncer en Iria Flavia, término municipal de Padrón, en 1885. Sus restos fueron trasladados a un monumento funerario erigido por suscripción popular en la iglesia compostelana de Santo Domingo. Su pueblo la acompañó entonces y la adora, hoy, como algo propio.

OBRA

● Escribió varias **novelas**, desde *La hija del mar* (1859), exaltadamente romántica, hasta *El caballero de las botas azules* (1867), extraño relato de intención filosófica y satírica. Como escritora narrativa y descriptiva, son múltiples sus méritos.

● Pero Rosalía queda, sobre todo, por su **poesía**. Y figura entre los primeros poetas españoles por tres libros de versos, los dos primeros escritos en gallego y el tercero en castellano.

● *Cantares galegos* (1863) fue escrito en parte en Castilla y la inspiración fundamental es la añoranza de su húmeda, verde y hermosa tierra natal. Son inolvidables muchos poemas fragantes, animados de ritmos populares, en que manifiesta su deseo de volver a Galicia: *Airiños, airiños aires, / airiños da miña terra; / airiños, airiños aires, / airiños, leváime a ela.*

● En *Follas novas* («Hojas nuevas», 1880), dominan los sentimientos de dolor y desengaño, tanto los suyos íntimos como los de su pueblo.

● Por último, *En las orillas del Sar* (1884), libro capital de la lírica castellana, es una atormentada confesión de su intimidad, de sus ideas sobre el amor, la soledad y el dolor, sobre la injusticia humana, sobre la muerte y la eternidad. Son poemas breves, con predominio de ritmos amplios y de rima asonante, sin que falte la experimentación de nuevas combinaciones métricas.

SIGNIFICACIÓN DE ROSALÍA

● Se habla de *influjos mutuos entre Bécquer* y *Rosalía*, pero no están demostrados. El sevillano es más «puro», más austero de medios expresivos. Como contrapartida, Rosalía ofrece una riqueza temática muy superior, no olvida el dolor ajeno, y es sensible a la Naturaleza.

● Rosalía ocupa el centro —con Eduardo Pondal y Curros Enríquez— del *Rexurdimento* o renacimiento gallego del siglo XIX. Fuera de Galicia, su valoración se inició con Azorín y Antonio Machado. Desde entonces, la autora de *En las orillas del Sar* es uno de nuestros más firmes valores líricos. Nos abrió su dolorida intimidad, amó a su pueblo, clamó contra la desgracia, la injusticia y el dolor, dio testimonio de un cristianismo profundo, y alcanzó a hacerlo todo con sinceridad, hondura y belleza increíbles.

Rosalía de Castro es la figura clave de la renovación poética gallega.

FOLLAS NOVAS

*He aquí una muestra del libro **Follas novas,** en que la simplicidad formal hace especialmente patético el sentir de Rosalía:*

Unha vez tiven un cravo
cravado no corazón,
y eu non m'acordo xa s'era aquel cravo
d'ouro, de ferro ou d'amor.
5 Soyo sei que me fixo un mal tan fondo,
que tanto m'atormentóu,
qu'eu día e noite sin cesar choraba
cal chorou Madalena na Pasión.
«Señor, que todo ó podedes
10 —pedinlle unha vez a Dios—
dáme valor pr'arrincar d'un golpe
cravo de tal condiçón.»
E doumo Dios e arrinqueimo
mais... ¿quén pensara?... Despois
15 xa non sentín máis tormentos
nin soupen qu'era delor;
soupen so que non sei qué me faltaba
en donde o cravo faltóu,
e seica... seica tiven soidades
20 d'aquela pena... ¡Bon Dios!
Este barro mortal qu'envolve o esprito
¡quén o entenderá, Señor!

Una vez tuve un clavo
clavado en el corazón,
y yo no me acuerdo ya si era aquel clavo
de oro, de hierro o de amor.
5 *Sólo sé que me produjo un mal tan hondo,*
que tanto me atormentó,
que yo día y noche sin cesar lloraba
como lloró Magdalena en la Pasión.
«Señor que todo lo puedes
10 *—le pedí una vez a Dios—*
dame valor para arrancar de un golpe
clavo de tal condición.»
Y diómelo Dios y me lo arranqué,
pero... ¿quién lo pensara?... Después
15 *ya no sentí más tormentos*
ni supe lo que era dolor;
supe tan sólo que no sé qué me faltaba
en donde el clavo faltó,
y me parece..., me parece que tuve añoranza
20 *de aquella pena... ¡Buen Dios!*
Este barro mortal que envuelve el espíritu,
¿quién lo entenderá, Señor?

EN LAS ORILLAS DEL SAR

*Leamos ahora un par de poemas de **En las orillas del Sar.** Nótese cómo consigue Rosalía aprehender en una composición breve una emoción hondísima, y es entonces cuando muestra mayor hermandad poética con Bécquer.*

Alma que vas huyendo de ti misma,
¿qué buscas insensata en los demás?
Si en ti secó la fuente del consuelo,
secas todas las fuentes has de hallar.

5 ¿Que hay en el cielo estrellas todavía
y hay en la tierra flores perfumadas?
Sí... Mas no son ya aquellas
que tú amaste y te amaron, desdichada.

En este extraordinario poema en octonarios (8 + 8), la autora expresa sus añorantes anhelos de belleza, de juventud, de paz y de dicha, frenados por el presentimiento de la muerte.

Dicen que no hablan las plantas, ni las fuentes, ni los pájaros
ni la onda con sus rumores, ni con su brillo los astros.

Lo dicen; pero no es cierto, pues siempre, cuando yo paso,
de mí murmuran y exclaman: —Ahí va la loca, soñando
5 con la eterna primavera de la vida y de los campos,
y ya bien pronto, bien pronto, tendrá los cabellos canos,
y ve temblando, aterida, que cubre la escarcha el prado.

—Hay canas en mi cabeza, hay en los prados escarcha;
mas yo prosigo soñando, pobre, incurable sonámbula,
10 con la eterna primavera de la vida que se apaga
y la perenne frescura de los campos y las almas,
aunque los unos se agostan, y aunque las otras se abrasan.

¡Astros y fuentes y flores!, no murmuréis de mis sueños;
sin ellos, ¿cómo admiraros, ni cómo vivir sin ellos?

Mar y cielo, *obra de Martínez Padilla.*

EJERCICIOS

Repaso de Gramática

1 En las siguientes oraciones, hay subordinadas sustantivas y adjetivas; también hay adjetivas «sustantivadas» (esto es, de relativo sin antecedente expreso). Identifícalas. Si son sustantivas, di cuál es su función; si son adjetivas, indica la función del pronombre relativo.

— El niño que a mi izquierda tenía hacía saltar las aceitunas a un plato...

— El que hoy canta esa salve se la oirá cantar mañana.

— Era la hora en que acaso temerosas voces suenan.

— Yo no sé qué te diera por un beso.

— Entonces comprendí por qué se llora.

— Es triste que Larra muriera tan joven.

— El pirata lanzaba un desafío a quienes lo habían condenado.

2 Haz un análisis sintáctico completo de la siguiente oración:

— Hemos visto que el romántico rechazaba el mundo en que vivía.

Expresión escrita

• **Un paisaje nocturno.**— Relee el principio de *El estudiante de Salamanca* e, imitándolo, aunque en prosa, redacta un texto descriptivo.

REALISMO Y NATURALISMO

El siglo XIX *es el del triunfo de la burguesía y sus valores* (Interior al aire libre, *de Ramón Casas*).

I. CONCEPTOS GENERALES

LA SEGUNDA MITAD DEL SIGLO XIX: LA SOCIEDAD, LAS IDEAS

● A partir de 1850 se producen en Europa unos cambios con respecto a la anterior época romántica.

— **En lo social**, *la burguesía* se consolida como clase dominante y deriva hacia posiciones *conservadoras*. Su apego a la realidad y su espíritu práctico marcan el ambiente. Frente a la burguesía, las *masas obreras* pugnarán por mejorar sus duras condiciones de vida.

— **En lo ideológico**, sigue prevaleciendo el *Liberalismo*, pero junto al liberalismo *progresista* se desarrolla un liberalismo *moderado*, propio de la burguesía más consolidada.

Paralelamente, en los obreros prenden doctrinas revolucionarias: *socialismo*, *comunismo*, *anarquismo* (*Manifiesto comunista* de Marx: 1848).

— **En lo filosófico**, el *Positivismo* es muy característico del momento: se opone al idealismo romántico y sólo admite como verdadero lo que se puede *observar* o *experimentar*. Con él se relacionan la *Sociología* y la *Psicología* científicas.

— **En la ciencia**, recordemos el *método experimental* (Claude Bernard), el estudio de la *herencia biológica* (Mendel) o las teorías sobre *la evolución de las especies* (Darwin).

● De todo lo anterior se hará eco la literatura. Anticipemos lo esencial.

ACTITUDES DEL ESCRITOR Y NUEVAS FORMAS DE EXPLORACIÓN DE LA REALIDAD

● Ante la situación política y social, los escritores, a menudo, se mostrarán *descontentos*, pero sus **actitudes** pueden ser diversas:

— Nostalgia de épocas pasadas, en los tradicionalistas.

— Crítica de la sociedad burguesa «desde dentro», en los liberales progresistas.

— Rechazo frontal de esa sociedad, desde posiciones revolucionarias.

● Es cierto que ya en el Romanticismo habíamos visto el *desacuerdo con la sociedad burguesa*. Pero ahora el idealismo y los sueños del romántico serán sustituidos por una voluntad de análisis objetivo y crítico. Ya no se *huye* de la realidad: se la *retrata* con mayor o menor dureza, a veces con el propósito de *transformarla*.

● Ello va unido a **nuevas formas de exploración de la realidad**, influidas por las nuevas doctrinas que hemos citado antes:

—El novelista se propondrá una *observación* rigurosa de la realidad, a imitación del científico.

—En la pintura de *ambientes o personajes*, se recogerán las enseñanzas de la Sociología y la Psicología.

—El método experimental, el evolucionismo y las teorías sobre la herencia estarán en la base del *Naturalismo*, como veremos.

Partiendo de todo ello, pasemos a ver las características de las nuevas corrientes literarias.

EL REALISMO

● El término *realista* apareció en Francia para designar —con tono peyorativo al principio— a ciertos artistas que se proponían reflejar la sociedad de la época en contraposición con las ensoñaciones románticas.

● Desde entonces, se suele presentar al Realismo como la *antítesis del Romanticismo*. Ello no es del todo exacto. En ciertos escritores de aquella época, junto a los rasgos románticos, se hallaban admirables cuadros realistas (un solo ejemplo: una obra como *Los miserables* de Víctor Hugo). Y recordemos también los típicos *cuadros costumbristas* de la época romántica.

● Lo más exacto sería decir que **del Romanticismo se pasa al Realismo mediante un doble proceso**:

—Por un lado, *eliminación* de ciertos elementos: el subjetivismo, lo fantástico, los excesos sentimentales...

—Por otro, *desarrollo* de elementos como el interés por la naturaleza, por lo regional o local, por lo costumbrista...

● **La observación rigurosa y la reproducción fiel** de la vida están en el centro del Realismo. El escritor se documenta sobre el terreno, toma apuntes sobre el ambiente, las gentes, la indumentaria, etc. Ese deseo de exactitud se ejerce, en efecto, en estos dos terrenos:

—*La pintura de costumbres y de ambientes*: urbanos o rurales, refinados o populares, y especialmente burgueses. Los grandes autores nos han dejado amplios frescos de su mundo (Balzac, Dickens, Galdós).

—*La pintura de caracteres*, que da origen a la gran novela psicológica en que se profundiza en los temperamentos de los personajes (Flaubert, Dostoyevski).

En ambos terrenos, la pintura va acompañada con frecuencia por una intención social o moral: crítica de lacras de uno u otro tipo.

● En cuanto a **técnicas y estilo**, señalemos estas tendencias:

—En lo *narrativo*, el novelista adopta preferentemente una actitud de «cronista».

—Las *descripciones*, de ambientes o de tipos, adquieren un papel importante.

—El *estilo* tiende a la sobriedad. En los diálogos, la lengua se adaptará a la índole de los personajes; de ahí, por ejemplo, el reflejo del habla popular, entre otras.

Como se habrá apreciado, nos hemos referido sobre todo a la **novela**: es, en efecto, el género que mejor correspondía a los propósitos del Realismo. Con todo, el Realismo dejó también su impronta en otros géneros, según veremos al hablar de la literatura española de esta época.

EL NATURALISMO

Recibe este nombre una corriente que fue definitivamente fijada por el novelista francés **Émile Zola** (1840-1902). A los postulados propios del Realismo añadió Zola ciertos elementos tomados de doctrinas típicas de su tiempo:

—El ***materialismo***. Se niega la parte espiritual del hombre: los sentimientos, los ideales, etc., son considerados productos del organismo.

—El ***determinismo***. Los comportamientos humanos están marcados por la *herencia biológica* y por las circunstancias sociales.

—El ***método experimental***. Igual que un científico experimenta con sus cobayas, el novelista «experimentará» con sus personajes, colocándolos en determinadas situaciones y mostrando cómo sus actos o reacciones son producto de su temperamento y sus circunstancias.

Así, en las novelas de la serie *Los Rougon-Macquart*, Zola estudia varias generaciones de esta familia, intentando mostrar cómo las diferencias entre sus miembros se deben a cruces de rasgos hereditarios y a los diversos medios sociales en que viven.

● Los **temas, ambientes** y **tipos** del Naturalismo derivan de sus pretensiones. Abundan los asuntos «fuertes», las bajas pasiones, así como los tarados, alcohólicos o psicópatas, seres que obedecen sin saberlo a sus tendencias genéticas, si bien sus reacciones difieren accidentalmente según el ambiente en que se han educado.

• En la **técnica** y el **estilo**, se llevan a sus últimas consecuencias los métodos de *observación* y *documentación* del Realismo. Igualmente, se hace más precisa la reproducción del *habla*.

Hoy podrán discutirse las pretensiones científicas y la visión de la realidad del Naturalismo, pero queda la fuerza de **Zola**, cuyas pinturas de la miseria aún impresionan. También debemos obras maestras a autores como **Maupassant** o **Daudet**, entre otros, quienes, por lo demás, no se ciñeron estrictamente a los postulados naturalistas.

II. REALISMO Y NATURALISMO EN ESPAÑA

EL MARCO HISTÓRICO

La España de la segunda mitad del siglo XIX vive graves problemas sociales y fuertes tensiones políticas.

• **En lo social**, destaquemos:

— El auge de la *burguesía* es más tardío que en otros países. Conservan mucha fuerza los *sectores tradicionalistas* (nobleza y clero).

— La misma burguesía liberal está dividida entre *conservadores* y *progresistas*.

— A su izquierda aparecen *demócratas* y *republicanos*, así como movimientos revolucionarios obreros: *socialistas* y *anarquistas* (el PSOE se funda en 1879).

• **En lo político**, asistimos a una serie de vaivenes:

— ***Hasta 1868***, prevalece una política moderada.

— La ***revolución del 68***, que destrona a Isabel II, abre una etapa progresista, ensangrentada por una nueva guerra carlista.

— La ***Restauración*** de la monarquía (1875: Alfonso XII) implantó un sistema de «partidos turnantes» (conservadores y progresistas alternarán en el gobierno) que resultó ineficaz.

• **En lo cultural**, asistiremos a semejantes enfrentamientos entre *tradicionalismo* y *progresismo*. Son lo que se llamó «las dos Españas». Lo veremos reflejado en la literatura.

• La impresión de conjunto es la de un país que se desangra en conflictos internos, sin acertar el camino de una convivencia fructífera.

LA NOVELA REALISTA EN ESPAÑA (TRADICIÓN HISPÁNICA E INFLUENCIAS EUROPEAS)

Tradición española e influjo europeo dieron a la novela española una nueva etapa áurea, sobre todo **a partir de 1870.**

• España contaba con una insuperable ***tradición realista:*** Cervantes, la picaresca, etc., sin olvidar el *costumbrismo* de la primera mitad del siglo.

• Había, pues, un terreno abonado para el ***influjo de la narrativa realista europea,*** que fue muy leída por nuestros autores. En ella se vieron modelos de nuevos temas y nuevos modos de captar la realidad contemporánea.

— De los ***franceses***, se admira sobre todo a **Balzac,** por la vasta visión social en sus novelas de *La comedia humana*. Junto a él, **Stendhal**, penetrante observador del corazón humano (en *Rojo y negro* o *La Cartuja de Parma*), y **Flaubert**, con su rigor documental y su conciencia estética, presentes en su magistral *Madame Bovary.*

— De ***Inglaterra*** llegan las novelas de **Dickens**, con su tierna captación de los humildes, como en *Oliver Twist*.

— Los grandes novelistas ***rusos*** produjeron fuerte impacto: la grandeza y la fuerza de **Dostoyevski** (*Crimen y castigo, Los hermanos Karamázov*); el humanitarismo y la amplitud de **Tolstoi** (*Ana Karenina, Guerra y paz*).

• Al estudiar a los principales autores, veremos detalles sobre el Realismo español. Anticipemos que no hubo imitación servil del Realismo europeo. Hay, eso sí, una mayor preocupación por la *observación* y la *documentación*. Pero, naturalmente, nuestros novelistas se inspiran en *la vida* y *las tierras de España.* Consecuencia de ello es el auge de la *novela regional,* como veremos.

• Las ***orientaciones ideológicas*** de los autores introducirán diferencias en el enfoque de la realidad:

— Los escritores *tradicionalistas* impondrán ciertos *límites* al realismo, eliminando lo más áspero e idealizando más o menos la realidad (por ejemplo, Pereda).

— Los *progresistas* serán más audaces y críticos (así, Galdós o Clarín).

El Naturalismo aborda los aspectos más oscuros de la realidad social y de la condición humana (Esperando la sopa, *de I. Nonell*).

¿HAY UN NATURALISMO ESPAÑOL?

Las obras de Zola suscitaron en España fuertes polémicas. Y se acusó de *naturalistas* a Galdós, Clarín o Pardo Bazán.

- Emilia Pardo Bazán, precisamente, dedicó al asunto el libro *La cuestión palpitante* (1883). En él exponía las ideas de Zola, y lo defendía como escritor, pero rechazaba su materialismo y su determinismo. Ella era católica, y el mismo Zola —para quien no se podía ser a la vez naturalista y católico— sentenció: «El naturalismo de esa señora es puramente formal.»

- Tales precisiones llevan a concluir lo siguiente:

  — Si el Naturalismo es inseparable del materialismo y el determinismo, apenas se dio en España (salvo en casos aislados o en la obra de Blasco Ibáñez).

  — El Naturalismo influyó sólo en ciertas técnicas y en la entrada de ciertos temas «fuertes»: miserias materiales y morales, ambientes turbios, situaciones escabrosas...

ALGUNAS FIGURAS DE LA NOVELA REALISTA EN ESPAÑA

Hemos de estudiar de modo especial a las tres máximas figuras del Realismo español: **Valera**, **Galdós** y **Clarín**. Como complemento informativo, incluimos aquí unas brevísimas «fichas» de otros novelistas del momento. En el ***prerrealismo***, o transición del Romanticismo al Realismo, se sitúan Fernán Caballero y Alarcón; al pleno Realismo pertenecen Pereda, Palacio Valdés, la Pardo Bazán, Blasco Ibáñez, etc.

— «**Fernán Caballero**» es el seudónimo de Cecilia Bohl de Faber (1796-1877), cultivadora de un costumbrismo andaluz, con enfoques sentimentales y moralizantes. Destaca su novela *La Gaviota* (1849).

— **Pedro Antonio de Alarcón** (1833-1891), granadino, comenzó también como escritor costumbrista y romántico. Elementos románticos hay aún en novelas suyas como *El escándalo* (1875). En cambio, es de un transparente realismo *El sombrero de tres picos* (1874), auténtica joya de la novela corta española, por lo chispeante del argumento, la aguda captación de tipos y ambientes y la viveza del estilo.

— **José María de Pereda** (1833-1906), hidalgo santanderino, se sitúa en una línea tradicionalista, apegada a una visión idílica del campo (frente al dinamismo urbano). Así, exalta la naturaleza y las gentes sencillas de su tierra: el mar y los pescadores en *Sotileza* (1885), la montaña en *Peñas arriba* (1895). Sobresalen sus pinturas de paisaje, aunque prolijas a veces. Acaso estén más vivos algunos de sus cuentos.

— **Armando Palacio Valdés** (1853-1937), asturiano, presenta también una exaltación de las virtudes tradicionales, frente al progreso. Así, en *La aldea perdida* (1903) cuenta los «estragos de la invasión minera» en un valle asturiano, antes idílico y luego degradado. Se hicieron famosas otras novelas suyas como *La hermana San Sulpicio* (1889) o *La alegría del capitán Ribot* (1898).

— **Emilia Pardo Bazán** (1851-1921) ya ha sido citada por su postura ante el Naturalismo. De esta escuela tomó el gusto por los rudos ambientes sociales, con sus pasiones violentas y sus crudezas. *Los pazos de Ulloa* y *La madre Naturaleza* (1886-1887) componen un intenso cuadro de gentes y paisajes de su Galicia. Aparte otras novelas, es autora de varios centenares de *cuentos,* a menudo excelentes.

— **Vicente Blasco Ibáñez** (1867-1928) es el novelista más cercano a la ortodoxia naturalista: se le llamó «el Zola español» y, en efecto, comparte con éste el gusto por los ambientes sórdidos, la crudeza de los temas y la preocupación por las taras hereditarias. Ello va unido al vigor con que supo captar el mundo rural de su tierra, Valencia, en novelas que se harían famosísimas, como *La barraca* (1894), *Cañas y barro* (1902), etc.

EL TEATRO EN LA ÉPOCA REALISTA

Las ***pervivencias románticas*** son abundantes en la escena de aquellos años, como en los altisonantes dramas de Echegaray. Con todo, la ***corriente realista*** aportará el gusto por los temas contemporáneos, cierto enfoque docente y un lenguaje más sobrio: tales son los rasgos de la llamada «**alta comedia**», cultivada por López de Ayala y el más polifacético Tamayo.

— **José de Echegaray** (1832-1916) representa, en efecto, un Romanticismo grandilocuente y trasnochado (con obras como *El gran Galeoto*, 1881). Curiosamente, fue el primer escritor español que obtuvo el Premio Nobel (1904).

— **Adelardo López de Ayala** (1828-1879) lleva a escena ambientes burgueses, dominados por el ideal de una vida tranquila y moral, o por el papel del dinero. Dos títulos suyos: *El tanto por ciento* (1861) y *Consuelo* (1878).

— **Manuel Tamayo y Baus** (1829-1898) triunfó en 1855 con un drama romántico, *Locura de amor*, sobre Juana la Loca. Cultivó luego un teatro de costumbres (*Lo positivo*, etc.). Pero su obra más original es *Un drama nuevo* (1867), que al desarrollarse en un ambiente de actores inserta el teatro dentro del teatro.

● En su momento, haremos una referencia al teatro de **Galdós**.

LA POESÍA ESPAÑOLA DE LA ÉPOCA REALISTA

Recordemos ante todo que, en esta segunda mitad del XIX, desarrollan su obra dos poetas excepcionales: **Bécquer** y **Rosalía de Castro**, quienes —como «románticos rezagados»— han sido estudiados en el capítulo anterior.

Otros son los poetas que podrían citarse como ***posrománticos***. Por su parte, la mentalidad burguesa y realista no favoreció el desarrollo del lirismo. Con todo, señalemos como tendencias típicas del momento el *prosaísmo* de un Campoamor y el *retoricismo* con pretensiones cívicas y filosóficas de un Núñez de Arce.

— **Ramón de Campoamor** (1817-1901), político y alto funcionario, alcanzó fama con sus *Humoradas*, *Doloras* y *Pequeños poemas*, en los que alternan una ironía escéptica y un sentimentalismo trivial. El empleo del lenguaje común pudo haber sido un buen hallazgo si hubiera ido acompañado del genio.

— **Gaspar Núñez de Arce** (1834-1903) fue diputado, gobernador y hasta ministro. Sus poemas grandilocuentes de temas cívicos se acercan al estilo de ciertos discursos políticos de la época. Sus composiciones filosóficas son vanamente pretenciosas. No pasó de ser un fácil versificador. Citemos su libro *Gritos del combate* (1875).

La actriz Teodora Lamadrid, retratada por Louis Leray. El teatro del período realista se mueve entre una imaginería ampulosa, heredada del último Romanticismo, y el retrato de costumbres burguesas.

En la abundante obra de Manuel Tamayo y Baus conviven los dramas románticos y las piezas de «alta comedia», estas últimas de marcada intención moralizadora.

ROMANTICISMO Y REALISMO

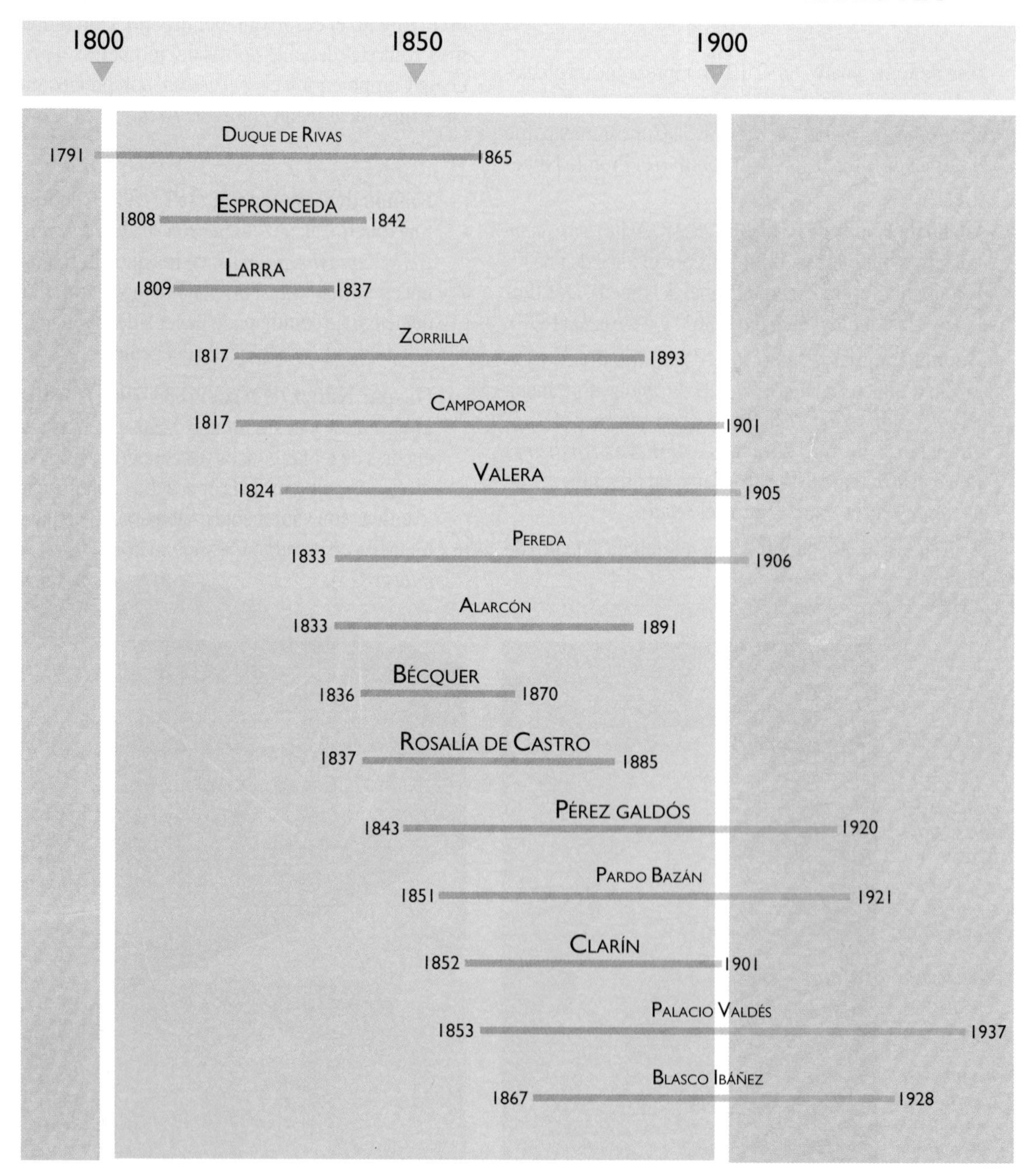

JUAN VALERA (12a)

Retrato de Juan Valera.

EL HOMBRE

Valera (1824-1905) nació en Cabra (Córdoba). Era de familia ilustre y adquirió una profunda formación. Vivió como diplomático en diversos países de Europa y América. Fue un hombre de mundo, refinado, epicúreo y enemigo de excesos. Ideológicamente, fue un liberal moderado, tolerante y elegantemente escéptico en cuanto a lo religioso, lo que explicará el enfoque de algunas de sus novelas.

POSICIÓN ESTÉTICA E IDEOLÓGICA. EL ESTILO

- Cultivó Valera diversos géneros. No nos referiremos aquí a sus intentos poéticos o teatrales. Señalaremos de pasada su talla de ***ensayista* y *crítico literario***, por su cultura y por la agudeza de sus juicios. Pero, sobre todo, Valera perdura como ***novelista***, aunque no abordó el género hasta los cincuenta años.

- Por edad y por temperamento, se distanció claramente del Romanticismo. Pero también adoptó una postura matizada respecto al Realismo. Es ***realista*** por rechazar los excesos de fantasía y sentimentalismo, por elegir ambientes precisos y personajes verosímiles. Pero, a la vez, procura eliminar los aspectos más penosos o crudos de la realidad en nombre de una ***tendencia esteticista*** y, si se quiere, ***idealizadora*** (decía que si la realidad es triste y fea, el escritor debe «mentir para consuelo» de sus lectores).

- El realismo de Valera se orienta sobre todo hacia ***lo psicológico***. Estaba especialmente dotado para los análisis sutiles de corazones humanos, en particular de *personajes femeninos*, como gran conocedor que era de la mujer.

- Por otra parte, pese a su aversión por las «tesis», en sus novelas se percibe su ***posición ideológica y vital***. Obsérvese su tema más característico: el conflicto entre impulsos humanos y unos sentimientos religiosos más convencionales que profundos; aunque afirme no querer demostrar nada, en sus obras siempre vencen las fuerzas vitales sobre el pseudomisticismo o la mojigatería. Ciertamente, Valera rehúye una actitud combativa, pero en sus páginas percibimos una sutil ***ironía***, única arma que esgrime el autor; eso sí, con enorme talento.

- El **estilo** de Valera es, sin duda, el más elegante y cuidado de la época realista. Su ideal fue, a la vez, la sencillez y la selección. Añadamos la agudeza, la gracia, la inteligencia que respira su prosa.

PRINCIPALES TÍTULOS

Todo lo dicho aparece ya en grado eminente en su primera novela, *Pepita Jiménez* (1874), que seguirá siendo su obra maestra. De ella nos ocuparemos en la LECTURA.

- Escribió después otras siete novelas, entre las que destaca una segunda cumbre: *Juanita la Larga* (1895).

> El cincuentón don Paco, secretario del Ayuntamiento de un pueblo andaluz, se enamora de una jovencita cuya reputación está en entredicho por los prejuicios de las mentes estrechas. Pero ese amor desigual y criticado triunfará: Juanita, otro de los grandes personajes femeninos de Valera, se impondrá con tesón y astucia. La cuestión religiosa aparece también (hay un plan para «redimir» a Juanita llevándola a un convento). De paso, la obra reúne vivos cuadros de toda la vida del pueblo.

- Otras novelas de Valera son *El comendador Mendoza*, *Doña Luz*, *Morsamor*, etc. Es también autor de cuentos notables.

SIGNIFICACIÓN

A pesar de algunas reservas, la obra de Valera ha seguido mereciendo una valoración muy positiva. Las dos novelas que hemos destacado no han dejado de ser leídas y han triunfado en el cine y en la televisión. Hoy, por encima de todo, brillan su perfección estilística y la penetración con que supo captar el alma femenina.

PEPITA JIMÉNEZ

Introducción

Es la historia de un seminarista, Luis de Vargas, cuya vehemente pero poco profunda vocación evangelizadora se va derrumbando ante los encantos de la protagonista. La primera parte de la novela adopta la forma epistolar: son las cartas que Luis escribe a su tío y director espiritual, deán de la catedral. En ellas vamos viendo —hábilmente graduado por Valera— el lento progreso de la pasión, en lucha con los propósitos religiosos del joven. La segunda parte es un relato en que el deán completa las cartas, contando el rendimiento de Luis. Un epílogo nos revelará la felicidad de los protagonistas, ya casados.

Resumiremos el comienzo de la novela antes de leer unos fragmentos.

El joven Luis, antes de ordenarse sacerdote, ha ido a pasar unas vacaciones con su padre al pueblo. Su padre, don Pedro de Vargas, es el cacique del lugar. Aparte unas descripciones costumbristas del ambiente rural andaluz, la atención se centra enseguida en Pepita Jiménez, viuda joven con quien el padre de Luis, viudo también, va a casarse. Tanto se habla en el lugar de la hermosura de Pepita que, antes de conocerla, ya siente el seminarista viva curiosidad.

Cierto es que esas segundas nupcias de su padre no benefician a Luis, hasta ahora hijo único y heredero absoluto, pero eso no cuenta para él. Se siente llamado al sacerdocio y pone todo «el ardor de su juventud» —porque es un joven apasionado— en sus proyectos de «irse de misionero al remoto Oriente».

Pero veamos algo de lo que irá sucediendo después.

El «peligro»

Luis ha conocido ya a Pepita. En las cartas que se suceden durante varias semanas habla tan obsesivamente de ella que su tío, el deán, no puede por menos de advertirle que corre el peligro de enamorarse, a la vez que le previene contra las posibles «malas artes» de la mujer. A ello responde Luis con otra carta llena de firmes protestas; pero, por debajo de ellas, advertimos que Pepita ha hecho en él honda mella, que hay en Luis algo más que ese afecto espiritual que proclama.

El ambiente exterior aparece reflejado en Pepita Jiménez *con sólo unas leves pero eficaces pinceladas* (Patio azul, *de Santiago Rusiñol).*

En cuanto a la belleza y donaire corporal de Pepita, crea V. que lo he considerado todo con entera limpieza de pensamiento. [...]

Por otra parte, querido tío, yo tengo que vivir
5 en el mundo, tengo que tratar a las gentes, tengo que verlas, y no he de arrancarme los ojos [...]. Ahora bien, si esto es así, como lo es, ¿de qué suerte me había yo de gobernar para no reparar en Pepita Jiménez? A no ponerme en ridículo,
10 cerrando en su presencia los ojos, fuerza es que yo vea y note la hermosura de los suyos, lo

blanco, sonrosado y limpio de su tez, la igualdad y el nacarado esmalte de los dientes, que descubre a menudo cuando sonríe; la fresca púrpura de sus labios, la serenidad y tersura de su frente, y otros mil atractivos que Dios ha puesto en ella. Claro está que para el que lleva en su alma el germen de los
15 pensamientos livianos, la levadura del vicio, cada una de las impresiones que Pepita produce puede ser como el golpe del eslabón que hiere el pedernal y que hace brotar la chispa que todo lo incendia y devora; pero yendo prevenido contra este peligro, y reparándome y cubriéndome bien con el escudo de la prudencia cristiana, no encuentro que tenga yo nada que recelar [...].

No lo dude V.: yo veo en Pepita Jiménez una hermosa criatura de Dios, y por Dios la amo como a
20 hermana.

- **Aprécíese la habilidad de Valera para sugerir el trasfondo del alma que el protagonista pretende ocultarse a sí mismo. ¿Qué leemos entre líneas?**
- **El párrafo central es especialmente hábil: Luis pretende que su contemplación de Pepita es «inocente y limpia», pero las palabras con que elogia sus encantos revelan una incipiente, aunque reprimida, atracción sensual; muéstrese.**

La pasión de Pepita

Pasan los días y la turbación crece en el ánimo de Luis: no puede apartar a Pepita de su mente. A lo largo de las cartas, vamos descubriendo también lo que pasa por el corazón de Pepita. Está enamorada. Luis se resiste igualmente a admitirlo y sigue idealizándola. Sin embargo, la muchacha intenta comunicarle su amor. Así, su pasión se concentra en esas miradas de las que habla el fragmento siguiente, una página magistral de sutileza y estilo.

No hallo motivo suficiente para variar de opinión respecto a lo que ya he dicho a V. contestando a sus recelos de que Pepita pueda sentir cierta inclinación hacia mí. Me trata con el afecto natural que debe tener al hijo de su pretendiente D. Pedro de Vargas, y con la timidez y encogimiento que inspira un hombre en mis circunstancias, que no es sacerdote aún, pero que pronto va a serlo.

25 Quiero y debo, no obstante, decir a V., ya que le escribo siempre como si estuviese de rodillas delante de V. a los pies del confesionario, una rápida impresión que he sentido dos o tres veces: algo que tal vez sea una alucinación o un delirio, pero que he notado.

Ya he dicho a V. en otras cartas que los ojos de Pepita, verdes como los de Circe[1], tienen un mirar tranquilo y honestísimo. Se diría que ella ignora el poder de sus ojos, y no sabe que sirven más que
30 para ver. [...] Nada de pasión ardiente, nada de fuego hay en los ojos de Pepita. Como la tibia luz de la luna es el rayo de su mirada.

Pues bien, a pesar de esto, yo he creído notar dos o tres veces un resplandor instantáneo, un relámpago, una llama fugaz y devoradora en aquellos ojos que se posaban en mí. ¿Será vanidad ridícula sugerida por el mismo demonio?

---

[1] La maga Circe es un famoso personaje de *La Odisea:* su poder de seducción hizo mella en Ulises. La comparación de los ojos de Pepita con los de Circe es claramente intencionada.

35 Me parece que sí; quiero creer y creo que sí.

Lo rápido, lo fugitivo de la impresión, me induce a conjeturar que no ha tenido nunca realidad extrínseca; que ha sido ensueño mío. [...]

Me atormenta, no obstante, este ensueño, esta alucinación de la mirada extraña y ardiente.

- **En relación con lo visto en el fragmento anterior, dígase cómo se siguen trasluciendo los sentimientos de Luis.**
- **Más importa ahora la figura de Pepita: muéstrese cómo, a través de las palabras de Luis, captamos la pasión de la protagonista (analiza especialmente las líneas 28-34).**
- **¿Qué efecto producen en Luis esas miradas de Pepita?**

Hacia un desenlace realista

Los acontecimientos se precipitan. Incapaz ya de contener su amor, Luis decide marcharse del pueblo, cosa que había ido posponiendo. Aquí terminan las cartas y ceden el paso a un relato («escrito» acaso por el deán, pero que Valera interrumpe a veces —como veremos— con sus reflexiones).

Se nos cuenta cómo Pepita ha caído en el mayor desconsuelo y no sabe qué hacer para luchar por su amor. Entonces interviene su fiel criada Antoñona, llana mujer del pueblo y sagaz conocedora del corazón humano, la cual logrará convencer a Luis para que vaya a «despedirse» en secreto de Pepita y a «aliviar» cristianamente su desesperación. En tal entrevista, la inteligencia de Pepita, su firme decisión y su atractivo darán por tierra definitivamente con la ya débil «vocación» de Luis.

El pasaje en que se narra la llegada de Luis a casa de Pepita y los preparativos de ésta es del mayor interés: entre otras cosas revela la **actitud realista** *del autor. Véamoslo.*

Antoñona abrió la puerta del despacho, empujó a don Luis para que entrase, y al mismo tiempo le
40 anunció diciendo:

—Niña, aquí tienes al Sr. D. Luis, que viene a despedirse de ti.

Hecho el anuncio con la formalidad debida, la discreta Antoñona se retiró de la sala, dejando a sus anchas al visitante y a la niña, y volviendo a cerrar la puerta.

Al llegar a este punto, no podemos menos de hacer notar el carácter de autenticidad que tiene la
45 presente historia, admirándonos de la escrupulosa exactitud de la persona que la compuso. Porque si algo de fingido, como en una novela, hubiera en estos *Paralipómenos*[2], no cabe duda en que una entrevista tan importante y trascendente como la de Pepita y don Luis se hubiera dispuesto por medios menos vulgares que los aquí empleados. Tal vez nuestros héroes, yendo a una nueva expedición campestre, hubieran sido sorprendidos por deshecha y pavorosa tempestad, teniendo que refugiarse en las
50 ruinas de algún antiguo castillo o torre moruna, donde por fuerza había de ser fama que se aparecían espectros o cosas por el estilo. Tal vez nuestros héroes hubieran caído en poder de alguna partida de bandoleros, de la cual hubieran escapado merced a la serenidad y valentía de don Luis, albergándose luego, durante la noche, sin que se pudiese evitar, y solitos los dos, en una caverna o gruta. Y tal vez, por último, el autor hubiera arreglado el negocio de manera que Pepita y su vacilante admirador hu-
55 bieran tenido que hacer un viaje por mar, y aunque ahora no hay piratas o corsarios argelinos, no es difícil inventar un buen naufragio en el cual don Luis hubiera salvado a Pepita, arribando a una isla desierta o a otro lugar más poético y apartado. Cualquiera de estos recursos hubiera preparado con más arte el coloquio apasionado de los dos jóvenes y hubiera justificado mejor a don Luis. Creemos,

[2] *Paralipómenos*, suplemento (a lo que contaban las cartas).

sin embargo, que en vez de censurar al autor porque no apela a tales enredos, conviene darle gracias
60 por la mucha conciencia que tiene, sacrificando a la fidelidad del relato el portentoso efecto que haría si se atreviese a exornarle[3] y bordarle con lances y episodios sacados de la fantasía.

Si no hubo más que la oficiosidad y destreza de Antoñona y la debilidad con que don Luis se comprometió a acudir a la cita, ¿para qué forjar embustes y traer a los dos amantes como arrastrados por la fatalidad a que se vean y hablen a solas con gravísimo peligro de la virtud y entereza de ambos? Nada
65 de eso. Si don Luis se conduce bien o mal en venir a la cita, y si Pepita Jiménez, a quien Antoñona había ya dicho que don Luis espontáneamente venía a verla, hace mal o bien en alegrarse de aquella visita algo misteriosa y fuera de tiempo, no echemos la culpa al acaso, sino a los mismos personajes que en esta historia figuran y las pasiones que sienten.

Mucho queremos nosotros a Pepita; pero la verdad es antes que todo, y la hemos de decir, aunque
70 perjudique a nuestra heroína. A las ocho le dijo Antoñona que don Luis iba a venir, y Pepita, que hablaba de morirse, que tenía los ojos encendidos y los párpados un poquito inflamados de llorar, y que estaba bastante despeinada, no pensó desde entonces sino en componerse y arreglarse para recibir a don Luis. Se lavó la cara con agua tibia para que el estrago del llanto desapareciese hasta el punto preciso de no afear, mas no para que no quedasen huellas de que había llorado; se compuso el cabello de
75 suerte que no denunciaba estudio cuidadoso, sino que demostraba cierto artístico y gentil descuido, sin rayar en desorden, lo cual hubiera sido poco decoroso; se pulió las uñas, y como no era propio recibir de bata a don Luis, se vistió un traje sencillo de casa. En suma, miró instintivamente a que todos los pormenores de tocador concurriesen a hacerla más bonita y aseada, sin que se trasluciera el menor indicio del arte, del trabajo y del tiempo gastado en aquellos perfiles, sino que todo ello resplandeciera
80 como obra natural y don gratuito; como algo que persistía en ella, a pesar del olvido de sí misma causado por la vehemencia de los afectos.

Según hemos llegado a averiguar, Pepita empleó más de una hora en estas faenas de tocador, que habían de sentirse sólo por los efectos.

Los efectos que produce la belleza de Pepita —tan natural como estudiada— son terminantes: Luis se le entrega. Tras otros acontecimientos, el padre del protagonista, que ya veía cómo iban las cosas, aceptará con todo cariño y campechanía la boda de Luis y Pepita, quienes vivirán junto a él y no tardarán en darle un lindo nietecito.

- **El hecho de que el autor «finja» haber encontrado unas cartas y un relato, y que introduzca reflexiones propias es un recurso *realista*: se propone subrayar la verosimilitud de la historia. Y los «guiños» al lector son continuos. Veámoslo.**
- **Nótese cómo Valera rechaza irónicamente los lances novelescos propios de la narrativa romántica y les opone la naturalidad con que prepara el desenlace, basado únicamente en recursos humanos y mecanismos psicológicos.**
- **De igual modo, la actitud de Pepita es un intencionado reverso de los comportamientos de las heroínas románticas. ¿Cómo se prepara para recibir a Luis? ¿Puede hablarse de una conducta «calculadora»? (Cfr. líneas 69-81, especialmente 73-74).**
- **Júzguese el pasaje en conjunto, teniendo en cuenta que este enfoque realista era aún, en 1874, sensiblemente nuevo.**

[3] *exornarle,* adornarlo.

GALDÓS (12b)

Benito Pérez Galdós, por Ángel de la Fuente (Teatro Español, Madrid).

EL HOMBRE Y LA OBRA

Benito Pérez Galdós nació en Las Palmas de Gran Canaria en 1843. Fue a estudiar Derecho a Madrid, ciudad de la que sería el más profundo observador. Leyó con voracidad a los autores realistas europeos y con devoción a Cervantes. Escribió sin descanso. Fue venerado primero y discutido después. Sus últimos años fueron tristes: pierde la vista, conoce la penuria económica, sus enemigos impiden que se le otorgue el Premio Nobel... Murió en Madrid en 1920.

● Ideológicamente, fue un liberal progresista que, más tarde, se proclamaría republicano y vecino al socialismo, evolución que fue acompañada en él por un espíritu cada vez más tolerante.

● Su **obra** es ingente. No nos detendremos en su **teatro**, de escaso acierto, aunque escribió más de veinte obras dramáticas (algunas son adaptaciones de novelas suyas, como *Realidad* o *Doña Perfecta*).

Nos centraremos en su **narrativa**, con más de un centenar de títulos que se reparten en dos campos: los *Episodios nacionales* y las novelas largas, con diversas etapas.

LOS *EPISODIOS NACIONALES*

Constituyen un ambicioso proyecto: ofrecer una visión novelada del siglo XIX. Son cinco series; cada una consta de diez novelas de mediana extensión (salvo la quinta, que sólo alcanzó seis).

● Las dos primeras (escritas entre 1873 y 1879) abarcan la guerra de la Independencia y el reinado de Fernando VII. A ella pertenecen los episodios más famosos: *Trafalgar*, *El dos de mayo*, *Zaragoza*...

● Las series restantes (escritas mucho más tarde, de 1898 a 1912) recogen la guerra carlista, el reinado de Isabel II, la I República y la Restauración. En ella destaca la actitud crítica del autor ante la intransigencia y la ineficacia política.

● Con los *Episodios* creó Galdós un nuevo tipo de novela histórica, muy distinta de la romántica por el esfuerzo de documentación y el propósito de objetividad. Añadamos el admirable equilibrio entre el aliento colectivo y las peripecias individuales, es decir, entre lo histórico y lo novelesco.

LAS PRIMERAS NOVELAS

En los años 70 —a la vez que los primeros *Episodios*— Galdós publica varias novelas (*Doña Perfecta*, *Gloria*, etc.) en que presenta enfrentamientos ideológicos entre personajes de espíritu progresista y abierto y personajes de mentalidad tradicionalista y estrecha. El propósito de atacar la intransigencia y el fanatismo es tan visible que convierte estas obras en «novelas de tesis», algo toscas.

LAS «NOVELAS ESPAÑOLAS CONTEMPORÁNEAS»

● Así llamó Galdós a las 24 novelas que publicó a partir de 1880. Estamos ante uno de los grandes monumentos de la novela mundial. Es un impresionante fresco del Madrid y de la España del momento en el que se dan cita toda clase de ambientes, de tipos, de sentimientos, desde los más nobles a los más bajos.

La mirada de Galdós sigue siendo crítica, pero ha ganado en comprensión cordial y las «tesis» han dejado paso a un análisis más profundo y abierto.

● Citemos algunos de los grandes títulos: *La desheredada* (1881), con cierta influencia naturalista; *Tormento* y *La de Bringas* (1884), en que alternan dramáticos conflictos con ambiciones ridículas e hipócritas; *Miau* (1888), en torno a un «cesante», o funcionario que ha perdido su empleo.

Pero la joya suprema es *Fortunata y Jacinta* (1886-1887). En ella no se sabe qué admirar más, si las inolvidables figuras que le dan título, la rica galería de personajes secundarios, la sucesión y variedad de episodios o el amplio panorama social que los enmarca. Es la obra maestra de Galdós y una de las más altas cumbres de la novela española (en su tiempo, sólo *La Regenta* de Clarín se le puede comparar).

● En los años 90, hay una nueva atención de Galdós hacia los problemas espirituales. Así, *Nazarín* (1895), sobre un sacerdote cuya pureza evangélica es incomprendida; o *Misericordia* (1897), otra de sus obras maestras, de la que leeremos algunos fragmentos.

EL REALISMO DE GALDÓS. SU ESTILO

● El realismo de Galdós es del tipo más completo, pues atiende tanto a *lo ambiental* como a *lo psicológico*. Insistamos en el relieve de sus pinturas de ambiente y, a la vez, en la verdad de sus personajes, fruto de una honda comprensión del corazón humano.

● Aunque Galdós parte de una *observación* y *documentación* rigurosas, el encanto de sus novelas está en la sensación de *espontaneidad* y *viveza* que tiene el lector. Esa viveza debe mucho al **estilo**, expresivo, ágil y sugerente; a menudo conversacional y con personales notas de humor.

LUGAR DE GALDÓS

Tras algunos altibajos, la gloria de Galdós está hoy consolidada. Es revelador el número de obras suyas que han pasado al cine o a la televisión. Galdós ha vuelto a encontrarse así con el fervor popular, a la vez que abundantes estudios lo sitúan, tras Cervantes, en la mayor altura de la novela española.

MISERICORDIA

La señá Benina

Misericordia *es la novela de la abnegación frente a la ingratitud. Su protagonista es la* señá Benina, *criada de doña Francisca Juárez, viuda ahora arruinada, pero que aún quiere «aparentar». La buena Benina no sólo sigue sirviéndola, sino que, para mantenerla, llega a mendigar aunque ocultándoselo (le hace creer que trabaja de cocinera en casa de un sacerdote). En el* **capítulo 3***, Galdós nos presenta a la Benina en medio de los mendigos que piden a la puerta de la iglesia de San Sebastián, de Madrid. He aquí su retrato.*

La mujer de negro vestida, más que vieja, envejecida prematuramente, era, además de *nueva*[1], temporera, porque acudía a la mendicidad por espacios de tiempo más o menos largos, y a lo mejor desaparecía, sin duda por encontrar un buen acomodo o almas caritativas que la socorrieran. Respondía al nombre de la *señá Benina* (de lo cual se infiere que Benigna se llamaba), y era la más callada y humil-
5 de de la comunidad, si así puede decirse; bien criada, modosa y con todas las trazas de perfecta sumisión a la divina voluntad. [...] Con todas y con todos hablaba el mismo lenguaje afable y comedido; trataba con miramiento a la Casiana, con respeto al cojo[2], y únicamente se permitía trato confianzudo, aunque sin salirse de los términos de la decencia, con el ciego Almudena, del cual, por el pronto, no diré más sino que es árabe, del Sus, tres días de jornada más allá de Marrakesh. Fijarse bien.

[1] Hacía poco que mendigaba. [2] Son otros mendigos.

10 Tenía *la Benina* voz dulce, modos hasta cierto punto finos y de buena educación, y su rostro moreno no carecía de cierta gracia interesante que, manoseada ya por la vejez, era una gracia borrosa y apenas perceptible. Más de la mitad de la dentadura conservaba. Sus ojos, grandes y oscuros, apenas tenían el ribete rojo que imponen la edad y los fríos matinales. Su nariz destilaba menos que las de sus compañeras de oficio, y sus dedos, rugosos y de abultadas coyunturas, no terminaban en uñas de
15 cernícalo[3]. Eran sus manos como de lavandera y aún conservaban hábitos de aseo. Usaba una venda negra bien ceñida en la frente; sobre ella, pañuelo negro, y negros el manto y vestido, algo mejor apañaditos que los de las otras ancianas. Con este pergenio[4] y la expresión sentimental y dulce de su rostro, todavía bien compuesto de líneas, parecía una Santa Rita de Casia que andaba por el mundo en penitencia. Faltábanle sólo el crucifijo y la llaga en la frente, si bien podía creerse que hacía las veces
20 de ésta el lobanillo[5] del tamaño de un garbanzo, redondo, cárdeno, situado como a media pulgada más arriba del entrecejo.

[3] El *cernícalo* es un ave de rapiña; por tanto, de uñas largas y curvas. [4] *pergenio* o *pergeño,* aspecto. [5] *lobanillo,* bulto o tumor superficial.

COMENTARIO DE TEXTO. RETRATO DE LA SEÑÁ BENINA

Introducción

a Téngase en cuenta lo que se ha dicho sobre el realismo de Galdós, sobre *Misericordia* y el lugar que en ella ocupa Benina para situar al texto.

b Recuérdese que un *retrato* se compone de *prosopografía* (rasgos físicos) y *etopeya* (rasgos morales, de carácter). ¿Cómo se reparten ambos aspectos en el texto?

Análisis (expresión y contenido)

c Las primeras líneas son una introducción o pura presentación. ¿Qué resonancias tiene la precisión de que era «más que vieja, envejecida prematuramente»?

d En los capítulos 1 y 2, Galdós nos ha mostrado a otras mendigas como vulgares, soeces, venenosas. Con ello contrasta lo que dice de Benina; precísese. (Reténgase la nota de «sumisión a la divina voluntad», que se desarrollará en el fragmento siguiente.)

e Al final del párrafo, al mencionar a Almudena, hay una intervención del autor, típica de Galdós: nótese su manera conversacional de dirigirse a los lectores.

f *Líneas 10-12:* interrelación entre lo físico y lo moral. Atención: ¿qué sentido tiene aquí la palabra *gracia*? ¿Cómo matiza Galdós esa «gracia» de Benina?

g *Líneas 12-15*: nótese cómo los nuevos rasgos del personaje se siguen viendo en contraste con «sus compañeras de oficio».

h *Líneas 15-17:* los detalles precisos sobre la indumentaria revelan la atención del autor *realista* hacia lo característico, lo individualizador, lo que parece «visto»; obsérvese cómo así se nos lleva a imaginar al personaje con la mayor precisión.

i Sigue una apreciación de conjunto sobre el aspecto y la expresión de la anciana. ¿Qué valor tiene la comparación con Santa Rita? (por lo demás, Benina se apellida «casualmente» *de Casia*).

j Un último detalle preciso (sobre el *lobanillo*): aplíquese aquí lo que acabamos de decir en el punto **h**.

Conclusión

k El lector de *Misericordia* que sólo haya llegado hasta aquí, ¿qué idea se ha formado de la protagonista? ¿Cómo la situará en la escala social?

l ¿Ha intentado ya Galdós atraer la simpatía hacia Benina?

Benina y su señora: «El hambre y la esperanza»

En el **capítulo 6,** *de vuelta a casa con algunas provisiones, Benina, mientras prepara una comida sencilla, mantiene con su señora una conversación deliciosa —pero con algún detalle impresionante—, de la que transcribimos parte.*

—Dios es bueno.

—Conmigo no lo parece. No se cansa de darme golpes; me apalea, no me deja respirar. Tras un día malo viene otro peor. Pasan años aguardando el remedio, y no hay ilusión que no se me convierta en 25 desengaño. Me canso de sufrir, me canso también de esperar. Mi esperanza es traidora, y como me engaña siempre, ya no quiero esperar cosas buenas, y las espero malas para que vengan... siquiera regulares.

—Pues yo que la señora —dijo *Benina* dándole al fuelle[6]— tendría confianza en Dios, y estaría contenta... Ya ve que yo lo estoy... ¿No me ve? Yo siempre creo que cuando menos lo pensemos nos 30 vendrá el golpe de suerte, y estaremos tan ricamente, acordándonos de estos días de apuros y desquitándonos de ellos con la gran vida que nos vamos a dar.

— Ya no aspiro a la buena vida, Nina —declaró casi llorando la señora—. Sólo aspiro al descanso.

—¿Quién piensa en la muerte? Eso, no; yo me encuentro muy a gusto en este mundo fandanguero, y hasta le tengo ley a los trabajillos[7] que paso. Morirse, no.

35 —¿Te conformas con esta vida?

—Me conformo, porque no está en mi mano el darme otra. Venga todo antes que la muerte, y padezcamos con tal que no falte un pedazo de pan, y pueda uno comerse con dos salsas muy buenas: el hambre y la esperanza.

—¿Y soportas, además de la miseria, la vergüenza, tanta humillación, deber a todo el mundo, no 40 pagar a nadie, vivir de mil enredos, trampas y embustes, no encontrar quien te fíe valor de dos reales, vernos perseguidos de tenderos y vendedores?

—¡Vaya si lo soporto!... Cada cual, en esta vida se defiende como puede. ¡Estaría bueno que nos dejáramos morir de hambre, estando las tiendas tan llenas de sustancia! Eso no. Dios no quiere que a

[6] Avivando con un fuelle el fuego de la cocina de carbón. [7] *trabajillos*, penalidades, sufrimientos.

Galdós posee una habilidad genial para hacer real el mundo que describe en sus novelas y dotar de vida a sus protagonistas. Consigue que los ambientes nos parezcan lugares conocidos, que los personajes nos resulten familiares. En la imagen, La primera misa, *obra de Méndez Bringa.*

nadie se le enfríe el cielo de la boca por no comer, y cuando no nos da dinero, un suponer, nos da la su-
45 tileza del caletre para inventar modos de allegar[8] lo que hace falta sin robarlo... Eso no. Porque yo prometo pagar, y pagaré cuando lo tengamos. Ya saben que somos pobres..., que hay formalidad en casa, ya que no *haigan* otras cosas. ¡Estaría bueno que nos afligiéramos porque los tenderos no cobran estas miserias, sabiendo como sabemos que están ricos!...

—Es que tú no tienes vergüenza, Nina; quiero decir decoro, quiero decir dignidad.

50 —Yo no sé si tengo eso; pero tengo boca y estómago natural, y sé también que Dios me ha puesto en el mundo para que viva y no para que me deje morir de hambre. Los gorriones, un suponer, ¿tienen vergüenza? ¡Quiá!... Lo que tienen es pico... [...]

—¿Pero has visto lo que hace Dios conmigo? ¡Si esto parece burla! Me ha enfermado de la vista, de las piernas, de la cabeza, de los riñones, de todo menos del estómago. Privándome de recursos, dis-
55 pone que yo digiera como un buitre.

—Lo mismo hace conmigo. Pero yo no lo llevo a mal, señora. ¡Bendito sea el Señor, que nos da el bien más grande de nuestros cuerpos: el hambre santísima!

- **¿Qué nos enseña esta conversación sobre el carácter de Benina? Su «conformidad» es, desde luego, auténtica, pero —a la vez— ¿no se propone aliviar los pesares de su señora? Por lo demás, ¿ves algún eco evangélico en algunas palabras de Benina?**
- **Se habla aquí de *vergüenza*, de *dignidad*. Dos actitudes bien distintas se confrontan; coméntalo. (¿Te recuerda esto algún pasaje del *Lazarillo*, por ejemplo del tratado III?)**
- **¿Qué impresión te produce doña Francisca?**
- **Observa la naturalidad conversacional del diálogo. ¿En qué se distinguen las maneras de hablar de los dos personajes? Señala, en boca de Benina, algunas expresiones coloquiales, incluso algún vulgarismo, que hacen muy sabrosa su habla.**

Miserias del arrabal

Entre el ciego Almudena o Mordejai —otro inolvidable personaje galdosiano— y Benina se establece una entrañable amistad. Ambos se ayudan en sus tribulaciones. Un día en que ella ha conseguido dinero prestado, va a llevarle comida a un miserable arrabal donde para el ciego. De paso, conmovida por la indigencia que ve en torno, da de comer a otros desheredados. Galdós nos ha hecho descender al último escalón de la miseria.

Pero veamos lo que sucede al día siguiente (**capítulo 29**). *Benina acude de nuevo al arrabal y es recibida por una crecida caterva de pobres, atraídos por las limosnas que esperan de ella, a quien han confundido con una dama de caridad. Por mucho que insiste en que ella también es pobre, no dejan de acosarla.*

Andrajosos y escuálidos niños se unieron al coro, y agarrándose a la falda de la infeliz alcarreña[9] le pedían pan, pan. Compadecida de tantas desdichas, fue la anciana a la tienda, compró una docena
60 de panes altos y, dividiéndolos en dos, los repartió entre la miserable cuadrilla. La operación se dificultó en extremo, porque todos se abalanzaban a ella con furia, cada uno quería recibir su parte antes que los demás y alguien intentó apandar[10] dos raciones. Diríase que se duplicaban las manos en el momento de mayor barullo o que salían otras de debajo de la tierra. Sofocada, la buena mujer tuvo

[8] *allegar,* conseguir. [9] Benina nació en un pueblo de la Alcarria. [10] *apandar,* pillar, atrapar.

que comprar más libretas, porque dos o tres viejas a quienes no tocó nada ponían el grito en el cielo y
65 alborotaban el barrio con sus discordias y lastimeros chillidos. [...]

A continuación, Benina se ve arrastrada por una mujer miserable que la obliga a subir a su casa, una buhardilla donde se hacinan enfermos, tullidos, hambrientos, niños sucios o deformes... Benina no puede por menos de darles alguna moneda, que no los deja contentos. Al salir, unas viejas llegan a insultarla.

No hizo caso la buena mujer y siguió su camino; pero en la calle, o como quiera que se llame aquel espacio entre casas, se vio importunada por un sinnúmero de ciegos, mancos y paralíticos, que le pedían con tenaz insistencia pan o perras con que comprarlo. Trató de sacudirse el molesto enjambre; pero la seguían, la acosaban, no la dejaban andar. No tuvo más remedio que gastarse en pan otra
70 peseta y repartirlo presurosa.

Por fin, apretando el paso, logró ponerse a distancia de la enfadosa pobretería y se encaminó al vertedero donde esperaba encontrar al buen Mordejai. En el propio sitio del día anterior estaba mi hombre aguardándola ansioso; y no bien se juntaron, sacó ella de la cesta los víveres que llevaba y se pusieron a comer.

75 Mas no quería Dios que aquella mañana le saliesen las cosas a *Benina* conforme a su buen corazón y caritativas intenciones, porque, no hacía diez minutos que estaban comiendo, cuando observó que en el camino, debajito del vertedero, se reunían gitanillos maleantes, alguno que otro lisiado de mala estampa y dos o tres viejas desarrapadas y furibundas. Mirando al grupo idílico[11] que en la escombrera formaban la anciana y el ciego, toda aquella gentuza empezó a vociferar. ¿Qué decían? No era fácil
80 entenderlo desde arriba. Palabras sueltas llegaban...; que si era santa de pega; que si era una ladrona que se fingía beata para robar mejor; que si era una lamecirios y chupalámparas...[12] En fin, aquello se iba poniendo malo, y no tardó en demostrarlo una piedra, ¡pim!, lanzada por mano vigorosa, y que *Benina* recibió en la paletilla... Al poco rato, ¡pim, pam!, otra y otras. Levantáronse ambos despavoridos, y recogiendo en la cesta la comida, pensaron en ponerse a salvo. La *dama* cogió por el brazo a su caba-
85 llero y le dijo:

—Vámonos, que nos matan.

---

[11] Nótese la ironía del adjetivo. [12] Vulgarismos para llamarla beata.

- **Hágase un breve resumen del pasaje y coméntese su alcance como *testimonio social*. Nótese qué lejos está Galdós de idealizar a los desheredados: con toda crudeza, da testimonio también de su miseria moral; muéstrese del principio al final del fragmento (podría compararse este episodio con el de los galeotes, *Quijote I*, XXII).**
- **Apreciaremos aquí el peculiar *arte narrativo de Galdós*. Señala la fluidez y viveza del relato (por ejemplo, en los párrafos en que los desarrapados acosan a Benina, en las idas y venidas de ésta...).**
- **Domina en este pasaje el *estilo indirecto*, pero muestra cómo, de todas formas, se nos da la impresión de habla coloquial.**
- **También cuando es Galdós quien habla, emplea, según su costumbre, palabras y expresiones familiares; señálalas (por ejemplo, en el último párrafo) fijándote en que parece como si el autor estuviera contando de *viva voz*, más que escribiendo.**

Final: la ingratitud

Un día, Benina y Almudena son detenidos por la policía que persigue la mendicidad. Coincide ello con un giro inesperado de la acción: se anuncia a doña Francisca que le ha correspondido una cuantiosa herencia. La viuda, con sus hijos, yerno y nuera, se disponen a cambiar de vida, libres al fin de privaciones. Pues bien, cuando Benina sale del calabozo, doña Paca y los suyos —que han descubierto la vida mendicante de la fiel criada— se avergüenzan de ella. Benina no protesta, no se impone; se marcha con Almudena.

Pero «la ingratitud no le quitaba las ganas de ver a la infeliz señora, a quien entrañablemente quería». Y, acompañada del ciego, se decide a acudir a la calle en que vivía. Desde lejos, ve cómo la familia está de mudanza. Reconoce Benina los muebles decrépitos y se emociona: «eran casi suyos, parte de su existencia». Luego, ve salir a doña Paca con su hija Obdulia. He aquí lo que sigue (estamos en el **capítulo 40** *y último):*

Turbada y confusa, Nina se escondió en un portal para ver sin ser vista. ¡Qué desmejorada encontró a doña Francisca! Llevaba un vestido nuevo; pero de tan nefanda hechura, como cortado y cosido de prisa, que parecía la pobre señora vestida de limosna. Cubría su cabeza con un manto, y Obdulia
90 ostentaba un sombrerote con disformes ringorrangos[13] y plumas. Andaba doña Paca lentamente, la vista fija en el suelo, abrumada, melancólica, como si la llevaran entre guardias civiles. [...]

—¡Pobre señora mía! —dijo al ciego en cuanto se reunió con él—. La quiero como hermana, porque juntas hemos pasado muchas penas. Yo era todo para ella y ella todo para mí. Me perdonaba mis faltas y yo le perdonaba las suyas... ¡Qué triste va, quizá pensando en lo mal que se ha portado con la
95 Nina! Parece que está peor del reúma, por lo que cojea, y su cara es de no haber comido en cuatro días. Yo la traía en palmitas, yo la engañaba con buena sombra, ocultándole nuestra miseria y poniendo mi cara en vergüenza por darle de comer conforme a lo que era su gusto y costumbre... En fin, lo pasado, como dijo el otro, pasó. Vámonos, Almudena, vámonos de aquí. [...] Andando, andando, hijo, se llega de una parte del mundo a otra, y si por un lado sacamos el provecho de tomar el aire y de ver cosas
100 nuevas, por otro sacamos la certeza de que todo es lo mismo y que las partes del mundo son, un suponer, como el mundo en junto; quiere decirse que, en dondequiera que vivan los hombres, o, verbigracia, mujeres, habrá ingratitud, egoísmo, y unos que manden a los otros y les cojan la voluntad. Por lo que debemos hacer lo que nos manda la conciencia y dejar que se peleen aquellos por un hueso, como los perros; los otros por un juguete, como los niños, o estos por mangonear, como los mayores, y
105 no reñir con nadie, y tomar lo que Dios nos ponga delante, como los pájaros...

---

[13] Adorno superfluo, de mal gusto.

> **Atiéndase, ante todo, a la personalidad de Benina, cuya talla humana y moral queda confirmada en esta página. ¿Qué calificativos te merece la protagonista?**
> **Un detalle revelador: ¿qué sentimientos se suponen en los viejos muebles? ¿Qué contraste se establece con ello?**
> **Estado de doña Paca; sentimiento de Benina. En pocas líneas, la criada hace un resumen de su vidad común: ¿qué debe destacarse?**
> **Reflexiones finales de Benina (desde «Andando, andando...»); comenta su concepto del mundo y su actitud ante la vida, todo expresado en el habla sabrosa que ya conoces.**

CLARÍN (12c)

EL HOMBRE

● «Me nacieron en Zamora» (1852), solía decir. Pero Leopoldo Alas, *Clarín*, se sintió profundamente asturiano, como su familia, y pasó la mayor parte de su vida en Oviedo, donde estudió Derecho y fue catedrático de Universidad. Y allí murió en 1901.

● Hombre de grandes inquietudes espirituales, perdió la fe en una crisis juvenil y la recobró en 1892, aunque al margen de la ortodoxia. Fue siempre muy crítico frente al catolicismo tradicional.

● Políticamente, fue un liberal republicano muy sensible ante las injusticias sociales.

● Es ante todo *un intelectual independiente* que desarrolló una importante actividad crítica y nos dejó una *obra narrativa* no muy amplia pero de excepcional densidad.

EL CRÍTICO. IDEAS LITERARIAS

● Como **crítico literario**, destaca por la agudeza de sus juicios, que conservan gran parte de su vigencia. Sus artículos nos revelan *sus preferencias* de escritor: admira a Balzac y, más aún, a Flaubert; defendió a Zola, con reservas. Entre los españoles, alabó a Galdós.

● Como crítico y como autor, le atraen igualmente *un arte estéticamente riguroso* y una *literatura comprometida* en una línea progresista. Así lo veremos en su obra.

OBRA NARRATIVA

Compuso más de setenta **cuentos** y **novelas cortas**, en cuyas páginas conviven los enfoques críticos con la ternura hacia las gentes humildes. Su cuento más famoso es *¡Adiós, Cordera!*, obra maestra del género por su hondura emotiva y su perfección formal. (Otros títulos: *Doña Berta*, *Pipá*, *Cambio de luz*...)

Su cultivo de la **novela larga** comienza con *La Regenta*, de la que nos ocuparemos enseguida. Siguieron *Su único hijo* (1890) y *Cuesta abajo* (1890-91), sin duda estimables, pero muy lejos de la primera.

LA REGENTA

Publicada en 1885, constituye una de las máximas cumbres de nuestra narrativa. Es una novela *total*, en el sentido de reunir graves problemas humanos, un vasto panorama social y un máximo rigor artístico.

> La trama, sin embargo, puede resumirse en pocas líneas. Ana Ozores está casada con el Regente de la Audiencia, don Víctor Quintanar, hombre bonachón, mucho mayor que ella. El temperamento insatisfecho y soñador de «la Regenta» la hace oscilar entre una religiosidad sentimental (que aprovecha su confesor, el turbio don Fermín de Pas) y una sensualidad romántica (que la hará caer en los brazos del cínico seductor Álvaro Mesía). El desenlace es desolador: el marido morirá en un duelo con Álvaro, Ana se verá abandonada por todos —hasta por su confesor— y condenada por una sociedad implacable.

Pero este argumento no puede dar idea de la complejidad y riqueza de la obra. Enumeremos sus principales aspectos.

● En **penetración psicológica** no hay novela del XIX que la iguale. Es impresionante la disección de los personajes, sobre todo *Ana* y *don Fermín*: lo apreciaremos en las lecturas. Junto a ellos, *Álvaro* es un «don Juan» provinciano, brillante y sin escrúpulos. Pero hay, además numerosos e inolvidables *personajes secundarios*.

● El **panorama social** es el de Oviedo (*Vetusta* en la novela) pero resume el de toda la España de la época. Y la visión de Clarín es implacable: una aristocracia corrompida, un clero materializado, una burguesía vulgar... No hay escenario al que el autor no nos lleve. Pero no es un puro «decorado», sino una «atmósfera» que *condiciona* los comportamientos de los personajes. Pocas veces se nos ha mostrado con tanta claridad la *presión de las circunstancias sociales* (en ello y en algún otro rasgo coincide con el Naturalismo).

● En cuanto a la **técnica**, asombra lo perfecto de su construcción. En los capítulos 1-15, sólo transcurren tres días, y, a ritmo lento, penetramos en el ambiente y en las almas. Los capítulos 16-30 desarrollan, con un ritmo más rápido, los conflictos planteados. El *arte narrativo* es preciso. Y las *descripciones* —admirables— se integran perfectamente en el relato.

● El **estilo**, en fin, es de una *modernidad* asombrosa; pasa de una objetividad casi notarial a la ironía, a la viveza y variedad de los diálogos, etc.

VALORACIÓN

● Los cuentos de Clarín han merecido siempre gran admiración. *La Regenta*, en cambio, provocó las más opuestas reacciones: entusiasmo de progresistas; condenas de conservadores, por razones morales. Pero Clarín respondía: «Yo creo que mi novela es moral, porque es sátira de malas costumbres.» Hoy *La Regenta* recibe la más alta valoración. En su tiempo, sólo *Fortunata y Jacinta* puede comparársele. Y figura entre las tres o cuatro mayores novelas españolas de todos los tiempos. Recientemente ha triunfado en una adaptación televisiva.

LA REGENTA

Las ambiciones de don Fermín de Pas

Don Fermín, canónigo de la catedral, encarna la ambición, la sed de poder, motivada, quizás, por su mísera infancia en un ambiente minero, del que escapó por la vía de un sacerdocio sin vocación. En él se centra el **capítulo I**, *que comienza con una espléndida visión de Vetusta a la hora de la siesta. Don Fermín sube a la torre de la catedral para observar con un catalejo la ciudad, «su presa».*

Uno de los recreos solitarios de don Fermín de Pas consistía en subir a las alturas. Era montañés, y por instinto buscaba las cumbres de los montes y los campanarios de las iglesias. En todos los países que había visitado había subido a la montaña más alta, y si no las había, a la más soberbia torre. No se daba por enterado de cosa que no viese a vista de pájaro, abarcándola por completo y desde arriba.
5 Cuando iba a las aldeas acompañando al Obispo en su visita, siempre había de emprender, a pie o a caballo, como se pudiera, una excursión a lo más empingorotado[1]. En la provincia, cuya capital era Vetusta, abundaban por todas partes montes de los que se pierden entre nubes; pues a los más arduos y elevados ascendía el Magistral[2], dejando atrás al más robusto andarín, al más experto montañés. Cuanto más subía, más ansiaba subir; en vez de fatiga sentía fiebre que les daba vigor de acero a las piernas
10 y aliento de fragua a los pulmones. Llegar a lo más alto era un triunfo voluptuoso para De Pas. Ver muchas leguas de tierra, columbrar el mar lejano, contemplar a sus pies los pueblos como si fueran juguetes, imaginarse a los hombres como infusorios, ver pasar un águila o un milano, según los parajes, debajo de sus ojos, enseñándole el dorso dorado por el sol, mirar las nubes desde arriba, eran intensos placeres de su espíritu altanero que De Pas se procuraba siempre que podía. Entonces sí que en sus
15 mejillas había fuego y en sus ojos dardos. En Vetusta no podía saciar esta pasión; tenía que contentarse con subir algunas veces a la torre de la catedral. [...] El Magistral [...] paseaba lentamente sus miradas por la ciudad, escudriñando sus rincones, levantando con la imaginación los techos, aplicando su espíritu a aquella inspección minuciosa, como el naturalista estudia con poderoso microscopio las pequeñeces de los cuerpos. No miraba a los campos, no contemplaba la lontananza de montes y nubes; sus
20 miradas no salían de la ciudad.

Vetusta era su pasión y su presa. Mientras los demás le tenían por sabio teólogo, filósofo y jurisconsulto, él estimaba sobre todo su ciencia de Vetusta. La conocía palmo a palmo, por dentro y por fuera, por el alma y por el cuerpo, había escudriñado los rincones de las conciencias y los rincones de las casas. Lo que sentía en presencia de la heroica ciudad era gula; hacía su anatomía, no como el fisiólogo
25 que sólo quiere estudiar, sino como el gastrónomo que busca los bocados apetitosos; no aplicaba el escalpelo, sino el trinchante. [...]

[1] *empingorotado*, elevado. [2] *Magistral*, canónigo predicador.

Don Fermín contemplaba la ciudad. Era una presa que le disputaban, pero que acabaría por devorar él solo. ¡Qué! ¿También aquel mezquino imperio[3] habían de arrancarle? No, era suyo. Lo había ganado en buena lid. ¿Para qué eran necios? También al Magistral se le subía la altura a la cabeza: también
30 él veía a los vetustenses como escarabajos; sus viviendas viejas y negruzcas, aplastadas, las creían los vanidosos ciudadanos palacios, y eran madrigueras, cuevas, montones de tierra, labor de topos... ¿Qué habían hecho los dueños de aquellos palacios viejos y arruinados de la Encimada que él tenía allí a sus pies? ¿Qué habían hecho? Heredar. ¿Y él? ¿Qué había hecho él? Conquistar.

(Lo que sigue —y que aquí no incluimos— es un espléndido panorama de Vetusta, en donde se analizan los estratos sociales que se distribuyen en sus distintos barrios.)

- **En la caracterización del personaje, Clarín ha escogido un significativo punto de arranque; su gusto por las alturas. ¿Con qué rasgo psicológico se corresponde en este caso?**
- **¿Cuál es «su pasión» y cómo se manifiesta? ¿Cómo habla de Vetusta y cómo ve a los vetustenses? (Ya antes, líneas 10-12, ¿cómo se imaginaba a los hombres desde las alturas?)**

Ana Ozores: recuerdos y sueños

Ana Ozores, la Regenta, es una mujer enfermiza, marcada por una infancia represiva, frustrada en su matrimonio, ahogada por la mediocridad que la rodea (rasgos que la emparentan con la Madame Bovary de Flaubert). Veamos dos fragmentos del **capítulo III***, en donde se ahonda en su personalidad. Ana, obligada por don Fermín a preparar una confesión general, repasa su vida y deja aflorar sus anhelos. En el primer fragmento vemos su vacío afectivo: nostalgia de una madre a la que no conoció, necesidad de ternura... En el segundo, esa insatisfacción se mezcla con la monotonía de su existencia; aparece una rebeldía reprimida, en lucha con su ideal de sacrificio; el ansia de un hijo se mezcla sutilmente con la evocación de la brillante figura de don Álvaro y la «respetable y familiar» imagen del marido. Ambos pasajes ponen bien de manifiesto la portentosa habilidad de Clarín para sugerir, con detalles sagazmente dispuestos, las honduras de un alma. Todo el drama de la novela está ya ahí.*

[1]

Abrió el lecho. Sin mover los pies, dejóse caer de bruces sobre aquella blandura suave con los bra-
35 zos tendidos. Apoyaba la mejilla en la sábana y tenía los ojos muy abiertos. La deleitaba aquel placer del tacto que corría desde la cintura a las sienes.

«¡Confesión general!», estaba pensando. Eso es la historia de toda la vida. Una lágrima asomó a sus ojos, que eran garzos[4], y corrió hasta mojar la sábana.

Se acordó de que no había conocido a su madre. Tal vez de esta desgracia nacían sus mayores pe-
40 cados.

«Ni madre ni hijos.»

Esta costumbre de acariciar la sábana con la mejilla la había conservado desde la niñez. Una mujer seca, delgada, fría, ceremoniosa, la obligaba a acostarse todas las noches antes de tener sueño. Apagaba la luz y se iba. Anita lloraba sobre la almohada, después saltaba del lecho; pero no se atrevía a an-

[3] *mezquino imperio*. En su juventud, don Fermín alimentó sueños más ambiciosos (ser un personaje influyente de la curia romana, etc.).
[4] *garzos*, azules.

45 dar en la oscuridad, y pegada a la cama seguía llorando, tendida así, de bruces, como ahora, acariciando con el rostro la sábana, que mojaba de lágrimas también. Aquella blandura de los colchones era todo *lo maternal* con que ella podía contar; no había más suavidad para la pobre niña. Entonces debía de tener, según sus vagos recuerdos, cuatro años. Veintitrés habían pasado y aquel dolor aún la enternecía. Después, casi siempre, había tenido grandes contrariedades en la vida, pero ya despreciaba su
50 memoria[5]; una porción de necios se habían conjurado contra ella; todo aquello le repugnaba recordarlo; pero su pena de niña, la injusticia de acostarla sin sueño, sin cuentos, sin caricias, sin luz, la sublevaba todavía y le inspiraba una dulcísima lástima de sí misma. Como aquel a quien, antes de descansar en su lecho el tiempo que necesita, obligan a levantarse, siente sensación extraña que podría llamarse nostalgia de blandura y del calor de su sueño, así, con parecida sensación, había Ana
55 sentido toda su vida nostalgia del regazo de su madre. Nunca habían oprimido su cabeza de niña contra un seno blando y caliente; y ella, la chiquilla, buscaba algo parecido dondequiera. Recordaba vagamente un perro negro de lanas, noble y hermoso; debía de ser un terranova. ¿Qué habría sido de él? El perro se tendía al sol, con la cabeza entre las patas, y ella se acostaba a su lado y apoyaba la mejilla sobre el lomo rizado, ocultando casi todo el rostro en la lana suave y caliente. En los prados se arroja-
60 ba de espaldas o de bruces sobre los montones de hierba segada. Como nadie la consolaba al dormirse llorando, acababa por buscar consuelo en sí misma, contándose cuentos llenos de luz y de caricias. Era el caso que ella tenía una mamá que la daba todo lo que quería, que la apretaba contra su pecho y que la dormía cantando cerca de su oído:

Sábado, sábado, morena,
65 cayó el pajarillo en trena
con grillos y con cadenaaa…

[5] *memoria*, recuerdo.

En La Regenta *Clarín traza con mano maestra la «anatomía espiritual» de unos personajes, y el conflicto que se establece entre ellos, en el enmohecido ambiente provinciano de la lluviosa Vetusta. En estos grabados de una edición de la obra aparecen sus principales protagonistas: Ana Ozores con el maduro seductor don Álvaro Mesía (derecha) y con don Fermín de Pas, el ambicioso canónigo.*

Y este otro:

Estaba la pájara pinta
a la sombra de un verde limón…

70 Estos cantares los oía en una plaza grande a las mujeres del pueblo que arrullaban a sus hijuelos…

Y así se dormía ella también, figurándose que era la almohada el seno de su madre soñada y que realmente oía aquellas canciones que sonaban dentro de su cerebro. Poco a poco se había acostumbrado a esto, a no tener más placeres puros y tiernos que los de su imaginación.

(Ana pasa a evocar ciertos episodios de su niñez, en particular una inocente aventura que —ruinmente interpretada por sus tías, que cuidan de ella— dejará en su alma la huella indeleble de lo sucio y de la represión malévola. Tras esto, continúan sus divagaciones.)

[2]

Aquellos recuerdos de la niñez huyeron, pero la cólera que despertaron, a pesar de ser tan lejana, 75 no se desvaneció con ellos.

«¡Qué vida tan estúpida!», pensó Ana, pasando a reflexiones de otro género.

Aumentaba su mal humor con la conciencia de que estaba pasando un cuarto de hora de rebelión. Creía vivir sacrificada a deberes que se había impuesto; estos deberes algunas veces se los representaba como poética misión que explicaba el porqué de la vida. Entonces pensaba:

80 «La monotonía, la insulsez de esta existencia es aparente; mis días están ocupados por grandes cosas; este sacrificio, esta lucha es más grande que cualquier aventura del mundo.»

En otros momentos, como ahora, tascaba el freno la pasión sojuzgada; protestaba el egoísmo, la llamaba loca, romántica, necia y decía:

—¡Qué vida tan estúpida!

85 Esta conciencia de la rebelión la desesperaba; quería aplacarla y se irritaba. Sentía cardos en el alma. En tales horas no quería a nadie, no compadecía a nadie. En aquel instante deseaba oír música; no podía haber voz más oportuna. Y sin saber cómo, sin querer, se le apareció el Teatro Real de Madrid y vio a don Álvaro Mesía, el presidente del Casino, ni más ni menos, envuelto en una capa de embozos grana, cantando bajo los balcones de Rosina[6]:

90 *Ecco ridente il ciel…*

La respiración de la Regenta era fuerte, frecuente; su nariz palpitaba ensanchándose, sus ojos tenían fulgores de fiebre y estaban clavados en la pared, mirando la sombra sinuosa de su cuerpo ceñido por la manta de colores.

Quiso pensar en aquello, en Lindoro, en el Barbero, para suavizar la aspereza de espíritu que la morti- 95 ficaba.

—¡Si yo tuviera un hijo!…, ahora…, aquí…, besándole, cantándole…

Huyó la vaga imagen del rorro, y otra vez se presentó el esbelto don Álvaro, pero de gabán blanco entallado, saludándola como saludaba el rey Amadeo[7].

Mesía, al saludar, humillaba los ojos, cargados de amor, ante los de ella, imperiosos, imponentes.

100 Sintió flojedad en el espíritu. La sequedad y tirantez que la mortificaban se fueron convirtiendo en tristeza y desconsuelo…

---

[6] Rosina, como los nombres que luego se citan, es un personaje de *El barbero de Sevilla*, famosa ópera de Rossini.
[7] Amadeo I de Saboya, que reinó transitoriamente en España (1871-1873).

Ya no era mala, ya sentía como ella quería sentir; y la idea de su sacrificio se le apareció de nuevo; pero grande ahora, sublime, como una corriente de ternura capaz de anegar el mundo. La imagen de don Álvaro fue también desvaneciéndose, cual un cuadro disolvente; ya no se veía más que el gabán
105 blanco, y detrás, como una filtración de luz, iban destacándose una bata escocesa a cuadros, un gorro verde de terciopelo y oro, con borla, un bigote y una perilla blancos, una cejas grises muy espesas…, y al fin sobre un fondo negro brilló entera la respetable y familiar figura de su don Víctor Quintanar con un nimbo de luz en torno. Aquél era el sujeto del sacrificio, como diría don Cayetano[8]. Ana Ozores depositó un casto beso en la frente del caballero.

[8] Don Cayetano Ripamilán es uno de los canónigos de la catedral.

- **Hemos hablado de la capacidad de Clarín para descubrirnos las honduras de un alma a través de detalles hábilmente escogidos; muéstrese en el fragmento [1] (el detalle de acariciar la sábana, etc.).**
- **Destáquense las líneas 49 y siguientes, en que habla de la conjura de los «necios», «su pena de niña», «la injusticia de…» (sigue una frase con una serie de complementos encabezados insistentemente por la misma preposición: véase cómo se ponen de relieve las «carencias» de la infancia de Ana).**
- **Comenta otros aspectos que te hayan interesado.**
- **En el fragmento [2], Ana aparece sacudida por sentimientos contrapuestos; señálese su complejidad.**
- **Júzguese, en conjunto, la penetración psicológica del autor (por estos pasajes y por el referente a Don Fermín).**

EJERCICIOS

Repaso de Gramática

1 Abordemos el repaso de las subordinadas adverbiales. En las oraciones siguientes encontrarás proposiciones de lugar, de tiempo, de modo, finales y comparativas. Identifícalas:

—Luis de Vargas era más vulnerable de lo que él creía.

—Cuando menos lo pensemos, nos vendrá un golpe de suerte.

—Cada cual se defiende como puede.

—Nina se escondió en un portal para ver sin ser vista.

—Andaba doña Paca lentamente, como si la llevaran entre guardias civiles.

—En dondequiera que vivan los hombres habrá ingratitud.

—Don Fermín contemplaba a sus pies los pueblos como si fueran juguetes.

A continuación pon dos ejemplos de cada una de las subordinadas adverbiales que acabamos de repasar (con nexos distintos de los que hemos visto).

2 Haz un análisis sintáctico completo de la siguiente oración:

— Dios me ha puesto en el mundo para que viva y no para que me deje morir de hambre.

Expresión escrita

• **Un retrato.**— Hemos comentado el retrato de la *señá Benina*, en *Misericordia* de Galdós. Redacta el retrato de una persona que te resulte familiar, imitando la técnica del autor (presentación del personaje, rasgos físicos, indumentaria, actitudes...).

13 EL SIGLO XX. EL MODERNISMO

I. INTRODUCCIÓN AL SIGLO XX

HACIA NUESTRO TIEMPO. RENOVACIÓN ESTÉTICA

● En el siglo XX, el mundo ha vivido una fuerte «aceleración de la historia»: dos guerras mundiales, modificación de los mapas, ebullición de ideas y de movimientos políticos, desarrollo fulgurante de las ciencias y de la tecnología, hondas modificaciones en las costumbres, en la sensibilidad...

● Las Artes y las Letras han experimentado, igualmente, hondos cambios. En **literatura** —como en las artes plásticas—, frente al Realismo del siglo XIX, aparecen y se suceden —en rápidas oleadas— movimientos, «vanguardias», *ismos...*

—En unos casos, se tratará de un *arte de minorías,* difícil, preocupado por la renovación estética.

—En otros, como reacción, se busca un arte o una *literatura social*, dirigida *a las masas* y con propósito de denuncia.

No pocas veces, las nuevas tendencias —al igual que ciertas modas— se presentan de forma agresiva, desconcertante.

Enfrentarse con este cambiante y asombroso panorama requerirá, en ocasiones, esfuerzo. Es necesario adoptar una actitud abierta —la única actitud que pueda llamarse «culta»— para comprender o admitir, sin renunciar a la crítica, lo que en un primer contacto puede extrañarnos. Sólo así se ampliará el horizonte de nuestros gustos, de nuestra sensibilidad.

EL SIGLO XX EN ESPAÑA

● España entra en el siglo XX en franca *decadencia* y con *graves problemas internos.* Y va a vivir los más dramáticos *enfrentamientos* entre «las dos Españas» (progresistas y tradicionalistas, izquierdas y derechas). Ya iremos viendo en qué medida los escritores se hacen eco de los problemas históricos. Hagamos ahora un rápido cuadro de lo que llevamos de siglo, tomando la guerra civil como línea divisoria.

1. Hasta la guerra civil, distinguiremos:

—***El reinado de Alfonso XIII*** (1902-1931), en el que se perpetúa la política estéril del siglo anterior (turno de liberales y conservadores en el gobierno). Crecen las tensiones sociales.

—***La Dictadura del general Primo de Rivera*** (1923-1930) no resolvió los problemas de fondo. Vuelve a reinar Alfonso XIII, pero por poco tiempo: el 14 de abril de 1931 se proclama la República.

—***La Segunda República*** (1931-1939) intentará transformar al país, pero hallará toda clase de dificultades: oposición de los poderosos, desbordamiento de las masas populares... Y España se despeña en la guerra civil de **1936-1939**, dramática consecuencia de todo lo anterior y máximo enfrentamiento entre españoles.

2. De la guerra civil a hoy:

—***La «era de Franco»*** (1939-1975) comienza con una dura posguerra: hambre, represión política... Tardará en iniciarse una trabajosa recuperación, seguida —ya en los años 60— por un indudable *desarrollo* económico y una tímida liberalización. Pero la oposición al régimen es cada vez mayor en sus últimos años.

—***La España democrática*** (1975...). Proclamado rey Juan Carlos I y con el gobierno de Adolfo Suárez, se desarrolla la transición hacia la democracia, que culmina con la Constitución del 78. Pese a graves problemas (efectos de la crisis económica internacional, paro, terrorismo, intento de golpe de Estado el 23 de febrero de 1981, etc.), la democracia parece consolidarse. En 1982, el Partido Socialista accede al gobierno, iniciando una nueva etapa no exenta de dificultades.

LA LITERATURA ESPAÑOLA DEL SIGLO XX

● También a modo de cuadro muy sucinto, conviene que recordemos las grandes etapas de la literatura contemporánea.

1. Antes de la guerra:

—***La primera generación del siglo*** se caracteriza por sus impulsos renovadores en lo estético y por la preocupación ante el problema de España (*Modernismo* y *Generación del 98*).

—***La generación de 1914*** trae consigo el llamado *Novecentismo*, movimiento superador del Modernismo y con unos afanes nuevos de solidez intelectual.

• A caballo entre esta generación y la siguiente, se desarrollan diversos movimientos de ***Vanguardia***, que culminarán con el *Surrealismo*, en los años 20.

—***La generación del 27*** es, sobre todo, un importantísimo grupo de poetas que dieron a la lírica española una nueva Edad de Oro, trágicamente truncada por la guerra civil.

2. Después de la guerra:

—***Los primeros años de posguerra son de desorientación y de búsqueda***. Dominan las preocupaciones *existenciales*.

—***Hacia 1955***, y durante unos años, prevalecerá *lo social*: denuncia de miserias e injusticias con un enfoque *realista*.

—***En los años 60*** se va produciendo un despego del realismo social y se deriva hacia una literatura *experimental*, preocupada por la renovación de las técnicas y el lenguaje. Es lo que dominará hacia 1970.

—***En torno a 1975*** hay una moderación de los experimentos y cierto retorno a temas y formas tradicionales, pero con orientaciones muy variadas.

Conviene tener presente desde ahora, con toda claridad, este panorama general, en el que nos vamos a mover a partir de aquí.

Recordemos que nuestro manual del curso pasado incluía comentarios y lecturas de textos españoles del siglo XX. Sería sumamente útil que se tuvieran en cuenta a lo largo de las lecciones siguientes, para releerlos en los momentos oportunos, comparándolos con los textos que en este libro se proponen.

La renovación estética impulsada por el Modernismo se manifestó en todos los campos de la expresión artística. La literatura y las bellas artes de la época comparten una misma atmósfera. (Maurice Denis, Las musas. *Museo de Arte Moderno, París.)*

II. EL MODERNISMO

UNA NUEVA LITERATURA

● Desde finales del siglo XIX, tanto en Europa como en América, proliferan corrientes renovadoras frente a las tendencias vigentes.

● En España, las ansias de renovación se enmarcan en un turbio horizonte político y social. Ciertos jóvenes abominan la realidad que ven en torno. O se alzan contra la literatura inmediatamente anterior: contra el Realismo, que se agotaba tras sus grandes frutos; contra la poesía prosaica o hinchada de fines del XIX (Bécquer y Rosalía habían sido excepciones).

● Al principio se llamó ***modernistas*** a todos los escritores animados por tales impulsos innovadores. Posteriormente se reservó ese término para quienes se preocupaban especialmente por la estética y adoptaban posturas «escapistas» (que enseguida comentaremos). Y se creó la etiqueta de ***Generación del 98*** para otros autores que se interesaban más bien por contenidos humanos o por analizar con actitud crítica los problemas de España.

Tal distinción es hoy rechazada por algunos y aceptada con matices por otros. Esto último es lo que haremos en este manual (de acuerdo con el programa vigente). Pero lo importante será leer a los grandes escritores de esta época, viendo lo que tienen en común y, a la vez, lo peculiar de cada cual.

LA POESÍA MODERNISTA. SUS ORÍGENES

Los primeros signos de renovación poética aparecen, a fines del XIX, tanto en España como en Hispanoamérica. Pero la primacía corresponde a los autores americanos: hacia 1890, Rubén Darío y otros adoptan provocadoramente el mote de ***modernistas*** (que les lanzaban despectivamente sus adversarios).

- Por entonces, muchos hispanoamericanos quieren distanciarse de la literatura vigente en España y vuelven los ojos hacia otras literaturas, muy especialmente la francesa.
- También en España hay oídos atentos a las novedades que llegan de Francia. Por ello es preciso ver qué corrientes presentaba la poesía francesa a finales del XIX.

LA INFLUENCIA FRANCESA: PARNASIANISMO Y SIMBOLISMO

Las principales influencias que llegan de Francia corresponden a dos movimientos de la segunda mitad del siglo: el Parnasianismo y el Simbolismo.

— El ***Parnasianismo*** se interesa sobre todo por la belleza. **Téophile Gautier**, que encabeza la escuela, había lanzado su famosa divisa: «El Arte por el Arte». Así, se buscará la perfección formal, los versos pulidos, más que los contenidos humanos (frente a la poesía romántica).

Señalemos también la preferencia por ciertos ***temas*** propicios al lucimiento esteticista: así, los mitológicos, la evocación de tiempos pasados o de ambientes exóticos, como los orientales. Son aspectos que estarán bien presentes en Rubén Darío y sus seguidores.

— El ***Simbolismo*** es una corriente que está representada por grandes poetas como **Verlaine**, **Rimbaud** o **Mallarmé**. Los simbolistas, frente a los parnasianos, no se contentan con la belleza externa ni con la perfección formal (aunque no las desprecien). Se proponen ir más allá de lo sensible: la realidad —para ellos— esconde, tras sus apariencias, significaciones profundas o afinidades inesperadas con los estados de ánimo. Y el poeta se propondrá descubrirlas y transmitirlas al lector.

Se sirven para ello, entre otras cosas, de esos ***símbolos*** que dan nombre a la escuela. Recordemos que el símbolo es una imagen física que sugiere algo no perceptible físicamente (una idea, un sentimiento, etc.). Por ejemplo, *el ocaso* puede ser símbolo de decadencia o de muerte; *el camino* será símbolo del vivir, etc. Estos y otros símbolos aparecerán en los versos de Rubén, de Machado, de Juan Ramón Jiménez...

Recordemos que, en España, Bécquer había sido un precursor del Simbolismo. En ello insistimos al estudiar su poesía (LECTURA 11c).

LA ESTÉTICA DEL MODERNISMO

- El Modernismo hispánico realizó ***una síntesis de Parnasianismo y de Simbolismo***. Del primero viene el gusto por los versos pulidos, los temas exóticos, los valores sensoriales. Y de los simbolistas toman el arte de sugerir (los *símbolos*) y la musicalidad, otra de sus obsesiones.
- Se añaden a ello ***otras influencias extranjeras***. Pero no olvidemos que también los modernistas sintieron *fervor por algunos de nuestros viejos poetas*: Berceo, el Arcipreste de Hita, Manrique... Y, más cercanos, Bécquer y Rosalía de Castro.
- Tales son las líneas en que se encuadra el Modernismo. Pero, por encima de todo, está presidido por la ***búsqueda de lo bello***. Es, como dijo Juan Ramón, «el encuentro de nuevo con la belleza, sepultada por un tono general de poesía burguesa». Sin duda, hay en estos poetas unas notas de aristocracia espiritual y de exquisitez, opuestas a cierta ramplonería «burguesa».

Veamos a continuación los rasgos más característicos del Modernismo en temas y formas.

LOS TEMAS

La temática de la poesía modernista presenta dos campos diferentes aunque no opuestos: ***la exterioridad sensible*** y ***la intimidad del poeta***.

- Por una parte, el mundo sensorial será captado, frecuentemente con una avidez de goces sensoriales y de belleza: paisajes, mujeres hermosas... Pero el mundo en torno no les basta a estos poetas; a menudo les deja insatisfechos. De ahí el llamado *escapismo*, la evasión *en el tiempo* o *en el espacio* para soñar mundos de rutilante belleza (lo clásico, con su vitalismo pagano, lo medieval, lo legendario, lo renacentista, etc.; o lo exótico, como lo oriental). Del mundo contemporáneo se prefiere *lo cosmopolita* (de ahí la devoción por París).

> La veta más parnasiana del Modernismo nos muestra un mundo poblado de dioses y ninfas, de mandarines y odaliscas, de princesitas, de Pierrots y Colombinas... Es un mundo exquisito de pagodas, viejos castillos, salones versallescos o jardines perfumados con sus estanques, sus cisnes, sus pavos reales...

- Pero la ***intimidad*** constituye otro sector de la temática modernista. A veces *vitalista, sensual*. Otras muchas veces marcada por la *tristeza*, la *melancolía*, la *nostalgia*. Hay cierto malestar que recuerda la angustia romántica, propia de quienes se sienten frustrados en el mundo en que viven. De ahí, como hemos dicho, el escapismo. Añadamos ahora el gusto por *lo otoñal* y *lo crepuscular,* o por *lo decadente*. La intimidad dolorida del poeta se proyectará en ocasiones sobre *paisajes* que son *símbolos* de los estados de ánimo.

Ejemplos reveladores de casi todo ello nos ofrecerán los textos.

EL ESTILO

- Nunca se insistirá lo bastante en la ***profunda renovación del lenguaje poético*** que significa el Modernismo. Se *amplían* prodigiosamente los recursos expresivos. Y ello en dos direcciones: por un lado, la *brillantez* y los *grandes efectos*; por otro, lo *delicado*, lo *leve*.

Así sucede con la utilización del ***color*** (con efectos brillantes o matizados), o con la ***musicalidad*** (ya rotunda, ya juguetona, ya lánguida). Insistamos en la ***riqueza de valores sensoriales*** como uno de los rasgos más definitorios del estilo modernista.

- Tales efectos son posibles gracias a un ***prodigioso manejo del idioma***, en todos sus niveles:
  - —Los ***recursos fónicos*** son variadísimos: así, la aliteración, o repetición de ciertos sonidos («bajo el ala aleve del leve abanico»); la armonía imitativa, o correspondencia entre fonemas y sonidos naturales («está mudo el te***cla***do de su ***cla***ve sonoro»); y otros.
  - —El ***léxico*** se enriquece con términos cultos, exóticos y evocadores. A ello se añade la copiosa *adjetivación*, ora ornamental y plástica, ora cargada de valores sentimentales.
  - —Las ***imágenes*** se emplean con virtuosismo. Ya hemos hablado de la importancia de los *símbolos*. Por lo demás, la preeminencia de lo sensorial se manifiesta en típicas *sinestesias* (asociación de sensaciones diversas, como «sol sonoro», «arpegios áureos», etc.).

- En suma, los modernistas saben servirse de todos aquellos recursos estilísticos caracterizados bien por su poder sugeridor, bien por su valor decorativo.

Pero aún hay un aspecto que merece párrafo aparte.

LA MÉTRICA

La búsqueda de la musicalidad lleva a ampliar considerablemente los **ritmos** y las formas métricas (prolongando ciertos experimentos de los románticos, o asimilando formas francesas, o con nuevos hallazgos).

- Naturalmente, siguen usándose con profusión los versos más consagrados (endecasílabo, octosílabo, etc.). Pero es característico del Modernismo el abundante uso del *alejandrino*. Y se acude a versos antes poco usados, como el *dodecasílabo* (6+6: «Era un aire suave de pausados giros») o el *eneasílabo* («Juventud, divino tesoro»).

- Fundamental es el gusto por la versificación a base de pies acentuales, especialmente los ternarios, con su marcado ritmo. Ejemplos (de Rubén):

—*dáctilos* (óoo): «Ínclitas razas ubérrimas...»

—*anfíbracos* (oóo): «Ya se oyen los claros clarines.»

—*anapestos* (ooó): «La princesa está triste; ¿qué tendrá la princesa?»

● Grandes novedades hay también en las **estrofas**, ya se trate de variaciones de estrofas conocidas o de totales invenciones.

Cuadro de escritores modernistas

La lista de autores de cierta importancia sería larga. Antes de pasar al estudio de algunas grandes figuras modernistas, o relacionadas con el Modernismo (Rubén y Juan Ramón en esta lección; Antonio Machado y Valle-Inclán en la lección siguiente), situémoslas en un sucinto cuadro.

- ***En Hispanoamérica:***

—Entre los iniciadores, destacan el cubano **José Martí**, los mexicanos **Díaz Mirón** y **Gutiérrez Nájera**, el cubano **Julián del Casal** y el colombiano **José Asunción Silva**.

—Pero es **Rubén Darío** quien, con su genio potente, logrará la fijación definitiva del movimiento.

—Tras sus huellas se lanzarán figuras como **Amado Nervo** en México, **Guillermo Valencia** en Colombia, **Leopoldo Lugones** en la Argentina, **José Santos Chocano** en Perú, etc.

- ***En España***:

—También tenemos precursores: Ricardo Gil, Manuel Reina y, sobre todo, el malagueño **Salvador Rueda**, que recibieron las mismas influencias francesas que los poetas americanos.

—Ello no disminuye el papel de **Rubén Darío** en la renovación de la lírica española desde su llegada a nuestro país, en 1892. Pronto se convirtió en un «ídolo», como veremos.

—Entre los seguidores de Rubén en España citemos autores como Marquina, Villaespesa, Tomás Morales, Enrique de Mesa... Pero nuestros grandes poetas modernistas serán los hermanos **Machado** (aunque Antonio suela incluirse entre los «noventayochistas») y **Juan Ramón Jiménez** (en su poesía anterior a 1915).

Aparte los autores que serán objeto de especial estudio más adelante, he aquí unos breves datos sobre Manuel Machado, que merecería ser conocido y leído con mayor detenimiento.

Manuel Machado

Nació en Sevilla en 1874 y, en él, se empareja el andalucismo con el cosmopolitismo. Plenamente modernista es su culto a los valores estéticos, a lo refinado, a lo sensual; o la elegante melancolía de ciertos poemas. Pero también asimiló prodigiosamente el espíritu de las coplas andaluzas.

«Ligereza y gravedad» —se ha dicho— alternan en su obra, de la que cabe destacar libros como *Alma*, *Apolo*, *El mal poema*, *Cante hondo*... Dentro de su atractiva variedad destaca siempre su asombrosa maestría formal. Murió en 1947.

OTRAS LITERATURAS

Literaturas de Europa y América en el siglo XX

La literatura de nuestro siglo es de una riqueza incalculable. La relación siguiente será más completa que nunca. Ojalá los alumnos la vayan completando año a año con sus lecturas.

Francia	Italia	Alemania	Inglaterra	Otros países	
—Apollinaire.	—Pirandello.	—Rilke.	—Bernard Shaw.	• **Rusia**	• **Grecia**
—Proust.	—Moravia.	—Kafka.	—Chesterton.	—Mayakovski.	—Cavafis.
—Gide.	—Pavese.	—Hermann Hesse.	—Virginia Wolf.	—Pasternak.	—Kazanzakis.
—Valéry.	—Pratolini.	—Thomas Mann.	—Joyce.	—Soljenitsin.	• **Portugal**
—Los surrealistas.	—Ítalo Calvino.	—Bertolt Brecht.	—Huxley.	• **La India**	—F. Pessoa.
—Saint-Exupéry.			**Estados Unidos**	—Rabindranath Tagore.	
—Sartre.			—O'Neill.		
—Albert Camus.			—Faulkner.		
—Ionesco.			—Steinbeck.		
—Becket.			—Hemingway.		
			—Scott Fitzgerald.		

SIGLO XX (I)

SIGLO XIX — **SIGLO XX**

1900 — Guerra Civil — 1950 — 2000

Autor	Nacimiento	Muerte
Unamuno	1864	1937
Valle - Inclán	1866	1936
Benavente	1866	1957
Arniches	1866	1943
Rubén Darío	1867	1916
Pío Baroja	1872	1956
Azorín	1873	1967
Maeztu	1874	1936
Manuel Machado	1874	1947
Antonio Machado	1875	1939
Gabriel Miró	1879	1930
Juan Ramón Jiménez	1881	1958
Pérez de Ayala	1881	1962
Eugenio d'Ors	1882	1954
Ortega y Gasset	1883	1956
Ramón Gómez de la Serna	1887	1963
Pedro Salinas	1891	1951
Jorge Guillén	1893	1984
Gerardo Diego	1896	1987
García Lorca	1898	1936
Vicente Aleixandre	1898	1984
Dámaso Alonso	1898	
Luis Cernuda	1902	1963
Rafael Alberti	1902	
Ramón J. Sender	1902	1982
M. Hernández	1910	1942

RUBÉN DARÍO (13a)

VIDA

● Nació en Nicaragua (1867). En su juventud adoptó posturas progresistas ante los problemas de América. Pronto conoció las nuevas tendencias poéticas, en particular las de origen francés. A los veintiún años alcanza su primer éxito con *Azul*. En 1892, cuarto centenario del Descubrimiento, viene a España y conoce a nuestros principales escritores. Vuelve en 1899, ya como un ídolo, y comparte las amarguras del 98. Desde 1900, como diplomático, vive en París, en Madrid de nuevo, y viaja por Europa y América. Su vida fue intensa; los excesos minaron su salud y le llevaron a una muerte prematura (1916).

ESTÉTICA

Todo cuanto hemos dicho sobre el *Modernismo* se aplica en grado eminente a Rubén. Él logró la síntesis definitiva entre lo parnasiano, lo simbolista y otras tendencias. En él hallaremos los **temas** paganos, exóticos, legendarios, cosmopolitas... o la intimidad doliente.

● Su **estilo** ofrece variados tonos: lo frívolo, lo sensual, lo meditativo, la exaltación patriótica... Y siempre asombra su dominio de las más diversas formas. Sus deslumbrantes imágenes, su fuerza sensorial y su sentido de la musicalidad resultan proverbiales. Insistamos en el enriquecimiento de la **métrica** que llevó a cabo.

TRAYECTORIA Y TÍTULOS PRINCIPALES

Tras varias obras primerizas, en 1888 publica el ya citado ***Azul***. Su maestría es ya patente en los poemas a las cuatro estaciones o en sus sonetos escritos en alejandrinos, a la francesa. (Muy famoso es el titulado *Caupolicán,* que comentamos el curso pasado.)

● La consolidación de su estética se da con ***Prosas profanas**** (1896), su libro más brillante y vitalista. Son inolvidables la *Sonatina* («La princesa está triste. / ¿Qué tendrá la princesa?»), «Era un aire suave...», *Divagación*... Y aparecen los motivos hispanos: *Cosas del Cid*, *Al maestre Gonzalo de Berceo*, etc.

● Otra cima de su obra son los ***Cantos de vida y esperanza*** (1905). Es un libro en tres partes. En la primera, a la que corresponde el título, dominan los poemas de tema hispánico: *Letanía de Nuestro Señor Don Quijote*, poemas a Cervantes, Góngora, Velázquez, Goya... Y hay poemas políticos, nacidos de las consecuencias del 98; así, en *Salutación del optimista* manifiesta su fe en los pueblos hispánicos; en *Oda a Roosevelt* increpa a los Estados Unidos, cuya influencia creciente aparece también en la segunda parte del volumen, titulada *Los cisnes*, a la que pertenecen estos versos:

¿Seremos entregados a los bárbaros fieros?
¿Tantos millones de hombres hablaremos inglés?
¿Ya no hay nobles hidalgos ni bravos caballeros?
¿Callaremos ahora para llorar después?

En la tercera parte del libro, titulada *Otros poemas*, hay un profundo cambio: aparecen ahora tonos graves, inquietud, amargura. Así en el poema «Yo soy aquel que ayer no más decía...» (que inicia el libro) y *Melancolía*. En la misma línea está la *Canción de otoño en primavera* («Juventud, divino tesoro, / ¡ya te vas para no volver!») o el sobrecogedor poema *Lo fatal*, que luego incluimos.

● Aún publicó Darío otros libros, siempre interesantes, pero que no ofrecen logros superiores a los ya conseguidos.

No olvidemos, en fin, que es también un admirable **prosista**. Nos ha dejado espléndidos cuentos y muchos artículos sobre temas diversos.

SIGNIFICACIÓN

Resulta ya obligado decir que, sin Rubén Darío, no podría explicarse la evolución de la poesía española en el siglo XX. Por eso, el gran nicaragüense tiene un puesto de honor en *nuestra* literatura. Así lo reconocieron ya los Machado o Juan Ramón Jiménez. Y los poetas de la «generación del 27» lo admiraron. Hoy se le valora como uno de los grandes creadores que ha dado nuestra lengua.

* Rubén da aquí a la palabra *prosas* su sentido medieval de «poemas».

POESÍAS

«Era un aire suave...»

El temperamento vitalista y exquisito de Rubén queda impreso en este poema de ***Prosas profanas.*** *Es una refinadísima escena galante, que se desarrolla en un marco voluntariamente impreciso (¿Edad Media, Renacimiento, siglo* XVIII*?). Sus rasgos modernistas son evidentes: sensualidad, elegancia, armonía, versos muy musicales de origen francés, efectos fonéticos...*

Detalle de La carrera hacia el abismo, *de Feure.*

Era un aire suave, de pausados giros;
el hada Harmonía ritmaba sus vuelos,
e iban frases vagas y tenues suspiros
entre los sollozos de los violoncelos.

5 Sobre la terraza, junto a los ramajes,
diríase un trémolo de liras eolias[1]
cuando acariciaban los sedosos trajes,
sobre el tallo erguidas, las blancas magnolias.

La marquesa Eulalia risas y desvíos
10 daba a un tiempo mismo para dos rivales:
el vizconde rubio de los desafíos
y el abate joven de los madrigales. [...]

Al oír las quejas de sus caballeros,
ríe, ríe, ríe, la divina Eulalia,
15 pues son su tesoro las flechas de Eros,
el cinto de Cipria[2], la rueca de Onfalia[3]. [...]

Tiene azules ojos, es maligna y bella;
cuando mira, vierte viva luz extraña;
se asoma a las húmedas pupilas de estrella
20 el alma del rubio cristal de Champaña. [...]

El teclado armónico de su risa fina
a la alegre música de un pájaro iguala.
Con los *staccati*[4] de una bailarina
y las locas fugas de una colegiala.

25 ¡Amoroso pájaro que trinos exhala
bajo el ala a veces ocultando el pico;
que desdenes rudos lanza bajo el ala,
bajo el ala aleve del leve abanico[5]!

[1] *liras eolias*, instrumento cuyas cuerdas vibran ante una corriente de aire. [2] *Cipria* es uno de los nombres de Venus en la isla de Cypre (Chipre). [3] *Onfalia*, reina mítica de Lidia: hacía hilar en una rueca a Hércules, que fue esclavo suyo y, luego, su amante. [4] *staccati*, notas musicales rápidas pero claramente separadas unas de otras; aquí, pasos de danza que les corresponden. [5] *aleve*, alevosa, traidora. (Este verso es un espléndido ejemplo de aliteración.)

Cuando a medianoche sus notas arranque
30 y en arpegios[6] áureos gima Filomela[7],
y el ebúrneo[8] cisne, sobre el quieto estanque,
como blanca góndola imprima su estela,

la marquesa alegre llegará al boscaje,
boscaje que cubre la amable glorieta
35 donde han de estrecharla los brazos de un paje,
que siendo su paje será su poeta.

Al compás de un canto de artista de Italia
que en la brisa errante la orquesta deslíe,
junto a los rivales, la divina Eulalia,
40 la divina Eulalia ríe, ríe, ríe. [...]

- **Observa lo característico del ambiente (jardín, estanque, cisne...) y de los personajes (en especial, Eulalia, con su jugueteo galante). Advierte las referencias clásicas.**
- **Analiza las *sensaciones* y destaca algunos versos por su carga sensorial.**
- **Señala la belleza de algunas imágenes: por ejemplo, en los versos 19-20, 28, etc.**
- ***Métrica*. Para medir los versos, has de tener en cuenta que hay una fuerte *cesura* central, equivalente a la pausa final a efectos del cómputo (si el primer hemistiquio termina en esdrújula, se cuenta una sílaba menos, etc.). ¿Qué versos destacarías por su musicalidad?**

«Salutación del optimista»

He aquí una muestra de los temas hispánicos en los **Cantos de vida y esperanza.** *Ante el desastre del 98 y la amenaza de la influencia estadounidense, la reacción de Rubén* —optimista— *es proclamar la fe en el destino de los pueblos hispánicos. Proclamación solemne y vehemente por lo rotundo de las expresiones y del ritmo. Transcribimos lo esencial del poema.*

Ínclitas[9] razas ubérrimas[10], sangre de Hispania fecunda,
espíritus fraternos, luminosas almas, ¡salve!
Porque llega el momento en que habrán de cantar nuevos himnos
lenguas de gloria. Un vasto rumor llena los ámbitos; mágicas
5 ondas de vida van renaciendo de pronto;
retrocede el olvido, retrocede engañada la muerte;
se anuncia un reino nuevo, feliz sibila[11] sueña
y en la caja pandórica[12] de que tantas desgracias surgieron
encontramos de súbito, talismánica, pura, riente,
10 cual pudiera decirla en su verso Virgilio divino,
la divina reina de luz, ¡la celeste Esperanza! [...]

[6] *arpegio*, sucesión rápida de notas, como las que se consiguen pasando los dedos por las cuerdas de un arpa. [7] *Filomela* (o Filomena), nombre poético del ruiseñor (del griego, «amante de la música»). [8] *ebúrneo*, de marfil. [9] *ínclitas*, ilustres, famosas. [10] *ubérrimas*, abundantes, fecundas. [11] *sibila*, profetisa de la antigüedad. [12] *caja pandórica*: Pandora es la primera mujer en la mitología griega. Infringiendo una prohibición de su esposo, abrió una caja de la que salieron los males que afligen al mundo, pero la cerró a tiempo de impedir que se escapara también la esperanza.

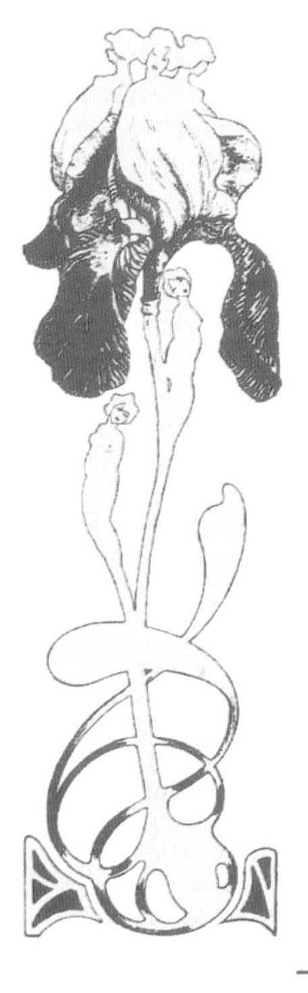

Abominad la boca que predice desgracias eternas,
abominad los ojos que ven sólo zodíacos funestos,
abominad las manos que apedrean las ruinas ilustres,
15 o que la tea empuñan o la daga suicida. [...]
¿Quien será el pusilánime que al vigor español niegue músculos
y que el alma española juzgase áptera[13] y ciega y tullida? [...]

Un continente y otro, renovando las viejas prosapias[14],
en espíritu unidos, en espíritu y ansias y lengua,
20 ven llegar el momento en que habrán de cantar nuevos himnos.

Latina estirpe verá la gran alba futura,
en un trueno de música gloriosa, millones de labios
saludarán la espléndida luz que vendrá del Oriente.
Oriente augusto en donde todo lo cambia y renueva
25 la eternidad de Dios, la actividad infinita.

Y así, sea esperanza la visión permanente en nosotros.
¡Ínclitas razas ubérrimas, sangre de Hispania fecunda!

---

[13] *áptera*, sin alas. [14] *prosapia*, ascendencia, linaje.

- **¿Qué reflexiones cabe hacer ante el optimismo de Rubén y su tono «profético»?**
- **Señala los principales rasgos del estilo del autor que se manifiestan en estos versos.**
- **Rubén imita aquí los hexámetros clásicos, tomando como base el *dáctilo* (óoo), según comprobarás analizando el primer verso. Con todo, podrás apreciar otras distribuciones de los acentos, aunque dentro del ritmo ternario.**

«Lo fatal»

La hondura, la gravedad y la angustia existencial que aparecen en Cantos de vida y esperanza *—o más exactamente en los «Otros poemas» que incluye ese libro— se condensan en esta impresionante composición que cierra el volumen. Estamos, sin duda, ante los versos más hondos y patéticos que salieron de la pluma de Rubén. Su brillantez cede ahora el puesto a una expresión sobria y densa, no menos magistral. Dos serventesios y un terceto de alejandrinos; luego, dos versos breves. Se diría que estamos ante un «soneto inacabado», que se rompió al final en un gemido de angustia.*

Dichoso el árbol que es apenas sensitivo,
y más la piedra dura, porque ésa ya no siente,
pues no hay dolor más grande que el dolor de ser vivo,
ni mayor pesadumbre que la vida consciente.

5 Ser, y no saber nada, y ser sin rumbo cierto,
y el temor de haber sido, y un futuro terror...
Y el espanto seguro de estar mañana muerto,
y sufrir por la vida, y por la sombra, y por

lo que no conocemos y apenas sospechamos,
10 y la carne que tienta con sus frescos racimos,
y la tumba que aguarda con sus fúnebres ramos,

¡y no saber adónde vamos,
ni de dónde venimos…!

- **Estamos ante una angustiada meditación sobre el sentido de la vida. ¿Cómo se destaca lo vulnerable, lo doloroso de la condición humana en los primeros versos? ¿Qué más se dice de la existencia?**
- **La mayor parte del poema se compone de *frases nominales* (sin verbo principal), encadenadas con *polisíndeton* (superabundancia del nexo «y»). Todo ello, más un violento encabalgamiento (entre los versos 8 y 9), imprime a la dicción un ritmo y un tono especiales: ¿cómo lo has percibido en la lectura?**
- **Comenta el contraste de los versos 10 y 11.**
- **Comenta los dos versos finales (exclamación encabezada por «y», versos más cortos, paralelismo, puntos suspensivos).**

JUAN RAMÓN JIMÉNEZ (13b)

VIDA Y TALANTE

- Este «andaluz universal» nació en Moguer (Huelva) en 1881. Su vocación poética es temprana. En 1900 va a Madrid a «luchar por el Modernismo». La muerte de su padre le produjo una honda crisis que le obligó a un largo retiro en Moguer. Vuelve a Madrid en 1912. Su magisterio poético es ya inmenso. En 1916 se casa con Zenobia Camprubí. Con la guerra civil se exilian a América; fue profesor de varias universidades, últimamente en la de Puerto Rico. En 1956 se le concede el Premio Nobel: la noticia coincide con la muerte de Zenobia. El poeta sólo la sobrevivirá dos años: murió en Puerto Rico en 1958.

- Juan Ramón fue hombre de un temperamento depresivo y de una sensibilidad exacerbada. Pero, sobre todo, es el dechado de poeta consagrado por entero a su obra, cada vez más despegado de los detalles materiales de la existencia. «Yo tengo —dijo— escondida en mi casa, por su gusto y el mío, a la Poesía. Y nuestra relación es la de los apasionados.»

POÉTICA

- Para Juan Ramón, la poesía responde esencialmente a *tres impulsos*: sed de belleza, ansia de conocimiento y anhelo de eternidad. Lo explicaremos.

- Ante todo, ***Poesía es Belleza***, expresión de todo lo bello. En segundo lugar, es un modo de ***conocimiento***, algo que permite profundizar en la esencia de la realidad. Y es, en fin, expresión de un anhelo de ***eternidad***, concebida como posesión inacabable de la Belleza y la Verdad.

- Por otra parte, su aguda exigencia estética hace de Juan Ramón el ejemplo del poeta minoritario. Es famosa su dedicatoria: «A la minoría, siempre.» Su poesía, como veremos, es de creciente dificultad.

TRAYECTORIA

- Notemos que, por edad, Juan Ramón pertenece a la llamada **generación de 1914** (o ***novecentista***). Pero, por su precocidad, comenzó militando en las filas modernistas (por ello el programa lo incluye en este capítulo). Sin embargo, pronto ***superó el Modernismo*** hacia nuevos horizontes. Él mismo señaló la evolución de su poesía en estos versos:

POESÍA

Vino primero, pura,
vestida de inocencia.
Y la amé como un niño.

Luego se fue vistiendo
5 de no sé qué ropajes.
Y la fui odiando, sin saberlo.

Llegó a ser una reina,
fastuosa de tesoros...
¡Qué iracundia de hiel y sinsentido!

10 ... Mas se fue desnudando.
Y yo le sonreía.

Se quedó con la túnica,
de su inocencia antigua.
Creí de nuevo en ella.

15 Y se quitó la túnica
y apareció desnuda toda...
¡Oh pasión de mi vida, poesía
desnuda, mía para siempre!

Según esto, cabe distinguir en su trayectoria las siguientes etapas:

1.ª) Una **poesía «pura»,** en el sentido de «sencilla», con la influencia de Bécquer. El principal libro de estos años es *Arias tristes* (1903).

2.ª) Adopta luego los **«ropajes» modernistas**: valores sensoriales, ritmos amplios... Con todo, su poesía no será tan «fastuosa de tesoros» como la de Rubén: el Modernismo de Juan Ramón es de tipo *intimista*. Así, en libros como *La soledad sonora*, *Sonetos espirituales* y otros, escritos de 1908 a 1915. De esta época es también el tan conocido y entrañable libro de prosa poética *Platero y yo* (1914).

3.ª) Pero su afán de renovación le lleva hacia una **«poesía desnuda»**: desaparecen el léxico modernista, la adjetivación sensorial o los ritmos sonoros, para dejar paso a la *concentración conceptual y emotiva*. Es una poesía nueva, personalísima, «fuera de escuelas o tendencias». Abre esta etapa, en 1916, el *Diario de un poeta recién casado*, libro fundamental en la poesía del siglo XX. Siguen, entre 1916 y 1936, *Eternidades, Piedra y cielo,* etc.

4.ª) Añádase una **última etapa**, posterior a 1936: poesía cada vez más profunda, que desemboca en lo metafísico, incluso en cierto misticismo (diálogo con un Dios que él identifica con la Naturaleza o la Belleza absoluta). En esta etapa escribe *En el otro costado* (1936-1942), *Dios deseado y deseante* (1948-1949), etc. En el primero de estos libros figura el extenso y asombroso poema en prosa *Espacio*, cima de la creación juanramoniana.

IMPORTANCIA DE JUAN RAMÓN

Su trayectoria poética da fe, ante todo, de una excepcional *inquietud renovadora*. De ahí que su obra sea, en cierto modo, compendio o avanzada de medio siglo de poesía española: Posromanticismo, Modernismo, poesía pura...

Máximo poeta de la «generación del 14», ejerció un magisterio decisivo en los «poetas del 27». Tras explicables vaivenes del gusto (los poetas de posguerra se sintieron distantes de él), hoy se le considera la máxima figura acaso de la poesía española del siglo XX.

Juan Ramón Jiménez. Retrato de Emilio Sala que se conserva en la Casa-Museo del poeta en Moguer.

TEXTOS

La producción juanramoniana es tan copiosa que resulta especialmente difícil hacer una breve selección. Sólo pretendemos ofrecer unas hermosas muestras que ilustren las diversas etapas del autor.

Los comienzos

En Arias tristes *(1903) encontramos aquella poesía inicial, «vestida de inocencia» (junto con las primeras huellas de un Modernismo intimista y simbolista). A este libro pertenece el siguiente poemita:*

Entre el velo de la lluvia
que pone gris el paisaje,
pasan las vacas, volviendo
de la dulzura del valle.

5 Las tristes esquilas suenan
alejadas, y la tarde
va cayendo tristemente
sin estrellas ni cantares.

La campiña se ha quedado
10 fría y sola con sus árboles;
por las perdidas veredas
hoy no volverá ya nadie.

Voy a cerrar mi ventana
porque si pierdo en el valle
15 mi corazón, quizás quiera
morirse con el paisaje.

- **Es un cuadro aldeano finamente estilizado. ¿Qué palabras —especialmente adjetivos— te parecen más cargadas de significación? ¿Puede hablarse aquí de simbolismo?**
- **¿Establecerías alguna relación o «sintonía» entre el paisaje y el estado de ánimo del autor?**
- **¿Cómo explicar la última estrofa?**
- **La métrica, como todo el estilo, se caracteriza por su sencillez; ¿de qué versificación se trata?**

La etapa modernista (I)

De esta segunda etapa de Juan Ramón ofrecemos dos poemas y una página de Platero y yo. *Comencemos por una poesía de* La soledad sonora *(1911), que vale la pena comentar con detalle como muestra del Modernismo más sensorial del autor, aunque dentro del intimismo ya señalado.*

Viene una esencia triste de jazmines con luna
y el llanto de una música romántica y lejana...
de las estrellas baja, dolientemente, una
brisa con los colores nuevos de la mañana...

5 Espectral, amarillo, doloroso y fragante,
por la niebla de la avenida voy perdido[1],
mustio de la armonía, roto de lo distante,
muerto entre los rosales pálidos del olvido...

Y aun la luna platea las frondas de tibieza
10 cuando ya el día rosa viene por los jardines,
anegando en sus lumbres esta vaga tristeza
con música, con llanto, con brisa y con jazmines...

[1] Observa que el verso 6 no tiene dos hemistiquios como los demás, sino tres miembros. Es lo que en Francia se llama *trímetro romántico* y que nuestros modernistas mezclan, a la francesa, con los alejandrinos.

COMENTARIO DE TEXTO. «VIENE UNA ESENCIA TRISTE...»

Introducción

a ¿En qué etapa del autor se sitúa este poema?

b **Contenido**. Paisaje y alma se combinan en el poema. ¿Cómo se distribuyen en sus estrofas? ¿Cómo es el paisaje? ¿Y el estado de ánimo del poeta?

c **Métrica**. Explica en qué consiste, capta su musicalidad y recuerda su índole modernista.

Análisis (contenido y expresión)

d *Primera estrofa.*— Analiza su densidad y la índole de las *sensaciones*. Junto a ello, señala las notas *sentimentales*. (Observarás desde ahora, y en todo el poema, cómo el léxico puede irse agrupando en torno a dos «polos»: *belleza* y *tristeza*.)

e *Segunda estrofa.*— Pasa a primer plano la *intimidad* del poeta: ¿cómo se define? (Fíjate en los adjetivos del *verso 5*, en los sentimientos que se acumulan en los *versos 6-7*, y explica el valor simbólico de esos «rosales pálidos» del *verso 8*.)

f *Tercera estrofa.*— Nuevas notas sensoriales (advierte una sinestesia en el *verso 9*). ¿Siguen entretejiéndose *belleza* y *tristeza*? El verso final es un espléndido remate (compáralo con la estrofa 1.ª).

Conclusión

g Todo lo anterior permitirá hacer una síntesis del *Modernismo* juanramoniano (intimismo, valores plásticos y afectivos, simbolismo). Resúmelo.

La etapa modernista (II)

El poema siguiente, El viaje definitivo, *pertenece al libro* Poemas agrestes *(1910-1911). Aunque es de la misma época que el anterior, presenta una mayor sobriedad estilística, como si anunciara el ulterior giro hacia la «poesía desnuda» Es, por lo demás, una bellísima meditación sobre la muerte.*

EL VIAJE DEFINITIVO

... Y yo me iré. Y se quedarán los pájaros
cantando;
y se quedará mi huerto, con su verde árbol,
y con su pozo blanco.

Todas las tardes, el cielo será azul y plácido;
5 y tocarán, como esta tarde están tocando,
las campanas del campanario.

Se morirán aquellos que me amaron;
y el pueblo se hará nuevo cada año;
y en el rincón aquel de mi huerto florido y encalado,
10 mi espíritu errará, nostáljico...

Y yo me iré; y estaré solo, sin hogar, sin árbol
verde, sin pozo blanco,
sin cielo azul y plácido...
Y se quedarán los pájaros cantando.

> - **Partiendo de la idea de su propia muerte, el poeta establece un contraste entre lo transitorio y lo permanente. Precísalo; ¿qué es lo que permanece?, ¿qué simbolizan los pájaros?**
> - **Destaca el efecto que producen las repeticiones.**
> - **Comenta la mayor sencillez del lenguaje. Además, los versos se despegan de la medida tradicional; compruébalo, advirtiendo la índole más leve y sugerente del ritmo.**

Platero y yo

Por los mismos años en que Juan Ramón desarrolla su poesía modernista, escribe este memorable libro de prosa poética. Porque poemas en prosa son los capitulillos que lo integran. El libro apareció en 1914 (y completo en 1916). He aquí una muestra de esta obra que debes leer entera si no lo has hecho ya.

PAISAJE GRANA

La cumbre. Ahí está el ocaso, todo empurpurado, herido por sus propios cristales, que le hacen sangre por doquiera. A su esplendor, el pinar verde se agria, vagamente enrojecido; y las hierbas y las florecillas, encendidas y transparentes, embalsaman el instante sereno de una esencia mojada, penetrante y luminosa.

5 Yo me quedo extasiado en el crepúsculo. Platero, granas de ocaso sus ojos negros, se va, manso, a un charquero de aguas de carmín, de rosa, de violeta; hunde suavemente su boca en los espejos, que parece que se hacen líquidos al tocarlos él; y hay por su enorme garganta como un pasar profundo de umbrías aguas de sangre.

El paraje es conocido, pero el momento lo trastorna y lo hace extraño, ruinoso y monumental. Se
10 dijera, a cada instante, que vamos a descubrir un palacio abandonado... La tarde se prolonga más allá de sí misma, y la hora, contagiada de eternidad, es infinita, pacífica, insondable...

—Anda, Platero.

> - **En todo el texto, apreciarás un gran sentido del color, plenamente modernista, así como una intensa mezcla de sensaciones.**
> - **En el *primer párrafo*, hay alguna imagen audaz. Y varias sinestesias. Localízalas y valóralas.**
> - **Sigue observando los mismos rasgos en el *segundo párrafo*. Además, advierte con qué originalidad recoge el poeta el simple hecho de que Platero bebe el agua de un charco.**
> - **En el *tercer párrafo* observarás un curioso toque de misterio. Y diversos sentimientos. En resumen, ¿qué sensaciones y sentimientos nos ha trasmitido este poema en prosa?**

«Poesía desnuda»

Pasemos a la nueva etapa de Juan Ramón: eliminación de los halagos formales, búsqueda de la hondura conceptual, acendramiento de lo emocional, preferencia por el poema breve y la expresión escueta, a veces hermética... Todo ello podrá observarse en las dos composiciones que ofrecemos. Previamente, he aquí unas breves notas para situarlas y facilitar su comprensión:

[1] *De* Eternidades *(1918). Es una reflexión sobre su compleja personalidad, con su mejor y su peor* «yo».

[2] *Del libro* Poesía *(1923). Espléndida proclamación del ideal de pureza, de belleza y de elevación que rigió su vida y su creación poética.*

[1]

Yo no soy yo.
Soy este
que va a mi lado sin yo verlo;
que, a veces, voy a ver,
y que, a veces, olvido.
5 El que calla, sereno, cuando hablo,
el que perdona, dulce, cuando odio,
el que pasea por donde no estoy,
el que quedará en pie cuando yo muera.

[2]

¡Esta es mi vida, la de arriba,
la de la pura brisa,
la del pájaro último,
la de las cimas de oro de lo oscuro!
5 ¡Esta es mi libertad, oler la rosa,
cortar el agua fría con mi mano loca,
desnudar la arboleda,
cogerle al sol su luz eterna!

- **Partiendo de las observaciones que hemos puesto antes de los textos, los alumnos confrontarán su comprensión de los dos poemas y las ideas que les han sugerido. Se observará así el aumento de la densidad conceptual que se ha producido con esta nueva etapa.**
- **Lo sentimental aparece también más condensado, menos epidérmicamente expresado; pero la emoción no falta: véase el valor de las exclamaciones.**
- **El cambio estilístico ha sido radical. Para apreciarlo sugerimos, entre otras, esta observación: subraya los adjetivos de los textos y di de qué índole son (¿conceptuales, afectivos, sensoriales?). Luego, compara con lo observado en los textos de las etapas anteriores. Saca tus conclusiones.**
- **¿Qué cambio se ha producido en la métrica?**

EJERCICIOS

Repaso de Gramática

1 Continuemos con las subordinadas adverbiales. En las oraciones siguientes encontrarás proposiciones causales, consecutivas, concesivas y condicionales. Identifícalas:

—Como su influencia fue decisiva en España, hemos estudiado aquí a Rubén Darío, aunque era nicaragüense.

—La influencia de Rubén Darío en España fue decisiva; por tanto, debíamos estudiarlo aquí.

—Si no estudiáramos a Rubén Darío, no comprenderíamos la evolución de la poesía española del siglo XX.

—La evolución de Juan Ramón es tal que resume varias etapas de nuestra poesía.

A continuación pon dos ejemplos de cada una de las subordinadas adverbiales que acabamos de repasar (con nexos distintos de los que hemos visto).

2 Transformaciones sintácticas: Di de varias maneras distintas lo que expresa esta frase: *Aunque no comparto sus ideas, admiro a ese autor, porque escribe muy bien.*

3 Haz un análisis sintáctico completo de esta estrofa de Juan Ramón:

Voy a cerrar mi ventana
porque, si pierdo en el valle
mi corazón, quizás quiera
morirse con el paisaje.

Expresión escrita

- **¿Son «románticos» los modernistas?**— Algunos poetas modernistas se consideraron «neorrománticos». Repasa lo que hemos dicho sobre el Modernismo, así como lo que nos han mostrado los textos de Rubén y Juan Ramón, y desarrolla ordenadamente un paralelismo entre Modernismo y Romanticismo (semejanzas y diferencias).

14 LA GENERACIÓN DEL 98

CIRCUNSTANCIAS POLÍTICAS Y SOCIALES. EL «DESASTRE»

● En la página 221 trazamos un rápido cuadro de la España del siglo XX. Añadamos algunos detalles útiles para situar a los autores que estudiaremos en este capítulo.

● **La vida política**, a fines del XIX y principios del XX, sigue presidida por el turno de *conservadores* y *progresistas* en el gobierno. Fuera de estos «partidos dinásticos», hay otros grupos que van de los carlistas a los republicanos y, más a la izquierda, los socialistas y los anarquistas.

● **La sociedad** presenta, en su base, una gran *masa rural* y un *proletariado* industrial aún poco desarrollado (en Cataluña y el País Vasco); en estos sectores prenden doctrinas *revolucionarias*. Su pobreza contrasta con el poder y el lujo de la *aristocracia* y la *alta burguesía*, encastilladas en posturas *conservadoras*. Entremedias, hay *una pequeña burguesía* o «clase media», a menudo descontenta y propicia al *reformismo*, aunque temerosa de revoluciones.

Los problemas económicos y sociales (*atraso, crisis...*) son graves, pero muchos españoles viven inconscientes. Unos trágicos acontecimientos vendrán a sacudir las conciencias más sensibles.

● En **1898**, tras varios años de guerra, Cuba, Puerto Rico y Filipinas —nuestras últimas colonias de Ultramar— conseguirán su independencia con la ayuda de los Estados Unidos: la escuadra española será destrozada en Santiago de Cuba y Cavite. Las pérdidas humanas y económicas son cuantiosísimas. Es el ***«Desastre del 98»***.

Tales hechos constituyen un fuerte aldabonazo para muchos espíritus: se cobra conciencia de la ***decadencia*** del país (antaño, poderoso); se analizan sus causas, se buscan soluciones... Es lo que harán los «noventayochistas», pero había antecedentes.

PRECURSORES: LOS «REGENERACIONISTAS», GANIVET

● Se llama ***regeneracionistas*** a quienes, desde años atrás, propugnaban medidas concretas para la «regeneración» del país. Entre ellos, destaca **Joaquín Costa** (1846-1911). Con su lema «despensa y escuela» pedía, a la vez, una política económica y educativa. Las reformas del campo son el tema de su libro *Colectivismo agrario en España* (1898). Su reformismo y su posición crítica inspiran asimismo su *Oligarquía y caciquismo* (1901), en que denuncia a los pequeños grupos de poderosos que presionan o imponen su ley.

Junto al ***reformismo***, destaca —en Costa y los regeneracionistas— el ***europeísmo*** o anhelo de «europeizar» a España.

● Aunque al margen del grupo anterior, hay que recordar aquí al granadino **Ángel Ganivet**, muerto a los treinta y tres años en circunstancias trágicas (se suicidó precisamente en el 98). En su *Idearium español* (1897), había analizado los rasgos del alma española, las glorias pasadas, los males contemporáneos y la necesidad de renovación espiritual, aunque asentada en las tradiciones profundas.

● Las ideas de los regeneracionistas o de Ganivet hallaron eco en quienes más tarde serían incluidos en la llamada ***generación del* 98**. Pero, antes de seguir, examinemos el concepto de «generación literaria» y qué validez tiene en este caso.

EL CONCEPTO DE «GENERACIÓN LITERARIA» APLICADO AL 98

● Para los historiadores, una generación es un conjunto de hombres próximos por su edad (no más de quince años de diferencia), que comparten problemas e inquietudes.

Nótese, sin embargo, que, por edad, Unamuno y Rubén Darío, por ejemplo, son de la misma generación (se llevan tres años). Es natural que entre coetáneos haya notables diferencias.

● Por eso, el concepto de ***generación literaria*** es más restringido. No basta que unos escritores sean *coetáneos:* se exigen otros requisitos como los siguientes:

— Formación intelectual semejante.

— Relaciones personales entre ellos.

— Presencia de un «guía» o jefe.

— Un «acontecimiento generacional» que aúne sus voluntades.

— Rasgos comunes de estilo, por los que se oponen a la estética de la generación anterior.

Hay críticos que señalan, con razón, que los escritores que reúnan tales requisitos no serán *una generación* [histórica], sino sólo *una parte* de ella. Desde un punto de vista *histórico*, a una misma generación pertenecen «modernistas» y «noventayochistas». Sería, pues, preferible hablar de **grupo del 98**. Si seguimos hablando de «generación», será conscientes de que lo hacemos en aquel sentido.

● ¿A cuántos escritores de principios de siglo pueden aplicarse los requisitos enumerados? A no pocos afectó el Desastre: ése sería, pues, el «acontecimiento generacional», y de ahí el marchamo de ***generación del 98***. Pero no es fácil encontrar muchos autores que compartan los demás requisitos en bloque. Por eso, algunos críticos rechazan tal marchamo. Otros lo aceptan, pero restringiéndolo a un ***grupo*** más o menos reducido, en virtud de ciertos rasgos comunes.

Integrarían ese grupo, sin duda, **Unamuno, Azorín, Baroja** y **Maeztu**. Y habrá que discutir los casos de **Antonio Machado** y **Valle-Inclán,** entre otros.

De todas formas, no estamos ante un bloque monolítico: es preciso atender a su **evolución.** La abordamos en los siguientes epígrafes.

LA «JUVENTUD DEL 98»

«Un espíritu de protesta, de rebeldía, animaba a la juventud de 1898», dijo Azorín. Y, en efecto, las ideas iniciales de los cuatro autores que acabamos de destacar no se encuadran en un reformismo *regeneracionista,* sino en movimientos *revolucionarios.*

● Así, en su juventud, **Unamuno** militó en el PSOE. «Anhelos socialistas» compartía también, por entonces, **Ramiro de Maeztu**. El joven **Azorín** se declaraba anarquista. E igualmente vecino al anarquismo se halló **Baroja**. Antes de 1900, pues, estos cuatro escritores —aunque procedentes de la pequeña burguesía— adoptan un izquierdismo radical.

● Distinto es el caso de Valle y de Machado. El **Valle-Inclán** de 1900 es ideológicamente tradicionalista y estéticamente modernista. **Machado** no se dará a conocer hasta 1903, con *Soledades,* libro de poesía intimista; sus ideas liberales progresistas de entonces no pasan todavía a su obra. La evolución posterior de ambos será también muy distinta de la de los otros.

EL GRUPO DE «LOS TRES» Y SU MANIFIESTO

● Componen este grupo **Azorín, Baroja** y **Maeztu**, que mantenían estrecha amistad. En 1901 difunden un *Manifiesto* en el que denuncian la «descomposición» de la «atmósfera moral», la desorientación de la juventud... Desean «mejorar la vida de los miserables». Pero ahora ya no confían en las doctrinas políticas, ni siquiera en las demócratas ni socialistas. Y piensan que sólo una *ciencia social* puede estudiar soluciones. Tal es su llamamiento.

Quiere esto decir que *los Tres* han dejado atrás sus ideas revolucionarias anteriores y se han aproximado a un *reformismo* de tipo «regeneracionista».

Pero su campaña fue un fracaso y un hondo desengaño. El grupo se deshizo y cada cual seguiría su propio camino, como veremos.

● También **Unamuno** ha cambiado de rumbo. Ha abandonado el socialismo. Y al recibir el *Manifiesto de los Tres,* aunque les promete algún apoyo, les confiesa que ahora le interesan poco los asuntos económico-sociales: lo que le preocupa son los problemas espirituales de nuestro pueblo.

LA MADUREZ DE LOS NOVENTAYOCHISTAS. SU EVOLUCIÓN

● En 1910, Azorín señala que los autores citados se han alejado del radicalismo juvenil. Queda, eso sí, «la lucha por algo que no es lo material y bajo». Es decir, vagos ***anhelos idealistas*** (a veces, cierto *escepticismo*). He aquí otros rasgos comunes:

— ***Las preocupaciones existenciales*** adquieren especial relieve: el sentido de la vida, el destino del hombre...

— ***El tema de España*** recibe nuevos enfoques: ahora, más que los problemas materiales concretos, es sobre todo el «alma» de España lo que les preocupa (Unamuno, como hemos visto, encabezó esta postura).

● La evolución ideológica de los diversos autores es curiosa. **Unamuno** se debatiría toda su vida entre íntimas contradicciones. **Baroja** se recluye en un radical escepticismo. **Azorín** derivó desde el escepticismo hacia posturas tradicionalistas. Más profundo fue el giro de **Maeztu**, quien se convirtió en adalid de unas derechas lindantes con el fascismo.

● Ahora se apreciarán mejor las peculiares evoluciones de Machado y Valle.

— **Antonio Machado**, en su libro de 1912, *Campos de Castilla,* incorpora, al fin, preocupaciones noventayochistas; pero pronto las desbordó hacia posturas cada vez más avanzadas (como podrá verse en la LECTURA 14e). Lo inverso, pues, de los autores citados.

—**Valle-Inclán,** hacia 1920, ha pasado de su tradicionalismo inicial a un progresismo que alcanzará expresiones muy radicales. Su dura actitud crítica hizo que Pedro Salinas lo llamara «hijo pródigo del 98»; pero, en realidad, está en una línea muy distinta y muy personal (lo veremos en la LECTURA 14d).

Ramiro de Maeztu

Puesto que no hemos de estudiarlo este curso, añadiremos aquí unos datos sobre este autor. Nació en Vitoria en 1874. Su ímpetu revolucionario juvenil se plasma en *Hacia otra España* (1899), visión implacable del «marasmo», de la decadencia. En su etapa posterior, antirrepublicana y antimarxista, escribe *Defensa de la hispanidad* (1934), donde exalta el espíritu y la obra de la España imperial, integradora de razas y pueblos. Aparte, nos dejó una brillante interpretación de tres grandes mitos españoles: *Don Quijote, don Juan y la Celestina* (1926). Su estilo es siempre intenso, apasionado y sugestivo. En 1936, un «tribunal» revolucionario lo condenó a muerte.

Miguel de Unamuno, por Juan de Echevarría.

TEMAS DEL «98». ESPAÑA

Ya hemos hecho referencia a las preocupaciones de los noventayochistas, las cuales se sitúan en dos campos fundamentales: *la realidad española* y *los problemas existenciales.*

● El **tema de España**, desde luego, es en ellos central. En sus páginas se mezclan el *dolor* y el *amor* por España. ***Rechazaron*** la política del momento y, sobre todo, la «ramplonería» y el «espectáculo deprimente» de la sociedad (son palabras de Unamuno). ***Exaltaron,*** en cambio, «una España eterna y espontánea» (Azorín); de ahí su interés por el paisaje, por la vida de los pueblos y por nuestra historia. Veámoslo.

● Las ***tierras de España*** fueron recorridas y descritas por ellos también con amor y con dolor. Junto a su *crítica* del atraso, hay —cada vez más— una *exaltación lírica* de los pueblos y del paisaje. Sobre todo de *Castilla,* en la que vieron la médula de España (cosa destacable viniendo de escritores nacidos en la periferia). Su atracción por lo austero del paisaje castellano supone *una nueva sensibilidad,* una nueva manera de mirar.

● La ***Historia*** es otro de los campos de sus meditaciones. Al principio, rastreaban sobre todo en el pasado las raíces de los males presentes. Cada vez más buscaron los valores «permanentes» de Castilla y de España, tanto en la cultura como en los hombres. Y debe destacarse que, por debajo de la «historia externa» (reyes, batallas...), les atrajo lo que Unamuno llamó la ***intrahistoria,*** es decir, «la vida callada de los millones de hombres sin historia» que, con su labor diaria, han hecho la historia más profunda.

● Añadamos que, en los escritores del 98, el amor a España se combinó con un ***anhelo de europeización*** muy vivo en su juventud. Apertura a Europa y revitalización de los valores «castizos» se equilibran en una famosa frase de Unamuno: «tenemos que europeizarnos y chapuzarnos de pueblo».

LOS TEMAS EXISTENCIALES

● Las ***preocupaciones existenciales*** ocupan un lugar muy importante en los noventayochistas. Y hay que situarlas en la crisis de fin de siglo. Ya en los modernistas vimos un *malestar vital,* una desazón «romántica», que estará presente también en Unamuno, Azorín, Baroja, etc. Ellos mismos o sus personajes se interrogarán sobre el sentido de la existencia humana, sobre el tiempo, sobre la muerte, etc. Y son frecuentes los sentimientos de *hastío de vivir* o de *angustia.* (Por todo esto, se ha visto en ellos *un precedente del existencialismo europeo.)*

Pío Baroja mantuvo durante toda su vida una actitud distante, e incluso hostil, respecto a la sociedad y sus normas. (Retrato por Serrano Lahuerta.)

● Estrechamente ligado a lo anterior está el ***problema religioso***. Los noventayochistas fueron *agnósticos* en su juventud. **Baroja** lo sería toda su vida. **Unamuno**, en perpetua lucha entre su razón y su sed de Dios, fue un temperamento profundamente religioso, pero angustiado y fuera de la ortodoxia católica. **Azorín** y **Maeztu**, en cambio, adoptaron con el tiempo posiciones católicas tradicionales.

RENOVACIÓN ESTÉTICA. EL ESTILO

● Los autores del 98 contribuyeron decisivamente a la **renovación literaria** de principios de siglo. Reaccionaron por igual contra el retoricismo o el prosaísmo de la literatura anterior. Del siglo XIX, sin embargo, admiran a Bécquer y tienen a Larra como un precursor. Reveladoras son sus preferencias por algunos de nuestros clásicos, como Fray Luis, Quevedo y, sobre todo, Cervantes (aportaron personalísimas interpretaciones del *Quijote);* o su fervor por nuestra literatura medieval, en especial el *Poema del Cid,* Berceo, el Arcipreste de Hita, Manrique...

● Desde tales orientaciones, se propusieron **una renovación de la lengua literaria**. Claro es que, dada la fuerte personalidad de cada uno, sus estilos se hallan netamente *diferenciados.* Pero se han señalado algunas *notas comunes.* Así, cierto ideal de ***sobriedad*** (contra el retoricismo), pero también un gran ***cuidado de la forma*** (contra el prosaísmo).

● Otro rasgo común e importante es su ***gusto por las palabras tradicionales y terruñeras,*** esas palabras que se van perdiendo, sobre todo en las grandes ciudades. Unamuno, Azorín, etc., recogieron muchas de ellas en los pueblos (o en los clásicos), llevados de su amor a nuestra lengua y nuestra cultura.

● En un plano más general, señalemos su **subjetivismo.** A menudo es difícil separar sus visiones de la realidad de su manera de mirar. De ahí, por ejemplo, la sintonía de *paisaje* y *alma* frecuente en sus descripciones. De ahí también el *tono lírico* de muchas de sus páginas.

● Finalmente, señalemos sus *innovaciones* en los **géneros literarios**. Ante todo, el grupo del 98 configuró el ***ensayo*** moderno, haciéndolo apto para recoger las más variadas reflexiones o vivencias. La ***novela*** se enriqueció con nuevas técnicas. Menor eco tuvieron ciertos intentos de renovar el ***teatro*** (con la excepción de Valle-Inclán).

De estas y otras novedades nos darán buenos ejemplos los textos.

En esta lección, nos hemos centrado en los autores del programa, a quienes hemos de dedicar LECTURAS especiales. Pero es indispensable añadir, al menos, unas breves notas sobre dos grandes figuras coetáneas, que brillaron en otros campos: la ***erudición*** y el ***teatro***.

● **Ramón Menéndez Pidal** (1869-1968), asturiano, fundador del Centro de Estudios Históricos y director de la Real Academia Española, se halla íntimamente relacionado con el 98. Él apoyó desde la ciencia histórica y filológica muchas de las tesis de los noventayochistas. El castellanismo se plasma en sus monumentales estudios sobre la Edad Media y su literatura: sobre *La España del Cid,* sobre la épica y el Romancero, etc. El idioma, tan amado por los escritores del 98, encontró en Menéndez Pidal el máximo investigador de su historia: *Orígenes del español, Gramática histórica...*

● **Jacinto Benavente** (1866-1954) fue un gran renovador de la escena española, a la que sacó del teatro posromántico. Azorín lo incluía en la generación del 98. Es cierto que en sus comienzos tuvo una actitud crítica vecina a la de aquellos autores: en comedias como *El nido ajeno* (1894) desveló las hipocresías y convenciones de la alta burguesía; su obra maestra, *Los intereses creados* (1907), es una deliciosa farsa que encierra una cínica visión de los ideales burgueses; y en *La Malquerida* (1913) trazó un vigoroso cuadro rural. No obstante, Benavente fue limando su carga crítica para acomodarse a lo que pedía y era capaz de admitir el público habitual de los teatros de entonces.

MIGUEL DE UNAMUNO (14a)

EL HOMBRE

● Nació en Bilbao (1864). Estudió Filosofía y Letras en Madrid. Fue catedrático de Griego en la Universidad de Salamanca, de la que sería rector. Y en Salamanca vivió hasta su muerte, salvo de 1924 a 1930 en que estuvo desterrado (en Fuerteventura y Francia) por su oposición a la Dictadura de Primo de Rivera. Murió el último día de 1936.

● Su vida fue de *intensa actividad intelectual* y de *constante lucha.* Lucha consigo mismo, debatiéndose entre contradicciones, sin hallar paz. Y lucha contra la «trivialidad» de su tiempo o la falta de inquietudes, intentando sacudir las conciencias.

EL ESTILO

● Su lengua es también la de un luchador: *vehemente, incitante.* No busca la elegancia, sino la *expresividad,* la *intensidad.* Él mismo dijo que buscaba una lengua «seca, precisa, rápida..., caliente».

Su lucha con la expresión y con las ideas se manifiesta en *paradojas* y *antítesis,* o en sus esfuerzos por *revitalizar* el sentido de ciertas palabras. Es también máximo exponente de aquel gusto por las palabras *terruñeras* que hemos señalado.

EL PENSAMIENTO DE UNAMUNO. LOS ENSAYOS

Conocidos son los dos polos de su pensamiento: el *tema de España* y *el sentido de la vida humana.*

Pero recordemos antes su evolución. Una crisis juvenil le hizo perder la fe. Se vuelca entonces sobre los problemas concretos de España; son sus años de militancia socialista. A los treinta y tres años, una nueva crisis le hará volver los ojos a los problemas espirituales, aunque sin abandonar nunca sus personales meditaciones sobre España.

● La **preocupación por España** le llevó a continuas andanzas y a incesantes meditaciones. Su amor por ella le arranca este grito: «¡Me duele España!» Y son copiosísimos sus ***ensayos*** sobre este tema, como los recogidos en sus libros *En torno al casticismo* (1895), *Por tierras de Portugal y España* (1911), *Andanzas y visiones españolas* (1912), etc. Entre sus obras sobre nuestra cultura, destaca *Vida de Don Quijote y Sancho* (1905), personal y apasionada interpretación del magno libro como expresión del alma española y modelo de idealismo.

● Las meditaciones sobre el **sentido de la vida humana** dan a Unamuno un puesto eminente en la filosofía española. Su pensamiento es *vitalista* (precursor del *existencialismo* moderno). Esto quiere decir que, para Unamuno, el gran tema de la filosofía es «el hombre de carne y hueso», con sus anhelos y sus angustias. Y, con ello, el problema de *Dios* y de la *inmortalidad,* lo único que daría sentido a la existencia. Se debatió sin cesar entre su *razón,* que le llevaba al escepticismo, y su *corazón,* que necesitaba desesperadamente a Dios.

Sus dos grandes libros sobre estos temas son *Del sentimiento trágico de la vida* (1913) y *La agonía del Cristianismo* (1925). En el segundo, la palabra «agonía» se emplea en su sentido etimológico de «lucha»: «Mi agonía, mi lucha por el Cristianismo, la agonía del Cristianismo en mí...»

● Sus centenares de ensayos y artículos tratan, por lo demás, muchos otros asuntos.

NOVELAS, POESÍA Y TEATRO

Cultivó Unamuno todos los géneros y en todos dio vueltas a sus grandes temas.

● Su **narrativa** comienza con *Paz en la guerra* (1897), novela «intrahistórica» sobre la guerra carlista. Entre sus novelas posteriores destaca *Niebla* (1914), en la que intentó renovar las técnicas narrativas; de ahí que la llamara, no «novela», sino... *nivola* (véase luego un fragmento). Otros títulos: *La tía Tula, San Manuel Bueno, mártir,* etc.

● Su **poesía,** amplísima, compone una biografía de su espíritu, desde sus *Poesías* de 1907 al *Cancionero* póstumo, pasando por *El Cristo de Velázquez* (1920), en el que vierte su pasión por Jesús. Sus versos, de ritmos ásperos y robustos, al margen de las tendencias, tardarían en ser apreciados.

● Su **teatro** ha tenido escaso éxito. Su densidad de ideas no va acompañada de fluidez escénica. Citemos *Fedra* o *El otro,* entre sus dramas.

SIGNIFICACIÓN

Es Unamuno un escritor apasionante siempre de leer por su bullente humanidad. Expresó con una intensidad inigualada las inquietudes de su tiempo, de su generación. Y es, en fin, uno de los grandes forjadores del castellano contemporáneo.

EN TORNO AL CASTICISMO

El alma de Castilla

Los ensayos de En torno al casticismo *(escritos en 1895) encierran algunas de sus primeras meditaciones sobre España. He aquí, como muestra, una página sobre Castilla en la que, junto a la realidad física, aparecen los sentimientos que ese paisaje despierta en el autor, así como unas referencias históricas.*

¡Ancha es Castilla! Y ¡qué hermosa la tristeza reposada de ese mar petrificado y lleno de cielo! Es un paisaje uniforme y monótono en sus contrastes de luz y sombra, en sus tintas disociadas y pobres en matices. Las tierras se presentan como en inmensa plancha de mosaico de pobrísima variedad, sobre el que se extiende el azul intensísimo del cielo. Faltan suaves transiciones, ni hay otra continuidad armónica que la de la llanura inmensa y el azul compacto que la cubre e ilumina. 5

No despierta este paisaje sentimientos voluptuosos de alegría de vivir, ni sugiere sensaciones de comodidad y holgura concupiscibles[1]: no es un campo verde y graso[2] en que den ganas de revolcarse, ni hay repliegues de tierra que llamen como un nido.

---

[1] *concupiscibles,* apetecibles, deseables (frecuentemente en sentido sensual). [2] *graso,* rico, fértil.

No evoca su contemplación al animal que duerme en nosotros todos, y que medio despierto de su
10 modorra se regodea en el dejo[3] de satisfacciones de apetitos amasados con su carne desde los albores de su vida, a la presencia de frondosos campos de vegetación opulenta. No es una naturaleza que recree al espíritu.

Nos desase más bien del pobre suelo, envolviéndonos en el cielo puro, desnudo y uniforme. No hay aquí comunión con la naturaleza, ni nos absorbe ésta en sus espléndidas exuberancias; es, si cabe
15 decirlo, más que panteístico[4], un paisaje monoteístico este campo infinito en que, sin perderse, se achica el hombre, y en que siente, en medio de la sequía de los campos, sequedades del alma. [...]

Siempre que contemplo la llanura castellana recuerdo dos cuadros. Es el uno un campo escueto, seco y caliente, bajo un cielo intenso, en que llena largo espacio inmensa muchedumbre de moros arrodillados, con las espingardas[5] en el suelo, hundidas las cabezas entre las manos apoyadas en tierra, y al
20 frente de ellos, de pie, un caudillo tostado, con los brazos tensos al azul infinito y la vista perdida en él como diciendo: «¡Sólo Dios es Dios!» En el otro cuadro se presentan en el inmenso páramo muerto, a la luz derretida del crepúsculo, un cardo quebrando la imponente monotonía en el primer término, y en lontananza las siluetas de Don Quijote y Sancho sobre el cielo agonizante.

«Sólo Dios es Dios, la vida es sueño y que el sol no se ponga en mis dominios»[6], se recuerda con-
25 templando estas llanuras.

- **Con páginas como ésta, Unamuno contribuyó decisivamente a la formación de una imagen literaria de Castilla. ¿Qué rasgos de paisaje destacan? ¿Es así toda Castilla o se ha operado una selección? ¿Por qué?**
- **Hemos hablado del subjetivismo de los noventayochistas: es esencial en ellos la fusión de paisaje y alma. ¿Hay algo de eso en este texto?**
- **¿Cómo ve el autor el «espíritu» de Castilla? ¿Qué aspectos históricos o literarios escoge para caracterizar su personalidad? ¿Por qué?**

---

[3] *dejo,* regusto. [4] *panteístico,* en relación con el panteísmo, concepción que identifica a Dios con el universo. [5] *espingardas,* especie de escopeta primitiva. [6] Triple alusión a expresiones de Mahoma, Calderón y Felipe II, respectivamente.

Su preocupación por España llevó a Unamuno, como a sus compañeros de generación, a exaltar nuestros paisajes como punto de partida para la reflexión. (Atardecer, *por G. del Olmo.*)

NIEBLA

Una «nivola»

Como ejemplo del arte narrativo de Unamuno, ofrecemos unos fragmentos del capítulo XXXI de Niebla *(1914), reveladores, además, de típicas preocupaciones existenciales unamunianas: la consistencia de la persona, el anhelo de «serse» (de ser plenamente uno mismo, de realizarse plenamente), la angustia ante la muerte y el más allá. Es un capítulo famoso: el protagonista, Augusto, desesperado por un desengaño amoroso, ha pensado en suicidarse. Sin embargo, habiendo leído cierto ensayo sobre el suicidio, decide consultar con su autor, que no es otro que... el propio Unamuno.*

He aquí la insólita conversación entre el novelista y su personaje:

Empezó hablándome de mis trabajos literarios y más o menos filosóficos, demostrando conocerlos bastante bien, lo que no dejó, ¡claro está!, de halagarme, y enseguida empezó a contarme su vida y sus desdichas. Le atajé diciéndole que se ahorrase aquel trabajo, pues de las vicisitudes de su vida sabía yo tanto como él, y se lo demostré citándole los más íntimos pormenores y los que él creía más secretos. 5 Me miró con ojos de verdadero terror y como quien mira a un ser increíble; creí notar que se le alteraba el color y traza de semblante y que hasta temblaba. Le tenía yo fascinado.

—¡Parece mentira! —repetía—. ¡Parece mentira! A no verlo no lo creería. No sé si estoy despierto o soñando...

—Ni despierto ni soñando —le contesté.

10 —No me lo explico..., no me lo explico —añadió—, mas puesto que usted parece saber sobre mí tanto como sé yo mismo, acaso adivine mi propósito...

—Sí —le dije—, tú —y recalqué este tú con un tono autoritario—, tú, abrumado por tus desgracias, has concebido la diabólica idea de suicidarte, y antes de hacerlo, movido por algo que has leído en uno de mis últimos ensayos, vienes a consultármelo.

15 El pobre hombre temblaba como un azogado[7], mirándome como un poseído miraría. Intentó levantarse, acaso para huir de mí; no podía. No disponía de sus fuerzas.

—¡No, no te muevas! —le ordené.

—Es que..., es que... —balbuceó.

—Es que tú no puedes suicidarte, aunque lo quieras.

20 —¿Cómo? —exclamó al verse de tal modo negado y contradicho.

—Sí. Para que uno se pueda matar a sí mismo, ¿qué es menester? —le pregunté.

—Que tenga valor para hacerlo —me contestó.

—No —le dije—, ¡que esté vivo!

—¡Desde luego!

25 —¡Y tú no estás vivo!

—¿Cómo que no estoy vivo? [...]

—No, no existes más que como ente[8] de ficción; no eres, pobre Augusto, más que un producto de mi fantasía y de las de aquellos de mis lectores que lean el relato que de tus fingidas venturas y malandanzas he escrito yo; tú no eres más que un personaje de novela, o de *nivola,* o como quieras llamarle. 30 Ya sabes, pues, tu secreto.

[7] *azogado,* el que ha absorbido vapores de azogue, mercurio. [8] *ente,* ser.

Al oír esto quedó el pobre hombre mirándome un rato con una de esas miradas perforadoras que parecen atravesar la mira e ir más allá, miró luego un momento a mi retrato al óleo que preside a mis libros, le volvió el color y aliento, fue recobrándose, se hizo dueño de sí, apoyó los codos en mi camilla, a que estaba arrimado frente a mí, y, la cara en las palmas de las manos y mirándome con una sonrisa en
35 los ojos, me dijo lentamente:

—Mire usted bien, don Miguel..., no sea que esté usted equivocado y que ocurra precisamente todo lo contrario de lo que usted se cree y me dice.

—Y ¿qué es lo contrario? —le pregunté alarmado de verle recobrar vida propia.

—No sea, mi querido don Miguel —añadió—, que sea usted, y no yo, el ente de ficción, el que no
40 existe en realidad, ni vivo, ni muerto...

(La conversación continúa y llega a ser violenta. Augusto insinúa incluso la idea de matar a Unamuno, y éste, furioso, decide —como autor que es— hacer que muera Augusto. Entonces, el personaje, que poco antes había pensado en el suicidio, siente renacer unas inmensas ganas de vivir. He aquí el final del capítulo:)

Cayó a mis pies de hinojos, suplicante y exclamando:

—¡Don Miguel, por Dios, quiero vivir, quiero ser yo!

—¡No puede ser, pobre Augusto —le dije cogiéndole una mano y levantándole—, no puede ser! Lo tengo ya escrito y es irrevocable; no puedes vivir más. No sé qué hacer ya de ti. Dios, cuando no sabe
45 qué hacer de nosotros, nos mata. [...]

—Pero... por Dios...

—No hay pero ni Dios que valgan. ¡Vete!

—¿Conque no, eh? —me dijo—, ¿conque no? No quiere usted dejarme ser yo, salir de la niebla, vivir, vivir, vivir, verme, oírme, tocarme, sentirme, dolerme, serme[9]: ¿conque no lo quiere?, ¿conque he
50 de morir ente de ficción? Pues bien, mi señor creador don Miguel, también usted se morirá, también usted, y se volverá a la nada de que salió... ¡Dios dejará de soñarle! ¡Se morirá usted, sí, se morirá, aunque no lo quiera; se morirá usted y se morirán todos los que lean mi historia, todos, todos, todos sin quedar uno! ¡Entes de ficción como yo; lo mismo que yo! [...]

Este supremo esfuerzo de pasión de vida, de ansia de inmortalidad, le dejó extenuado al pobre
55 Augusto.

Y le empujé a la puerta, por la que salió cabizbajo. Luego se tanteó como si dudase ya de su propia existencia. Yo me enjugué una lágrima furtiva.

[9] *serme*. Unamuno, como sabemos, emplea el verbo *serse* con el sentido de «ser plenamente uno mismo», «alcanzar la plenitud».

- **Al llamar *nivola* a esta obra, Unamuno subrayaba su ruptura de convenciones narrativas. Aquí, audazmente, se traspasa o se anula la frontera entre realidad y ficción. ¿Habías visto algo parecido en otras obras?**
- **¿Qué alcance filosófico da Unamuno a este insólito diálogo entre criatura y creador? ¿Cómo conecta este pasaje con las grandes preocupaciones existenciales del autor?**
- **La expresión de los anhelos vitales y la angustia ante la muerte alcanzan su máximo dramatismo en la última intervención de Augusto. Coméntese.**
- **El estilo de Unamuno en este texto. Habilidad narrativa.**

POESÍAS

Terminaremos con dos muestras de su obra poética. En ellas veremos, de nuevo, los dos grandes temas de Unamuno.

[1]

Tú me levantas, tierra de Castilla,
en la rugosa palma de tu mano,
al cielo que te enciende y te refresca,
al cielo, tu amo.

5 Tierra nervuda, enjuta, despejada,
madre de corazones y de brazos,
toma el presente en ti viejos colores
del noble antaño.

Con la pradera cóncava del cielo
10 lindan en torno tus desnudos campos,
tiene en ti cuna el sol y en ti sepulcro
y en ti santuario.

Es todo cima tu extensión redonda
y en ti me siento al cielo levantado,
15 aire de cumbre es el que se respira
aquí, en tus páramos.

¡Ara[10] gigante, tierra castellana,
a ese tu aire soltaré mis cantos,
si te son dignos bajarán al mundo
20 desde lo alto!

[2]

A MI BUITRE

Este buitre voraz de ceño torvo
que me devora las entrañas fiero
y es mi único constante compañero
labra mis penas con su pico corvo.

5 El día en que le toque el postrer sorbo
apurar de mi negra sangre[11], quiero
que me dejéis con él solo y señero[12]
un momento, sin nadie como estorbo.

Pues quiero, triunfo haciendo mi agonía
10 mientras él mi último despojo traga,
sorprender en sus ojos la sombría

mirada al ver la suerte que le amaga
sin esta presa en que satisfacía
el hambre atroz que nunca se le apaga.

---

[10] *ara*, altar. [11] Hipérbaton: «apurar el postrer sorbo de mi negra sangre». [12] *señero,* solo, solitario.

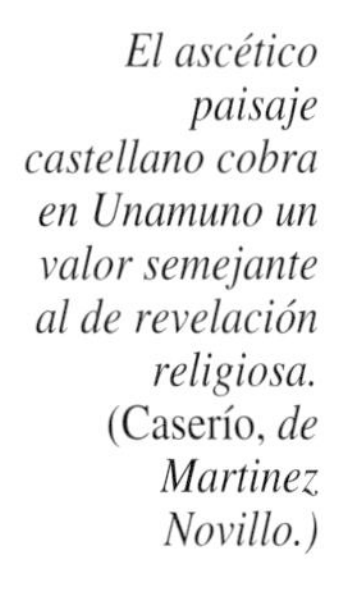

El ascético paisaje castellano cobra en Unamuno un valor semejante al de revelación religiosa. (Caserío, *de Martínez Novillo.)*

- **En el poema 1, busca los aspectos comunes con la página de *En torno al casticismo* que antes vimos: la expresión del amor a Castilla.**
- **En el soneto 2, ¿de qué es *símbolo* ese «buitre»?**
- **¿Percibes en estos poemas lo recio y hasta lo áspero del ritmo poético unamuniano? (Fíjate, por ejemplo, en lo abrupto de ciertos encabalgamientos. O en la sonoridad dominante.)**

AZORÍN (14b)

Retrato de Azorín, por Zuloaga.

VIDA E IDEAS

Nació en Monóvar (Alicante), en 1873, y se llamaba José Martínez Ruiz. Estudió Derecho, pero se dedicaría toda su vida al *periodismo.* Tras una juventud exaltada, su existencia transcurrió apacible, sin incidentes destacables. Desde 1904 utilizó el seudónimo de *Azorín* (apellido del protagonista de sus primeras novelas).

● ***Ideológicamente,*** como sabemos, evolucionó desde sus ideas *revolucionarias* juveniles hacia posturas *conservadoras* y una valoración de la España tradicional. Paralelamente, en lo *religioso,* pasó de su *anticlericalismo* inicial a *un escepticismo sereno,* para terminar proclamando «un *catolicismo* firme».

● Su ***filosofía*** está centrada en una *obsesión por el Tiempo,* por la fugacidad de la vida. Pero más que angustia, hay en él una *tristeza* íntima y el anhelo de apresar lo que permanece por debajo de lo que huye. Es, cada vez más, *un espíritu nostálgico* que vive para *evocar.*

LOS TEMAS

El temperamento de Azorín se muestra en la temática dominante de su obra. Véamoslo.

● En primer lugar, sus ***evocaciones de infancia y juventud.***

● En segundo lugar —y sobre todo— sus ***evocaciones de tierras y hombres de España.*** Son numerosas las páginas en que revive el pasado, sus ciudades, sus figuras históricas y literarias o sus gentes sencillas —lo veremos en la lectura—, con especial atención a los aspectos cotidianos (la «intrahistoria»).

● *Sus **pinturas de paisaje*** merecen párrafo aparte. Tras sus innumerables viajes, pintó todas las tierras de España, pero —una vez más— son inolvidables sus visiones de Castilla: sus aspectos físicos y su «alma». Y el alma de Azorín. «El paisaje somos nosotros —decía—; el paisaje es nuestro espíritu, sus melancolías, sus placideces, sus anhelos.» Esta sintonía entre paisaje y alma es muestra del citado *subjetivismo* noventayochista. Como nadie tal vez, Azorín proyectó sobre lo que veía su sensibilidad nostálgica. De ahí, el fino *lirismo* de sus descripciones.

ESTILO

Junto a ese *lirismo,* acaso la primera impresión que produce la prosa de Azorín sea la de *un fluir lento,* apoyado en *frases cortas.* Su ideal de estilo apunta a la *precisión* y la *claridad.* El resultado es de una pulcritud y una tersura inconfundibles.

● En sus descripciones, emplea —diríamos— ***una técnica miniaturista:*** atención al *detalle* revelador, cargado de *sugerencias.*

• En fin, de aquella ***busca de palabras olvidadas*** tan característica del «98» nos dará cumplida muestra la lectura que proponemos.

LA OBRA. ENSAYOS

Los rasgos apuntados hasta aquí aparecen con plenitud en aquellos ensayos que encierran **estampas y evocaciones españolas.** A este sector pertenecen sus dos libros más famosos: *Los pueblos* (1905) y *Castilla* (1912). Otros títulos: *La ruta de Don Quijote, Valencia,* etc.

• Aparte, escribió Azorín muchos **ensayos de crítica literaria,** que interesan sobre todo cuando *revive* páginas de nuestros clásicos con exquisita sensibilidad. Así, en *Lecturas españolas* (1912), *Al margen de los clásicos* (1915), etc.

NOVELA Y TEATRO

Las **novelas** azorinianas son muy particulares; en ellas, el argumento es tan tenue que parece un pretexto para hilvanar pinturas de tipos y ambientes, lo que las emparenta con sus ensayos. Pero hay en ellas un propósito de superar el puro realismo y de aportar un nuevo lenguaje artístico. Acaso las más interesantes sean las primeras, por su carácter autobiográfico y la presencia de una sensibilidad muy del momento: *La voluntad* (1902), *Antonio Azorín* (1903)...

• En el **teatro** no acertó. También quiso renovar, pero le faltó sentido escénico. Merece, con todo, recordarse *Lo invisible* (1928), tres piezas en un acto sobre el tema de la muerte.

CASTILLA

«Una ciudad y un balcón»

El ensayo que así se titula pertenece a Castilla, *acaso la obra cumbre de Azorín. Evoca una ciudad castellana en tres momentos de su historia: principios del siglo* XVI, *finales del* XVIII, *primeros años del* XX. *El tiempo va llevándose unas cosas y trayendo otras. Pero hay algo que no cambia: el «dolorido sentir» de ese «caballero inactual». Junto a la meditación sobre el Tiempo, se apreciarán en este ensayo los rasgos fundamentales del arte del autor: su invariable maestría descriptiva, su estilo terso y, muy especialmente, la riqueza del vocabulario añejo.*

No me podrán quitar el dolorido
sentir...

(GARCILASO)

Entremos en la catedral; flamante, blanca, acabada de hacer está. En un ángulo, junto a la capilla en que se venera la Virgen de la Quinta Angustia, se halla la puertecilla del campanario. Subamos a la torre; desde lo alto se divisa la ciudad toda y la campiña. Tenemos un maravilloso, mágico catalejo: descubriremos con él hasta los detalles más diminutos. Dirijámoslo hacia la lejanía: allá, por los
5 confines del horizonte, sobre unos lomazos redondos, ha aparecido una manchita negra; se remueve, levanta una tenue polvareda, avanza. Un tropel de escuderos, lacayos y pajes es, que acompaña a un noble señor. El caballero marcha en el centro de su servidumbre; ondean al viento las plumas multicolores de su sombrero; brilla el puño de la espada; fulge sobre su pecho una firmeza[1] de oro. Vienen todos a la ciudad; bajan ahora de las colinas y entran en la vega. Cruza la vega un río: sus aguas son
10 rojizas y lentas; ya sesga[2] en suaves meandros, ya se embarranca en hondas hoces[3]. Crecen los árboles tupidos en el llano. La arboleda se ensancha y asciende por las alturas inmediatas. Una ancha vereda —parda entre la verdura— parte de la ciudad y sube por la empinada montaña de allá lejos. Esa vereda lleva los rebaños del pueblo, cuando declina el otoño, hacia las cálidas tierras de Extremadura.

---

[1] *firmeza,* joya que da testimonio de lealtad amorosa. [2] *sesga,* tuerce. [3] *hoces,* valles estrechos y profundos.

Azorín es un maestro en el arte de captar, mediante vivas y ágiles evocaciones, el peso de la historia en las ciudades y pueblos de Castilla (Segovia, *obra de Fernando Mignoni).*

Ahora las mesetas vecinas, la llanada de la vega, los alcores que bordean el río, están llenos de blan-
15 cos carneros que sobre las praderías forman como grandes copos de nieve.

De la lana y el cuero vive la diminuta ciudad. En las márgenes del río hay un obraje[4] de paños y unas tenerías[5]. A la salida del pueblo —por la Puerta Vieja— se desciende hasta el río; en esa cuesta están las tenerías. Entre las tenerías se ve una casita medio caída, medio arruinada; vive en ese chamizo una buena vieja —llamada Celestina— que todas las mañanas sale con un jarrillo desbocado y
20 lo trae lleno de vino para la comida, y que luego va de casa en casa, en la ciudad, llevando agujas, gorgueras[6], garviñes[7], ceñideros y otras bujerías[8] para las mozas. En el pueblo, los oficiales de mano[9] se agrupan en distintas callejuelas; aquí están los tundidores[10], perchadores[11], cardadores[12], arcadores[13], pelaires[14]; allá en la otra, los correcheros[15], guarnicioneros[16], boteros[17], chicarreros[18]. Desde que quiebra el alba, la ciudad entra en animación; cantan los pelaires los viejos romances de Blancaflor[19]
25 y del Cid —como cantan los cardadores de Segovia en la novela *El donado hablador*[20]—; tunden los

---

[4] *obraje,* fábrica. [5] *tenerías,* curtiduría, lugar donde se curten las pieles. [6] *gorgueras,* tipo de cuellos antiguos, con la tela muy plegada. [7] *garviñes,* cofias de redecilla. [8] *bujerías,* baratijas, chucherías. [9] *oficiales de mano,* artesanos, obreros. [10] *tundidores,* los que cortan o igualan el pelo de los paños. [11] *perchadores,* según dice luego Azorín, son los que cortan el paño «con sus sutiles tijeras»; según el diccionario de la RAE, son los que cuelgan el paño y le sacan el pelo con una carda. [12] *cardadores,* los que cardan la lana para el hilado. [13] *arcadores,* los que varean la lana y la ahuecan. [14] *pelaires,* cardadores de paños. [15] *correcheros,* los que hacen correas. [16] *guarnicioneros,* los que fabrican correajes, riendas, sillas, etc., para las caballerías. [17] *boteros,* fabricantes de botas de vino. [18] *chicarreros,* los que hacen o venden «chicarros» (calzados de niño). [19] La historia de los amores de Flores y Blancaflor fue famosa en la literatura medieval y renacentista; en España existen una novela y varios romances sobre el tema. [20] *El donado hablador* (1624) es una novela picaresca de Jerónimo de Alcalá.

paños los tundidores; córtanle con sus sutiles tijeras el pelo los perchadores; cardan la blanca lana los cardadores; los chicarreros trazan y cosen zapatillas y chapines[21]; embrean y trabajan las botas y cueros, en que se han de encerrar el vino y el aceite, los boteros. Ya se han despertado las monjas de la pequeña monjía que hay en el pueblo; ya tocan las campanitas cristalinas. Luego, cuando avance el día, 30 estas monjas saldrán de su convento, devanearán por la ciudad, entrarán y saldrán en las casas de los hidalgos, pasarán y tornarán a pasar por las calles. Todos los oficiales trabajan en las puertas y en los zaguanes. Cuelga de la puerta de esta tiendecilla la imagen de un cordero; de la otra, una olla; de la de más allá, una estrella. Cada mercader tiene su distintivo. Las tiendas son pequeñas, angostas, lóbregas.

A los cantos de los pelaires se mezclan en estas horas de la mañana las salmodias de un ciego re- 35 zador[22]. Conocido es en la ciudad; la oración del Justo Juez, la de San Gregorio y otras muchas va diciendo por las casas con voz sonora y lastimera; secretos sabe para toda clase de dolores y trances mortales; un muchachuelo le conduce; la malicia y la inteligencia brillan en los ojos del mozuelo. En las tiendecillas se ven las caras finas de los judíos. Pasan por las callejas los frailes con sus estameñas blancas o pardas. La campana de la catedral lanza sus largas campanadas. Allá, en la orilla del río, 40 unas mujeres lavan y carmenan[23] la lana.

(Se ha descubierto un Nuevo Mundo; sus tierras son inmensas; hay en él bosques formidables, ríos anchurosos, montañas de oro, hombres extraños, desnudos y adornados con plumas. Se multiplican en las ciudades de Europa las imprentas, corren y se difunden millares de libros. La antigüedad clásica ha renacido; Platón y Virgilio han vuelto al mundo. Florece el tronco de la vieja Humanidad.)

45 En la plaza de la ciudad se levanta un caserón de piedra; cuatro grandes balcones se abren en la fachada. Sobre la puerta resalta un recio blasón. En el primer balcón de la izquierda se ve sentado en un sillón un hombre; su cara está pálida, exangüe y remata en una barbita afilada y gris. Los ojos de este caballero están velados por una profunda tristeza; el codo lo tiene el caballero puesto en el brazo del sillón y su cabeza descansa en la palma de la mano...

(Suprimimos la segunda parte de este ensayo. «Se ha empañado el cristal» del catalejo con que mira el autor; luego, vuelve a aparecer el mismo paisaje, la misma ciudad, pero a finales del siglo XVIII. Azorín anota las huellas del paso del tiempo; sin embargo, en el balcón de la plaza hay también un caballero con la mano en la mejilla y cuyos ojos «están velados por una profunda, indefinible tristeza...» Y el tiempo seguirá pasando.)

50 Otra vez se ha empañado el cristal de nuestro catalejo, nada se ve. Limpiémoslo. Ya está; enfoquémoslo de nuevo hacia la ciudad y el campo. Allá, en los confines del horizonte, aquellas lomas que destacan sobre el cielo diáfano han sido como cortadas con un cuchillo. Las rasga una honda y recta hendidura; por esa hendidura, sobre el suelo, se ven dos largas y brillantes barras de hierro que cruzan una junto a otra, paralelas, toda la campiña. De pronto aparece en el costado de las lomas una 55 manchita negra; se mueve, adelanta rápidamente, va dejando en el cielo un largo manchón de humo. Ya avanza por la vega. Ahora vemos un extraño carro de hierro con una chimenea que arroja una espesa humareda, y detrás de él, una hilera de cajones negros con ventanitas; por las ventanitas se divisan muchas caras de hombres y mujeres. Todas las mañanas surge en la lejanía este negro carro con sus negros cajones; despide penachos de humo, lanza agudos silbidos, corre vertiginosamente y se 60 mete en uno de los arrabales de la ciudad.

---

[21] *chapines,* zapatos femeninos parecidos a los chanclos. [22] Es el primer amo de Lazarillo de Tormes. [23] *carmenan,* desenredan.

El río se desliza manso, con sus aguas rojizas; junto a él —donde antaño estaban los molinos y el obraje de paños— se levantan dos grandes edificios; tienen una elevadísima y sutil chimenea; continuamente están llenando de humo denso el cielo de la vega. Muchas de las callejas del pueblo han sido ensanchadas; muchas de aquellas callejitas que serpenteaban en entrantes y salientes —con sus
65 tiendecillas— son ahora amplias y rectas calles donde el sol calcina las viviendas en verano y el vendaval frío levanta cegadoras tolvaneras[24] en invierno. En las afueras del pueblo, cerca de la Puerta Vieja, se ve un edificio redondo, con extensas graderías llenas de asientos y un círculo rodeado de un vallar de madera en medio. A la otra parte de la ciudad se divisa otra enorme edificación, con innumerables ventanitas; por la mañana, a mediodía, por la noche, parten de ese edificio agudos, largos,
70 ondulantes sones de corneta. Centenares de lucecitas iluminan la ciudad durante la noche; se encienden y se apagan ellas solas.

(Todo el planeta está cubierto de una red de vías férreas; caminan veloces por ellas los trenes; otros vehículos —también movidos por sí mismos— corren vertiginosos por campos, ciudades y montañas. De nación a nación se puede transmitir la voz humana. Por los aires, etéreamente, de con-
75 tinente en continente, van los pensamientos del hombre. En extraños aparatos se remonta el hombre por los cielos; a los senos de los mares desciende en unas raras naves y por allí marcha; de las procelas[25] marinas, antes espantables, se ríe ahora subido en gigantescos barcos. Los obreros de todo el mundo se tienden las manos por encima de las fronteras.)

En el primer balcón de la izquierda, allá en la casa de piedra que está en la plaza, hay un hombre
80 sentado. Parece abstraído en una profunda meditación. Tiene un fino bigote de puntas levantadas. Está el caballero sentado, con el codo puesto en uno de los brazos del sillón y la cara apoyada en la mano. Una honda tristeza empaña sus ojos...

* * *

¡Eternidad, insondable eternidad del dolor! Progresará maravillosamente la especie humana; se realizarán las más fecundas transformaciones. Junto a un balcón, en una ciudad, en una casa, siem-
85 pre habrá un hombre con la cabeza, meditadora y triste, reclinada en la mano. No le podrán quitar el dolorido sentir.

---

[24] *tolvaneras*, remolinos de polvo. [25] *procelas*, borrascas, tempestades.

- **Comenta el sentido general del texto, a la luz del último párrafo. Relaciónalo con lo que sabes de la mentalidad y sensibilidad del autor.**
- **Observa los paralelismos entre las dos partes de este ensayo que hemos leído. ¿Cómo nos presenta Azorín los cambios en el paisaje, en la ciudad?**
- **Ya conoces la distinción entre Historia externa e «intrahistoria»; ¿en qué párrafos y cómo aparece la primera?, ¿y la segunda? ¿Cuál cobra mayor relieve?**
- **Índole y calidad de las descripciones.**
- **Ilustra con este texto cuanto hemos dicho sobre el estilo de Azorín.**

PÍO BAROJA (14c)

PERSONALIDAD Y CONCEPCIÓN DE LA VIDA

● Nació en San Sebastián (1872). Estudió Medicina, que apenas ejerció. Pronto se entregó de lleno a la literatura. Escribió sus novelas más importantes antes de 1915. En 1935 ingresó en la Real Academia Española. Por lo demás, y salvo diversos viajes, llevó una vida cada vez más sedentaria. Murió en Madrid, en 1956.

● Fue Baroja *un inconformista radical.* De su anarquismo juvenil le quedó siempre una postura iconoclasta, hostil a la sociedad. No creyó ni en Dios, ni en el hombre. («Creo que el hombre es un animal dañino, envidioso, cruel...», dijo.) Y, sin embargo, hay también en él *una inmensa ternura por los seres desvalidos o marginados.* Esto y la *sinceridad* —no engañar ni engañarse— son las bases de su *ética* personal.

● Como hombre del 98, amó a España y le preocuparon sus problemas, pero no se hizo ilusiones (pasadas sus esperanzas juveniles).

SU IDEA DE LA NOVELA

● «Yo escribo mis libros sin plan.» En efecto, la **construcción** de las novelas de Baroja es *muy libre:* en ellas, se van yuxtaponiendo episodios, anécdotas, digresiones; y aparecen y desaparecen los más variados personajes.

● Quería reflejar la vida en toda su espontaneidad. La ***invención*** y la ***observación*** se combinan perfectamente en su obra. La ***acción*** suele ser muy variada. Y la pintura de ***personajes*** y de ***ambientes*** es de gran relieve. Todo en Baroja da «la sensación de lo visto, de lo vivido». Pero de sus páginas, a la vez, se desprende su *desencantada concepción de la vida.*

● Los **personajes** barojianos son frecuentemente seres al margen de la sociedad o enfrentados con ella; a veces, criaturas marcadas por la desorientación existencial o la frustración; a veces, hombres de acción que quieren escapar de la grisura cotidiana. Pero siempre, figuras vivísimas, trazadas con mano maestra.

EL ESTILO

● Baroja lleva a tal extremo la tendencia *antirretórica* de los noventayochistas, que se le acusó de descuidado. Pero ***su prosa*** es *espontánea* y *agilísima,* con absoluto predominio de la *frase corta* y el *párrafo breve.*

● Posee Baroja un insuperable ***arte de contar.*** El ***relato*** fluye rápido, ameno. Las ***descripciones*** suelen ser tan escuetas como gráficas. Y el ***diálogo***, del que Baroja es un maestro, destaca por su autenticidad conversacional.

OBRAS

● Su producción abarca más de sesenta novelas, aparte otros libros (memorias, ensayos...). Una buena parte de su narrativa se agrupa en ***trilogías,*** cuyos títulos indican la idea común de las novelas que las componen. He aquí algunas (señalamos con asteriscos las obras especialmente importantes):

— ***La lucha por la vida,*** formada por *La busca** (1904), *Mala hierba* (1904) y *Aurora roja* (1905).

— ***Tierra vasca:*** *La casa de Aizgorri* (1900), *El mayorazgo de Labraz* (1903) y *Zalacaín el aventurero** (1909).

— ***La raza:*** *La dama errante* (1909), *La ciudad de la niebla* (1909) y *El árbol de la ciencia** (1911).

● Destacaremos, sueltos, otros títulos inolvidables: *Camino de perfección, Aventuras, inventos y mixtificaciones de Silvestre Paradox, Las inquietudes de Shanti Andía...*

● Citemos, en fin, las 22 novelas que componen la serie titulada *Memorias de un hombre de acción* (1913-1935), cuyo protagonista es Aviraneta, un inquieto personaje del siglo XIX.

SIGNIFICACIÓN DE BAROJA

Es el novelista por antonomasia de la literatura española contemporánea, por sus dotes de narrador y su aliento creador. La fuerza de su testimonio social y la sobriedad de su estilo se convirtieron en modelo de muchos novelistas de posguerra. Y su lectura, hoy, sigue siendo un placer.

LA BUSCA

Argumento y significación

Manuel, un muchacho que había pasado su infancia en un pueblo de Soria, llega a Madrid para reunirse con su madre, que está de criada en una pensión. Se inicia entonces su «lucha por la vida». Trabaja en una zapatería a la vez que, con sus nuevos amigos, conoce el ambiente de la golfería madrileña. Trabaja luego en una panadería, donde es tratado duramente. Muere su madre. Las circunstancias parecen querer arrastrarlo a la delincuencia. Conoce entonces a un trapero, el señor Custodio, en cuya casa encuentra afecto y paz. Pero se enamora de Justa, la hija, sin esperanza, y, tras cierto incidente, se marcha. ¿Adónde? Las últimas páginas —que enseguida leeremos— nos muestran un Manuel desamparado, sin casa, sin rumbo: es un final «abierto» que invita a leer la continuación de la trilogía La lucha por la vida.

Pero lo dicho es sólo un escueto hilo argumental que hilvana —con la típica libertad barojiana— abundantes episodios, cuadros de ambiente y tipos: la pensión cochambrosa, las viviendas miserables, los bajos fondos, las tabernas de mala nota, los mendigos, los hampones... Un panorama terrible, impresionante, del Madrid «negro» de principios de siglo.

Y de todo ello se desprende la idea de cómo un muchacho puede ser deformado por una sociedad deforme.

El Corralón del tío Rilo

En el capítulo II de la Segunda parte *de la novela entramos en esta «casa de vecindad» donde vive la familia del zapatero con quien trabaja Manuel. Es una impresionante pintura que prueba la potente capacidad de observación de Baroja.*

Daba el Corralón —este era el nombre más familiar de la piltra[1] del tío Rilo— al paseo de las Acacias pero no se hallaba en la línea de este paseo, sino algo metido hacia atrás. La fachada de esta casa, baja, estrecha, enjalbegada de cal, no indicaba su profundidad y tamaño; se abrían en esta fachada unos cuantos ventanucos y agujeros asimétricamente combinados, y un arco sin puerta daba acceso a
5 un callejón empedrado con cantos, el cual, ensanchado después, formaba un patio, circunscrito por las altas paredes negruzcas.

De los lados del callejón de entrada subían escaleras de ladrillo a galerías abiertas, que corrían a lo largo de la casa en los tres pisos, dando la vuelta al patio. Abríanse de trecho en trecho, en el fondo de estas galerías, filas de puertas pintadas de azul, con un número negro en el dintel de cada una. [...]

10 Hallábase el patio siempre sucio; en un ángulo se levantaba un montón de trastos inservibles, cubierto de chapas de cinc; se veían telas puercas y tablas carcomidas, escombros, ladrillos, tejas y cestos: un revoltijo de mil diablos. Todas las tardes algunas vecinas lavaban en el patio, y cuando terminaban su faena vaciaban los lebrillos en el suelo, y los grandes charcos, al secarse, dejaban manchas blancas y regueros azules del agua de añil[2]. Solían echar también los vecinos por cualquier parte
15 la basura, y cuando llovía, como se obturaba casi siempre la boca del sumidero, se producía una pestilencia insoportable de la corrupción del agua negra que inundaba el patio, y sobre la cual nadaban hojas de col y papeles pringosos. [...]

---

[1] *piltra,* significa normalmente «cama»; aquí, por extensión, es «casa donde uno duerme». [2] *añil,* sustancia de color azul empleada como colorante o, en pequeñas proporciones, para avivar la blancura de la colada.

Cada trozo de galería era manifestación de una vida distinta dentro del comunismo del hambre; había en aquella casa todos los grados y matices de la miseria: desde la heroica, vestida con el harapo 20 limpio y decente, hasta la más nauseabunda y repulsiva. [...]

Del patio grande del Corralón partía un pasillo, lleno de inmundicias, que daba a otro patio más pequeño, en el invierno convertido en un fétido pantano.

Un farol, metido dentro de una alambrera, para evitar que lo rompiesen los chicos a pedradas, colgaba de una de sus paredes negras. [...]

25 Para que en aquella casa hubiese siempre algo terrible y trágico, al entrar solía verse en el portal o en el pasillo una mujer borracha y delirante, que pedía limosna e insultaba a todo el mundo, a quien llamaban *La Muerte*. Debía ser[3] muy vieja, o lo parecía al menos; su mirada era extraviada, su aspecto huraño, la cara llena de costras; uno de sus párpados inferiores, re- 30 traído por alguna enfermedad, dejaba ver el interior del globo del ojo, sangriento y turbio. Solía andar *La Muerte* cubierta de harapos, en chanelas[4], con una lata y 35 un cesto viejo donde recogía lo que encontraba. Por cierta consideración supersticiosa no la echaban a la calle. [...]

Era, en general, toda la gente 40 que allí habitaba, gente descentrada, que vivía en el continuo aplanamiento producido por la eterna e irremediable miseria; muchos cambiaban de oficio, como un rep- 45 til de piel; otros no lo tenían; algunos peones de carpintero, de albañil, a consecuencia de su falta de iniciativa, de comprensión y de habilidad, no podían pasar de peo- 50 nes. Había también gitanos, esquiladores de mulas y de perros, y no

«Cada trozo de galería era manifestación de una vida distinta dentro del comunismo del hambre...» (Patio de vecindad, *cuadro de Méndez Bringa.)*

[3] *debía* ser: con el sentido de probabilidad que aquí tiene, convenía usar *debía de ser.* [4] *chanelas*, chinelas, pantuflas, zapatillas sin talón.

faltaban cargadores, barberos ambulantes y saltimbanquis. Casi todos ellos, si se terciaba, robaban lo que podían; todos presentaban el mismo aspecto de miseria y de consumición. Todos sentían una rabia constante, que se manifestaba en imprecaciones furiosas y en blasfemias.

55 Vivían como hundidos en las sombras de un sueño profundo, sin formarse idea clara de su vida, sin aspiraciones, ni planes, ni proyectos, ni nada.

COMENTARIO DE TEXTO. EL CORRALÓN... (líneas 10-38)

Introducción

a Sitúa el texto refiriéndote a lo que hemos dicho sobre *La busca* y recordando el interés de Baroja por ciertos ambientes y ciertos tipos.

b ***Contenido.*** ¿Qué realidad nos presenta el autor y con qué propósito?

Análisis (contenido y expresión)

c Estamos ante una pieza maestra del ***arte de la descripción***. Irás destacando párrafo a párrafo los detalles que te resulten más gráficos y las expresiones con que los plasma Baroja. Te llamaremos la atención sobre algunos solamente.

d En las *líneas 10-17,* nota la rapidez de las frases: como en rápidos «planos» cinematográficos, Baroja capta ciertos detalles: ¿qué tienen de significativo?, ¿qué impresión va dominando?

e En esas mismas líneas —y en las siguientes—, dentro de lo sencillo y escueto del lenguaje, señala algunas palabras o expresiones muy familiares que contribuyen a la impresión de ambiente mísero.

f ¿Qué reflexión contiene el párrafo de las *líneas 18-20*?

g ¿Qué detalle curioso hay en las *líneas 23-24*? Detalles como éste dan la impresión de algo «visto» realmente. ¿Era así ya en los párrafos anteriores? Pon ejemplos.

h *Líneas 25-38* (*La Muerte*). He aquí uno de esos rápidos retratos o bocetos muy característicos de Baroja. Observa cómo está trazado con unas pocas y vigorosas pinceladas. Subraya su relieve visual y su fuerza (en general, los detalles repulsivos). Y destaca la eficacia del estilo barojiano (sintaxis nerviosa, léxico preciso y contundente...).

Conclusión

i Empezamos hablando del propósito de Baroja; ¿ha conseguido lo que se proponía? (Si has leído el resto del fragmento, apóyate en las reflexiones del autor sobre el vivir de aquellas gentes.)

j Haz un juicio acerca del arte descriptivo del autor.

Final

He aquí las últimas páginas de la novela. Manuel, definitivamente desengañado en su amor por Justa, abandona la casa del trapero. Vagando sin saber adónde ir, desemboca en la Puerta del Sol, en la que otros desheredados pasan la noche al calor de unas calderas de asfalto. El pasaje es impresionante, con las reflexiones de Manuel. Como dijimos, se trata de un final «abierto».

Estaban asfaltando un trozo de la Puerta del Sol; diez o doce hornillos puestos en hilera vomitaban por sus chimeneas un humo espeso y acre. Todavía las luces blancas de los arcos voltaicos no habían iluminado la plaza; las siluetas de unos cuantos hombres que removían la masa de asfalto en las
60 calderas con largos palos se agitaban diabólicamente ante las bocas inflamadas de los hornillos.

Manuel se acercó a una de las calderas y oyó que le llamaban. Era el *Bizco*[5]; se hallaba sentado sobre unos adoquines.

—¿Qué hacéis aquí? —le preguntó Manuel.

—Nos han derribado las cuevas de la Montaña[6] —dijo el *Bizco*—, y hace frío. Y tú, ¿qué? ¿Has
65 dejado la casa?

—Sí.

—Anda, siéntate. [...]

Alrededor de las calderas del asfalto se habían amontonado grupos de hombres y de chiquillos astrosos; dormían algunos con la cabeza apoyada en el hornillo, como si fueran a embestir contra él.
70 Los chicos hablaban y gritaban, y se reían de los espectadores que se acercaban con curiosidad a mirarles. [...]

(En un momento, por defender a un pobre chiquillo, Manuel se enzarza en una pelea con uno de los golfos. Se agolpan los transeúntes curiosos como si se tratara de un espectáculo. Manuel se deshace de su contrincante y, burlándose de la gente, vuelve a recostarse contra su caldera.)

Poco después el grupo de curiosos se había dispersado; no quedaban más que un municipal y un señor viejo, que hablaban de los golfos en tono de lástima.

El señor se lamentaba del abandono en que se les dejaba a los chicos, y decía que en otros países
75 se creaban escuelas y asilos y mil cosas. El municipal movía la cabeza en señal de duda. Al último resumió la conversación, diciendo con tono tranquilo de gallego:

—Créame usted a mí: estos ya no son buenos.

Manuel, al oír aquello, se estremeció; se levantó del suelo en donde estaba, salió de la Puerta del Sol y se puso a andar sin dirección ni rumbo.

80 «¡Estos ya no son buenos!» La frase le había producido una impresión profunda. ¿Por qué no era bueno él? ¿Por qué? Examinó su vida. Él no era malo, no había hecho daño a nadie. Odiaba al *Carnicerín* porque le arrebataba su dicha, le imposibilitaba vivir en el rincón donde únicamente encontró algún cariño y alguna protección. Después, contradiciéndose, pensó que quizá era malo y, en ese caso, no tenía más remedio que corregirse y hacerse mejor. [...]

85 La noche le pareció interminable: dio vueltas y más vueltas; apagaron la luz eléctrica, los tranvías cesaron de pasar, la plaza quedó a oscuras.

Entre la calle de la Montera y la de Alcalá iban y venían delante de un café, con las ventanas iluminadas, mujeres de trajes claros y pañuelos de crespón, cantando, parando a los noctámbulos; unos cuantos chulos, agazapados tras de los faroles, las vigilaban y charlaban con ellas, dándoles
90 órdenes...

Luego fueron desfilando busconas, chulos y celestinas. Todo el Madrid parásito, holgazán, alegre, abandonaba en aquellas horas las tabernas, los garitos, las casas de juego, las madrigueras y los refugios del vicio, y por en medio de la miseria que palpitaba en las calles, pasaban los trasnochadores con el cigarro encendido, hablando, riendo, bromeando con las busconas, indiferentes a las agonías de tan-
95 to miserable desharrapado, sin pan y sin techo, que se refugiaba temblando de frío en los quicios de las puertas. [...]

[5] El *Bizco,* un golfo en cuya pandilla anduvo Manuel. [6] La Montaña de Príncipe Pío, entonces afueras de Madrid.

Tardó mucho en aclarar el cielo. [...]

Todavía algún trasnochador pálido, con el cuello del gabán levantado, se deslizaba siniestro como un búho ante la luz, y mientras tanto comenzaban a pasar obreros... El Madrid trabajador y honrado se preparaba para su ruda faena diaria.

Aquella transición del bullicio febril de la noche a la actividad serena y tranquila de la mañana le hizo pensar a Manuel largamente.

Comprendía que eran las de los noctámbulos y las de los trabajadores vidas paralelas que no llegaban ni un momento a encontrarse. Para los unos, el placer, el vicio, la noche; para los otros, el trabajo, la fatiga, el sol. Y pensaba también que él debía ser de éstos, de los que trabajan al sol, no de los que buscan el placer en la sombra.

- **El pasaje es largo. Destaquemos sólo sus grandes líneas. Se comprobará, ante todo, el arte narrativo de Baroja: señala las partes del relato y muestra la fluidez con que se pasa de unas cosas a otras.**
- **Interés de Baroja por los desheredados y visión crítica. Contraste entre los miserables y los juerguistas.**
- **¿Qué posturas se confrontan en el diálogo entre «un señor viejo» y el guardia municipal?**
- **Manuel: sus reacciones, sus reflexiones.**
- **¿Qué impresión deja en el lector este final?**

En La Busca, *Baroja logra dar vida al mundo suburbial madrileño de principios de siglo: casas misérrimas, pensiones inhóspitas, tabernas y tugurios frecuentados por hampones... (Ilustración de Ricardo Baroja.)*

VALLE-INCLÁN (14d)

PERFIL HUMANO

- Don Ramón María del Valle-Inclán (que se llamaba en realidad Ramón Valle Peña) nació en Villanueva de Arosa, Pontevedra, en 1866. Sin terminar sus estudios de Derecho, marcha a México con afán de aventuras. De regreso, lleva en Madrid una vida bohemia. En 1899, a consecuencia de una herida recibida en una riña, pierde el brazo izquierdo. Se casa con una actriz en 1907. Su fama crece tanto por su arte como por su vida excéntrica. Pese a las dificultades económicas, se dedica por entero a escribir; incluso renuncia a una cátedra. En 1933 aceptó ser director de la Academia Española en Roma. Murió de cáncer en Santiago en 1936.

- *«Eximio escritor y extravagante ciudadano»:* así lo definió el general Primo de Rivera. Su figura era inconfundible: manco, melena y barbas largas, capa y chambergo. Pero, por debajo de su excentricidad, está su inconformismo, la entrega rigurosa a su arte y una audaz búsqueda de nuevas formas.

- ***Políticamente,*** fue primero *tradicionalista:* opuesto a la sociedad burguesa, que le parecía fea, se aferraba a los valores antiguos. Pero, a partir de 1915, da un giro radical: se sigue oponiendo a lo mismo, pero ahora desde posturas *revolucionarias*. Con todo, no es fácil separar lo que había en él de convencimiento político y de postura «estética».

LA OBRA. EVOLUCIÓN

Su amplia producción abarca todos los géneros. Y en todos se aprecia una profunda evolución, paralela a su cambio ideológico. A grandes rasgos, pasa de un *modernismo* refinado y nostálgico a una *crítica desgarrada,* con un estilo radicalmente nuevo: el *esperpento.* (Recordemos que fue considerado, con escaso acierto, «hijo pródigo del 98».)

LA ETAPA MODERNISTA

Entre 1902 y 1905 escribe las ***Sonatas.*** Son cuatro novelas breves *(Sonata de Primavera, de Estío, de Otoño* y *de Invierno)* que recogen las aventuras y amores del marqués de Bradomín, «un don Juan feo, católico y sentimental». Hay en ellas la visión, entre nostálgica y distante, de un mundo refinado y decadente. Por su *estilo,* suponen para la prosa española lo que supuso Rubén Darío para la poesía. Es una prosa rítmica, rica en efectos sensoriales, elegante, bellísima.

- Escribe luego algunas de sus ***Comedias bárbaras*** *(Romance de lobos,* 1908, etc.), de ambiente rural gallego, con personajes singulares, pasiones violentas y un estilo más fuerte. (¿Son auténtico teatro? Luego lo precisaremos.)

- La evolución se acentúa con la trilogía de novelas ***La guerra carlista*** (1908-1909), en que se muestra el duro contraste entre el heroísmo y la brutalidad de la guerra. El mismo contraste, en el estilo: junto a resabios modernistas, aparece un lenguaje duro y desgarrado.

- Idéntica evolución se apreciará en su **poesía,** desde *Aromas de leyenda* (1907), modernista, a *La pipa de kif* (1919), de tonos «esperpénticos», de asombrosa originalidad.

LA ÉPOCA DE LOS «ESPERPENTOS»

- La consolidación de su nueva estética se da en 1920 con la publicación de *Luces de bohemia,* subtitulada ***«esperpento».*** Con esta palabra (cuyo significado habitual era «persona o cosa extravagante o absurda») designa Valle unas obras que se basan en *una deformación o degradación expresionista de la realidad.* (Su mejor caracterización se hallará en un pasaje que luego insertamos.)

- En los «esperpentos» se agitan fantoches grotescos o conmovedores, presentados con técnica distorsionante y un lenguaje áspero, a menudo soez. Pero, dentro de ese tono, la prosa es de una cuidadísima elaboración, de una creatividad auténticamente genial.

- Todo ello revela una visión ácida y violentamente disconforme con la realidad. El autor se complace en degradarla con una risotada que oculta su amargura. Así, como dijimos, el Valle-Inclán «iconoclasta» aparece cuando los noventayochistas han olvidado su radicalismo juvenil.

OTROS TÍTULOS

● De 1920 son otras obras afines a los esperpentos: el drama *Divinas palabras,* de nuevo situado en una Galicia primitiva; o la *Farsa y licencia de la reina castiza,* caricatura de la corte de Isabel II.

● Más distorsionados aún son los siguientes **esperpentos** (1921-1927), recogidos con el título conjunto de ***Martes de carnaval*** *(Los cuernos de don Friolera,* etc.).

● Y las mismas características tienen sus ***novelas de la última época***. Así, *Tirano Banderas* (1926), historia «esperpéntica» de un dictador americano, una de las más importantes novelas españolas del XX. O la trilogía *El ruedo ibérico,* en que reaparece la sátira de los tiempos de Isabel II.

SIGNIFICACIÓN Y ACTUALIDAD

Nunca se insistirá demasiado en la significación renovadora de Valle-Inclán.

Veamos, por ejemplo, sus obras dramáticas: en su tiempo, se pensó que no eran verdadero teatro, que eran irrepresentables. Muchos años más tarde, las nuevas concepciones del espectáculo teatral y las nuevas técnicas han permitido llevar su obra a la escena. Y es que Valle fue mucho más allá de lo que permitían las convenciones escénicas de su época, y, lejos de plegarse a ellas, desarrolló su teatro sin concesiones. Hoy es considerado la máxima figura del teatro español de los tres últimos siglos y como un precursor dentro del teatro mundial.

● En fin, es uno de los máximos creadores de la lengua española. Su asombroso manejo del idioma tal vez sólo sea comparable al de un Quevedo.

Retrato de Valle-Inclán, por Zuloaga.

SONATA DE OTOÑO

Prosa modernista

Como sabemos, las Sonatas *representan la cima del arte de Valle en su etapa modernista. La de* Otoño *(1902) cuenta los amores de un Bradomín ya «otoñal», en efecto, con una mujer, Concha, con la que ya años atrás había tenido relaciones. La anécdota es mínima. Concha está gravemente enferma y acabará muriendo en brazos de su amante. En el capítulo que reproducimos, se hallarán —entre otras cosas— la nostálgica evocación de otros tiempos, la espléndida visión de un jardín en otoño, un diálogo muy «literario» —voluntariamente— y, por supuesto, una prosa cadenciosa y elegantísima.*

Concha me llamaba desde el jardín, con alegres voces. Salí a la solana[1], tibia y dorada al sol mañanero. El campo tenía una emoción latina de yuntas, de vendimias y de labranzas. Concha estaba al pie de la solana:

[1] *solana*, sitio donde da el sol de lleno; aquí, galería acristalada de la casa.

—¿Tienes ahí a Florisel?

5 —¿Florisel es el paje?

—Sí.

—Parece bautizado por las hadas.

—Yo soy su madrina. Mándamelo.

—¿Qué le quieres?

10 —Decirle que te suba estas rosas.

Y Concha me enseñó su falda donde se deshojaban las rosas, todavía cubiertas de rocío, desbordando alegremente como el fruto ideal de unos amores que sólo floreciesen en los besos:

—Todas son para ti. Estoy desnudando el jardín.

Yo recordaba nebulosamente aquel antiguo jardín donde los mirtos seculares dibujaban los 15 cuatro escudos del fundador, en torno de una fuente abandonada. El jardín y el Palacio tenían esa vejez señorial y melancólica de los lugares por donde en otro tiempo pasó la vida amable de la galantería y del amor. Bajo la fronda de aquel laberinto, sobre las terrazas y en los salones, habían florecido las risas y los madrigales, cuando las manos blancas que en los viejos retratos sostienen apenas los pañolitos de encaje, iban deshojando las margaritas que guardan el cándido 20 secreto de los corazones. ¡Hermosos y lejanos recuerdos! Yo también los evoqué un día lejano, cuando la mañana otoñal y dorada envolvía el jardín húmedo y reverdecido por la constante lluvia de la noche. Bajo el cielo límpido, de un azul heráldico[2], los cipreses venerables parecían tener el sueño de la vida monástica. La caricia de luz temblaba sobre las flores como un pájaro de oro, y la brisa trazaba en el terciopelo de la yerba, huellas ideales y quiméricas como si danza- 25 sen invisibles hadas. Concha estaba al pie de la escalinata, entretenida en hacer un gran ramo con las rosas. Algunas se habían deshojado en su falda, y me las mostró sonriendo:

—¡Míralas qué lástima!

Y hundió en aquella frescura aterciopelada sus mejillas pálidas:

—¡Ah, qué fragancia!

30 Yo le dije sonriendo:

—¡Tu divina fragancia!

Alzó la cabeza y respiró con delicia, cerrando los ojos y sonriendo, cubierto el rostro de rocío, como otra rosa, una rosa blanca. Sobre aquel fondo de verdura grácil y umbroso, envuelta en la luz como en diáfana veste[3] de oro, parecía una Madona soñada por un monje seráfico[4]. Yo bajé a reu- 35 nirme con ella. Cuando descendía la escalinata, me saludó arrojando como una lluvia las rosas deshojadas en su falda. Recorrimos juntos el jardín. Las carreras[5] estaban cubiertas de hojas secas y amarillentas, que el viento arrastraba delante de nosotros con un largo susurro: Los caracoles, inmóviles como viejos paralíticos, tomaban el sol sobre los bancos de piedra: Las flores empezaban a marchitarse en las versallescas canastillas recamadas[6] de mirto, y exhalaban ese aroma inde- 40 ciso que tiene la melancolía de los recuerdos. En el fondo del laberinto murmuraba la fuente rodeada de cipreses, y el arrullo del agua parecía difundir por el jardín un sueño pacífico de vejez, de recogimiento y de abandono. Concha me dijo:

---

[2] *azul heráldico*, como el azul intenso que se emplea en los blasones o escudos, estudiados por la Heráldica. [3] *veste*, vestido, túnica. [4] Puede haber aquí una alusión a las Vírgenes pintadas por Fra Angélico (1380-1455). [5] *carreras*, avenidas, caminos. [6] *recamadas*, como recubiertas por un bordado en relieve.

—Descansemos aquí.

Nos sentamos a la sombra de las acacias, en un banco de piedra cubierto de hojas. Enfrente se
45 abría la puerta del laberinto misterioso y verde. Sobre la clave del arco se alzaban dos quimeras[7] manchadas de musgo, y un sendero umbrío, un solo sendero, ondulado entre los mirtos como el camino de una vida solitaria, silenciosa e ignorada.

[7] *quimeras*, monstruos míticos con cabeza de léon, vientre de cabra y cola de dragón.

- **Estamos ante una muestra elocuente de la magistral *prosa modernista* de Valle-Inclán. Por ejemplo, ¿por qué es «modernista» el diálogo?**
- **Más importante será destacar los valores de la *descripción*. Empieza por señalar los *valores sensoriales.* Indica de qué elementos se sirve el autor para conseguirlos. Aparte la índole del *léxico*, llaman la atención ciertas imágenes originales (por ejemplo, cómo se alude a la acción de la brisa sobre la hierba en las líneas 24-25).**
- **Lo anterior va íntimamente asociado a unas insistentes notas de *melancolía* y *nostalgia:* busca las palabras relacionadas con esos sentimientos.**
- **Todo ello está marcado por una insuperable *elegancia;* muéstralo.**
- **La *adjetivación* merecería un análisis especial. Nota, ante todo, su abundancia. Observa qué aportan los adjetivos. Y fíjate con qué frecuencia aparecen *por parejas* (es algo característico del autor).**
- **Un aspecto esencial: los *valores musicales y rítmicos* de esta prosa. Podrán percibirse si se lee en alta voz, de forma lenta y expresiva, algún trozo; por ejemplo, las líneas 15-20 (trata de percibir lo cadencioso de la acentuación, especialmente en los finales de frase, así como el efecto rítmico que se debe a la reiteración de estructuras sintácticas, como ciertas características *bimembraciones*).**

LUCES DE BOHEMIA

El primer «esperpento»

Pasando a la segunda época de Valle-Inclán, insertaremos dos fragmentos de su primer esperpento (1920). Luces de Bohemia *recoge, desde un atardecer hasta la mañana siguiente, las últimas horas de la vida de Max Estrella, excéntrico y patético poeta ciego, a quien acompaña su «lazarillo», el estrafalario y vil don Latino. En quince rápidas escenas, casi con ritmo cinematográfico, recorremos diversos ambientes: la miserable buhardilla del protagonista, una librería, una taberna, las calles, un calabozo, la redacción de un periódico, un Ministerio, un café literario...*

Desfilan asimismo las más variadas gentes: borrachos, mujerzuelas, poetas modernistas, policías, un anarquista, un ministro...

El conjunto compone una visión entre grotesca y trágica, que revela la mirada crítica del autor y su humor desgarrado.

La escena XI

Max Estrella es detenido por su actitud insolente hacia unos policías que habían reprimido brutalmente una manifestación. Tras unas horas en un calabozo, Max continúa su «viaje» por la noche madrileña. De pronto, la convulsión social vuelve al primer plano.

He aquí, en violento contraste con otros momentos grotescos, la breve e intensa escena XI, que damos completa.

Una calle del Madrid austriaco[8]. Las tapias de un convento. Un casón de nobles. Las luces de una taberna. Un grupo consternado de vecinas, en la acera. Una mujer, despechugada y ronca, tiene en los brazos a su niño muerto, la sien traspasada por el agujero de una bala. MAX ESTRELLA y DON LATINO hacen un alto.

5 MAX.—También aquí se pisan cristales rotos.
DON LATINO.—¡La zurra[9] ha sido buena!
MAX.—¡Canallas! .... ¡Todos!... ¡Y los primeros nosotros, los poetas!
DON LATINO.—¡Se vive de milagro!
LA MADRE DEL NIÑO.—¡Maricas, cobardes! ¡El fuego del Infierno os abrase las negras entrañas!
10 ¡Maricas, cobardes!
MAX.—¿Qué sucede, Latino! ¿Quién llora? ¿Quién grita con tal rabia?
DON LATINO.—Una verdulera, que tiene a su chico muerto en los brazos.
MAX.—¡Me ha estremecido esa voz trágica!
LA MADRE DEL NIÑO.—¡Sicarios! ¡Asesinos de criaturas!
15 EL EMPEÑISTA.—Está con algún trastorno, y no mide palabras.
EL GUARDIA.—La Autoridad también se hace el cargo.
EL TABERNERO.—Son desgracias inevitables para el restablecimiento del orden.
EL EMPEÑISTA.—Las turbas anárquicas me han destrozado el escaparate.
LA PORTERA.—¿Cómo no anduvo usted más vivo en echar los cierres?
20 EL EMPEÑISTA.—Me tomó el tumulto fuera de casa. Supongo que se acordará el pago de daños a la propiedad privada.
EL TABERNERO.—El pueblo que roba en los establecimientos públicos donde se le abastece es un pueblo sin ideales patrios.
LA MADRE DEL NIÑO.—¡Verdugos del hijo de mis entrañas!
25 UN ALBAÑIL.—El pueblo tiene hambre.
EL EMPEÑISTA.—Y mucha soberbia.
LA MADRE DEL NIÑO.—¡Maricas, cobardes!
UNA VIEJA.—¡Ten prudencia, Romualda!
LA MADRE DEL NIÑO.—¡Que me maten como a este rosal de mayo!
30 LA TRAPERA.—¡Un inocente sin culpa! ¡Hay que considerarlo!
EL TABERNERO.—Siempre saldréis diciendo que no hubo los toques de Ordenanza[10].
EL RETIRADO.—Yo los he oído.
LA MADRE DEL NIÑO.—¡Mentira!
EL RETIRADO.—Mi palabra es sagrada.
35 EL EMPEÑISTA.—El dolor te enloquece, Romualda.
LA MADRE DEL NIÑO.—¡Asesinos! ¡Veros es ver al verdugo!
EL RETIRADO.—El principio de Autoridad es inexorable.
EL ALBAÑIL.—Con los pobres. Se ha matado por defender al comercio, que nos chupa la sangre.
EL TABERNERO.—Y que paga sus contribuciones, no hay que olvidarlo.
40 EL EMPEÑISTA.—El comercio honrado no chupa la sangre de nadie.

[8] Estamos ante una *acotación*. Reciben este nombre aquellos textos que acompañan al diálogo para presentar una escena, describir el decorado o indicar los movimientos de los personajes. Valle–Inclán trabaja sus acotaciones con todo cuidado. [9] *zurra*, se refiere a la represión policial. [10] Toques de corneta previos a una carga de la policía.

LA PORTERA.—¡Nos quejamos de vicio!
EL ALBAÑIL.—La vida del proletario no representa nada para el Gobierno.
MAX.—Latino, sácame de este círculo infernal.

Llega un tableteo de fusilada. El grupo se mueve en confusa y medrosa alerta. Descuella el grito
45 ronco de la mujer, que al ruido de las descargas aprieta a su niño muerto en los brazos.

LA MADRE DEL NIÑO.—¡Negros fusiles, matadme también con vuestros plomos!
MAX.—Esa voz me traspasa.
LA MADRE DEL NIÑO.— ¡Qué tan fría boca de nardo!
MAX.—¡Jamás oí voz con esa cólera trágica!
50 DON LATINO.—Hay mucho de teatro.
MAX.—¡Imbécil!

El farol, el chuzo, la caperuza del sereno, bajan con un trote de madreñas[11] por la acera.

EL EMPEÑISTA.—¿Qué ha sido, sereno?
EL SERENO.—Un preso que ha intentado fugarse[12].
55 MAX.—Latino, ya no puedo gritar... ¡Me muero de rabia!... Estoy mascando ortigas. Ese muerto sabía su fin... No le asustaba, pero temía el tormento... La Leyenda Negra, en estos días menguados, es la Historia de España. Nuestra vida es un círculo dantesco[13]. Rabia y vergüenza. Me muero de hambre, satisfecho de no haber llevado una triste velilla en la trágica mojiganga[14]. ¿Has oído los comentarios de esa gente, viejo canalla? Tú eres como ellos. Peor que ellos, porque no tienes una
60 peseta y propagas la mala literatura por entregas. Latino, vil corredor de aventuras insulsas, llévame al Viaducto. Te invito a regenerarte con un vuelo[15].
DON LATINO.—¡Max, no te pongas estupendo!

---

[11] *madreñas,* zuecos. [12] En el calabozo, Max había confraternizado con un obrero anarquista que, como se recuerda luego, preveía su muerte tal y como ahora ha sucedido (en aplicación de la llamada «ley de fugas»). [13] Alusión al infierno de la *Divina Comedia,* que se componía de nueve círculos. [14] *mojiganga,* farsa. [15] Hiperbólica invitación al suicidio arrojándose desde el mencionado puente.

- **En fuerte contraste con las escenas grotescas, hay en la obra, como se ve, momentos graves. En ellos, lo «esperpéntico» se manifiesta en un recargar las tintas con intención expresionista, en excesos verbales o de actitudes que llegan a lo atroz. Compruébese en esta escena.**
- **La figura de la Madre está en el centro. Aplíquese a ella lo que acabamos de decir. Junto a su crudo patetismo, nótese cómo, en sus palabras, se mezcla el vulgarismo con un lirismo de raíces populares.**
- **«Esperpéntico» es también el contraste entre los comentarios de los demás personajes, frente al dolor de la madre. ¿Qué posturas se contraponen?**
- **La muerte del preso lleva al paroxismo el dolor y la rebeldía de Max: ¿de qué modo se expresa? ¿Hay algo de «esperpéntico» en sus palabras?**
- **Significación de la escena en su conjunto.**

De la escena XII: qué es el «esperpento»

En esta escena va a morir Max Estrella de un ataque, tal vez con el corazón destrozado por cuanto acaba de vivir; pero antes, en este famoso diálogo con don Latino, Valle pone en boca del personaje su concepción del «esperpento».

MAX.—¿Debe estar amaneciendo?
DON LATINO.—Así es.
65 MAX.—¡Y qué frío!
DON LATINO.—Vamos a dar unos pasos.
MAX.—Ayúdame, que no puedo levantarme. ¡Estoy aterido!
DON LATINO.—¡Mira que haber empeñado la capa!
MAX.—Préstame tu carrik[16], Latino.
70 DON LATINO.—¡Max, eres fantástico!
MAX.—Ayúdame a ponerme en pie.
DON LATINO.—¡Arriba, carcunda[17]!
MAX.—¡No me tengo!
DON LATINO.—¡Qué tuno eres!
75 MAX.—¡Idiota!
DON LATINO.—¡La verdad es que tienes una fisonomía algo rara!
MAX.—¡Don Latino de Hispalis, grotesco personaje, te inmortalizaré en una novela!
DON LATINO.—Una tragedia, Max.

[16] *carrik (o carric),* especie de abrigo capeado. [17] *carcunda,* carca.

A través de la técnica del esperpento, Valle-Inclán supo extraer de la extravagancia, tan presente en su insólita biografía, un genial sentido crítico. La visión deformada de la realidad social acaba revelando lo que la sociedad tiene de deforme. (Izquierda: Valle-Inclán montado en una llama, *dibujo de A. Vivanco; derecha: ilustración para* Luces de Bohemia.)

MAX.—La tragedia nuestra no es tragedia.
80 DON LATINO.—¡Pues algo será!
MAX.—El Esperpento.
DON LATINO.—No tuerzas la boca, Max.
MAX.—¡Me estoy helando!
DON LATINO.—Levántate. Vamos a caminar.
85 MAX.—No puedo.
DON LATINO.—Deja esa farsa. Vamos a caminar.
MAX.—Échame el aliento. ¿Adónde te has ido, Latino?
DON LATINO.—Estoy a tu lado. [...]
MAX.—Los ultraístas[18] son unos farsantes. El esperpentismo lo ha inventado Goya. Los héroes clási-
90 cos han ido a pasearse en el callejón del Gato[19].
DON LATINO.—¡Estás completamente curda!
MAX.—Los héroes clásicos reflejados en los espejos cóncavos dan el Esperpento. El sentido trágico de la vida española sólo puede darse con una estética sistemáticamente deformada.
DON LATINO.—¡Miau! ¡Te estás contagiando!
95 MAX.—España es una deformación grotesca de la civilización europea.
DON LATINO.—¡Pudiera! Yo me inhibo.
MAX.—Las imágenes más bellas en un espejo cóncavo son absurdas.
DON LATINO.—Conforme. Pero a mí me divierte mirarme en los espejos de la calle del Gato.
MAX.—Y a mí. La deformación deja de serlo cuando está sujeta a una matemática perfecta. Mi esté-
100 tica actual es transformar con matemática de espejo cóncavo las normas clásicas.
DON LATINO.—¿Y dónde está el espejo?
MAX.—En el fondo del vaso.
DON LATINO.—¡Eres genial! ¡Me quito el cráneo!
MAX.—Latino, deformemos la expresión en el mismo espejo que nos deforma las caras y toda la
105 vida miserable de España.
DON LATINO.—Nos mudaremos al callejón del Gato. [...]

¿Cómo acaba la obra? Tras la muerte de Max y un duelo tragicómico, su mujer y su hija, desesperadas y en la miseria, se suicidan. A la vez, nos enteraremos que ha salido premiado un billete de lotería que había comprado Max y que ahora ha ido a parar a manos de... don Latino.

---

[18] *ultraístas,* grupo de poetas de vanguardia; hablaremos del Ultraísmo en el capítulo siguiente. [19] *callejón del Gato,* calleja vecina a la Puerta del Sol de Madrid, en la que hubo un comercio cuya fachada presentaba varios espejos deformantes como atracción.

- **Ante todo, subraya aquellas frases de Max en donde se hace la «teoría» del esperpento. Coméntalas, destacando cómo esa estética va unida a una determinada visión de España.**
- **Esas frases van entretejidas con otras: observa la viveza del diálogo, su andadura nerviosa, las expresiones coloquiales y ciertos toques grotescos. (Aparte: ¿qué detalles anuncian la muerte de Max?)**

ANTONIO MACHADO (14e)

Antonio Machado, retratado por Cristóbal Ruiz hacia 1927.

EL HOMBRE

● Nació en Sevilla (1875). A sus ocho años, su familia se instala en Madrid. Formación liberal. Juventud con cierto aire bohemio: estudios irregulares, viajes a París... En 1907 va a Soria, como catedrático de francés. Allí se casa con Leonor, una muchacha de dieciséis años. Ambos van a pasar un año a París (1910), donde ella enferma gravemente; morirá en 1912. Antonio, desesperado, deja Soria. Ejerce en Baeza, Segovia y Madrid. Firme partidario de la República, en enero de 1939 se exilia a Francia y, a los pocos días, muere en Collioure.

● Fue un hombre sencillo, ensimismado, de honda sensibilidad. ***Ideológicamente,*** se formó en un *liberalismo progresista;* más tarde, al contacto con las desigualdades sociales, derivará hacia posiciones *revolucionarias*. Fue consecuente con tales ideas hasta el final.

EL POETA. SU ESTÉTICA

● Su poesía tiene una doble raíz: el *Romanticismo tardío* (Bécquer, Rosalía) y el *Simbolismo.* Ello lo situaba entre los *modernistas*, pero pronto quiso «seguir camino bien distinto»: a una poesía sensorial y sonora, prefirió otra que expresara *«una honda palpitación del espíritu».*

● Más tarde definirá la poesía como *«palabra esencial en el tiempo»:* quiere decir que se propone expresar lo esencial, las realidades más profundas (del hombre, del mundo), sin desligarlas del *tiempo* (ya sea el tiempo de la propia vida, ya sea el de la historia).

● Su **lenguaje poético** se va depurando progresivamente hacia la sobriedad y la densidad. En sus mejores momentos, le caracteriza la hondura, la cálida y entrañable humanidad.

Veamos su trayectoria.

SOLEDADES

● Se publica en 1903 y se amplía en 1907 con el título de ***Soledades, Galerías y otros poemas.*** Es mucho lo que hay de Modernismo en esta obra, pero de un Modernismo intimista. Machado escribe «mirando hacia dentro», en un «íntimo monólogo».

● Le interesa apresar —dice— «los universales del sentimiento»; es decir, **temas y sentimientos universales** que giran en torno al *tiempo,* la *muerte, Dios;* en suma, al problema de la condición humana. La *soledad,* la *melancolía* o la *angustia* traspasan sus versos.

● Es, además, **una poesía simbolista:** así, temas como la tarde, el camino, el río, un árbol, etc., serán *símbolos* de realidades profundas, de estados de ánimo o de obsesiones íntimas.

CAMPOS DE CASTILLA

● La sensibilidad de Machado conectó profundamente con las tierras castellanas, como él mismo dijo: «Me habéis llegado al alma. / ¿O acaso estabais en el fondo de ella?»

● Se publica ***Campos de Castilla*** en 1912. Junto a

temas ya conocidos, aparecen ahora paisajes y gentes de Soria, junto a meditaciones sobre la realidad española.

— El **paisaje** parece, a veces, recogido «objetivamente»; pero pronto se percibe la sintonía entre *paisaje y alma:* Machado «proyecta» sus propios sentimientos sobre aquellas tierras y «selecciona» lo adusto, lo que sugiere soledad o fugacidad (sus obsesiones).

— Junto a esa visión ***lírica,*** hay una **actitud crítica** en ciertos poemas que dan testimonio del atraso y la pobreza de Castilla y de España. Aquí, como dijimos, coincide Machado con los *noventayochistas.*

● En poemas añadidos más tarde al libro, Machado ahondará en la **crítica social,** especialmente en versos escritos ya en Andalucía, donde las desigualdades e injusticias le parecen más hirientes.

● En fin, citemos unos hondos poemas inspirados por la enfermedad y muerte de Leonor, unas composiciones breves tituladas *Proverbios y cantares,* y el largo romance *La tierra de Alvargonzález,* sombría leyenda soriana.

● El **estilo,** en *Campos de Castilla,* ha avanzado en el camino de la depuración. Sin eliminar del todo rasgos modernistas, el tono es ahora más adusto, más recio.

LA ÚLTIMA ÉPOCA

● ***Nuevas canciones*** (1924) es su tercer libro. Hay en él paisajes, poemas de circunstancias, etc., pero lo más curioso son sus nuevos *Proverbios y cantares,* un centenar de poemas brevísimos que encierran un pensamiento, una paradoja... Las preocupaciones filosóficas de Machado han pasado a primer término y, desgraciadamente, se ha iniciado su decadencia poética.

● Su poesía posterior es escasa y no forma un libro. Sólo citaremos unas *Canciones a Guiomar* (un amor tardío). Y unas pocas *Poesías de guerra,* algunas impresionantes: así, *El crimen fue en Granada,* emocionante elegía a García Lorca.

LA PROSA DE MACHADO

Sus escritos en prosa fueron creciendo, con los años, en cantidad e interés, y culminan en los dos volúmenes de *Juan de Mairena* (1934-1939). Es Mairena un filósofo y poeta inventado que discurre agudamente sobre temas poéticos, filosóficos, sociales, políticos... La obra es imprescindible para conocer el pensamiento de Machado.

VALORACIÓN

En la posguerra, se hizo de Machado el ejemplo de poeta «cívico», por su compromiso político y por sus versos sobre España. En los últimos años, hay una vuelta a su poesía íntima de *Soledades.* En una y otra línea, late su hondura humana. Y por encima de modas, Machado se alza como uno de los más grandes poetas del siglo XX.

SOLEDADES, GALERÍAS Y OTROS POEMAS

La angustia y la búsqueda de Dios

Dentro de lo que Machado llamó «los universales del sentimiento», ocupan un lugar eminente la angustia existencial y el ansia de Dios. Ambas encuentran una conmovedora expresión en este poema:

Es una tarde cenicienta y mustia,
destartalada, como el alma mía;
y es esta vieja angustia
que habita mi usual hipocondría[1].

5 La causa de esta angustia no consigo
ni vagamente comprender siquiera;
pero recuerdo y, recordando, digo:
—Sí, yo era niño, y tú, mi compañera.

[1] *hipocondría,* sensibilidad exacerbada con tendencia a la tristeza.

* * *

Y no es verdad, dolor, yo te conozco,
10 tú eres nostalgia de la vida buena
y soledad de corazón sombrío,
de barco sin naufragio y sin estrella.

Como perro olvidado que no tiene
huella ni olfato y yerra
15 por los caminos, sin camino, como
el niño que en la noche de una fiesta

se pierde entre el gentío,
y el aire polvoriento y las candelas[2]
chispeantes, atónito, y asombra[3]
20 su corazón de música y de pena,

así voy yo, borracho melancólico,
guitarrista lunático, poeta,
y pobre hombre en sueños,
siempre buscando a Dios entre la niebla.

---

[2] *candelas*, velas; tal vez aquí se refiera a luces de bengala. [3] *asombra* significa aquí «llenar de sombra» o «asustar».

- **El poema presenta dos partes bien claras, que se diferencian incluso por la métrica; explíquese.**
- **Comenta el valor simbólico de la tarde en el comienzo.**
- **¿Qué es lo primero que nos dice sobre su angustia? Pero ¿por qué luego dice que «no es verdad»?**
- **En la segunda parte, el poeta profundiza en su angustia. Observa cómo, para traducir «físicamente» su desamparo, acude a tres símbolos: ¿cuáles?, ¿qué gradación notas entre ellos?**
- **Paralelamente, el ritmo se ha hecho entrecortado en los versos 13-20; ¿por qué?, ¿qué estado de ánimo percibimos tras ese tipo de dicción?**
- **Comenta la última estrofa y subraya cómo ha procedido el poeta: primero los símbolos; luego, la expresión directa (es un procedimiento típicamente simbolista).**

«Anoche cuando dormía...»

El tema de Dios aparece también en este otro poema de Soledades. *Poema justamente famoso por su perfecta construcción y por la belleza y el alcance de sus imágenes.*

Anoche cuando dormía
soñé, ¡bendita ilusión!,
que una fontana fluía
dentro de mi corazón.
5 Di: ¿por qué acequia escondida,
agua, vienes hasta mí,
manantial de nueva vida
en donde nunca bebí?

Anoche cuando dormía
10 soñé, ¡bendita ilusión!,
que una colmena tenía
dentro de mi corazón;
y las doradas abejas
iban fabricando en él,
15 con las amarguras viejas,
blanca cera y dulce miel.

Anoche cuando dormía
soñé ¡bendita ilusión!,
que un ardiente sol lucía
20 dentro de mi corazón.
Era ardiente porque daba
calores de rojo hogar,
y era sol porque alumbraba
y porque hacía llorar.

25 Anoche cuando dormía
soñé ¡bendita ilusión!
que era Dios lo que tenía
dentro de mi corazón.

- **¿Qué tienen en común este poema y el anterior, tanto en el contenido como en el desarrollo?**
- **Indica el valor de cada símbolo, con todas sus resonancias o connotaciones.**
- **Caracteriza la métrica.**
- **¿En qué radica la emoción del poema?**

CAMPOS DE CASTILLA

La visión crítica: «A orillas del Duero»

Entre los poemas de Campos de Castilla *donde aparece aquella actitud* crítica *vecina a la del Regeneracionismo y del 98, se encuentra éste, muy revelador de la nueva temática y del nuevo tono de Machado. Es un poema muy largo: damos su parte central.*

[...] El Duero cruza el corazón de roble
de Iberia y de Castilla. ¡Oh tierra triste
[y noble,
la de los altos llanos y yermos y roquedas,
de campos sin arados, regatos ni arboledas;
5 decrépitas ciudades, caminos sin mesones,
y atónitos palurdos[4] sin danzas ni canciones
que aún van, abandonando el mortecino hogar,
como tus largos ríos, Castilla, hacia la mar!

Castilla miserable, ayer dominadora,
10 envuelta en sus andrajos desprecia cuanto ignora.
¿Espera, duerme o sueña? ¿La sangre derramada
recuerda, cuando tuvo la fiebre de la espada?
Todo se mueve, fluye, discurre, corre o gira;
cambian la mar y el monte y el ojo que los mira.
15 ¿Pasó? Sobre sus campos aún el fantasma yerra
de un pueblo que ponía a Dios sobre la guerra.

[4] *palurdos,* hombres rústicos e ignorantes.

La madre en otro tiempo fecunda en capitanes,
madrastra es hoy apenas de humildes ganapanes.
Castilla no es aquella tan generosa un día,
20 cuando Myo Cid Rodrigo el de Vivar volvía,
ufano de su nueva fortuna y su opulencia,
a regalar a Alfonso los huertos de Valencia;
o que, tras la aventura que acreditó sus bríos,
pedía la conquista de los inmensos ríos
25 indianos a la corte, la madre de soldados,
guerreros y adalides[5] que han de tornar cargados
de plata y oro, a España, en regios galeones,
para la presa cuervos, para la lid leones.
Filósofos nutridos de sopa de convento
30 contemplan impasibles el amplio firmamento;
y si les llega en sueños, como un rumor distante,
clamor de mercaderes de muelles de Levante,
no acudirán siquiera a preguntar: ¿qué pasa?
Y ya la guerra[6] ha abierto las puertas de su casa.

35 Castilla miserable, ayer dominadora,
envuelta en sus harapos desprecia cuanto ignora [...].

---

[5] *adalides*, jefes. [6] Se refiere a la guerra de Marruecos, que había estallado en 1909.

- **¿Qué aspectos del presente se muestran o se critican?**
- **Comenta la visión machadiana de la *historia* de Castilla y el tema de la *decadencia* (contraste con el pasado).**
- **Habrás percibido un cambio de tono; ¿cómo calificarías ahora la lengua poética de Machado? ¿Cómo es la métrica?**

En la poesía de Machado, la imagen de Castilla, más que un paisaje, acaba siendo la expresión de un estado de ánimo y el acicate de una honda reflexión. (Paisaje castellano pintado por M. Santamaría.)

La visión lírica: «Orillas del Duero»

He aquí un poema titulado casi igual que el anterior. Pero ahora estamos ante una visión lírica, *en el sentido de que el poeta sintoniza cordialmente con el paisaje y nos transmite su emoción. El poema consta de dos partes bien diferenciadas; damos sólo la primera.*

¡Primavera soriana, primavera
humilde, como el sueño de un bendito,
de un pobre caminante que durmiera
de cansancio en un páramo infinito!

5 ¡Campillo amarillento,
como tosco sayal de campesina,
pradera de velludo[7] polvoriento
donde pace la escuálida merina[8]!

¡Aquellos diminutos pegujales[9]
10 de tierra dura y fría,
donde apuntan centenos y trigales
que el pan moreno nos darán un día!

Y otra vez roca y roca, pedregales
desnudos y pelados serrijones,
15 la tierra de las águilas caudales,
malezas y jarales[10],
hierbas monteses, zarzas y cambrones[11].

¡Oh tierra ingrata y fuerte, tierra mía!
¡Castilla, tus decrépitas ciudades!
20 ¡La agria melancolía
que puebla tus sombrías soledades!

¡Castilla varonil, adusta tierra,
Castilla del desdén contra la suerte,
Castilla del dolor y de la guerra,
25 tierra inmortal, Castilla de la muerte! [...]

[7] *velludo*, como sustantivo, significa «paño de felpa o de terciopelo»; figuradamente, alude el poeta a la escasa hierba del campo castellano. [8] *merina,* raza de ovejas típica de España. [9] *pegujales,* parcelas pequeñas de tierra cultivada. [10] *jarales,* terreno poblado de jaras, arbustos abundantes en Castilla. [11] *cambrones,* variedad de espinos o zarzas.

COMENTARIO DE TEXTO. ORILLAS DEL DUERO

Introducción

a Sitúa este poema en la trayectoria de Machado (lo que significó para él su encuentro con las tierras de Soria; y los enfoques *líricos* y *críticos* con que las cantó).

b **Tema.** ¿Se trata sólo de una «pintura física» del paisaje? Desde ahora, tendrás en cuenta dos «ejes» de su visión: 1) lo pobre, lo humilde; 2) lo duro, lo fuerte.

c **Estructura interna.** ¿Observas algún cambio de enfoque entre las *estrofas 1-4* y las dos últimas? **Estuctura externa.** ¿De qué tipo es la *métrica*?

Análisis (contenido y expresión)

d Observa dos rasgos generales de todo el texto: *tono exclamativo* y *estilo nominal* (no hay ni un verbo principal). ¿Es eso significativo?

e *Estrofas 1ª y 2ª.* ¿Qué sensación nos producen esa *primavera* y esas tierras? (Observa las comparaciones.) ¿En qué hace hincapié el poeta?

f *Estrofas 3ª y 4ª.* Son fundamentales. Fíjate tanto en los *sustantivos* como en los *adjetivos* (nota cómo, por sus connotaciones, se reparten en los dos «ejes» antes indicados: lo pobre / lo fuerte). Observa también el sabor de ciertas palabras «terruñeras».

g *Estrofa 5ª.* La emoción crece (¿cómo se percibe?). Amor agridulce hacia esa tierra (¿qué palabras así lo indican?). Atención: en los *versos 20-21* hay ciertas palabras que Machado empleó, en su etapa anterior, para hablar de sí mismo (he ahí la prueba de la sintonía *paisaje-alma*).

h *Estrofa 6ª.* Coméntala con detalle: valor de la *anáfora*; adjetivos del *verso 22* (¿resumen de todos los anteriores?). ¿Qué sugieren los *versos 23-24* sobre el alma o la historia de Castilla?

En fin, en el *verso final*, *Castilla* está en el centro y como «aprisionada» entre dos expresiones contradictorias: ¿cómo explicarlo?

Conclusión

i Haz una síntesis de esta visión de Castilla en relación con la sensibilidad de Machado. (Por cierto, ¿tiene algo de *simbolista* este poema?)

j Juzga la depuración y densidad del estilo.

«A un olmo seco»

Este famoso poema fue compuesto en Soria el 4 de mayo de 1912, estando Leonor ya muy grave. Este dato permitirá dar a los versos finales un sentido muy concreto y cargado de emoción.

Al olmo viejo, hendido por el rayo
y en su mitad podrido,
con las lluvias de abril y el sol de mayo,
algunas hojas verdes le han salido.

5 ¡El olmo centenario en la colina
que lame el Duero! Un musgo amarillento
le mancha la corteza blanquecina
al tronco carcomido y polvoriento.

No será, cual los álamos cantores
10 que guardan el camino y la ribera,
habitado de pardos ruiseñores.

Ejército de hormigas en hilera
va trepando por él, y en sus entrañas
urden sus telas grises las arañas.

15 Antes que te derribe, olmo del Duero,
con su hacha el leñador, y el carpintero
te convierta en melena de campana,
lanza de carro o yugo de carreta;
antes que rojo en el hogar, mañana,
20 ardas de alguna mísera caseta,
al borde de un camino;
antes que te descuaje un torbellino
y tronche el soplo de las sierras blancas;
antes que el río hasta la mar te empuje
25 por valles y barrancas,
olmo, quiero anotar en mi cartera
la gracia de tu rama verdecida.
Mi corazón espera
también, hacia la luz y hacia la vida,
30 otro milagro de la primavera.

- **De acuerdo con lo señalado arriba, ¿cuál sería el «milagro» que espera el poeta? De todas formas, ¿sería lícito darle un sentido más amplio al poema?**
- **En este caso, sí que estamos ante una *construcción simbolista*; muéstrese. ¿Qué otros valores líricos destacarías?**

EJERCICIOS

Repaso de Gramática

1 Subordinación adverbial.— En este caso, y como complemento de lo repasado en los capítulos anteriores, proponemos que los alumnos busquen en los textos ejemplos de proposiciones adverbiales de todos los tipos. ¡A ver quién encuentra más frases!

2 Transformaciones sintácticas.— A continuación encontrarás varias oraciones simples, pero entre las que hay unas relaciones lógicas. Enlázalas tú mediante los nexos oportunos (habrá varias soluciones posibles):

— *Había estado trabajando toda la tarde; necesitaba aire puro; salí hacia el parque; a los pocos minutos, empezó a llover; volví a casa.*

Expresión escrita

- **Un paisaje.**— Los noventayochistas nos han dejado visiones esenciales de las distintas regiones de España. Escoge un paisaje que te parezca especialmente característico de la región donde vives y redacta un texto descriptivo. (Como recomendación, podemos atraer la atención sobre el estilo de Azorín: puede ser útil imitar su sintaxis a base de frases cortas y sencillas, pero con un vocabulario muy preciso.)

15 NOVECENTISMO Y VANGUARDISMO

● **Hacia 1914**, cuando modernistas y noventayochistas han dado ya —salvo excepción— sus mejores frutos, una nueva generación alcanza su madurez: son los llamados **novecentistas**.

● Muy pronto llegarán a España los influjos del **Vanguardismo** europeo que, sobre todo a partir de 1920, suscitarán renovadoras experiencias.

● En fin, un nuevo grupo de poetas fraguará en torno a **1927**, dando a nuestra lírica uno de sus más altos momentos. A todo ello dedicaremos este capítulo y el siguiente.

I. LA GENERACIÓN DE 1914

LOS «NOVECENTISTAS». EL ENSAYO

● Aunque —inexplicablemente— no figuren en el programa vigente, debemos hacer siquiera una rápida mención de los autores que se sitúan entre la «generación del 98» y la del «27».

● Bajo rótulos como **Generación del 14** o **Novecentismo**, se ha englobado a escritores que se distancian de los autores precedentes y anuncian un nuevo aire intelectual. Antes de destacar algunas figuras, he aquí algunos de sus rasgos más comunes:

— Superación del *Modernismo* hacia una expresión más sobria.

— Alejamiento de los enfoques dramáticos del 98 hacia enfoques más rigurosos y serenos del «problema de España».

— Preocupación por la solidez intelectual, por la «pulcritud», por la «selección» (son palabras muy del momento).

— Gusto por la obra meditada, «bien hecha».

● Muy característico es el papel rector que ocupan en esta generación los ***pensadores*** y ***ensayistas***.

— **José Ortega y Gasset** (1883-1955) preside, en efecto, la generación y es su figura más universal. Cima de la filosofía española contemporánea, es un *espectador* agudo de la vida y la cultura (luego veremos el eco que alcanzó su ensayo sobre *La deshumanización del arte)*. Es, además, un extraordinario prosista.

— **Eugenio d'Ors** (1883-1954) o el doctor **Gregorio Marañón** (1887-1960), como *ensayistas,* son sutiles meditadores de variados temas humanos, culturales, históricos...

— En diversos campos sobresalieron Manuel Azaña, Américo Castro, Salvador de Madariaga, Julio Camba...

POESÍA, NOVELA Y TEATRO

En todos los géneros cabría observar varias tendencias: unas procedentes de décadas anteriores; otras proyectadas hacia el futuro.

● **Poesía.** La gran figura de la generación es, como sabemos, **Juan Ramón Jiménez** (lo hemos estudiado en el capítulo del Modernismo, siguiendo el programa). Por lo demás, distingamos en la lírica del momento dos líneas:

— *Una poesía posmodernista,* representada por autores como **Tomás Morales**, Enrique de Mesa, Enrique Díez-Canedo...

— *Nuevos rumbos,* de diversa índole. Próximos ya al vanguardismo están José Moreno Villa, J. J. Domenchina, etc. En una línea muy personal, humanísima, **León Felipe**.

● **Novela.** Dejando a ciertos autores de línea tradicional y algunos intentos vanguardistas, ha de destacarse el tono humorístico de **W. Fernández Flórez**. Pero los dos grandes novelistas de esta generación son el alicantino **Gabriel Miró** (1879-1930), con su lenguaje rico y sensorial, y el asturiano **Ramón Pérez de Ayala** (1881-1962), representante de una «novela intelectual».

Miró es autor de *Figuras de la Pasión, Nuestro Padre San Daniel, El obispo leproso,* etc. De Pérez de Ayala citemos *Troteras y danzaderas, Belarmino y Apolonio, Tigre Juan...*

- **Teatro.** Sigue triunfando el drama modernista o la comedia benaventina. Valle-Inclán aún no ha sido «descubierto» como dramaturgo. Algunos autores intentan nuevas fórmulas sin éxito de público.Triunfan en cambio las comedias costumbristas y los sainetes de **Carlos Arniches** —de ambiente madrileño— y de los **hermanos Quintero** —de ambiente andaluz.

II. EL VANGUARDISMO EUROPEO Y SU REPERCUSIÓN EN ESPAÑA

LAS VANGUARDIAS

Con este término se designan aquellos movimientos que se oponen con virulencia al pasado y que proponen —con sus *manifiestos*— nuevos caminos para el arte y las letras.

Los ***ismos*** vanguardistas —cubismo, expresionismo, futurismo, etc.— se suceden en Europa y América a un ritmo muy rápido. Nos limitaremos a examinar aquellos que aportaron cambios sustanciales en la literatura del primer tercio del siglo.

FUTURISMO Y DADAÍSMO. EL IRRACIONALISMO POÉTICO

- El **Futurismo** aparece en 1909 (*Manifiesto futurista* del italiano Marinetti). Es un movimiento iconoclasta con respecto a las tradiciones y al arte pasado. Exalta la civilización mecánica, las conquistas de la técnica, el deporte... Sirva como síntesis una famosa frase de Marinetti: «Un automóvil de carreras es más hermoso que la *Victoria* de Samotracia.»

- El **Dadaísmo** nace en 1916. Su nombre, elegido fortuitamente, procede de un balbuceo infantil *(da-da).* Partiendo de una violenta repulsa de una sociedad que había llevado al absurdo de la guerra, desarrolla una rebeldía pura contra la lógica y las convenciones. Y propugna liberar «la fantasía de cada individuo» y el cultivo de un lenguaje incoherente. Su principal papel fue preparar el camino del Surrealismo.

- Es importante señalar que el Dadaísmo y otros movimientos tienen en común el llamado **irracionalismo poético,** que, entre otras cosas, supone lo siguiente:

  —Una rebeldía contra la «tiranía» de la razón y los convencionalismos.

  —El placer de transgredir la lógica y de cultivar el absurdo.

  —El anhelo de la pura creación, desarrollando sin trabas la imaginación y jugando libremente con el lenguaje.

El curso pasado vimos ya algunas manifestaciones de este irracionalismo poético. Insistiremos ahora en la importancia del Surrealismo.

EL SURREALISMO

Estamos, sin duda, ante la revolución más profunda surgida en la literatura y el arte del siglo XX. Nace en Francia, presidido por **André Breton**, que publica en 1924 el primer *Manifiesto del Surrealismo*[1]. Al ***irracionalismo*** mencionado, Breton añade ciertas ideas de Freud y de Marx.

Freud había descubierto el *subconsciente,* fondo psíquico donde se acumulan deseos frustrados, impulsos refrenados por la conciencia moral o social, lo que constituye una energía *reprimida* que se libera en los sueños, en ciertos actos inconscientes, etc. Por su parte, **Marx** había insistido en el origen social de la *represión,* fruto de la dominación del hombre por el hombre, de las desigualdades económicas y de las presiones de la moral dominante.

- Sobre estas bases, el Surrealismo quiere ser *más que una revolución estética:* pretende ser ***un movimiento de***

[1] La traducción exacta sería *Superrealismo;* sin embargo, la adaptación *Surrealismo* está definitivamente generalizada.

liberación total del hombre; liberación de los impulsos reprimidos (según Freud) y de las trabas impuestas por la sociedad burguesa (según Marx). Para los surrealistas, lo que llamamos «vida» no es sino la cara más gris de la realidad: hay que descubrir una «super-realidad» *(sur-réalité,* de ahí el nombre), que se halla como amordazada en el fondo del hombre, y liberarla.

● Ello conduce a la ***liberación del poder creador***. Se defiende la *libertad de imaginación* contra «el reinado de la lógica». Se deberá escribir «al dictado de un pensamiento libre de toda vigilancia ejercida por la razón». Para ello, se utilizarán diversas *técnicas* (la «escritura automática», el *collage,* la transcripción de los sueños...), pero basta con una disposición abierta que propicie la *asociación libre de palabras*.

● De ahí la ***liberación del lenguaje*** con respecto a los límites de la expresión lógica. En un texto surrealista se entremezclan objetos, conceptos o sentimientos que la razón mantendría separados; aparecen metáforas insólitas, imágenes oníricas, uniones inesperadas de palabras...

● Naturalmente, ese lenguaje no se dirige a nuestra razón, sino que —por debajo de ella— quiere despertar en nosotros sentimientos o reacciones también subconscientes. Así, ante un poema surrealista debemos adoptar una actitud nueva: hemos de procurar *sentir* más que *comprender* (aunque luego se pueda, hasta cierto punto, «explicar» lo que el texto nos ha suscitado).

> Añadamos que, hacia 1930, el grupo surrealista francés (Breton, Éluard, Aragon, etc.) parece desintegrarse. Pero el Surrealismo no muere: se ha extendido por todo el mundo. El lenguaje poético (y artístico, en general) se ha enriquecido decisivamente. Tras algunos altibajos, el Surrealismo está *hoy* presente incluso en ciertas formas de expresión muy cercanas a los jóvenes, como son ciertos *cómics,* ciertas *portadas de discos* o ciertos *vídeo-clips.*

EL VANGUARDISMO EN ESPAÑA

Los movimientos vanguardistas llegaron pronto a nuestro país. Se comentan en las *tertulias* literarias y hallan acogida en ciertas *revistas* (por ejemplo, la *Revista de Occidente,* fundada en 1923 por Ortega y Gasset, o *La Gaceta Literaria*, 1927).

● **En 1925**, publica **Ortega** *La deshumanización del arte,* ensayo que será un hito en el desarrollo del vanguardismo español, aunque su autor sólo se propuso hacer un *diagnóstico* del nuevo arte. Entre otras cosas, señala su *carácter minoritario* (las masas no lo entienden); por otra parte, es un arte que no apunta principalmente a la expresión de «lo humano», sino que se propone metas formales, a veces como un puro juego creador. «La poesía —dice, por ejemplo— es hoy el álgebra superior de las metáforas.»

El análisis de Ortega sirvió de acicate para muchos. No todo será, sin embargo, «deshumanización».

> En el vanguardismo español puede distinguirse una *evolución.* Al principio, domina efectivamente el juego, el optimismo ante la modernidad. Poco a poco, hacia 1930, y tras el influjo decisivo del Surrealismo, se pasa a un espíritu más grave y hasta a cierta angustia o rebeldía, precisamente ante los efectos «deshumanizantes» de la civilización moderna.

Pero antes de seguir adelante, hemos de referirnos al autor que fue pionero del vanguardismo español.

«RAMÓN»

Ramón Gómez de la Serna, «Ramón» por antonomasia, nació en Madrid en 1888 y murió en Buenos Aires (1963), donde residió desde la guerra civil. Si, por edad, pertenece a la «generación del 14», es un auténtico adelantado del *vanguardismo*.

● En su famosa tertulia del café Pombo y en las revistas de la época, defendió las nuevas tendencias, a las que dedicaría un libro, *Ismos* (1931). Ya en 1909, en *El concepto de la nueva literatura* denuncia «el cansancio de las formas antiguas». Y en su obra cultiva el desbordamiento de la lógica, la asociación audaz de intuiciones, la metáfora lúdica...

● Su extensa obra tiene como base la **greguería**. Así llamó a un género inventado por él hacia 1910. Se trata de apuntes brevísimos que encierran una pirueta mental o una metáfora insólita (el curso pasado leímos algunas). En las *greguerías* se dan cita, en proporciones diversas, el concepto, el humor, el lirismo o el puro juego verbal.

- —A veces son como un chiste ingenioso: «Hay unas beatas que rezan como los conejos comen hierba.»
- —Otras se acercan a la máxima filosófica: «Nos desconocemos a nosotros mismos, porque nosotros mismos estamos detrás de nosotros mismos.»
- —Algunas son verdaderamente poéticas: «De la nieve caída en el lago nacen los cisnes.»

—Muchas nacen de puras y caprichosas asociaciones verbales: «Un tumulto es un bulto que les suele salir a las multitudes.»

Además de sus varios tomos de *greguerías,* Ramón escribió relatos breves y novelas *(El torero Caracho),* teatro de vanguardia *(Los medios seres),* ensayos muy personales *(El circo, El Rastro),* memorias *(Automoribundia),* etc. En todas ellas abundan frases brillantes que vienen a ser auténticas greguerías.

● Fue Ramón un maestro indiscutible de prosistas y poetas (sus imágenes influyeron en los poetas del 27) y queda como uno de los creadores más originales de la literatura española contemporánea.

FUTURISMO, ULTRAÍSMO Y CREACIONISMO EN ESPAÑA

● El **Futurismo** no formó aquí escuela, pero su temática aparece en poetas del 27: hubo poemas a la bombilla eléctrica y a la máquina de escribir (Salinas), o al fútbol (Alberti), etc.

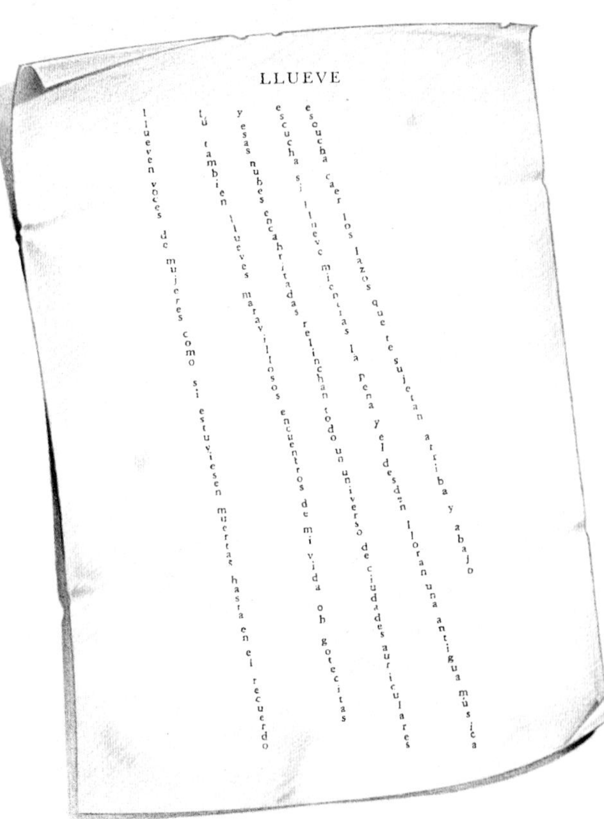

«Llueve», caligrama de Apollinaire, en versión de Agustí Bartra.

● El **Ultraísmo** se formó con elementos futuristas y dadaístas. A los temas maquinistas o deportivos, añadió ciertas innovaciones visuales en la disposición de los versos (precedente: los *caligramas* de Apollinaire: véase ilustración).

● El **Creacionismo** es un movimiento que nos trajo de París el poeta chileno Vicente Huidobro. No se proponía «reflejar» o «imitar» ninguna realidad, sino «crear» una realidad dentro del poema. «Crear lo que nunca veremos», diría **Gerardo Diego**, máximo representante del Creacionismo (al ocuparnos de este autor, leeremos un poema creacionista). En suma, este movimiento responde al más gratuito impulso creativo, al más puro gozo de «inventar».

EL SURREALISMO ESPAÑOL

● De todos los vanguardismos, éste fue el que dejaría una huella más fuerte y más fecunda, fundamentalmente por su impacto en los *poetas del 27.* Casi todos ellos, en cierto momento de su evolución, quedaron marcados por el Surrealismo. A su influjo se deben libros fundamentales como *Sobre los ángeles,* de Alberti, o *Poeta en Nueva York,* de Lorca. Buena parte de la obra de Aleixandre constituye una de las cimas más altas del Surrealismo europeo.

● Pero señalemos que, en general, ***el Surrealismo español no es «ortodoxo»:*** nuestros poetas no llegaron a los extremos de creación inconsciente (escritura automática, etc.). En sus poemas se podrá percibir una *intención global consciente,* aunque desarrollada con *un lenguaje nuevo,* audaz. Porque lo que sí hubo es una *liberación de la imagen* con respecto a las ataduras de la lógica, y, con ello, un enriquecimiento prodigioso de la expresión poética.

● Añadamos que el influjo surrealista actuó contra el ideal de «pureza» y «deshumanización». Lo ***humano,*** e incluso *lo social y lo político,* penetraron de nuevo en la poesía.

Todo ello podrá verse en ciertos textos de poetas del 27 que reproduciremos.

16 LA GENERACIÓN DEL 27

Miembros de la generación del 27 reunidos en Sevilla en un acto de homenaje a Góngora. De izquierda a derecha: Alberti, Lorca, Chabás, Bacarisse, Platero, Garzón, J. Guillén, Bergamín, D. Alonso y G. Diego.

UN GRUPO POÉTICO

● Comencemos por un documento excepcional: la fotografía recoge a los participantes en un acto organizado en 1927, para conmemorar el tercer centenario de la muerte de Góngora. Ahí están, entre otros, **Alberti, García Lorca, Jorge Guillén, Dámaso Alonso** y **Gerardo Diego**. Añadamos nosotros a **Salinas**, **Aleixandre**, **Cernuda**... He ahí la llamada *generación del 27.*

● Recordando lo dicho en las páginas 237 y 238 debe quedar claro que la palabra «generación» no se usa aquí en su sentido exacto, pues en la misma entrarían, por edad —aparte otros poetas—, diversos novelistas y dramaturgos (que no nos corresponde estudiar este curso). Se trata, propiamente, de **un grupo poético** dentro de una *generación*.

● Pero lo que importa, sobre todo, es que esos poetas dan cima a *una nueva Edad de Oro de la lírica española,* ya iniciada por Machado, Juan Ramón, etc.

Demos ahora unas ideas generales, como introducción a las lecturas.

LA VIDA DEL GRUPO

Estamos, efectivamente, ante un grupo compacto: todos sus miembros tuvieron conciencia de ello. Sus contactos personales fueron estrechos. Véanse algunos datos:

— Entre los actos comunes, destacan, ante todo, los organizados para conmemorar el citado ***centenario de Góngora en 1927***, fecha que les da nombre.

— La famosa ***Residencia de Estudiantes,*** de la Institución Libre de Enseñanza, en Madrid, fue un decisivo lugar de encuentro, con sus conferencias, exposiciones, tertulias...

—Colaboran en las mismas ***revistas***. Así, la *Revista de Occidente* y *La Gaceta Literaria,* ya citadas, entre otras.

—Rotunda fe de vida del grupo es la ***Antología*** compuesta por Gerardo Diego en 1931, que recoge muestras de la obra de todos ellos.

Estos y otros hechos nos hablan de una convivencia cordial que sólo la guerra truncaría.

ORIENTACIONES ESTÉTICAS. TRADICIÓN Y RENOVACIÓN

A diferencia de lo que solía suceder entre los vanguardistas, el grupo del 27 *no se alza sistemáticamente contra nadie*. Sus orientaciones estéticas son integradoras y entre sus preferencias caben desde los poetas «primitivos» hasta los más rabiosamente actuales.

● ***Sintieron veneración por los poetas medievales y clásicos.***

—Así, dedicaron magistrales estudios o cálidos homenajes poéticos a Manrique, Garcilaso, Fray Luis, San Juan de la Cruz, Lope de Vega, Quevedo...

—Significativa, desde luego, es su admiración por **Góngora**: y es que fue para ellos modelo de la búsqueda de una lengua poética radicalmente distinta del lenguaje usual.

—Pero, junto a ese polo *culto,* sintieron pasión por la **poesía popular**. El Cancionero y el Romancero tradicionales, las cancioncillas de Gil Vicente y Lope de Vega, o los cantares vivos en el pueblo nutrieron a Lorca, a Alberti, etc. Es el llamado *neopopularismo.*

● ***Entre los poetas del siglo XIX y principios del XX admiraron:***

—A **Bécquer**, cuyo influjo en ellos ya anticipamos.

—A **Unamuno** y **Machado**, aunque por encima de ellos sintieron el magisterio de **Juan Ramón**. Y valoraron con justicia a **Rubén**.

● Finalmente, recibieron la ***influencia de corrientes extranjeras***; ya sabemos lo atentos que estuvieron a las ***vanguardias***.

● En suma, integraron ejemplarmente **tradición y renovación.** Así, en sus obras conviven lo *español* y lo *universal,* lo «puro» y lo «humanizado», lo *culto* y lo *popular,* lo *minoritario* y lo que llega a todos... Tal es la riqueza que confiere a los poetas del 27 su puesto señero en las letras españolas y universales.

EVOLUCIÓN

Los poetas del «27» son marcadas personalidades. Habrá de tenerse en cuenta, fundamentalmente, la evolución peculiar de cada uno. Pero pueden señalarse, en conjunto, las siguientes etapas:

1. **Hasta 1927, aproximadamente.** Tanteos iniciales, con resabios posmodernistas y huellas de Bécquer. Domina el ideal de una *poesía «pura»,* es decir, más atenta al trabajo de la forma que a la expresión de lo humano. Ello puede ser compatible sea con formas de tipo *popular,* sea con la influencia de las primeras *vanguardias.*

2. **De 1927 a la guerra civil.** La *humanización* de la poesía será cada vez mayor y, en parte, como sabemos, coincide con la irrupción del *Surrealismo.* Junto a la expresión de angustias personales, pronto aparecerá en los versos la *protesta social,* aspecto que alcanzará mayor desarrollo en los años de la República y de la guerra civil.

3. **Después de la guerra.** Lorca ha muerto. Varios de los miembros del grupo están desterrados. ***En España,*** la poesía deriva hacia *un humanismo angustiado* (Dámaso Alonso) o *solidario* (Aleixandre). ***En el exilio,*** la protesta y la nostalgia de la patria perdida son algunas de las notas dominantes.

INNOVACIONES FORMALES. LA VERSIFICACIÓN

● Ya hemos dicho que los poetas del 27 aportaron a la **lengua poética** profundas novedades. Hemos aludido a su búsqueda de una lengua «distinta». El gran instrumento de esa lengua es la ***metáfora,*** con audacias novísimas, deslumbrantes, que aprendieron —lo sabemos— de los vanguardistas («Ramón», el primero), pero también de los poetas barrocos, por ejemplo. Una vez más, remitimos a los textos, que mostrarán con detalle y con claridad las *novedades expresivas.*

• Unas observaciones sobre **la métrica.** Renunciaron a muchas de las brillantes y sonoras formas del Modernismo. Pero, junto a *formas tradicionales y clásicas,* adquieren un amplio desarrollo el *verso libre* y el *versículo* (también en esto contaron con los precedentes de Juan Ramón y los vanguardistas).

Sobre esto último, remitimos a nuestro manual del curso pasado, en cuyas páginas se encontrarán las nociones necesarias para enfrentarse con las novedades de versificación que presentarán algunos de los poemas seleccionados.

Nota. Vienen a continuación LECTURAS de los principales *poetas del 27.* Por razones de espacio, no podremos ofrecer tantos textos como merecerían y desearíamos. Pensando en los gustos de los alumnos, proponemos un estudio más atento de **Lorca** y más somero de los demás. Hacemos más que nunca una invitación a lecturas personales más amplias.

Se incluye también en esta sección a **Miguel Hernández**, el cual —si bien pertenece, por edad, a la generación siguiente— convivió con los poetas del 27 y ha sido considerado epígono suyo, algo así como su «hermano menor».

GARCÍA LORCA (16a)

VIDA, PERSONALIDAD Y TEMA CENTRAL

• Federico García Lorca nació en Fuentevaqueros (Granada), en 1898. En Granada inicia estudios de Música, Derecho y Letras, que proseguirá en Madrid. Allí, en la famosa Residencia de Estudiantes, entabla entrañables relaciones con poetas y artistas del momento. Su obra y su personalidad le otorgan pronto un lugar de excepción. En 1929-1930 está como becario en Nueva York, experiencia importante, como veremos. En 1932 funda el grupo *La Barraca,* que lleva teatro clásico y moderno por los pueblos de España. Se gana la máxima admiración. Pero también odios. Su asesinato en agosto de 1936 es uno de los episodios más ignominiosos de la guerra civil.

• La **personalidad** de Lorca nos ofrece una doble faz: de un lado, su vitalidad y simpatía arrolladoras; de otro, un íntimo malestar, un dolor de vivir.

• De ahí que en su obra, junto a manifestaciones de gracia bulliciosa, aparezca —como elemento obsesivo, *central* —**el tema del destino trágico,** la imposibilidad de realizarse, ***la frustración***.

García Lorca en la Universidad de Columbia (Nueva York), en 1929. La estancia en la metrópoli estadounidense fue una experiencia decisiva en la vida del poeta y quedó magistralmente reflejada en su obra.

POÉTICA

● Son fundamentales estas palabras suyas: «Si es verdad que soy poeta por la gracia de Dios —o del demonio—, también lo es que lo soy por la gracia de la técnica y del esfuerzo...» La frase revela su exigente actitud ante la creación: ***inspiración*** y ***trabajo riguroso*** han de ir unidos. Así surgirá una poesía en que conviven lo *humanísimo* y lo *estéticamente puro*.

● A ello contribuyen sus profundas raíces populares. Lo ***popular*** y lo ***culto*** van también hermanados en su obra.

LOS PRIMEROS LIBROS

● En 1921 publica ***Libro de poemas***. Su estilo está formándose. La temática es variada, pero domina ya su hondo malestar: así, cuando evoca el «paraíso perdido» de su infancia, o da testimonio de su tremenda *crisis juvenil* (relacionada con su condición homosexual).

● Compone luego, paralelamente, tres libros: ***Poema del Cante Jondo***, ***Canciones*** y ***Suites***. Hay en ellos poesía «pura», juego, ecos vanguardistas..., pero también nostalgias y temas trágicos. Y, sobre todo, en el primero, la intensa presencia de «la Andalucía del llanto». Lorca expresa su dolor de vivir a través del dolor que rezuman esos cantes «hondos» (véase el poema *La guitarra*).

EL *ROMANCERO GITANO*. SU SENTIDO

● Se publica en 1928 y alcanza un éxito resonante. No es un mero canto a esa raza marginada: Lorca convierte a lo gitano en un *mito* en que se encarna el citado ***tema del destino trágico.*** En los romances aparecen personajes al margen de un mundo hostil, marcados por la frustración o la muerte; sus ansias de vivir se estrellan contra convenciones y trabas.

Como se verá, Lorca ha «proyectado» sobre esos personajes sus grandes obsesiones. Así lo muestra la composición que era, según Lorca, «lo más representativo del libro»: el *Romance de la pena negra,* que luego comentaremos.

● En el *Romancero,* en fin, su **estilo** alcanza una primera cima, inconfundible. Es el punto más alto de esa fusión de lo culto y lo popular. Su potente poder de creación le lleva a sembrar los romances de *metáforas audaces* que, sin embargo, no merman su calor humano.

POETA EN NUEVA YORK: INFLUJO SURREALISTA Y ACENTO SOCIAL

● El mundo neoyorquino produjo en Lorca una conmoción violenta. Lo definió con dos palabras: «Geometría y angustia.» Allí vio él las manifestaciones máximas del poder del dinero, la injusticia social, la deshumanización. Y esos son los grandes **temas** de ***Poeta en Nueva York***.

● De lo dicho se desprende que «un acento social se incorpora a su obra» (son palabras de Lorca). Los poemas son gritos de dolor y de protesta. Ahora, la frustración o la angustia ya no son sólo las del poeta: ha sintonizado con millones de hombres.

● La conmoción espiritual y la protesta encuentran cauce adecuado en la ***técnica surrealista*** (aunque no pura). El *versículo* y la *imagen alucinante* le sirven para expresar un mundo absurdo, para comunicar visiones de pesadilla, con toda violencia verbal.

● En suma, Lorca ha *ampliado su mundo poético* y *ha renovado profundamente su lenguaje*. Así alcanza una nueva cima.

ÚLTIMAS OBRAS POÉTICAS

● En adelante, Lorca volcará en el teatro su inquietud social. Su intimidad, en cambio, se encerrará en su lírica. En ella encontramos:

● El *Llanto por Ignacio Sánchez Mejías* (1935), otra de sus máximas creaciones, inspirada por la muerte del famoso torero. En sus cuatro partes se combinan lo popular y lo vanguardista. El patetismo y la maestría formal hacen del *Llanto* una de las más hermosas elegías.

● El *Diván del Tamarit* (1936), un libro de poemas dolientes, inspirados por la poesía arábigo-andaluza.

● Los *Sonetos del amor oscuro* (1935-1936), de los que conservamos once, son su última cumbre poética, por la hondísima expresión de la gloria y el dolor de amar.

EL TEATRO DE LORCA

● Lorca ocupa —con Valle— una cima no alcanzada por nuestro teatro desde el Siglo de Oro. He aquí algunos aspectos:

— Escribió **farsas** deliciosas, como *La zapatera prodigiosa* (1930).

— Contribuyó al **teatro de vanguardia** con obras audaces: *El público* (1930) o *Así que pasen cinco años* (1931).

— Pero sobresalen sus **tragedias**, que encarnan en mujeres el drama de la pasión frustrada (otra vez su tema central): así, *Bodas de sangre* (1933), *Yerma* (1934) o su obra cumbre, *La casa de Bernarda Alba* (1936), estremecedor conflicto entre pasión y represión.

● El *verso* y la *prosa* se combinan en su teatro; pero, en su última obra, domina plenamente una prosa de gran fuerza dramática.

Paralelamente, los conflictos y los ambientes cobran mayor hondura y mayor alcance. En efecto, Lorca afrontó problemas reales y colectivos —aunque en sintonía con sus problemas personales—. En sus últimos años, dijo: «El artista debe reír y llorar con su pueblo».

SIGNIFICACIÓN Y FAMA

● Entre los poetas del 27, Lorca es máximo ejemplo de la superación de la poesía «pura», pero sin que la fuerza humana disminuya las exigencias estéticas. No cesan de admirar tanto su arraigo popular como el alcance universal que dio a la expresión de íntimos anhelos; ejemplar es su apertura del «yo» al «nosotros».

Su fama es, como se sabe, mundial, y —aunque en ello influyeron razones extraliterarias— en su obra hay suficientes valores que la justifican.

El teatro de García Lorca es una espléndida fusión de tradición y vanguardia. En la imagen, decorado para La zapatera prodigiosa, *encantadora farsa en la que, según el propio Lorca, «no se dicen más que las palabras precisas y se insinúa todo lo demás.»*

POESÍAS

«Alba»

Como hemos dicho, en el Libro de Poemas, *primera obra poética de Lorca, hay testimonios conmovedores de una crisis juvenil. Su íntimo malestar, su sentimiento de frustración, aparecen en poemas como éste, escrito a los veinte años.*

Mi corazón oprimido
siente junto a la alborada
el dolor de sus amores
y el sueño de las distancias.

5 La luz de la aurora lleva
semilleros de nostalgias
y la tristeza sin ojos
de la médula del alma.

La gran tumba de la noche
10 su negro velo levanta
para ocultar con el día
la inmensa cumbre estrellada.

¡Qué haré yo sobre estos campos
cogiendo nidos y ramas,
15 rodeado de la aurora
y llena de noche el alma!

¡Qué haré si tienes tus ojos
muertos a las luces claras
y no ha de sentir mi carne
20 el calor de tus miradas!

¿Por qué te perdí por siempre
en aquella tarde clara?
Hoy mi pecho está reseco
como una estrella apagada.

- **En este libro inicial, Lorca habla con frecuencia de su «corazón»; ¿cómo lo hace aquí? También se refiere al amor; ¿en qué términos?**
- **Es muy lorquiana la oposición entre la luz («la alborada», «la aurora») y la oscuridad («la noche»). ¿En qué versos aparece? ¿Qué simbolismo encierra?**
- **En esta época, el estilo de Lorca está aún en formación; ¿ves en el poema ecos de algún poeta anterior? ¿Ves notas originales?**

«La guitarra»

El Poema del cante jondo, *nuevo poemario, está lleno de ayes, de dolor, de muerte. Es —decíamos— «la Andalucía del llanto», sobre la que proyecta Lorca su propio dolor de vivir. El poema* La guitarra *viene a ser un compendio de todo ello.*

Empieza el llanto
de la guitarra.
Se rompen las copas
de la madrugada.
5 Empieza el llanto
de la guitarra.
Es inútil callarla.
Es imposible
callarla.
10 Llora monótona
como llora el agua,
como llora el viento
sobre la nevada.
Es imposible
15 callarla.
Llora por cosas
lejanas.
Arena del Sur caliente
que pide camelias blancas.
20 Llora flecha sin blanco,
la tarde sin mañanas,
y el primer pájaro muerto
sobre la rama.
¡Oh, guitarra!
25 Corazón malherido
por cinco espadas[1].

---

[1] *cinco espadas*, los dedos de la mano.

- «Corazón malherido» llama Lorca a la guitarra. ¿No se puede aplicar la misma expresión al poeta?
- El sentimiento de lo inalcanzable, de los sueños imposibles y de la frustración aparecen con bellas imágenes sobre todo en los versos 16-23; muéstrese. Observa la mayor madurez del estilo.
- Lorca emplea aquí una versificación irregular, característica de la poesía popular; analízala.

«Romance de la pena negra»

Según anticipamos, esta composición es pieza clave del Romancero gitano. *Dijo Lorca que en el libro «hay un solo personaje real, que es la pena que se filtra por el tuétano de los huesos...» Tal vez es también el texto más «claro» del libro. Valdrá la pena dedicarle un comentario minucioso.*

Las piquetas de los gallos[2]
cavan buscando la aurora,
cuando por el monte oscuro
baja Soledad Montoya.
5 Cobre amarillo, su carne,
huele a caballo y a sombra.
Yunques ahumados sus pechos,
gimen canciones redondas[3].
Soledad, ¿por quién preguntas
10 sin compaña y a estas horas?
Pregunte por quien pregunte,
dime: ¿a ti qué se te importa?
Vengo a buscar lo que busco,
mi alegría y mi persona.
15 Soledad de mis pesares,
caballo que se desboca,
al fin encuentra la mar
y se lo tragan las olas.
No me recuerdes el mar,
20 que la pena negra brota
en las tierras de aceituna
bajo el rumor de las hojas.
¡Soledad, qué pena tienes!
¡Qué pena tan lastimosa!
25 Lloras zumo de limón
agrio de espera y de boca.
¡Qué pena tan grande! Corro
mi casa como una loca,
mis dos trenzas por el suelo,
30 de la cocina a la alcoba.
¡Qué pena! Me estoy poniendo
de azabache, carne y ropa.
¡Ay mis camisas de hilo!
¡Ay mis muslos de amapola!
35 Soledad: lava tu cuerpo
con agua de las alondras[4],
y deja tu corazón
en paz, Soledad Montoya.
Por abajo canta el río:
40 volante[5] de cielo y hojas.
Con flores de calabaza,
la nueva luz se corona.
¡Oh pena de los gitanos!
Pena limpia y siempre sola.
45 ¡Oh pena de cauce oculto
y madrugada remota!

---

[2] Metáfora del tipo «I de R» (véase la página 8): los cantos de los gallos (R, término real) son como piquetas (I, término imaginario) que cavan en la oscuridad como para sacar el sol. [3] *canciones redondas*, se trata de un «desplazamiento calificativo»; el adjetivo —que convenía a los pechos de gitana— se aplica a su canción. [4] *agua de las alondras*, el rocío (agua purísima). [5] *volante*, el río remata la falda de la montaña como un volante remata una falda andaluza; en el río se reflejan el cielo y los árboles.

COMENTARIO DE TEXTO. ROMANCE DE LA PENA NEGRA

Introducción

a Sitúa el texto en la trayectoria poética de Lorca y dentro de su temática fundamental.

b **Tema**. Tras una primera lectura, ¿qué impresión nos ha dejado la figura de la gitana?, ¿qué ansias parecen animarla? ¿Y qué ideas se desprenden del diálogo? (Por cierto, ¿quién será, o mejor, *qué representa* ese personaje que habla con Soledad? Las cuestiones **f**, **h** y **l** ayudarán a precisarlo.)

c **Estructura**. Es sencilla; determínala.

Análisis (contenido y expresión)

d Ya en los *versos 1-4* puede verse la mezcla de metáfora audaz y lenguaje directo; téngase en cuenta.

e La descripción de la gitana es espléndida: ¿qué rasgos dominan? ¿Son sólo físicos? Detente en la densidad sensorial de los *versos 5-8*.

f Compasión y reproches —y hasta amenazas— se combinan en las palabras del interlocutor. Adviértase desde los *versos 9-10*.

g ¿Con qué tono contesta Soledad? Atención a los *versos 13-14*; contienen probablemente el centro de este romance y los anhelos fundamentales de las criaturas lorquianas y del propio poeta. Coméntalo.

h Pero ¿qué juicio le merecen esos anhelos al interlocutor? Lo verás en los *versos 15-18* (¿qué simboliza el «caballo»?, ¿y «la mar»?). Observa la amenaza.

i En el *verso 19*, ¿tiene «el mar» para Soledad el mismo valor simbólico que poco antes?

j *Versos 23-26*: Nuevas frases compasivas; coméntese la sugestiva imagen sobre el llanto.

k *Versos 27-34*: Es la réplica más larga de Soledad, «clímax» de su estado de ánimo; ¿cómo lo expresa?, ¿qué significan las actitudes de los *versos 27-30*? ¿Y esa «invasión» del azabache? ¿Qué resonancias hay en las referencias a *camisas* y *muslos*? ¿Por qué *de amapola*? Sigue subrayando la fuerza sensorial y afectiva de versos como éstos.

l ¿Cuál es el último consejo del interlocutor?

m Llegamos al colofón. Primero, unas notas de paisaje; comenta su elaboración verbal, donde no falta un juego (véase nota 5).

n *Versos 43-46*: ¿Cómo califica Lorca la *pena de los gitanos*? (¿y será sólo «de los gitanos»?). En fin, ¿qué nos hace augurar la última exclamación? (desentráñese con precisión el sentido de *cauce oculto* y *madrugada remota*).

Conclusión

ñ Importancia de este romance. ¿Ha quedado justificado su carácter central?

o Haz las consideraciones de conjunto que el texto te sugiera sobre la lengua poética de Lorca en este momento.

«New York. Oficina y denuncia»

Como muestra de Poeta en Nueva York, *comentamos el curso pasado «La aurora», un poema fundamental y uno de los más accesibles del libro. Ahora propondremos este otro, más difícil, pero escogiendo sólo unos pasajes y acompañándolo de unas «pistas» que facilitarán su comprensión. Antes —en una primera lectura— disponte a dejarte llevar (a «dejarte alucinar»...) por estas imágenes extrañas y violentas que deben remover cosas muy hondas en un lector sensible.*

Debajo de las multiplicaciones
hay una gota de sangre de pato;
debajo de las divisiones
hay una gota de sangre de marinero;
5 debajo de las sumas, un río de sangre tierna.
Un río que viene cantando
por los dormitorios de los arrabales,
y es plata, cemento o brisa
en el alba mentida de New York.
10 Existen las montañas. Lo sé.
Y los anteojos para la sabiduría.
Lo sé. Pero yo no he venido a ver el cielo.
Yo he venido para ver la turbia sangre. [...]
Yo denuncio a toda la gente
15 que ignora la otra mitad. [...]
Os escupo en la cara.
La otra mitad me escucha
devorando, orinando, volando en su pureza
como los niños de las porterías
20 que se llevan frágiles palitos
a los huecos donde se oxidan
las antenas de los insectos.
No es el infierno, es la calle.
No es la muerte, es la tienda de frutas. [...]
25 ¿Qué voy a hacer? ¿Ordenar los paisajes?
¿Ordenar los amores que luego son fotografías,
que luego son pedazos de madera
y bocanadas de sangre? [...]
No, no, no, no; yo denuncio.
30 Yo denuncio la conjura
de estas desiertas oficinas
que no radian las agonías,
que borran los programas de la selva,
y me ofrezco a ser comido
35 por las vacas estrujadas
cuando sus gritos llenan el valle
donde el Hudson se emborracha con aceite.

- **El texto no es tan difícil como a primera vista puede parecer (no es de un surrealismo «puro»). Comienza por decir qué has percibido globalmente, sin detenerte en detalles.**
- **Tras un mundo de «números», de contabilidades, de negocios («oficinas»), Lorca ve el sufrimiento de muchos seres: ¿cómo expresa tal oposición?**
- **Hay en el mundo cosas hermosas, pero el poeta dirigirá su mirada hacia el dolor humano: observa cómo lo dice en los versos 10-13.**
- **Los versos 14-15 son muy claros. Les siguen, en cambio, otros en que habla de las gentes pobres con expresiones insólitas: propón interpretaciones que «encajen» con la visión social del autor.**
- **Nota cómo, en el verso 25 y siguientes, opone Lorca los problemas «personales» y los problemas sociales.**
- **Un aspecto esencial de *Poeta en Nueva York* es la contraposición entre Naturaleza (lo positivo) y Civilización, cierto tipo de civilización (lo negativo). Sobre esta base, interpreta los versos 30-33.**
- **Partiendo de lo que acabamos de señalar, ¿cómo expresa Lorca su solidaridad con las criaturas sacrificadas, en los versos 34-37?**
- **¿Te parece el nuevo estilo de Lorca adecuado al tema?**

Sonetos del amor oscuro: «El poeta dice la verdad»

En 1936, Lorca manifestó su propósito de escribir un copioso libro de sonetos. Como dijimos, los once de esta serie que nos han llegado son su última cumbre poética y sitúan al autor entre los más grandes sonetistas de nuestra lengua (Garcilaso, Lope, Góngora, Quevedo...). Júzguese por el que aquí ofrecemos.

Quiero llorar mi pena y te lo digo
para que tú me quieras y me llores
en un anochecer de ruiseñores
con un puñal, con besos y contigo.

5 Quiero matar al único testigo
para el asesinato de mis flores
y convertir mi llanto y mis sudores
en eterno montón de duro trigo.

Que no se acabe nunca la madeja
10 del te quiero me quieres, siempre ardida
con decrépito sol y luna vieja;

que lo que no me des y no te pida
será para la muerte, que no deja
ni sombra por la carne estremecida.

Dibujo de Gregorio Prieto.

- **Las penas y gozos del amor alcanzan en éste y los otros sonetos una expresión hondísima. Desentráñese el sentido del poema (unas pistas: hay en estos versos unos anhelos de vencer a la pena y a cuanto se oponga al amor, de transformar el dolor en gozo fecundo).**
- **Valórense la hondura afectiva y la belleza verbal de las frases, sin olvidar la perfección rítmica.**
- **Un soneto requiere un final o «cierre» especialmente cuidado; el de éste es impresionante; nótese.**

Por razones de espacio, no incluimos aquí una muestra del **teatro** *de Lorca. Pero no olvidemos su inmensa talla de dramaturgo. Entre las seis obras que, durante este curso, deben leerse completas, bien podría figurar alguno de los grandes dramas lorquianos (***La casa de Bernarda Alba***, sobre todos). En cualquier caso, recomendamos vivamente la lectura personal del teatro de Lorca.*

RAFAEL ALBERTI (16b)

VIDA Y POÉTICA

● Nació en El Puerto de Santa María (Cádiz), en 1902. A los quince años se traslada a Madrid con su familia. Deja el Bachillerato para estudiar pintura, pero pronto surge su vocación poética (aunque seguirá pintando toda su vida). En 1927, una honda crisis le hace perder la fe. En 1931 se afilia al Partido Comunista. Tras la guerra, vive exiliado en Argentina e Italia. Sólo podrá regresar a España en 1977.

● Dos cosas asombran en la obra de Alberti: su ***variedad*** y su ***virtuosismo***. Cultiva los más diversos temas, tonos y estilos: la poesía pura, el humor, la angustia, la pasión política... Y todo con igual maestría. Veamos algo de todo ello en su trayectoria.

LO POPULAR Y LO CULTO EN LOS PRIMEROS LIBROS

Su primera obra, *Marinero en tierra,* aparece en 1925 y cosecha ya un Premio Nacional. Su centro es la nostalgia de su tierra natal. Junto a una estilizada tristeza, los poemas rezuman luz, blancura, colorido. Y dominan las formas ligeras tomadas de la lírica popular.

● Los ritmos populares y graciosos continúan en *La amante* (1926) y *El alba del alhelí* (1925-26).

● *Cal y canto* (1926-27) supone un cambio hacia lo *culto* y lo *vanguardista.* Por una parte, el fervor por Góngora se trasluce en sonetos, etc. Por otra, hay poemas audaces, de un vanguardismo lúdico. Y siempre la misma riqueza de inspiración y el mismo virtuosismo.

SOBRE LOS ÁNGELES

● La mencionada crisis le inspira su obra maestra y uno de los libros claves de su generación: *Sobre los ángeles* (1927-28). Lo primero que se aprecia es una ruptura con el lenguaje poético anterior. Ahora la técnica empleada es de tipo *surrealista:* imágenes libres, predominio del versículo, etc.

El poeta se ve expulsado de un paraíso, errando por un mundo caótico y sin sentido, con el alma vacía... En torno suyo, esos «ángeles», seres extraños que simbolizan, entre otras cosas, el dolor, la tristeza, la desesperanza, la muerte. Algo de ello podremos ver en los poemas «Paraíso perdido» y «Los ángeles muertos».

POESÍA POSTERIOR

● Con poco más de veinticinco años, Alberti se había situado ya en la primera fila de su generación. Siguen sesenta años de producción copiosa. Desde 1931, destacaremos, sobre todo, dos aspectos: *la poesía política* y *la nostalgia del desterrado.*

● Durante la República y la guerra civil, Alberti pone su poesía al servicio de la lucha política. He aquí un título significativo: *El poeta en la calle.* Y escribe versos sencillos, directos, de alcance mayoritario, menos atento a la calidad, aunque con indudables aciertos.

● Durante su largo exilio, su inspiración vuelve a ser variada. Reaparecen las formas tradicionales y clásicas, sin olvidar ensayos de formas nuevas. La nostalgia de su patria está, entre otros libros, en *Retornos de lo vivo lejano* o *Baladas y canciones del Paraná.* Su vieja pasión artística le inspira el libro *A la pintura.* Y seguirá acumulando nuevos títulos.

OTRAS OBRAS

Ha cultivado también el *teatro.* Su obra más interesante es *El adefesio* (1944), vecina al «esperpento». Mencionemos también *El hombre deshabitado* (1930), de un vanguardismo surrealista, *Noche de guerra en el Museo del Prado* (1956), de tipo político, etc.

● Y entre diversos escritos en ***prosa,*** es imprescindible su libro de memorias, *La arboleda perdida,* de valor inestimable tanto por su contenido como por su espléndido estilo.

POESÍAS

Las formas populares en *Marinero en tierra*

Comencemos por dos muestras de su primer libro, en las que aparece su añoranza de la mar (véase, en la primera, cómo el poeta prefiere amorosamente la forma femenina). En ambas cancioncillas se observará la profunda asimilación del tono y los recursos de la lírica tradicional: la desnudez, la condensación, ciertos paralelismos y repeticiones...

[1]

El mar. La mar.
El mar. ¡Sólo la mar!
¿Por qué me trajiste, padre,
a la ciudad?
5 ¿Por qué me desenterraste
del mar?
En sueños, la marejada
me tira del corazón.
Se lo quisiera llevar.
10 Padre, ¿por qué me trajiste
acá?

[2]

... Y ya estarán los esteros[1]
rezumando azul de mar.
¡Dejadme ser, salineros,
granito del salinar!
5 ¡Qué bien, a la madrugada,
correr en las vagonetas,
llenas de nieve salada
hacia las blancas casetas!
¡Dejo de ser marinero,
10 madre, por ser salinero!

Sobre los ángeles: «Paraíso perdido»

De la obra maestra de Alberti veremos dos textos. El titulado Paraíso perdido *es la composición inicial de* Sobre los ángeles. *Como en los poemas de la primera parte del libro, aún emplea versos tradicionales, y su intenso simbolismo —no surrealista— resulta accesible. He aquí unas estrofas esenciales para comprender la situación anímica de Alberti en el momento: el poeta, como un ángel expulsado, vaga entre tinieblas, preguntando por el paraíso sin que nadie le conteste, sin esperanza.*

A través de los siglos,
por la nada del mundo,
yo, sin sueño, buscándote.

Tras de mí, imperceptible,
5 sin rozarme los hombros,
mi ángel muerto, vigía.

¿Adónde el Paraíso,
sombra, tú que has estado?
Pregunta con silencio.

10 Ciudades sin respuesta,
ríos sin habla, cumbres
sin ecos, mares mudos. [...]

Ya en el fin de la Tierra,
sobre el último filo,
15 resbalando los ojos,

muerta en mí la esperanza,
ese pórtico verde
busco en las negras simas.

¡Oh boquete de sombras!
20 ¡Hervidero del mundo!
¡Qué confusión de siglos!

¡Atrás, atrás! ¡Qué espanto
de tinieblas sin voces!
¡Qué perdida mi alma!

25 —Ángel muerto, despierta.
¿Dónde estás? Ilumina
con tu rayo el retorno.

Silencio. Más silencio.
Inmóviles los pulsos
30 del sinfín de la noche.

¡Paraíso perdido!
Perdido por buscarte,
yo, sin luz para siempre.

[1] *esteros*, terrenos inmediatos a las riberas de una ría o a la desembocadura de un río, por donde se extienden las aguas de las mareas.

«Los ángeles muertos»

En la segunda parte de Sobre los ángeles, *Alberti acude ya al versículo y a las imágenes libérrimas de estirpe surrealista. De ello es buen ejemplo el poema siguiente. Como sabemos, no deben «traducirse» estos versos como las metáforas tradicionales; pero, como en Lorca, la coherencia de las imágenes es indudable y, verso a verso, sus connotaciones convergentes nos van imponiendo un sentido y nos «contagian», por así decir, el estado de ánimo del poeta.*

Aquí, también, sugerimos una primera lectura sin más preparación. Trátese luego de ir haciendo lúcidas las impresiones que cada verso nos produce y su sentido general. En fin, consúltense las notas que siguen al texto.

Buscad, buscadlos:
en el insomnio de las cañerías olvidadas,
en los cauces interrumpidos por el silencio de las basuras.
No lejos de los charcos incapaces de guardar una nube,
5 unos ojos perdidos,
una sortija rota
o una estrella pisoteada.
Porque yo los he visto:
en esos escombros momentáneos que aparecen en las neblinas.
10 Porque yo los he tocado:
en el destierro de un ladrillo difunto,
venido a la nada desde una torre o un carro.
Nunca más allá de las chimeneas que se derrumban
ni de esas hojas tenaces que se estampan en los zapatos.
15 En todo esto.
Más en esas astillas vagabundas que se consumen sin fuego,
en esas ausencias hundidas que sufren los muebles desvencijados,
no a mucha distancia de los nombres y signos que se enfrían en las paredes.
Buscad, buscadlos:
20 debajo de la gota de cera que sepulta la palabra de un libro
o la firma de uno de esos rincones de cartas
que trae rodando el polvo.
Cerca del casco perdido de una botella,
de una suela extraviada en la nieve,
25 de una navaja de afeitar abandonada al borde de un precipicio.

- **Hablamos antes de la crisis que sufrió Alberti en 1927. ¿Qué nos hacía entrever el poema *Paraíso perdido*?**
- **En cuanto a *Los ángeles muertos*, ¿podrías enunciar la idea o impresión predominante?**
- **Será apasionante que los alumnos confronten en clase sus interpretaciones, verso a verso. ¿Se perciben elementos comunes en las imágenes del poema? ¿De qué tipo son los lugares u objetos en los que, según Alberti, habitan esos «ángeles»?**
- **Supongamos ahora que, al pedirnos que los busquemos, lo que el poeta intenta es participarnos cómo está él mismo. ¿Cómo sería entonces su mundo interior?**
- **En suma, en vez de «explicarnos» al modo tradicional su estado de ánimo, el poeta ha querido que «sintamos» algo semejante. Júzguese la eficacia y la fuerza de este lenguaje alucinante.**

La nostalgia

De Retornos de lo vivo lejano, *escrito en el exilio, es este hermoso poema titulado* Retorno frente a los litorales españoles. *El autor, que no puede regresar a España, pasa en un barco ante las costas andaluzas.*

Frente a esas tierras tan queridas, su amor y su tristeza se vierten en versos solemnes, hondos, emocionantes.

Obra abstracta de M. Fernández Mompó.

Madre hermosa tan triste y alegre ayer, me muestras
hoy tu rostro arrugado[2] en la mañana
en que paso ante ti sin poder todavía,
después de tanto tiempo, ni abrazarte.
5 Sales de las estrellas de la noche
mediterránea, el ceño de neblina,
fuerte, amarrada, grande y dolorosa.
Se ve la nieve en tus cabellos altos
de Granada, teñidos para siempre
10 de aquella sangre pura[3] que acunaste
y te cantaba —¡ay sierras!— tan dichosa.
No quiero separarte de mis ojos,
de mi corazón, madre, ni un momento
mientras te asomas, lejos, a mirarme.
15 Te doy vela segura, te custodio
sobre las olas lentas de este barco,
de este balcón que pasa y que me lleva
tan distante otra vez de tu amor, madre mía.
Este es mi mar, el sueño de mi infancia
20 de arenas, de delfines y gaviotas. [...]
Dime adiós, madre, como yo te digo,
sin decírtelo casi, adiós, que ahora,
ya otra vez sólo mar y cielo solos,
puedo vivir de nuevo, si lo mandas,
25 morir, morir también, si así lo quieres.

[2] *rostro arrugado*, las laderas de las sierras penibéticas, cercanas al mar. [3] Alusión al asesinato de García Lorca.

- **Se percibe, ante todo, un nuevo cambio de estilo: ¿cómo definirías ahora la lengua poética de Alberti?**
- **¿Qué sentimientos expresa el poeta ante la patria perdida? ¿Qué expresiones destacarías por su emoción o su belleza?**

PEDRO SALINAS (16c)

VIDA

Nació en Madrid en 1892. Fue profesor (París, Sevilla, Murcia, Cambridge...) y finísimo crítico. Vivió con profundidad las inquietudes creadoras de su generación. Por sus ideas liberales sufrió el exilio. Ejerció en varias universidades norteamericanas y murió en Boston, en 1951.

POÉTICA Y ESTILO

- «Estimo en la poesía —dijo—, sobre todo, *la autenticidad*; luego, *la belleza*; después, *el ingenio*.» Digamos que, en sus versos, se hermanan el *sentimiento* y la *inteligencia*. Ésta le permite ahondar en los sentimientos, para descubrir los aspectos más profundos de las experiencias concretas.
- Ese proceso de ahondamiento se manifiesta en la densidad conceptual, la agudeza, los juegos de ideas, etc., que caracterizan su **estilo:** es lo que se ha llamado *conceptismo interior.* Por lo demás, su lengua poética es sobria. Y su ***métrica*** aparentemente sencilla. Pero sus versos están rigurosamente trabajados.

TRAYECTORIA

Hay que distinguir tres etapas, de las que destaca la central.

1ª. De 1923 a 1931. Tres libros *(Presagios, Seguro azar* y *Fábula y signo)* que se inscriben en la «poesía pura», pero con toques vanguardistas.

2ª. A ella pertenecen dos obras maestras que hacen de él ***un gran poeta amoroso:*** *La voz a ti debida* (1933) y *Razón de amor* (1936). Pocas veces se ha ahondado con tanta sutileza en las experiencias amorosas, saltando de las puras anécdotas a la quintaesencia del amor. El amor es, por encima de todo, la fuerza que da plenitud a la vida y sentido al mundo; es enriquecimiento del propio ser y de la persona amada.

Véanse los dos poemas que incluimos luego y recuérdese uno que comentamos el curso pasado: «Perdóname por ir así buscándote...»

3ª. Tras la guerra, compuso tres libros de poemas *(Confianza, El contemplado, Todo más claro)* en los que su fe en la vida lucha con los signos angustiosos que ve en el mundo; así, por ejemplo, la amenaza atómica, tema de su impresionante poema *Cero.*

OTRAS OBRAS

No podemos detenernos aquí en su **narrativa** (varios cuentos, una novela) ni en su **teatro** (minoritario, sin duda interesante).

- En cambio, hemos de ponderar su **obra crítica.** Le debemos libros y ensayos sobre variadísimos aspectos de nuestra literatura. En ellos asombra la conjunción de sabiduría y de fina sensibilidad.

LA VOZ A TI DEBIDA

Dos poemas de amor

He aquí versos del Salinas más hondo. En ellos se verá lo que hemos apuntado antes sobre la sutileza de su pensamiento amoroso, sobre ese profundizar suyo en las relaciones amorosas.

*En el poema **1**, como en tantos otros, habla de la exigencia de enriquecimiento mutuo que ve en el amor; habla de eliminar lo falso o lo negativo de la personalidad, de liberarse de lo accesorio para quedar reducido a lo auténtico, para ser plenamente uno mismo.*

*En el **2** reaparece la idea del amor como enriquecimiento, pero ahora referido a la persona del propio poeta. Viene a decir que su vida —la vida de quien ama y es amado— resulta multiplicada* *por dos: la propia vida se duplica con la vida de la persona amada, pues amarse es compartir experiencias, comunicarse mutuamente lo que se ve, lo que se vive.*

[1]

Para vivir no quiero
islas, palacios, torres.
¡Qué alegría más alta:
vivir en los pronombres!
5 Quítate ya los trajes,
las señas, los retratos;
yo no te quiero así,
disfrazada de otra,
hija siempre de algo.
10 Te quiero pura, libre,
irreductible: tú.
Sé que cuando te llame
entre todas las gentes del mundo,
sólo tú serás tú.
15 Y cuando me preguntes
quién es el que te llama,
el que te quiere suya,
enterraré los nombres,
los rótulos, la historia.
20 Iré rompiendo todo
lo que encima me echaron
desde antes de nacer.
Y vuelto ya al anónimo
eterno del desnudo,
25 de la piedra, del mundo,
te diré:
«Yo te quiero, soy yo.»

[2]

¡Qué alegría vivir
sintiéndose vivido!
Rendirse
a la gran certidumbre, oscuramente
5 de que otro ser, fuera de mí, muy lejos,
me está viviendo. [...]
Que hay otro ser por el que miro el mundo
porque me está queriendo con sus ojos.
Que hay otra voz con la que digo cosas
10 no sospechadas por mi gran silencio;
y es que también me quiere con su voz.
La vida —¡que transporte ya!—, ignorancia
de lo que son mis actos, que ella hace,
en que ella vive, doble, suya y mía.
15 Y cuando ella me hable
de un cielo oscuro, de un paisaje blanco,
recordaré
estrellas que no vi, que ella miraba,
y nieve que nevaba allá en su cielo.
20 Con la extraña delicia de acordarse
de haber tocado lo que no toqué
sino con esas manos que no alcanzo
a coger con las mías, tan distantes.
Y todo enajenado podrá el cuerpo
25 descansar, quieto, muerto ya. Morirse
en la alta confianza
de que este vivir mío no era sólo
mi vivir: era el nuestro. Y que me vive
otro ser por detrás de la no muerte.

- **Los dos poemas te permitirán ilustrar con observaciones concretas lo que hemos dicho sobre la poesía amorosa de Salinas.**
- **El poema 1 comienza con una expresión ingeniosa («vivir en los pronombres»): ¿a qué idea profunda conduce luego esa expresión?**
- **El poema 2 habla, como hemos dicho, del enriquecimiento que supone el amor. Trata de expresar de la manera más sencilla posible lo que el texto va diciendo con gran sutileza.**
- **Señala en ambos poemas la densidad de ideas y algunos característicos juegos conceptuales, en particular varias paradojas.**
- **Junto a ello, subraya el lirismo y la belleza de ciertos versos.**
- **La *métrica* de Salinas.**

JORGE GUILLÉN (16d)

VIDA

Jorge Guillén (Valladolid, 1893) fue también profesor universitario (París, Oxford, Murcia, Sevilla y, desde la guerra, en los Estados Unidos). Es Premio Cervantes (1977), máximo galardón para escritores de lengua española. Pasó sus últimos años en Málaga, donde murió (1984).

POÉTICA Y ESTILO

● Se le definió como poeta «puro» o «intelectual». Pero él se declaró partidario de «una poesía pura *ma non troppo*» («no demasiado»). Y sus poemas arrancan a menudo de un goce directo de la vida. Lo que sucede es que Guillén estiliza la realidad y, partiendo de experiencias muy concretas, sensibles, extrae de ellas ideas o sentimientos quintaesenciados.

● Su **estilo** responde a tal orientación. Es un lenguaje muy elaborado que elimina lo accesorio, selecciona lo esencial y lo condensa. De ahí que su poesía resulte difícil no por ornatos o audacias, sino por su densidad.

OBRA: *AIRE NUESTRO*

Guillén dio a toda su obra este título común: *Aire nuestro*. Consta, ante todo, de un díptico fundamental (*Cántico* y *Clamor*), al que se añaden otros tres libros. Veámoslo.

CÁNTICO

Durante muchos años, el único libro del autor fue éste, engrosado en sucesivas ediciones: eran 75 poemas en la primera (1928) y son más de 300 en su versión definitiva (1950).

● La palabra *Cántico* encierra una idea de «acción de gracias» o de alabanza. Y es que estamos ante una poesía que exhala entusiasmo ante el mundo y ante la vida. La vida es bella, simplemente, porque es *vida*. El poeta disfruta con la contemplación de todo lo creado. Y dice: «El mundo está bien hecho».

● Como se ve, si la poesía se nutre frecuentemente de tristezas, Guillén es una excepción por su radical *optimismo*. Ciertos temas lo confirman: rehuyendo lo nocturno o lo crepuscular, Guillén canta el *amanecer* o el *mediodía*; del *amor*, canta los gozos, no las penas; y *la muerte*, incluso, es considerada con actitud serena.

CLAMOR

A *Cántico* se opone —en cierto modo— *Clamor* (1950-1963). El título equivale ahora a «gritos de protesta». El optimismo del poeta no le impide ver las «discordancias» del mundo: injusticias, miserias, guerras, etc. Así, los poemas de este nuevo ciclo dan testimonio del *dolor* y del *mal*. Ahora dirá: «Este mundo del hombre está mal hecho».

● Pero la actitud de Guillén tampoco es ahora de angustia o desesperanza, sino de una protesta positiva: «Es inevitable —dice— no transigir con el mal». Y bajo la denuncia, persiste su fe en el hombre y en la vida.

● *Clamor* lleva el subtítulo de «Tiempo de Historia» y consta de tres partes: *Maremágnum*, *Que van a dar en la mar* y *A la altura de las circunstancias*.

OTROS TÍTULOS

Tras ese díptico fundamental —cara y cruz de la realidad—, y cumplidos los 70 años, Guillén siguió escribiendo copiosamente, con maestría, aunque sin igualar sus anteriores logros. Su tercer libro, *Homenaje* (1967), recoge poemas a diversas figuras de la historia, el arte, las letras... Y completan su obra dos libros más: *Y otros poemas* (1973) y *Final* (1982).

SIGNIFICACIÓN

Insistamos en lo infrecuente de una poesía equilibrada y optimista como la de Guillén. Es «cántico a pesar de clamor», como él dijo. Su prestigio fue inmenso dentro de su generación. Y hoy la crítica ve en *Cántico* —que sigue siendo su cima— una de las obras máximas de la lírica europea del siglo XX.

POESÍAS

De *Cántico*: «Las doce en el reloj»

El mediodía, hora de máxima luz, es símbolo de plenitud para Guillén, como puede verse en este espléndido poema de Cántico. *La vibración de un álamo, el canto de un pájaro, la flor, los trigos, todo queda envuelto en el fervor del poeta, que goza de la belleza en el centro del paisaje.*

Dije: Todo ya pleno.
Un álamo vibró.
Las hojas plateadas
sonaron con amor.
5 Los verdes eran grises,
el amor era sol.
Entonces, mediodía,
un pájaro sumió
su cantar en el viento
10 con tal adoración,
que se sintió cantada
bajo el viento la flor
crecida entre las mieses,
más altas. Era yo,
15 centro en aquel instante,
de tanto alrededor,
quien lo veía todo
completo para un dios.
Dije: Todo, completo.
20 ¡Las doce en el reloj!

- **¿Cómo se manifiesta en estos versos la sensación de plenitud y el entusiasmo ante la realidad?**
- **Métrica y lenguaje. Observa cómo Guillén utiliza el verso corto no por sus posibilidades de musicalidad graciosa, sino para concentrar la expresión: advierte cómo, sin salirse del vocabulario habitual, ha escogido cuidadosamente las palabras y las ha situado de forma meditada en el verso. La elección del tipo de rima, ¿te parece acertada?**

De *Cántico*: dos décimas

Jorge Guillén sabe manejar con absoluta sabiduría las estrofas clásicas. Destacan sus décimas. He aquí dos de ellas. La primera es un ejemplo de cómo se alza de lo más concreto a lo más general: desde un objeto tan familiar como un sillón, el poeta siente un momento de plenitud intensa (ahí están sus palabras ya citadas: «El mundo está bien hecho»).

La segunda décima nos trae la perfección de lo creado, sentida desde un paisaje cualquiera, en otro mediodía.

BEATO SILLÓN

¡Beato sillón! La casa
corrobora su presencia
con la vaga intermitencia
de su invocación en masa
5 a la memoria. No pasa
nada. Los ojos no ven,
saben. El mundo está bien
hecho. El instante lo exalta
a marea, de tan alta,
10 de tan alta, sin vaivén.

PERFECCIÓN

Queda curvo el firmamento,
compacto azul, sobre el día.
Es el redondeamiento
del esplendor: mediodía.
5 Todo es cúpula. Reposa,
central sin querer, la rosa,
a un sol en cenit sujeta.
Y tanto se da el presente
que el pie caminante siente
10 la integridad del planeta.

Clamor: «Muerte de la rosa»

Veamos ahora una muestra de Clamor, *su segundo ciclo poético. Las «disonancias» que se oponen a la vida y a la belleza tienen su máximo exponente en el paso del tiempo y la muerte. Pero advirtamos que Guillén siempre aceptó la muerte con serenidad, como una ley natural.*

Sobre su tallo se yergue,
blanca ante todos, la rosa.
En este jardín es ella
quien dominó a la redonda
5 del rico plantel. Un pétalo
va inclinándose a su sombra.
Ni puro ya ni fragante,
se resquebraja, se acorta.
Arrugas hay. Y tendiéndose
10 por amarillos sin gloria.
Como si hubiese desorden
aumentan y se abandonan.
Algunos pétalos planos
—deformada la corola,
15 ya no círculo de amor—
caen al suelo, no importan.
Florece el jardín en torno
de la que agoniza a solas
y bien descubre ante el sol
20 los estambres que amontona,
mustios, el centro que fue
tan íntimo. A su hora,
sumisa a la primavera,
muriéndose está la rosa.

- **La rosa suele ser símbolo de máxima belleza: observa cómo también lo es aquí en los versos 1-5.**
- **Luego se habla de su muerte: nota cómo se produce gradualmente.**
- **Un tono elegíaco va invadiendo el poema: ¿en qué versos se hace más patente?**
- **Pero observa, en los tres últimos versos, la idea de la aceptación de la muerte: señala la serenidad y la belleza de las expresiones.**

GERARDO DIEGO (16e)

PERSONALIDAD

● Nació en Santander (1896). Fue catedrático de Literatura (en Institutos de Soria, Santander, Madrid) y dio cursos y conferencias por todo el mundo. Finísimo crítico literario y miembro de la Real Academia, son muchos los premios que jalonan su trayectoria, desde el Nacional de Literatura en 1925 al Cervantes en 1979. Murió en Madrid, en 1987.

● Dentro de la generación del 27, ejerció un importante papel impulsor: recordemos que su *Antología* de los jóvenes poetas (publicada en 1932) es casi un «manifiesto» de aquel grupo.

POÉTICA: DOS CAMINOS

● Su poesía ofrece, curiosamente, dos direcciones muy distintas: la ***poesía de vanguardia*** y la ***poesía «clásica» o «tradicional»***, ambas cultivadas simultáneamente y con la misma autenticidad. Recordemos unas palabras suyas:

«Yo no soy responsable de que me atraigan simultáneamente el campo y la ciudad, la tradición y el futuro; de que me encante el arte nuevo y me extasíe el antiguo; de que me vuelva loco la retórica hecha, y me torne más loco el capricho de hacérmela —nueva— para mi uso particular e intransferible.»

En ambas líneas, su maestría es absoluta. Y con igual dominio aborda los temas más diversos, ligeros o profundos. Sabiduría y sensibilidad son atributos comunes a una obra tan variada.

OBRAS

● Por su **poesía vanguardista,** Gerardo Diego es, según dijimos, el máximo representante del ***Creacionismo*** (véase página 276). Recordemos que se trata de un libre juego de imaginación, al margen de la lógica o de la realidad: «Crear lo que nunca veremos, esto es la Poesía.» Véase como ejemplo el poema «Cuadro» que luego insertamos.

A este sector de su obra corresponden libros originalísimos, como *Imagen* (1922) y *Manual de espumas* (1924), hitos capitales de la Vanguardia española.

- En su **poesía tradicional,** encontramos temas y formas variadísimos. Son impecables sus ***sonetos;*** pero no menos sus deliciosas ***cancioncillas*** de tipo popular, como veremos.

Libros de esta vertiente: *Soria* (1923), *Versos humanos* (1925), *Versos divinos* (1938-1941) y, sobre todo, *Alondra de verdad* (1941), espléndida colección de sonetos. Y muchos más.

POESÍAS

El «Romance del Duero»

Desde muy pronto, como hemos dicho, Gerardo Diego compagina sus dos líneas poéticas.

Así, mientras en 1922 recoge en Imagen *sus primeras composiciones creacionistas, el libro* Soria, *del año siguiente, reúne poemas de corte tradicional, como éste, muy célebre, que posee la andadura del romancero viejo.*

Es una emocionada evocación de ese río tan cantado también por Antonio Machado, que precedió al autor en el Instituto de Soria.

Puente de piedra sobre un río, *de Gregorio Prieto.*

Río Duero, río Duero,
nadie a acompañarte baja,
nadie se detiene a oír
tu eterna estrofa de agua.

5 Indiferente o cobarde,
la ciudad vuelve la espalda.
No quiere ver en tu espejo
su muralla desdentada.

Tú, viejo Duero, sonríes
10 entre tus barbas de plata,
moliendo con tus romances
las cosechas mal logradas.

Y entre los santos de piedra
y los álamos de magia
15 pasas llevando en tus ondas
palabras de amor, palabras.

Quién pudiera como tú,
a la vez quieto y en marcha,
cantar siempre el mismo verso,
20 pero con distinta agua.

Río Duero, río Duero,
nadie a estar contigo baja,
ya nadie quiere atender
tu eterna estrofa olvidada,

25 sino los enamorados
que preguntan por sus almas
y siembran en tus espumas
palabras de amor, palabras.

- **La primera cualidad que se aprecia en el poema es probablemente la fluidez, la patente facilidad de la composición; destácalo.**
- **Valores afectivos en el texto.**
- **En este *Romance del Duero*, ¿te ha sorprendido algo?, ¿pueden apreciarse algunos toques «nuevos» en la visión o el estilo?**

Un poema creacionista: «Cuadro»

Resultará asombroso el contraste entre el poema anterior y el que sigue, buena muestra de poesía creacionista: imágenes insólitas, ruptura con los ritmos conocidos, utilización caprichosa de la rima, abandono de la puntuación... Pertenece a Manual de espumas *(1924).*

El mantel jirón del cielo
es mi estandarte
y el licor del poniente
da su reflejo al arte

5 Yo prefiero el mar cerrado
y al sol le pongo sordina
Mi poesía y las manzanas
hacen la atmósfera más fina

En medio la guitarra Amémosla
10 Ella recoge el aire circundante

Es el desnudo nuevo
venus del siglo o madona sin infante

Bajo sus cuerdas los ríos pasan
y los pájaros beben el agua sin mancharla

15 Después de ver el cuadro
la luna es más precisa
y la vida más bella

El espejo doméstico ensaya una sonrisa
y en un transporte de pasión
20 canta el agua enjaulada en la botella

- **Ya sabemos que este tipo de poesía salta por encima de la lógica, pero, en este caso, el poema se emparenta con la pintura cubista. Léase recordando uno de esos cuadros (de Picasso, de Juan Gris...) con una guitarra en medio, enmarcada por composiciones geométricas en donde se adivinan otros objetos, un mantel, una botella, un espejo, la luna tras una ventana...**
- **Señálense aquellos versos en que sea más patente el puro juego sin sentido con las palabras.**
- **Obsérvese asimismo el jugueteo rítmico, con cambios claramente perceptibles.**

El soneto «El ciprés de Silos»

Y de nuevo pasamos al otro polo del contraste. En el libro Versos Humanos *(1925) figura este soneto, uno de los más famosos de la literatura española. Aquí se evidencia la maestría, la perfección de Gerardo Diego en el manejo de formas clásicas.*

Ciprés de Silos.

Enhiesto surtidor de sombra y sueño
que acongojas el cielo con tu lanza.
Chorro que a las estrellas casi alcanza
devanado a sí mismo en loco empeño.

5 Mástil de soledad, prodigio isleño;
flecha de fe, saeta de esperanza.
Hoy llegó a ti, riberas del Arlanza,
peregrina al azar, mi alma sin dueño.

Cuando te vi, señero, dulce, firme,
10 qué ansiedades sentí de diluirme
y ascender como tú, vuelto en cristales,

como tú, negra torre de arduos filos,
ejemplo de delirios verticales,
mudo ciprés en el fervor de Silos.

- **El soneto está construido como un rosario de metáforas: identifícalas y juzga su acierto y su originalidad.**
- **Pero, además, el autor expresa un sentimiento y un anhelo: ¿en qué consisten?**

«Canción al Niño Jesús»

La misma maestría manifiesta el poeta en sus deliciosos cantarcillos de tipo tradicional, en la línea del mejor neopopularismo. Los versos que siguen responden, por lo demás, al profundo sentimiento religioso de Gerardo Diego, religiosidad transida aquí de ternura, de gracia, de ingenuidad.

Detalle de Amina, *obra de Costus.*

Si la palmera pudiera
volverse tan niña, niña,
como cuando era una niña
con cintura de pulsera.
5 Para que el Niño la viera...

Si la palmera tuviera
las patas de borriquillo,
las alas de Gabrielillo.
Para cuando el Niño quiera,
10 correr, volar a su vera...

Si la palmera supiera
que sus palmas algún día...
Si la palmera supiera
por qué la Virgen María
15 la mira... Si ella tuviera...

Si la palmera pudiera...
... la palmera...

DÁMASO ALONSO (16f)

EL HOMBRE, EL PROFESOR, EL POETA

● Nació en Madrid, en 1898. Estudió Derecho y Filosofía y Letras. Fue catedrático de las Universidades de Valencia y Madrid. Perteneció a la Real Academia Española, de la que fue director, y a la de la Historia. En 1978 recibe el Premio Cervantes. Muere en 1990.

● Como *profesor,* marcó a numerosos discípulos y visitó universidades de todo el mundo. Como *investigador y crítico,* son apasionantes sus estudios de Literatura.

● Como *poeta,* sólo su producción inicial puede adscribirse al grupo del 27, de cuyos miembros fue fraternal compañero. Su poesía más importante desborda aquellos cauces, como veremos enseguida.

LOS COMIENZOS

Su primer libro, *Poemas puros: poemillas de la ciudad* (1921), se caracteriza por un «tono cándido, limpio y emocionado». Hay en él influencias de Machado y de Juan Ramón, junto a vetas neopopularistas. A veces nos ofrece entrañables juegos líricos, como el poemita que leeremos. Semejante es su segundo libro, *El viento y el verso* (1925).

UN LIBRO CAPITAL: *HIJOS DE LA IRA*

● Veinte años más tarde, en 1944, Dámaso Alonso sorprende con este libro estremecedor. Obra fundamental de la posguerra, es la cima de lo que el mismo autor llamó «poesía desarraigada», la de quienes no se sienten a gusto en un mundo que les resulta «un caos y una angustia».

● ***Hijos de la ira*** es, ante todo, un grito desgarrado ante la crueldad, el odio, la injusticia, la «podredumbre». Y encierra angustiadas preguntas sobre el sentido de la vida, sobre la mísera condición humana.

● Sus poemas están escritos en *versículos* vehementes, obsesivos, alucinantes. El *lenguaje,* desgarrado, no excluye palabras duras, «antipoéticas». Es un estilo polarmente alejado del de la poesía «pura». He aquí unas palabras del poeta que revelan su posición:

> «Nada aborrezco más que el estéril esteticismo en que se ha debatido desde hace más de medio siglo el arte contemporáneo. Hoy es sólo el corazón del hombre lo que me interesa: expresar con mi dolor o con mi esperanza el anhelo o la angustia del eterno corazón del hombre. Llegar a él, según las sazones, por caminos de belleza o a zarpazos.»

● De entre sus poemas leeremos *De profundis*. Pero no dejemos de citar *Mujer con alcuza,* impresionante parábola de la vida humana y uno de los mayores poemas de nuestra lírica contemporánea (por su extensión no podremos incluirlo aquí, pero invitamos calurosamente a su lectura).

Hijos de la ira ejerció una influencia decisiva en la poesía «existencial» de la posguerra, como veremos más adelante.

OTROS LIBROS DE POEMAS

● Del resto de su obra poética, citemos *Oscura noticia* (publicado el mismo año de 1944, pero con poemas de distintas épocas) y *Hombre y Dios* (1955), otra obra importante sobre los temas dramáticos de la existencia humana.

En Hijos de la ira, *Dámaso Alonso expone con gran fuerza los sentimientos de angustia y soledad del hombre urbano. Una atmósfera semejante a la transmitida por ciertos cuadros expresionistas, como esta* Noche estrellada, *de Edvard Munch.*

POESÍAS

«Los contadores de estrellas»

A su primer libro (Poemas puros...) *pertenece esta composición, entrañable juego lírico, como hemos dicho, pero que encierra un nostálgico contraste entre el hombre cansado y el niño. A pesar de la disposición tipográfica, se apreciará el aire de poesía tradicional, basada en el heptasílabo —enmascarado a veces— y en la rima asonante.*

Yo estoy cansado.
                Miro
esta ciudad
        —una ciudad cualquiera—
donde ha veinte años vivo.
Todo está igual.
                Un niño
5 inútilmente cuenta las estrellas
en el balcón vecino.
Yo me pongo también...
Pero él va más deprisa: no consigo
alcanzarle:
        Una, dos, tres, cuatro,
10 cinco...
No consigo
alcanzarle: Una, dos...
tres...
    cuatro...
        cinco...

«De profundis»

En ese libro fundamental que es Hijos de la ira, *junto a los poemas sobre la miseria humana, hay emocionantes confesiones del poeta. En esta composición, presenta ante Dios sus flaquezas y le dirige una amorosa y angustiada súplica. Obsérvese en estos extensos versículos ese tono de Salmo que justifica el título («De profundis» es el comienzo de uno de los Salmos penitenciales atribuidos a David).*

Si vais por la carrera del arrabal, apartaos, no os inficione[1] mi pestilencia.
El dedo de mi Dios me ha señalado: odre de putrefacción quiso que fuera este mi cuerpo,
y una ramera de solicitaciones mi alma. [...]
Yo soy la piltrafa que el tablajero[2] arroja al perro del mendigo,
5 y el perro del mendigo arroja al muladar.
Pero desde la mina de las maldades, desde el pozo de la miseria,
mi corazón se ha levantado hasta mi Dios,
y le ha dicho: Oh Señor, tú que has hecho también la podredumbre,
mírame,
10 yo soy el orujo[3] exprimido en el año de la mala cosecha,
yo soy el excremento del can sarnoso,
el zapato sin suela en el carnero[4] del camposanto,
yo soy el montoncito de estiércol a medio hacer, que nadie compra,
y donde casi ni escarban las gallinas.
15 Pero te amo,
pero te amo frenéticamente.
¡Déjame, déjame fermentar en tu amor,
deja que me pudra hasta la entraña,
que se me aniquilen hasta las últimas briznas de mi ser,
20 para que un día sea mantillo[5] de tus huertos!

---

[1] *inficione*, contagie, corrompa. [2] *tablajero*, carnicero. [3] *orujo*, pellejos de la uva después de exprimida en el lagar. [4] *carnero*, osario, fosa común. [5] *mantillo*, abono que resulta de la descomposición del estiércol.

- **Resume la idea que tiene el poeta de sí mismo y cómo se dirige a Dios.**
- **¿Cómo se manifiesta su angustia? ¿Justifican versos como éstos los calificativos de «desarraigada» o de «existencial» que se han aplicado a la poesía del autor?**
- **Como hemos dicho, el lenguaje de este libro supuso una marcada ruptura estética; observa el tono vehemente del poema y la intensidad del léxico.**
- **Observa la desigual longitud de estos versículos (¿entre qué medidas oscilan?).**
- **Entonces, ¿en qué se basa el *ritmo* de estos versos? (Recuerda lo que, tanto el año pasado como páginas atrás, dijimos sobre el *versículo*.)**

VICENTE ALEIXANDRE (16g)

VIDA POÉTICA

● Nació en Sevilla (1898), pero a los dos años se trasladó su familia a Málaga y, a los nueve, a Madrid. Estudió Derecho y Comercio, pero se entregó de lleno a la poesía. Tras la guerra, ejerció un profundo magisterio, alentando a los poetas jóvenes y compartiendo sus inquietudes. En 1949 ingresó en la Real Academia. En 1977, recibe el Premio Nobel. Muere en 1984.

● Su vocación se despertó con la lectura de Rubén, Machado y Juan Ramón; luego quedaría marcado por el ***Surrealismo***. Pero muy pronto fragua su peculiar **estilo**: lo caracterizan las imágenes visionarias grandiosas, y el versículo amplio, solemne.

Para Aleixandre, «poesía es comunicación», más que belleza; ello orienta toda su obra, pero conviene distinguir en ella varias etapas.

PRIMERA ETAPA

● Es de un hondo *pesimismo*. El hombre, marcado por el dolor y la angustia, aparece como la criatura más desvalida del universo. Más valdría ser vegetal o piedra. El ideal sería volver a la tierra, fundirse con la Naturaleza. Este anhelo da, a menudo, una fuerza telúrica a su poesía, a lo que coadyuva la potencia y la fascinación de las imágenes surrealistas.

● Dos títulos destacan en esta etapa.

En *La destrucción o el amor* (1932-33), la pasión amorosa es una fuerza destructiva y, por tanto, liberadora, ya que puede devolvernos a la tierra. Hay en este libro algunos de los poemas amorosos más intensos de nuestro tiempo.

Sombra del Paraíso (1939-43) es la «visión del cosmos en su gloria, antes de la aparición del hombre y, con él, del dolor y la limitación». Es decir: desde este destierro, visión de un edén libre del sufrimiento. El lenguaje poético es bellísimo. Y el libro (publicado en 1944, como *Hijos* de *la ira)* produjo un impacto decisivo en el panorama de posguerra.

LA SEGUNDA ETAPA

● Entre 1945 y 1953 compone *Historia del corazón*, libro que supone «una nueva concepción». Ahora, el hombre es visto positivamente. Sigue siendo una criatura que sufre y lucha, pero Aleixandre destaca ahora el valor de la *solidaridad* en esa lucha. Y el poeta debe ser «una conciencia puesta en pie hasta el fin», solidario con los demás. Así se verá en poemas como «El poeta canta por todos», que leeremos. El *amor* es también ahora una forma positiva de unión, que inspira otros espléndidos poemas.

Vicente Aleixandre, retrato de Álvaro Delgado.

● En la misma línea se sitúa su libro siguiente: *En un vasto dominio* (1962).

● El **estilo** de Aleixandre, en esta etapa, se hace más sencillo, pero sin perder su subyugante andadura.

ÚLTIMA ETAPA

● A los setenta años sorprende Aleixandre con una nueva cima: *Poemas de la consumación* (1968). El anciano poeta, para quien la juventud es «la única vida», canta con tono a la vez trágico y sereno la consumación de su existir. El estilo sufre un nuevo cambio: es más escueto, más denso y vuelve a dar entrada a elementos ilógicos y surrealistas, muy hondos.

● Semejante hondura y mayor dificultad alcanzó en su último libro, *Diálogos del conocimiento* (1974), conjunto de largos poemas filosóficos.

La inquietud creadora de Aleixandre y su capacidad de renovación asombraron hasta el fin.

DOS POEMAS

Por razones de espacio, sólo daremos aquí dos poemas, aunque largos. En ellos podrán verse, con todo, los rasgos esenciales de visión y estilo de Aleixandre en dos momentos de su trayectoria.

El amor: «Se querían»

Pertenece a La destrucción o el amor, *de su primera época. En estos versos, el amor es una fuerza que llena el Tiempo y que se difunde por toda la Naturaleza alcanzando una grandiosa dimensión cósmica.*

Atraemos la atención sobre la larga «enumeración caótica» final, que expresa esa fusión de amor y mundo.

Los amantes, *de Edvard Munch.*

Se querían.
Sufrían por la luz, labios azules en la madrugada,
labios saliendo de la noche dura,
labios partidos, sangre, ¿sangre dónde?
5 Se querían en un lecho navío, mitad noche mitad luz.

Se querían como las flores a las espinas hondas,
a esa amorosa gema del amarillo nuevo,
cuando los rostros giran melancólicamente,
giralunas[1] que brillan recibiendo aquel beso.

10 Se querían de noche, cuando los perros hondos
laten[2] bajo la tierra y los valles se estiran
como lomos arcaicos que se sienten repasados:
caricia, seda, mano, luna que llega y toca.

Se querían de amor entre la madrugada,
15 entre las duras piedras cerradas de la noche,
duras como los cuerpos helados por las horas,
duras como los besos de diente a diente sólo.

Se querían de día, playa que va creciendo,
ondas que por los pies acarician los muslos,
20 cuerpos que se levantan de la tierra y flotando...
Se querían de día, sobre el mar, bajo el cielo.

Mediodía perfecto, se querían tan íntimos,
mar altísimo y joven, intimidad extensa,
soledad de lo vivo, horizontes remotos
25 ligados como cuerpos en soledad cantando.

Amando. Se querían como la luna lúcida,
como ese mar redondo que se aplica a ese rostro,
dulce eclipse de agua, mejilla oscurecida,
donde los peces rojos van y vienen sin música.

---

[1] *giralunas*, palabra creada por el poeta a imitación de «girasoles»: los rostros de los amantes se giran hacia la luna.
[2] *laten*, ladran (acepción antigua de «latir»).

30 Día, noche, ponientes, madrugadas, espacios,
ondas nuevas, antiguas, fugitivas, perpetuas,
mar o tierra, navío, lecho, pluma, cristal,
metal, música, labio, silencio, vegetal,
mundo, quietud, su forma. Se querían, sabedlo.

- **El influjo surrealista es patente; téngase en cuenta, por tanto, lo dicho en ocasiones anteriores sobre la lectura de poemas surrealistas.**
- **El amor presenta aquí, junto a una evidente grandeza, aspectos dramáticos y dolorosos; señálense.**
- **¿Cómo se manifiesta la fusión de los amantes con la Naturaleza? Observa cómo las referencias a la Naturaleza no son sólo «marco» del amor, sino también imágenes del amor mismo.**
- **Hemos dicho que el amor «llena el Tiempo»; muéstralo en el texto.**
- **Métrica: observa la mezcla de versículos con versos de esquema conocido (¿cuáles predominan en este caso?).**

La solidaridad: «El poeta canta por todos»

Ya en su segunda época, he aquí una composición clave de Historia del corazón *(1954). En ella se ve cómo el poeta sale de sí mismo, de su mundo personal, para volcarse y reconocerse en los dolores y anhelos comunes. El título es bien significativo: su canto es ahora expresión de todos y va dirigido a «todos los oídos». Damos el poema íntegro, con sus tres partes.*

I

Allí están todos, y tú lo estás mirando pasar.
¡Ah, sí, allí, cómo quisieras mezclarte y reconocerte!

El furioso torbellino dentro del corazón te enloquece.
Masa frenética de dolor, salpicada
5 contra aquellas mudas paredes interiores de carne.
Y entonces en un último esfuerzo te decides. Sí, pasan.
Todos están pasando. Hay niños, mujeres. Hombres serios. Luto cierto, miradas.
Y una masa sola, un único ser, reconcentradamente desfila.
Y tú, con el corazón apretado, convulso[3] de tu solitario dolor, en un último esfuerzo te sumes[4].
10 Sí, al fin, ¡cómo te encuentras y hallas!
Allí serenamente en la ola te entregas. Quedamente derivas.
Y vas acunadamente empujado, como mecido, ablandado.
Y oyes un rumor denso, como un cántico ensordecido.
Son miles de corazones que hacen un único corazón que te lleva.

[3] *convulso*, agitado, trastornado. [4] *te sumes* (de «sumirse»), te hundes, te sumerges.

II

15 Un único corazón que te lleva.
Abdica de tu propio dolor. Distiende tu propio corazón contraído.
Un único corazón te recorre, un único latido sube a tus ojos,
poderosamente invade tu cuerpo, levanta tu pecho, te hace agitar las manos cuando
ahora avanzas.
Y si te yergues un instante, si un instante levantas la voz,
20 yo sé bien lo que cantas.
Eso que desde todos los oscuros cuerpos casi infinitos se ha unido y relampagueado,
que a través de cuerpos y almas se liberta de pronto en tu grito;
es la voz de los que te llevan, la voz verdadera y alzada
donde tú puedes escucharte, donde tú, con asombro, te reconoces.
25 La voz que por tu garganta, desde todos los corazones esparcidos,
se alza limpiamente en el aire.

III

Y para todos los oídos. Sí. Mírales cómo te oyen.
Se están escuchando a sí mismos. Están escuchando una única voz que los canta.
Masa misma del canto, se mueven como una onda.
30 Y tú sumido, casi disuelto, como un nudo de su ser te conoces.
Suena la voz que los lleva. Se acuesta como un camino.
Todas las plantas están pisándola.
Están pisándola hermosamente, están grabándola con su carne.
Y ella se despliega y ofrece, y toda la masa gravemente desfila.
35 Como una montaña sube. En la senda de los que marchan.
Y asciende hasta el pico claro. Y el sol se abre sobre las frentes.
Y en la cumbre, con su grandeza, están todos ya cantando.
Y es tu voz la que les expresa. Tu voz colectiva y alzada.
Y un cielo de poderío, completamente existente,
40 hace ahora con majestad el eco entero del hombre.

- **El poema debe leerse como una alegoría; resume su sentido literal y su significación profunda.**
- **Los últimos versos (36-40) nos dan la imagen de una ascensión: ¿cuál es su sentido simbólico y qué anhelo del poeta revela?**
- **Juzga el lenguaje de este poema en comparación con el del anterior. Observa también lo majestuoso de los versículos.**

Nota. Al estudiar la literatura de posguerra veremos cómo una corriente poética se orienta hacia los problemas colectivos. En poemas como éste, Aleixandre comparte en cierta medida tal orientación. Fue, en cierto modo, puente entre dos generaciones. Téngase en cuenta.

LUIS CERNUDA (16h)

Luis Cernuda, dibujado por Gregorio Prieto.

PERSONALIDAD

● Nació en Sevilla (1902), donde fue alumno de Pedro Salinas. Vivió luego en Madrid, salvo un curso en que fue lector de la Universidad de Toulouse (1929-30). Exiliado, fue profesor en Inglaterra, Estados Unidos y México, donde murió en 1963.

● Tuvo una **personalidad** solitaria y dolorida, una sensibilidad aguda y vulnerable. La marginación que sufrió por su homosexualidad explica, en parte, su *desacuerdo con el mundo.* Admite ser un «inadaptado», un «rebelde».

ESTILO Y MUNDO POÉTICO

● A su espíritu solitario corresponde un puesto singular dentro de su generación. En efecto, tras una primera etapa de influjos diversos, su inconformismo le lleva a «escapar a las modas». Y hacia 1930, sigue ya un camino muy personal.

● Su **estilo** surge de un triple rechazo: rechaza los ritmos demasiado marcados, la rima y la riqueza o brillantez de imágenes. Y se inclina hacia el *«lenguaje hablado y el tono coloquial»* que él supo unir a *una gran densidad:* tal unión es lo que le distingue ante todo.

● La **temática** de Cernuda tiene como centro *un doloroso choque entre sus ansias de realizarse y el mundo que le rodea* (un choque similar al de los románticos). Así sus temas dominantes serán la soledad, la añoranza de un mundo habitable, el ansia de belleza y, sobre todo, ***el amor***: es, sin duda, uno de nuestros grandes poetas amorosos.

OBRA

● Cernuda amparó sus diversos libros bajo un título común: ***La realidad y el deseo.*** Esas dos palabras condensan el conflicto central de su vida y su poesía. Veamos algunos de los títulos que incluye.

● Tras una etapa inicial de poesía pura o clasicista, la influencia surrealista se manifiesta en dos libros: *Un río, un amor* (1929) y *Los placeres prohibidos* (1931), donde se traslucen sus problemas íntimos.

● Su depuración estilística apunta ya en algunos de los poemas del segundo libro citado y cuaja en *Donde habite el olvido* (1932-33), libro espléndido aunque desolado. Sigue *Invocaciones* (1934-35), con poemas largos y memorables como el «Soliloquio del farero».

● Ya en el exilio publica varios libros importantes que van de *Las nubes* a *Desolación de la quimera.* En ellos, junto a sus temas básicos, aparece a veces el tema de la España lejana.

● En **prosa poética** escribió un libro bellísimo, *Ocnos* (1942), nostálgica evocación de la Andalucía de su infancia. Es autor también de notables ensayos y páginas de crítica.

SIGNIFICACIÓN

Conviene insistir en la singularidad de Cernuda, difícil de encasillar. Tal vez por ello, su reconocimiento pleno fue tardío. Pero su poesía ha sido objeto de una altísima valoración en las últimas décadas y su influencia se percibe en no pocos poetas de las promociones más recientes.

POESÍAS

El deseo imposible

En Los placeres prohibidos *se halla este inquietante poema que, entre tantos, recoge el tema central del autor y nos lleva en dirección de su estilo más personal.*

No decía palabras,
acercaba tan sólo un cuerpo interrogante,
porque ignoraba que el deseo es una pregunta
cuya respuesta no existe,
5 una hoja cuya rama no existe,
un mundo cuyo cielo no existe.

La angustia se abre paso entre los huesos,
remonta por las venas
hasta abrirse en la piel.
10 Surtidores de sueño
hechos carne en interrogación vuelta a las nubes.

Un roce al paso,
una mirada fugaz entre las sombras,
bastan para que el cuerpo se abra en dos,
15 ávido de recibir en sí mismo
otro cuerpo que sueñe;
mitad y mitad, sueño y sueño, carne y carne,
iguales en figura, iguales en amor, iguales en deseo.
Aunque sólo sea una esperanza,
20 porque el deseo es una pregunta cuya respuesta nadie sabe.

- **El tema central de toda poesía cernudiana está, en efecto, en estos versos; señálese especialmente en una frase que se repite con una leve variación.**
- **Hay en la tercera estrofa un pensamiento profundo sobre el amor; muéstrese.**
- **Señálense algunas imágenes; su valor.**
- **Cernuda, aquí, tiende ya a usar «con oportunidad y precisión los vocablos de empleo diario», como él decía. Véase el resultado.**
- **¿De qué tipo es la versificación? ¿En qué consiste el ritmo de estos versos?**

Donde habite el olvido: Poema I

Este es el pórtico de Donde habite el olvido, *uno de sus libros capitales. De cuando comenzaba a escribirlo son estas amargas palabras suyas: «No sé nada, no quiero nada, no espero nada. Y aun si pudiera esperar algo, sólo sería morir allí donde no hubiese penetrado aún esta grotesca civilización que envanece a los hombres.»*

Crisis de desolación debida, como sabemos, a ese desfase entre sus anhelos y la realidad, y que le lleva a momentos de total desaliento, como en este poema.

Donde habite el olvido,
en los vastos jardines sin aurora;
donde yo sólo sea
memoria de una piedra sepultada entre ortigas
5 sobre la cual el viento escapa a sus insomnios.

Donde mi nombre deje
al cuerpo que designa en brazos de los siglos,
donde el deseo no exista.

En esa gran región donde el amor, ángel terrible,
10 no esconda como acero
en mi pecho su ala,
sonriendo lleno de gracia aérea mientras crece el tormento.

Allá donde termine este afán que exige un dueño a imagen suya,
sometiendo a otra vida su vida,
15 sin más horizonte que otros ojos frente a frente.

Donde penas y dichas no sean más que nombres,
cielo y tierra nativos en torno de un recuerdo;
donde al fin quede libre sin saberlo yo mismo,
disuelto en niebla, ausencia,
20 ausencia leve como carne de niño.

Allá, allá lejos;
donde habite el olvido.

- **Las palabras *Donde habite el olvido* están tomadas de la Rima LXVI de Bécquer; reléela, recordando que —según Salinas— en Cernuda se halla la quintaesencia de lo romántico.**
- **Observa que, curiosamente, todo el poema es una sarta de proposiciones subordinadas (¿de qué tipo?); falta la oración principal: ¿cuál imaginarías?, ¿la misma que en la rima de Bécquer?**
- **¿Qué sentimiento frente al amor aparece en el verso 9 y siguientes? ¿Qué anhelos hay en el poeta?**
- **Destaca el valor de algunas imágenes.**

MIGUEL HERNÁNDEZ (16i)

En rigor, Miguel Hernández pertenece, por edad, a la llamada «generación del 36». Sin embargo, su trayectoria y sus relaciones con los poetas del 27 lo sitúan entre ellos como «hermano menor» o «genial epígono» (según palabras de Dámaso Alonso). Por el interés que suele despertar en los alumnos, le dedicamos algo más de espacio que a los últimos poetas estudiados.

EL HOMBRE

Nació en Orihuela, Alicante (1910), de padres muy humildes. Para ayudarles tuvo que abandonar sus estudios a los catorce años, pero su ansia de saber le llevó a amplias lecturas. Su vocación poética es temprana. En Orihuela, participa en la tertulia de Ramón Sijé y conoce a la que sería su mujer.

En 1934 se instala en Madrid, donde pronto será admirado. Ideológicamente, deriva hacia posturas revolucionarias. Al estallar la guerra, se alista como voluntario con los republicanos.

Se casa en 1937. Pero sus últimos años son tristes: su primer hijo muere; su segundo hijo nace cuando la guerra se acaba y el poeta es encarcelado. Murió tuberculoso en la cárcel a los treinta y dos años (1942).

Miguel Hernández, retratado por E. Chicano.

POÉTICA

- Dotado de cualidades excepcionales, supo aunar —como Lorca— las *raíces populares* y las *técnicas cultas*, la *emoción humana* y el *rigor estético.*

- Su **estilo** es inconfundible. Ante todo, impresiona su *tono vigoroso, apasionado,* que parece brotar directamente del corazón. Pero esa desbordante *inspiración* se envasa en *formas rigurosas* (sonetos, sobre todo), huyendo de la facilidad.

- Su potente capacidad creadora se manifiesta especialmente en sus personales *metáforas.*

Pero sigamos su trayectoria, desgraciadamente tan breve.

PRIMERA ETAPA

Tras unos poemas adolescentes, el poeta siente una necesidad de disciplina formal. Ello y la moda gongorina dan *Perito en lunas* (1933), libro de 42 octavas reales que describen objetos humildes pero con audaces y barrocas metáforas.

- En la misma etapa compone otros poemas de lenguaje más suelto y cordial, como el espléndido *Silbo de afirmación en la aldea,* en que contrapone el campo y la gran ciudad.

LA PLENITUD: *EL RAYO QUE NO CESA*

En 1936 se publica su obra maestra: *El rayo que no cesa.*

- El centro del libro es el **amor**, vivido con un ***vitalismo trágico:*** sus grandiosas ansias vitales chocan contra las barreras que se le oponen (convencionalismos sociales y morales). De ese choque surge *la pena,* ese *«rayo»* que no cesa de clavársele en el costado.

- El libro se compone principalmente de **sonetos** que, con su forma rigurosa, favorecen esa síntesis —ya perfecta— entre desbordamiento emocional y concentración verbal. Y el dominio de Miguel Hernández es tal que su riguroso «trabajo» queda oculto y el lector recibe plenamente la fuerza y el calor de la palabra. Ahí está su estilo en plena madurez.

- Aparte los sonetos, se alza en el libro la grandiosa ***Elegía a Ramón Sijé,*** una de las elegías más impresionantes de nuestra lírica: la leeremos íntegra.

DE LA PLENITUD A LA MUERTE

- Durante la guerra, Miguel Hernández —como Alberti y otros— pone su poesía al servicio de la lucha. Por eso, adopta un lenguaje más sencillo y mayoritario, aunque pierda calidad.

- En 1937 aparece *Viento del pueblo,* en el que hay cantos de combate, como el brioso romance inicial que le da título. Destacan poemas de tema social como «El sudor», «Aceituneros» o, sobre todo, «El niño yuntero.»

- Su libro siguiente, *El hombre acecha* (1939), está en la misma línea, pero con dolorosos acentos por la tragedia de la guerra.

- Por último, en la cárcel compone buena parte del

Cancionero y romancero de ausencias (1938-41), nueva cima poética. Su expresión se depura de nuevo, inspirándose en formas de la lírica popular. Así, alcanza momentos de máxima desnudez, que hace más conmovedores sus versos sobre las consecuencias de la guerra, su prisión y, sobre todo, el amor a la esposa y al hijo (amor frustrado ahora por la separación). Este último aspecto tiene como pieza clave las estremecedoras *Nanas de la cebolla.*

EL TEATRO

Dejemos escueta constancia de su teatro, que va desde un curioso auto sacramental (*Quién te ha visto y quién te ve,* 1934) a un drama social (*El labrador de más aire,* 1937) o a su *Teatro en la guerra* (varias piezas cortas). Son obras interesantes, sobre todo, por la belleza de sus versos.

SIGNIFICACIÓN

Miguel Hernández representa como nadie el giro que llevó de la poesía pura a una palabra arrebatadamente humana y a una apertura a lo social. Es un puente entre la generación del 27 y los poetas de posguerra. Hoy es ya un clásico y su voz sigue conquistando a los jóvenes desde la primera lectura.

POESÍAS

Dos sonetos

Es difícil escoger entre tantos sonetos magistrales de El rayo que no cesa *(no se olvide el precioso «Como el toro...», comentado el curso anterior). En los dos que aquí van está, con todo, el mundo peculiar del poeta y su arte más maduro.*

SONETO 19

Yo sé que ver y oír a un triste enfada
cuando se viene y va de la alegría
como un mar meridiano a una bahía,
a una región esquiva y desolada.

5 Lo que he sufrido y nada todo es nada
para lo que me queda todavía
que sufrir, el rigor de esta agonía
de andar de este cuchillo a aquella espada.

Me callaré, me apartaré si puedo
10 con mi constante pena instante[1], plena,
a donde ni has de oírme ni he de verte.

Me voy, me voy, me voy, pero me quedo,
pero me voy, desierto y arena:
adiós, amor, adiós hasta la muerte.

La ola, *de Edvard Munch.*

[1] *instante*, insistente (de «instar»).

Fusilamiento *(detalle)*, de *Juan Bonafé.*

SONETO 20

No me conformo, no: me desespero
como si fuera un huracán de lava
en el presidio de una almendra esclava
o en el penal colgante de un jilguero.

5 Besarte fue besar un avispero
que me clava al tormento y me desclava
y cava un hoyo fúnebre y lo cava
dentro del corazón donde me muero.

No me conformo, no; ya es tanto y tanto
10 idolatrar la imagen de tu beso
y perseguir el curso de tu aroma.

Un enterrado vivo por el llanto,
una revolución dentro de un hueso,
un rayo soy sujeto a una redoma[2].

[2] *redoma*, recipiente de cristal, de cuerpo esférico y cuello estrecho.

- **En ambos sonetos se observará, ante todo, la característica idea del amor de *El rayo que no cesa*, con componentes como la «pena», la rebeldía, etc.**
- **Pondérese la fuerza emocional de los poemas, que lleva, entre otras cosas, a ciertas expresiones e imágenes hiperbólicas.**
- **Señala algunos de los recursos característicos del arte de Miguel Hernández: paralelismos, repeticiones (de diverso tipo), metáforas, etc. Junto a ello, destaca ciertos giros de raíz coloquial.**

La «Elegía a Ramón Sijé»

Ya hemos señalado la importancia de este poema incluido en El rayo que no cesa. *Ramón Sijé, figura clave del ambiente cultural de Orihuela y amigo entrañable de Miguel, muere en la Navidad de 1935. La* Elegía *es, entre otras cosas, uno de los más hermosos poemas de la amistad que se hayan escrito. Va encabezado por estas palabras: «En Orihuela, su pueblo y el mío, se me ha muerto como del rayo Ramón Sijé, con quien tanto quería.» Proponemos un comentario detallado, al menos de un fragmento.*

Yo quiero ser llorando el hortelano
de la tierra que ocupas y estercolas,
compañero del alma, tan temprano.

Alimentando lluvias, caracolas
5 y órganos mi dolor sin instrumento,
a las desalentadas amapolas

daré tu corazón por alimento.
Tanto dolor se agrupa en mi costado,
que por doler me duele hasta el aliento.

10 Un manotazo duro, un golpe helado,
un hachazo invisible y homicida,
un empujón brutal te ha derribado.

No hay extensión más grande que mi herida,
lloro mi desventura y sus conjuntos
15 y siento más tu muerte que mi vida.

Ando sobre rastrojos[3] de difuntos,
y sin calor de nadie y sin consuelo
voy de mi corazón a mis asuntos.

Temprano levantó la muerte el vuelo,
20 temprano madrugó la madrugada,
temprano estás rodando por el suelo.

No perdono a la muerte enamorada,
no perdono a la vida desatenta,
no perdono a la tierra ni a la nada.

25 En mis manos levanto una tormenta
de piedras, rayos y hachas estridentes
sedienta de catástrofes y hambrienta.

Quiero escarbar la tierra con los dientes,
quiero apartar la tierra parte a parte
30 a dentelladas secas y calientes.

Quiero minar la tierra hasta encontrarte
y besarte la noble calavera
y desamordazarte y regresarte[4].

Volverás a mi huerto y a mi higuera;
35 por los altos andamios de las flores
pajareará[5] tu alma colmenera

de angelicales ceras y labores.
Volverás al arrullo de las rejas
de los enamorados labradores.

40 Alegrarás la sombra de mis cejas,
y tu sangre se irán a cada lado
disputando tu novia y las abejas.

Tu corazón, ya terciopelo ajado,
llama a un campo de almendras espumosas
45 mi avariciosa voz de enamorado.

A las aladas almas de las rosas
del almendro de nata te requiero,
que tenemos que hablar de muchas cosas,
compañero del alma, compañero.

La muerte, *de Gutiérrez Solana.*

[3] *rastrojos*, residuo que queda en el campo después de segadas las mieses. [4] *regresarte*, intencionadamente, el poeta convierte en transitivo el verbo regresar. [5] *pajareará*, vivirá desocupada y libre, como un pájaro.

COMENTARIO DE TEXTO. ELEGÍA A RAMÓN SIJÉ. (VERSOS 19-33)

Introducción

a Sitúa el fragmento dentro de la poesía de Miguel Hernández y, luego, dentro de la *Elegía* (observa que es su clímax).

b El *tema* es evidente, pero debe precisarse qué actitudes adopta el poeta ante la muerte del amigo (anticípese desde ahora la expresión hiperbólica del dolor).

c **Estructura**. ¿Distinguirías «partes» dentro de esta parte central del poema? ¿Algún tipo de «progresión»? En cuanto a la métrica, el poeta ha acudido aquí a una forma clásica; precísalo.

Análisis (expresión y contenido)

d ¿Qué «figura de repetición» aparece en los *versos 19-21* y *22-24*? ¿Qué efecto consigue?

e El *verso 21*, muy gráfico, va precedido por dos expresiones cuya originalidad no te habrá pasado inadvertida; ¿te has fijado, además, en su sonoridad?

f *Versos 22-23*. Observa, entre otras cosas, los adjetivos.

g *Versos 25-27*. La hipérbole sobre el dolor; comenta los detalles.

h Los *versos 28-30* son, sin duda, el punto de máxima y más rabiosa intensidad. Las expresiones componen una actitud como de loco. Aparte las connotaciones de ciertas palabras, di cómo es ahora la sonoridad.

i En los *versos 31-33* continúa la idea de la estrofa anterior, pero la violencia va cediendo. Explica el valor del *polisíndeton.*

Conclusión

j La *Elegía,* poema de amistad y de muerte.

k Hágase una síntesis de lo que el fragmento nos ha mostrado acerca de la *lengua poética* de Miguel Hernández, teniendo en cuenta lo dicho antes sobre ello.

Nota. Como complemento, se harán las observaciones que se deseen sobre el resto del poema.

La injusticia: «El niño yuntero»

Dentro de la «poesía comprometida» de Miguel Hernández, cabe preferir un poema como éste, de Viento de pueblo, *del que transcribimos unas estrofas. Piénsese que, como ese niño, el poeta tuvo que trabajar desde muy temprano.*

Carne de yugo, ha nacido
más humillado que bello,
con el cuello perseguido
por el yugo para el cuello. [...]

5 Entre estiércol puro y vivo
de vacas, trae a la vida
un alma color de olivo
vieja ya y encallecida.

Empieza a vivir, y empieza
10 a morir de punta a punta
levantando la corteza
de su madre con la yunta.

Empieza a sentir, y siente
la vida como una guerra,
15 y a dar fatigosamente
en los huesos de la tierra. [...]

Trabaja y, mientras trabaja
masculinamente serio,
se unge de lluvia y se alhaja[6]
20 de carne de cementerio. [...]

Me duele este niño hambriento
como una grandiosa espina,
y su vivir ceniciento
revuelve mi alma de encina.

[6] *se alhaja*, se viste, se adorna.

25 Lo veo arar los rastrojos,
y devorar un mendrugo,
y declarar con los ojos
que por qué es carne de yugo.

Me da su arado en el pecho,
30 y su vida en la garganta,
y sufro viendo el barbecho[7]
tan grande bajo su planta.

¿Quién salvará este chiquillo
menor que un grano de avena?
35 ¿De dónde saldrá el martillo
verdugo de esta cadena?

Que salga del corazón
de los hombres jornaleros,
que antes de ser hombres son
40 y han sido niños yunteros.

Detalle de un dibujo de Benjamín Palencia.

[7] *barbecho*, tierra que se ha dejado sin sembrar uno o más años para que descanse; es el campo en que ahora está arando el niño.

- **Tras la presentación del niño (versos 1-20), ¿qué sentimientos expresa el poeta? ¿Y qué propósito revelan las dos últimas estrofas?**
- **El lenguaje, como se verá, es más sencillo que en los poemas anteriores (¿a qué se debe?), pero Miguel Hernández no ha renunciado a la metáfora y otros recursos que llevan su sello inconfundible: señálalos en la presentación del niño y en otras estrofas. ¿Qué métrica emplea?**

«Nanas de la cebolla»

Las compuso en 1939, en la cárcel, tras recibir una carta de su mujer en la que le dice que muchos días no encontraba más que cebollas para comer. A su hijo, amamantado «con sangre de cebolla», le escribe estas escalofriantes nanas con las que quisiera proteger la alegría del niño. Al leerlas, es difícil evitar un nudo en la garganta. He aquí unos fragmentos:

La cebolla es escarcha
cerrada y pobre.
Escarcha de tus días
y de mis noches.
5 Hambre y cebolla,
hielo negro y escarcha
grande y redonda.

En la cuna del hambre
mi niño estaba.
10 Con sangre de cebolla
se amamantaba.
Pero tu sangre,
escarchada de azúcar,
cebolla y hambre.

15 Una mujer morena
resuelta en luna
se derrama hilo a hilo
sobre la cuna.
Ríete, niño,
20 que te traigo la luna
cuando es preciso. [...]

Tu risa me hace libre,
me pone alas.
Soledades me quita,
25 cárcel me arranca.
Boca que vuela,
corazón que en tus labios
relampaguea. [...]

Desperté de ser niño:
30 nunca despiertes.
Triste llevo la boca:
ríete siempre.
Siempre en la cuna,
defendiendo la risa
35 pluma por pluma. [...]

Vuela, niño, en la doble
luna del pecho:
él, triste de cebolla;
tú, satisfecho.
40 No te derrumbes.
No sepas lo que pasa
ni lo que ocurre.

- **Emoción del poema (comenta lo que más te haya conmovido).**
- **¿Cuáles son las únicas referencias que hace el poeta a su propia situación?**
- **Miguel Hernández no deja de sorprendernos con personalísimas imágenes: señala algunas.**
- **La versificación escogida es de las más graciosas y alegres (¿cuál es?): ¿por qué la habrá escogido? ¿Y qué efecto nos produce, en contraste con la situación?**

EJERCICIOS

Repaso de Gramática

1 De los poemas leídos entresacamos a continuación (a veces, con leves variaciones) oraciones compuestas de todo tipo. Identifícalas (y de paso, ¿podrás decir a qué autores y a qué poemas pertenecen estos versos?):

— Las piquetas de los gallos cavan buscando la aurora, cuando por el monte oscuro baja Soledad Montoya.

— Caballo que se desboca al fin encuentra la mar.

— Quiero llorar mi pena y te lo digo, para que tú me quieras y me llores.

— No quiero separarte de mis ojos.

— Puedo vivir de nuevo, si lo mandas.

— Cuando me preguntes quién es el que te llama, te diré: «Yo te quiero, soy yo».

— Me desespero, como si fuera un huracán de lava.

— Tanto dolor se agrupa en mi costado, que me duele hasta el aliento.

Expresión escrita

• **Razón y función de la poesía.**— Después de las lecturas poéticas que hasta aquí hemos hecho, ya se deben tener ideas precisas acerca de por qué hay poesía y qué papel puede desempeñar para nosotros. Expón ordenadamente, en un folio, tus ideas sobre la cuestión.

(Para ayudarte a reflexionar y sintetizar, he aquí algunas preguntas: ¿Qué lleva al poeta a escribir? ¿Y qué aporta al lector ese tipo especial de comunicación? ¿La poesía puede contribuir a nuestro conocimiento del hombre, del mundo, de la vida? ¿Puede sernos de alguna ayuda? ¿Puede, por ejemplo, aliviar tristezas? ¿Responde de alguna manera a una necesidad de ritmo? ¿Nos proporciona algún placer la belleza de la palabra poética?)

LA LITERATURA ESPAÑOLA DESDE 1939

Superados los años más duros de la larga posguerra, el desarrollo industrial, la emigración del campo a la ciudad, una tímida apertura hacia los países europeos y la masiva llegada del turismo son, entre otros, factores que contribuyen a modificar la realidad sociocultural española. Todo ello tendrá su reflejo puntual en la literatura. (Ferrocarril, *de A. Arteta.*)

I. CUADRO GENERAL

Antes de examinar la evolución de cada género, trazaremos un panorama conjunto de estos años. Con ligeras reservas, distinguiremos las etapas siguientes.

PRIMERA ETAPA: LA POSGUERRA

● Tras la guerra, el país, destrozado, intentará recuperarse. En lo literario, **1942** marca un primer hito con *La familia de Pascual Duarte*, de Cela (véase LECTURA 17b). Pero, en general, estos años —hasta bien entrados los 50— se caracterizan por la **búsqueda de caminos** (con tanteos y enfoques variados). Y los escritores adoptan, ante la índole de los tiempos, actitudes que van del conformismo al malestar (véase luego la distinción entre literatura ***arraigada*** y ***desarraigada***). Domina el interés por los problemas existenciales y los tonos religiosos.

SEGUNDA ETAPA: LOS AÑOS DEL «REALISMO SOCIAL»

● Hacia 1955, muchos escritores parecen haber encontrado un camino: el del **realismo social.** En efecto, en torno a ese año aparecen obras tan representativas como éstas:

—**Poesía**: *Pido la paz y la palabra*, de B. de Otero, y *Cantos iberos*, de G. Celaya.

—**Novela**: *El Jarama*, de Sánchez Ferlosio; *Duelo en el Paraíso*, de J. Goytisolo, etc.

—**Teatro**: *Hoy es fiesta*, de Buero Vallejo; o *La mordaza*, de A. Sastre.

● Tales obras tienen en común el testimonio de realidades sociales concretas. Ahora, el escritor piensa que debe contribuir con sus obras a *transformar la sociedad*, denunciando las injusticias. Y le importan menos las metas estéticas: opta por un *lenguaje sencillo*, capaz de llegar a «la inmensa mayoría».

Pero ¿se podía «transformar el mundo» con libros que, pese a todo, sólo leía una minoría? El realismo social dejó algunas obras importantes y muchos títulos mediocres. Tras unos años, se buscarán nuevos caminos.

TERCERA ETAPA: HACIA UNA «LITERATURA EXPERIMENTAL»

- Una fecha —1962— y un título —*Tiempo de silencio*, de L. Martín Santos— serán el anuncio de la renovación: la denuncia social se hará compatible con audaces ensayos de ***nuevas formas***. En los años siguientes crecerá ***el despego del realismo***, presidido por nuevas influencias europeas y americanas. Decisiva es la irrupción (el «boom») de la nueva novela hispanoamericana, que ofreció nuevos modelos de inventiva y de lenguaje.

- Hacia 1970, se observan en todos los géneros tendencias «novísimas», caracterizadas por la **experimentación** de las formas en todos los aspectos. Los contenidos —y en especial los «sociales»— importarán menos.

LOS ÚLTIMOS AÑOS

- A partir de 1975 (y sobre todo en los años 80) parece advertirse una **moderación de los experimentos** y hasta, en ciertos casos, un retorno a formas tradicionales (aunque se prolonguen formas «vanguardistas»). También se aprecia un nuevo interés por los contenidos *humanos, existenciales*. En cualquier caso, hay menos «consignas» artísticas y las orientaciones de los jóvenes escritores son muy diversas.

LA «OTRA» LITERATURA ESPAÑOLA: EL EXILIO

- Lo dicho hasta ahora debe complementarse con una referencia a la obra escrita fuera de España por los escritores exiliados. Ya hemos visto cuántos autores «novecentistas» o del «27», tras la guerra, continuaron su producción en Europa o América. Sus trayectorias serán muy peculiares, y a menudo marcadas por la nostalgia de la patria perdida.

- Hay **novelistas** tan importantes como Ramón J. Sender, Francisco Ayala, Rosa Chacel, Manuel Andújar, etc.; dramaturgos como Alejandro Casona o Max Aub (también novelista). Durante los primeros años de la posguerra sus obras fueron poco conocidas en España; pero hoy ocupan ya el lugar que merecen en la historia de nuestra literatura.

II. LA POESÍA

LA POESÍA DE POSGUERRA

Antes, durante o después de la guerra, surgen jóvenes poetas nacidos en torno a 1910 (igual que Miguel Hernández) y que componen la llamada ***generación del 36***. Se ha dicho que se trata de «una generación escindida» en dos campos: «poesía arraigada» y «poesía desarraigada».

- ***Poesía arraigada*** es la de quienes se ven con firmes raíces en la vida. En formas serenas, expresan su conformidad con el mundo, su afán optimista de perfección, de orden. A ello se une un hondo sentido religioso. Sus grandes modelos son los «poetas del Imperio», con Garcilaso al frente (se les llamó *garcilasistas*).

  En esa línea se sitúan **Luis Rosales**, **Leopoldo Panero**, **Luis Felipe Vivanco**, **Dionisio Ridruejo**, etc. Se trata de poetas muy importantes. Algunos de ellos desbordarán más tarde los cauces iniciales.

- ***La poesía desarraigada*** —presidida, como anticipamos, por el Dámaso Alonso de *Hijos de la ira*— expresa la ***angustia*** de quienes se sienten disconformes en un mundo que les parece caótico y doloroso. Su humanismo dramático hace que se les relacione con las corrientes *existencialistas* (muchos desembocarán más tarde en la «poesía social»). Y su ***estilo***, frente al de los anteriores, suele ser bronco, directo, menos preocupado de primores.

  En esa línea se sitúan poetas como **Victoriano Crémer**, **Eugenio de Nora**, etc., así como **Blas de Otero** y **Celaya** en sus primeros momentos.

- Estas dos tendencias no son las únicas. Surgen en aquellos años autores difícilmente clasificables; tal es el caso, por ejemplo, de grandes poetas como **José M.ª Valverde** o **José Hierro**. O el ***grupo Cántico*** de Córdoba (P. García Baena y otros), que cultiva una poesía pura. O los que, como **C. E. de Ory**, lanzan un movimiento postsurrealista llamado ***postismo***.

LA POESÍA SOCIAL

● 1955 es un hito, con las obras citadas de Blas de Otero (*Pido la paz y la palabra*) y de Celaya (*Cantos iberos*), en las que ambos superaban su anterior angustia existencial y se abrían a los sufrimientos de los demás. La *solidaridad* será ahora una palabra clave. Aparece así un ***nuevo concepto de la función de la poesía***: «La poesía —dice Celaya— es un instrumento para transformar el mundo.» Y un poema del mismo autor lleva este significativo título: *La poesía es un arma cargada de futuro*; unos versos suyos ilustrarán esta concepción:

> Porque vivimos a golpes, porque apenas si nos dejan
> decir que somos quien somos,
> la poesía no puede ser sin pecado un adorno. [...]
> Maldigo la poesía concebida como un lujo
> cultural por los neutrales
> que, lavándose las manos, se desentienden y evaden.
> Maldigo la poesía de quien no toma partido hasta
> [mancharse.
> Hago mías las faltas. Siento en mí a cuantos sufren
> y canto respirando.
> Canto y canto, y cantando más allá de mis penas
> personales, me ensancho.

● Las intenciones de estos poetas hacen que se dirijan «***a la inmensa mayoría***» y con ***un lenguaje claro***, directo. Las preocupaciones estéticas quedan pospuestas. Muchos caerán así en una poesía «prosaica», pero también es cierto que otros aciertan a descubrir las posibilidades y los valores *poéticos* de la lengua cotidiana.

En la línea «social» se integrarán —junto a los dos citados— muchos de los representantes de la poesía *desarraigada*. Y otros algo más jóvenes, entre los que debe citarse a **Ángel González**.

HACIA UNA NUEVA POÉTICA (AÑOS 60)

● Llega un momento en que se comprende que era ilusorio querer «transformar el mundo» con libros de poesía (el mismo Celaya admitía, en 1960, que «aunque uno no lo quisiera, seguía siendo un minoritario»). El despego de la poesía social irá creciendo en los años 60. No se abandona la ***preocupación por el hombre***, ni el ***inconformismo*** ante el mundo, pero domina ahora cierto ***escepticismo***. Y se retorna a un *intimismo*, llamado «**poesía de la experiencia**». Le corresponde un ***estilo*** que huye del patetismo, un estilo antirretórico, pero depurado y denso.

● Destacan en esta línea, entre otros, los nombres de **Jaime Gil de Biedma**, **José Ángel Valente**, **Francisco Brines** y **Claudio Rodríguez**, nacidos entre 1929 y 1934. Son autores que ejercerán un especial magisterio en posteriores promociones.

LOS «NOVÍSIMOS» Y LA POESÍA DE LOS ÚLTIMOS AÑOS

● Los años 70 comenzarán marcados fuertemente por los **novísimos**. Se les llama así por la antología *Nueve novísimos poetas españoles* (1970), en la que J. M.ª Castellet incluyó a autores nacidos después de 1939: **Pedro Gimferrer**, **Guillermo Carnero**, **Martínez Sarrión**, etc.

Son poetas que no conocieron la guerra civil y que, en su mayoría, comienzan a escribir en una «sociedad de consumo». Se percibe en ellos una nueva sensibilidad, formada tanto por muy amplias lecturas, como por el cine, los cómics o la música *(jazz, rock, folk...)*.

Aunque, ante la sociedad, adopten una actitud crítica, abominan de la «poesía social»: no creen que la poesía pueda «cambiar al mundo». Y junto a temas graves —eco de un íntimo malestar— pueden hacer gala de una provocadora frivolidad. Pero no son los ***temas*** lo que más les interesa, sino el ***estilo***: se sitúan en una línea *experimental*, en ***una nueva vanguardia***, en busca de un nuevo lenguaje poético. En ese sentido, el *Surrealismo* vuelve a ser un modelo para algunos.

● Otros poetas se daban a conocer, a la vez, o poco después: **Félix Grande**, **Antonio Colinas**, **Antonio Carvajal**, **Jenaro Talens**, **José Miguel Ullán**, **José Luis Jover**, **Luis Alberto de Cuenca**, **Luis Antonio de Villena**, **Jaime Siles**, etc. Algunos de ellos comparten rasgos de los novísimos; pero aportan nuevos elementos. No podemos aquí entrar en casos particulares: limitémonos a destacar algunas líneas que, por supuesto, se hallarán desigualmente repartidas o en proporciones diversas, en los poetas citados:

— Hay cierto «decadentismo», con aires neo-modernistas, acompañado de un refinamiento estético que se llamó *veneciano* (presidido por **Gimferrer**, en sus comienzos).

—*Culturalismo* es una corriente de poesía sobre la poesía, el arte u otras realidades culturales (**Colinas**, con hondas resonancias humanas).

—Y también hay poetas que, sin dejar de ser muy de hoy, buscan sus raíces en el pasado: en el *clasicismo grecolatino* (**Cuenca**, **Villena**) o en nuestra poesía *barroca* (**Carvajal**).

—El *minimalismo* es una tendencia hacia el poema breve y denso (**Jover**, **Siles**).

—Y los aspectos más *vanguardistas* subsisten en **Ullán**, **Talens**, etc.

● Añadamos, en fin, que en **los últimos años** —finales de los 70 y principios de los 80— continúan algunas de las líneas señaladas, pero ha habido un alejamiento de los aspectos más estridentes de los «novísimos» y una *moderación de las experiencias*, con cierto retorno a los *contenidos humanos* y a las formas tradicionales. Pero, sobre todo, la poesía de estos años es tan rica en cantidad y diversidad que no es posible reducirla a esquema.

He aquí algunos de los nombres más citados en los últimos años: Blanca Andreu, Andrés Trapiello, Sánchez Robayna, Felipe Benítez, L. García Montero, J. Martínez Mesanza, Ana Rossetti, Julio Llamazares, Miguel d'Ors...

III. LA NOVELA

LA NOVELA DE LA POSGUERRA

● Como dijimos, la década de los 40 es una *etapa de búsqueda*; en la novela se ensayarán fórmulas narrativas que permitan reanudar el camino interrumpido.

● ***Dos fechas*** marcan la resurrección del género: En ***1942***, *La familia de Pascual Duarte*, de Cela, agria visión de míseras realidades (de la que nos ocuparemos en la LECTURA 17b). En ***1944***, *Nada*, de Carmen Laforet, que presentaba un ambiente sórdido de ilusiones fracasadas. Por primera vez tras la guerra, la dura realidad cotidiana quedaba reflejada en la novela.

Muchos autores seguirán esa senda (el reflejo amargo de vidas humanas), junto a ***otros caminos*** que van de la creación imaginativa al conformismo. Pero no cabe entrar en detalles.

Nos contentaremos con recordar algunos de los novelistas que destacan en los años 40, aparte los dos citados: **Zunzunegui**, **Gironella**, **Torrente Ballester**, **A. Cunqueiro**, **Castillo Puche**, **Elena Quiroga**... Lugar destacadísimo es el de **Miguel Delibes** (véase LECTURA 17d).

EL REALISMO SOCIAL EN LA NOVELA

● En la avanzada de esta tendencia volvemos a encontrar a **Cela** con *La colmena* (1951) y a **Delibes** con *El camino* (1950). Ambas novelas pretenden reflejar ambientes sociales concretos: el Madrid de la posguerra o un pueblo.

● Entre ***1954*** y ***1962***, surgirán los representantes más destacados de la novela social: **Juan Goytisolo**, **Ignacio Aldecoa**, **Ana M.ª Matute**, **Fernández Santos**, **Sánchez Ferlosio**, **Caballero Bonald...** Para todos ellos, el novelista debe ejercer un papel de testimonio o denuncia de miserias e injusticias sociales. De ahí los ***temas y ambientes*** más frecuentes:

—***La dura vida del campo*** (en *Los bravos* de Fernández Santos, *El fulgor y la sangre* de Aldecoa, *Dos días de septiembre*, de Caballero Bonald...).

—***El mundo del trabajo*** (*La mina* de López Salinas, *La zanja*, de Alfonso Grosso...).

—***La burguesía insolidaria*** (*Nuevas amistades*, de García Hortelano...).

—***La evocación de la guerra*** (*Duelo en el Paraíso*, de Goytisolo, y *Primera memoria*, de Ana M.ª Matute, ambas sobre los tristes efectos de la contienda en niños y adolescentes).

● En lo concerniente a las ***técnicas narrativas***, se prefiere lo sencillo y lo directo. Unos autores aspiran al *objetivismo*; otros son partidarios de una *actitud comprometida* (hasta donde permitía la censura). El ***lenguaje*** adopta el estilo de la crónica, desnudo de virtuosismos formales; y los diálogos quieren reflejar el habla viva de los distintos sectores sociales.

Ejemplo máximo de los rasgos apuntados en temas y estilo fue *El Jarama* (1956), de Rafael Sánchez Ferlosio. Cuenta, con enfoque objetivista, el domingo de unos jóvenes trabajadores. Apenas pasa nada: charlan, se divierten, se aburren. Y, sin embargo, se trasluce algo terrible: el vacío de unos muchachos aplastados por una vida cotidiana pobre, sin alicientes, de la que intentan escapar durante el domingo. Por otra parte, domina el diálogo, y no es exagerado decir que nunca se había recogido el habla coloquial con tal fidelidad, casi como con magnetófono. No se podía ir más lejos por el camino del realismo.

LA RENOVACIÓN DE LAS TÉCNICAS NARRATIVAS

● A partir de 1960, hay quienes manifiestan el cansancio del realismo: se lamenta una «despreocupación por el lenguaje» y se pide «un enriquecimiento artístico». Y en ***1962***, como sabemos, **Luis Martín Santos** abría un nuevo camino con *Tiempo de silencio*: no faltaba en ella la denuncia social; pero el autor se proponía también nuevas maneras de narrar.

● Los novelistas comienzan a tener en cuenta a los grandes ***innovadores extranjeros*** (Joyce, Kafka, Faulkner...). Causa un fuerte impacto la ***nueva novela hispanoamericana*** (*Cien años de soledad* es de 1967). Y se «rehabilita» a ciertos novelistas no «sociales» sino imaginativos y creadores (Cunqueiro, Torrente Ballester...).

● Las **inquietudes experimentales** afectan al ***tratamiento de los temas*** (con la entrada de lo imaginario, etc.), a la ***estructura*** (por ejemplo, desorden cronológico) y a las ***diversas técnicas*** (narración, descripción, diálogo...; es importante, por ejemplo, el llamado «monólogo interior»). El ***estilo*** dará entrada a muchas variedades y audacias. En fin, la novela experimenta cambios profundos en todos sus aspectos (pero no podemos entrar ahora en detalles).

Citemos algunos de los títulos que jalonan el nuevo camino. En 1966, **Juan Goytisolo**, con *Señas de identidad*, da un giro audaz (que confirmará con novelas posteriores). De 1967 son *Últimas tardes con Teresa*, de **Juan Marsé**, y *Volverás a Región*, de **Juan Benet**; ambos autores serán figuras claves de la nueva novela. Otros autores de la misma edad se suman a la experimentación: **Carmen Martín Gaite**, **Caballero Bonald**... Se incorporan incluso varios de los «mayores» como **Torrente Ballester** (*La saga/fuga de J. B.*), **Cela** o **Delibes** (véanse LECTURAS 17b y 17d). Y pronto irrumpirá una generación más joven: **Isaac Montero**, **Gonzalo Suárez**, **Francisco Umbral**, **Vázquez Montalbán**, **Vaz de Soto**, **Guelbenzu**, etc.

En los años sesenta proliferan las innovaciones experimentales en todos los campos artísticos. (El Alambique, *obra del Equipo Crónica).*

LOS ÚLTIMOS AÑOS

● Ha proseguido, hasta cierto punto, la experimentación técnica, que da algunos frutos de máxima audacia (*Larva*, de **Julián Ríos**, en 1983); pero, por otra parte, ***desde 1975*** se aprecian signos opuestos: hay una *moderación de los experimentos*. Y hasta ciertos jóvenes novelistas se interesan declaradamente por formas tradicionales de la narración (incluso por géneros como la novela de aventuras, la policiaca, etc.). Hay quienes —frente a la complacencia por las técnicas— vuelven a reivindicar «el placer de contar historias».

Ejemplo de esta evolución serían algunos autores antes audazmente experimentales. Pero es paradigmática la trayectoria de **Eduardo Mendoza**, que, tras una novela compleja y magistral (*La verdad sobre el caso Savolta*, 1975) ha escrito novelas más tradicionales (*La ciudad de los prodigios*), hasta divertidas parodias de novelas policiacas. Y habría que citar a muchos nuevos valores: **Álvaro Pombo**, **José M.ª Merino**, **Alejandro Gándara**, **Luis Mateo Díez**, **Javier Marías**, **Antonio Muñoz Molina**, **Luis Landero...** Pero la lista sería larga y estaría fuera de lugar en un manual de este nivel.

IV. EL TEATRO

LA SITUACIÓN PECULIAR DEL TEATRO

Conviene, ante todo, recordar que el teatro no sólo es «literatura», sino además ***espectáculo***. Como tal, se halla sometido a los intereses de unos *empresarios* que no se arriesgan a perder dinero con obras avanzadas en lo estético o en lo ideológico (y hubo una censura severa).

● Por ello suelen distinguirse un ***teatro comercial***, que pretende entretener, y un ***teatro con inquietudes diversas***. A los autores que pretendan innovar o inquietar les será difícil abrirse camino, como veremos.

EL TEATRO DE LA POSGUERRA

● Al terminar la guerra, la muerte o el exilio se han llevado a autores como Valle-Inclán, Lorca, Alberti, Casona... Faltan, pues, grandes maestros. Y, aparte las restricciones políticas, domina un público burgués con un afán de diversión trivial.

El teatro de Jardiel Poncela se caracteriza por la finura humorística, la originalidad de las situaciones que plantea y la fluidez del diálogo. (Portada de una de sus obras.)

● En el «teatro comercial», merece estima un tipo de ***alta comedia*** en la línea de Benavente. Son comedias «de salón» o de tesis, a veces con una crítica amable basada en los valores imperantes. Y responden al ideal de la obra «bien hecha» según una estética tradicional.

Destacan en este sector autores como **Pemán**, **Luca de Tena**, **López Rubio**, **Claudio de la Torre**, **Edgar Neville**, **Joaquín Calvo Sotelo**, **Ruiz Iriarte**, etc.

● Es muy frecuente el ***teatro cómico***, que, junto a obras sin valor, cuenta con dos de las figuras más interesantes de la posguerra: Jardiel Poncela y Mihura.

● **Enrique Jardiel Poncela** (1901-1952) intentaba, desde años atrás, «renovar la risa». Sus obras interesan por el ingenio de sus planteamientos y los chispazos de fresca agudeza de sus diálogos. Así, en *Usted tiene ojos de mujer fatal*, *Los ladrones somos gente honrada*, *Cuatro corazones con freno y marcha atrás*, etc.

● **Miguel Mihura** (1905-1977) se reveló con *Tres sombreros de copa* (1952), un prodigio de humor disparatado y poético. Luego dio comedias estimables, aunque menos valiosas: *Sublime decisión*, *Maribel y la extraña familia*...

● Pero habrá un teatro «distinto», ***preocupado por graves problemas humanos***. En **1949** estrena **Buero Vallejo** *Historia de una escalera*, tragedia de unas vidas frustradas: (de este autor y esta obra nos ocuparemos en la LECTURA 17c). Poco después, en 1953, se dará a conocer **Alfonso Sastre** con *Escuadra hacia la muerte*, obra que encierra —como las primeras de Buero— una visión de tipo *existencialista*. Estamos ante un teatro serio, encarado con la realidad y que pronto adquirirá un acento social.

EL TEATRO SOCIAL

● Durante los años 50 y parte de los 60, poco es lo que cambia en el *teatro comercial*.

En la comedia, la figura más popular fue **Alfonso Paso**, autor de numerosas comedias hábiles e intrascendentes. Otros autores que se revelaron con fortuna son **Jaime Salom**, **J. J. Alonso Millán**, **Jaime de Armiñán**, **Ana Diosdado**, etc.

● Frente a ello, **el teatro social**. Su principal teórico es el citado **Alfonso Sastre**, partidario de un teatro de testimonio y denuncia, al que contribuye con dramas como *La mordaza*, *Muerte en el barrio*, etc. En la misma línea, pero con mayor altura, irá **Buero Vallejo**, como veremos.

● Junto a ellos, nuevos autores. He aquí unos hitos esenciales: en 1960 se estrenan *El tintero*, de **Carlos Muñiz**; *Los inocentes de la Moncloa*, de **Rodríguez Méndez**, y *La madriguera*, de **Rodríguez Buded**. En 1962, *La camisa*, de **Lauro Olmo**. En 1963, *Las salvajes en Puente San Gil*, de **J. Martín Recuerda**.

Nótese qué **problemas** abordan esas obras: el trabajo deshumanizado (*El tintero*); las miserias de unos opositores (*Los inocentes...*); la vida mezquina de una pensión (*La madriguera*); la emigración obrera (*La camisa*); la intolerancia (*Las salvajes...*). En cuanto a la **técnica**, domina el realismo.

● Por razones comerciales o de censura, fueron bastantes las obras de estos y otros autores que no llegaron a los escenarios. Por ello se ha hablado de un «*teatro soterrado*».

BÚSQUEDA DE NUEVAS FORMAS

● No insistiremos en la diferencia entre el teatro «de consumo» y el teatro con inquietudes: aquél sigue por sus cauces y éste con su batallar. Ya bien entrados los años 60, unos autores y críticos siguen defendiendo el teatro realista y social. Otros buscan ***una renovación de la expresión dramática***, inspirándose en corrientes experimentales del teatro extranjero (Brecht, Artaud, etc.). Surge así una *nueva vanguardia* escénica.

Entre los nuevos autores citemos a **Francisco Nieva** (*La señora Tártara*), **José Ruibal** (*El hombre y la mosca*), **Martínez Mediero** (*Las hermanas de Búfalo Bill*) y otros como **Romero Esteo**, **Jiménez Romero**, **José M.ª Bellido**, **García Pintado**, **Alberto Miralles**, etc.

● Este nuevo teatro sigue siendo, en buena medida, un teatro de ***protesta*** ante la dictadura, la falta de libertad, etc. La novedad está en la ***forma***: el enfoque realista es sustituido por *símbolos* o *parábolas*; se acude a la farsa o a lo alucinante. El ***lenguaje*** acoge nuevos tonos: lo grotesco, o lo poético... Y se desarrollan ***recursos extraverbales***: sonoros, visuales, corporales, inspirándose incluso en la pantomima, el circo, etc.

● El desarrollo de este teatro siguió siendo difícil, por las razones citadas. Y muchos de los nuevos autores no lograrán estrenar sus obras, o lo harán en representaciones limitadas de «teatro independiente» o de aficionados. Se puede seguir hablando, pues, de un «teatro soterrado», salvo para algunos autores. Así, en el caso de **Francisco Nieva**, cuyos logros lo han llevado a la Academia.

● Lugar especial es el de **Antonio Gala,** que ha procurado aunar el rigor estético y el alcance mayoritario, aun a costa de ciertas concesiones. El éxito le ha acompañado en una fecunda carrera que va desde *Los verdes campos del Edén* (1963) a *Los bellos durmientes* (1994), etc.

● Y como complemento indispensable a este apartado hay que aludir a **Fernando Arrabal** (nacido en 1932), quien se vio obligado a desarrollar su copiosa producción fuera de España y alcanzó fama internacional como una de las figuras más innovadoras del teatro europeo. Su teatro, a menudo, es desenfrenado y provocador de escándalos y entusiasmos, por su rebeldía contra el mundo actual, que ve cruel e inhumano. Algunos títulos: *El cementerio de automóviles*, *Oración*, *El gran ceremonial...* Sus obras estuvieron prohibidas en España hasta el cambio democrático; luego se han podido estrenar aquí, pero su función de revulsivo parece haber disminuido.

ÚLTIMOS RUMBOS

● La implantación de la democracia (con la supresión de la censura y otros cambios en la política teatral) abría nuevos horizontes para el teatro, pero no han proliferado autores y obras como se esperaba. Y atraer al público al teatro ha seguido siendo el gran problema.

La vanguardia no lo ha logrado, salvo excepciones (**Alfonso Vallejo**). Sí, en cambio, algunas obras de corte realista y testimonial como *Las bicicletas son para el verano* (1982), de **Fernando Fernán-Gómez**. Y en esa línea se sitúan algunos de los jóvenes autores que logran amplia audiencia, como **Fermín Cabal** (*Esta noche, gran velada...*), **José Luis Alonso de Santos** (*Bajarse al moro...*), **J. Sanchís Sinisterra** (*¡Ay, Carmela!*), etc. Parece haber, por el momento, un retorno al realismo (incluso al costumbrismo) y a formas tradicionales.

SIGLO XX (II) (autores que desarrollan su obra total o principalmente tras la guerra civil)

SIGLO XX

1900 — Guerra Civil — 1950 — 2000

Autor	Nacimiento	Muerte
Miguel Mihura	1905	1977
Luis Rosales	1910	1992
Gabriel Celaya	1910	1991
Torrente Ballester	1910	
Blas de Otero	1916	1979
C. J. Cela	1916	
B. Vallejo	1916	
M. Delibes	1920	
J. Hierro	1922	
Martín-Santos	1924	1964
Alfonso Sastre	1926	
Sánchez Ferlosio	1927	
Juan Benet	1927	1992
Gil de Biedma	1929	1990
J. A. Valente	1929	
Juan Goytisolo	1931	
Juan Marsé	1933	
Claudio Rodríguez	1934	
Antonio Gala	1936	

BLAS DE OTERO (17a)

VIDA Y TRAYECTORIA POÉTICA

- Nació en Bilbao, en 1916. Estudió Derecho, carrera que no ejerció. Tras dedicarse a la enseñanza por algún tiempo, se consagra a la poesía y da recitales y conferencias por casi todo el mundo. El resto del tiempo lleva una vida retirada en Madrid, donde muere en 1979. Desde el punto de vista ideológico pasó de un cristianismo dramático a un marxismo militante.

- Su **trayectoria poética** resume la evolución de la poesía española de su tiempo. Su camino se ha definido con estas palabras: *del yo al nosotros*. Como veremos, pasa de la expresión de sus angustias *personales* a una poesía *social*; y en sus últimos años se advierten nuevas inquietudes de *experimentación formal*.

ESTILO

- Otero es ***un riguroso trabajador del lenguaje***, aunque ello no se perciba siempre. Son abundantes sus recursos estilísticos: ***fonéticos*** (aliteraciones, juegos de sonidos), ***sintácticos*** (paralelismos, reiteraciones...), ***léxicos*** (juegos de palabras, gusto por el léxico popular), etc. Y todo ello enfocado a poner de relieve el contenido conceptual y afectivo.

- Su **métrica** incluye tanto las estrofas clásicas o tradicionales como el verso libre, pero con un rasgo común: un ritmo bronco, con características rupturas del fluir del verso.

PRIMER CICLO: POESÍA «DESARRAIGADA»

- Tras unas obras primerizas, Otero publica *Ángel fieramente humano* (1950) y *Redoble de conciencia* (1951). Se trata de una **poesía desarraigada**, expresión del «yo» con sus angustias existenciales, con sus interrogantes sobre el sentido del hombre y del mundo.
  - —Hay *poemas religiosos*, pero dirigidos a un Dios a la vez anhelado e incomprensible (véase el soneto *Hombre*).
  - —Hay también *poemas amorosos*, impregnados de la misma sed de Absoluto.
  - —Y hay, en fin, en algunos poemas, *un primer acercamiento al «nosotros»*, a los sufrimientos de los demás hombres.

- Predominan en esta etapa las *formas clásicas*: Blas de Otero se muestra, en particular, como espléndido *sonetista*. Ensaya también el *verso libre*. Su densidad estilística es ya asombrosa. Y se perciben, entre otras, las influencias de los Salmos, de Quevedo o de Unamuno.

SEGUNDO CICLO: POESÍA SOCIAL

En 1955 publica *Pido la paz y la palabra*, al que siguen *En castellano* (1959) y *Que trata de España* (1964). Este último título englobará luego a los tres libros.

Escritos desde la inmensa soledad o para la «inmensa mayoría», y ambas cosas a la vez, los poemas de Blas de Otero poseen siempre un acento «fieramente humano». (Manifestación, *de A. Berni.)*

● El poeta abandona ahora sus problemas personales, sus angustias, y se enfrenta con los problemas colectivos, en una actitud de *solidaridad*. Es la **poesía social**. Según afirma, hay que «demostrar hermandad con la tragedia viva, y luego, lo antes posible, superarla».

● Pasarán ahora a primer término **España** y sus problemas. Los versos expresan, junto al anhelo de *paz*, las ansias de *libertad* y de *un futuro mejor*. Junto a una actitud crítica (hasta donde permitió la censura), aparece la llamada a la *esperanza*. El poeta, libre ya de angustias, quiere que su voz sea decididamente positiva: concibe ahora la poesía como lucha constructiva.

● Consecuentemente, se dirige «***a la inmensa mayoría***» (en contraste con una poesía minoritaria). Por ello, busca *un lenguaje más sencillo* (en apariencia). Se notan ahora los influjos de Machado, Alberti, Miguel Hernández; junto a ellos, está la huella de los cantarcillos populares, que —junto al verso libre— dominan ahora sobre el soneto.

ÚLTIMA ÉPOCA

● Después de 1965, va componiendo, entre otras, las poesías de *Hojas de Madrid*, en las que se aprecian sensibles novedades.

● Otero ha comprendido la escasa eficacia de la poesía social. Y sin renunciar a la lucha política, se replantea su labor de poeta. Amplía su ***temática***, dando mayor presencia a la intimidad. Y su *estilo* revela preocupaciones de renovación formal: introduce ritmos nuevos, imágenes insólitas, incluso toques surrealistas... Hay, en suma, un notable enriquecimiento de su lengua poética. Estuvo abierto, pues, a las inquietudes experimentales propias de aquellos años.

SIGNIFICACIÓN

No temamos insistir en lo representativo de su trayectoria. Estuvo, en cada momento, a la cabeza de lo más significativo de la poesía española: de las inquietudes existenciales a las sociales, sin descuidar las preocupaciones estilísticas. Aunó conciencia ética y rigor estético. Es por ello una figura clave de la literatura de su tiempo.

POESÍAS

Un soneto: «Hombre»

Pertenece a Ángel fieramente humano *(1950); es una de las máximas expresiones de la angustia existencial de su primera época, y resultará revelador de su peculiar trabajo de la forma.*

Luchando, cuerpo a cuerpo, con la muerte,
al borde del abismo[1], estoy clamando
a Dios. Y su silencio, retumbando,
ahoga mi voz en el vacío inerte.

5 Oh Dios. Si he de morir, quiero tenerte
despierto. Y, noche a noche, no sé cuándo
oirás mi voz. Oh Dios. Estoy hablando
solo. Arañando sombras para verte.

Alzo la mano, y tú me la cercenas.
10 Abro los ojos: me los sajas[2] vivos.
Sed tengo, y sal se vuelven tus arenas.

Esto es ser hombre: horror a manos llenas.
Ser —y no ser— eternos, fugitivos.
¡Ángel con grandes alas de cadenas!

---

[1] *al borde del abismo*, paráfrasis de «Desde el fondo del abismo» (*De profundis*), comienzo de un famoso Salmo. [2] *sajas*, cortas, rajas.

COMENTARIO DE TEXTO. «HOMBRE»

Introducción

a Sitúa el texto en la trayectoria del autor y, a la vez, en la tendencia correspondiente.

b El contenido del soneto es denso: ¿cuáles son las ideas y sentimientos dominantes? ¿Cómo calificarías, desde ahora, el tono de esta «plegaria»?

c ¿Cómo se distribuye el contenido en las estrofas del soneto? Aparte, observa ya la típica andadura del soneto de Otero, con su ritmo entrecortado (pausas, encabalgamientos).

Análisis (contenido y expresión)

d El *primer cuarteto* contiene ya algunas de las ideas centrales; véase cómo el autor consigue darles todo su dramatismo (¿qué palabras escoge? ¿Cómo las destaca?).

e El *segundo cuarteto* nos ofrece dos buenos ejemplos del partido que el poeta sabe sacar del encabalgamiento. Véase, en primer lugar, el que se produce entre los *versos 5-6*: ¿qué entendemos si leemos sólo el *verso 5*? ¿Qué se añade al pasar al *6?*; pero ¿no conviven ambas significaciones? Otro efecto intencionado se da entre los *versos 7-8*; coméntalo.

f En ese mismo cuarteto destacarás el valor de las exclamaciones, advertirás el curioso efecto fonético del *verso 6* (*noche —noche— no sé*) y señalarás la imagen dramática del *verso 8.*

g *Primer terceto*: atiéndase a su estructura; aparte el paralelismo sintáctico, los tres versos son bimembres: ¿qué relación conceptual o lógica se establece entre los dos miembros de cada verso? Consecuencias expresivas (fuerza de la protesta, eficacia constructiva...).

h El *segundo terceto* viene a ser como un «epifonema» (afirmación o afirmaciones que se derivan de lo dicho antes). Se trata de una definición de la condición humana que empieza en el *verso 12*; ¿cómo?

i El *verso 13* es de una densidad y complejidad inusitadas. Léase, primero, sin lo que va entre guiones, y ya se verá la contradicción entre los dos adjetivos. Pero, a la vez, es «no ser ni eternos ni fugitivos». Y aún hay que entender que el hombre es un «ser y no ser». En suma, un amasijo de contradicciones que nos recuerda la concepción existencialista del hombre.

j ¿Qué indica, en fin, la imagen del último verso?

Conclusión

k Apréciese la inserción del primer Blas de Otero en una de las líneas de pensamiento y de poesía propias de nuestra posguerra.

l Valórese la fuerza dramática y la densidad estilística del poema.

«Sobre esta piedra edificaré»

Éste es uno de los primeros poemas del libro Pido la paz y la palabra *(1955). El título viene de una famosa frase evangélica («Sobre esta piedra [Pedro] edificaré mi iglesia»), pero Blas de Otero se refiere, naturalmente, a España. El estilo de estos versos ofrece rasgos muy característicos de esta segunda época.*

TESTIGO soy de ti, tierra en los ojos,
patria aprendida, línea de mis párpados,
lóbrega letra que le entró con sangre
a la caligrafía de mis labios.

5 Y digo el gesto tuyo, doy detalles
del rostro, los regalo
amargamente al viento en estas hojas.
Oh piedra hendida. Tú. Piedra de escándalo.

Retrocedida España,
10 agua sin vaso, cuando hay agua; vaso
sin agua, cuando hay sed. «*Dios, qué buen vassallo,*
si oviesse buen...»
Silencio.

> ¿A qué apunta ahora la poesía de Blas de Otero? ¿Qué aspectos de la patria y qué sentimientos hacia ella aparecen en estos versos?
> ¿Qué efecto fonético hay en el verso 3? Sentido del verso 8.
> En el verso 9 dice «retrocedida» en vez de «atrasada»; ¿por qué?
> Con letra cursiva inserta Blas de Otero el famoso verso 20 del *Cantar de Mio Cid*: ¿qué palabra falta?, ¿por qué se interrumpe el verso y sigue la palabra «silencio»? (Supóngase que el «buen vasallo» es, en este caso, España, y se verá con qué ingenio burló el poeta a la censura.)

«Fidelidad»

Del mismo libro. Es un poema revelador de la nueva actitud positiva, esperanzada, de Otero. A la vez, es muy ilustrativo del riguroso trabajo de la forma, orientado a lograr la mayor concentración, la máxima densidad de efectos y el mayor poder comunicativo.

CREO en el hombre. He visto
espaldas astilladas a trallazos,
almas cegadas avanzando a brincos
(españas a caballo
5 del dolor y del hambre). Y he creído.

Creo en la paz. He visto
altas estrellas, llameantes ámbitos
amanecientes, incendiando ríos
hondos, caudal humano
10 hacia otra luz: he visto y he creído.

Creo en ti, patria. Digo
lo que he visto: relámpagos
de rabia, amor en frío, y un cuchillo
chillando, haciéndose pedazos
15 de pan: aunque hoy hay sólo sombra, he visto
y he creído.

> ¿Cuál es la nueva «creencia» del poeta?
> El texto reposa sobre una reiterada estructura concesiva: el poeta «cree» a pesar de... ¿Cuáles son las cosas negativas que el poeta «ha visto»?
> Inseparable de lo anterior es el paralelismo de construcción entre las tres estrofas: véase cómo la estructura pone de relieve la idea básica del poema.
> Aclárese el sentido de todas las imágenes del texto. Señálense algunos intencionados efectos fonéticos.
> Las pausas y los encabalgamientos ponen de relieve ciertas palabras: muéstralo. Especial atención merece el efecto del encabalgamiento entre los versos 14 y 15; ¿por qué?

CAMILO JOSÉ CELA (17b)

Camilo José Cela, por Gregorio Prieto.

EL HOMBRE Y EL ESCRITOR

● Nació en 1916, en Iria Flavia (La Coruña). Estudió varias carreras sin acabar ninguna. Dedicado por entero a la literatura, ha alcanzado un puesto de primerísimo orden. Pertenece a la Real Academia desde 1957. Es Premio Nacional de Literatura en 1984. Y en el 89 el Premio Nobel de Literatura corona su brillante producción, la cual, como veremos, es muy variada. Pero en ella se perciben unos rasgos comunes de pensamiento y estilo. Veámoslo.

● Cela tiene un ***concepto negativo del mundo*** («La vida —ha dicho— no es buena; el hombre tampoco lo es»). Su actitud es la de un espectador entre desolado y burlón. En su obra dominan los zarpazos contra lo ruin o lo ridículo. Pero también hay resquicios por los que se filtran la ternura o la compasión ante el dolor humano.

● Su ***arte*** es siempre vigoroso. A veces, refleja la realidad directamente; con frecuencia, lo hace de una forma distorsionada, «esperpéntica». Y su capacidad inventiva es asombrosa.

● Sobre todo, es un ***virtuoso del idioma***, profundo conocedor de sus posibilidades expresivas, rítmicas, etc. Y domina los más variados *registros*: la dureza amarga, el humor desgarrado, el tono poemático...

LAS PRIMERAS NOVELAS

Como vamos a ver, sus novelas son de una sorprendente diversidad: cada una responde —como dijo— a una distinta «técnica de novelar».

● *La familia de Pascual Duarte* (1942) fue, según sabemos, el primer gran acontecimiento en la novelística de la posguerra. Luego veremos más detalles, al hilo de los textos. Anticipemos que es un experimento violento y amargo: en ella —dice— empezó «a sumar acción sobre la acción y sangre sobre la sangre». La obra entusiasmó o indignó; hoy es ya clásica.

● Muy distintas son sus dos novelas siguientes (de 1944): *Pabellón de reposo* transcurre en un sanatorio y carece de acción. *Nuevas andanzas y desventuras de Lazarillo de Tormes* es un grato «pastiche» de la novela picaresca.

DE *LA COLMENA* A HOY

● En 1951, nuevo experimento y más ambicioso: *La colmena*, novela «colectiva» que traza un complejo cuadro del Madrid de posguerra. Por sus páginas bullen unos 300 personajes que aparecen y desaparecen en rápidos apuntes. Los más son despreciables o vulgares, pero hay también seres desvalidos, apaleados por la vida. Y Cela los mira con frialdad, o con ternura, o con esas lentes deformantes que acentúan su amargura o su repulsa. *La colmena* es una de sus obras maestras y, en cierto modo, preludia el «realismo social».

● Más experimentos... *Mrs. Caldwell habla con su hijo* (1953), *La catira* (1955)... Y en 1969, Cela contribuye al experimentalismo en boga con *San Camilo 36* (largo monólogo enmarcado por el Madrid de la guerra). Más audaz aún es *Oficio de tinieblas 5* (1973), compuesta por más de mil párrafos de longitud e índole muy variada. Cela era capaz de ir tan lejos como nadie por los caminos de la experimentación.

• Siguieron otros experimentos: destaquemos sólo *Mazurca para dos muertos* (1983), ambientada en Galicia, que recoge pasiones y violencias durante la guerra civil, con una prosa que seduce por su ritmo.

OTRAS OBRAS

Paralelamente a sus novelas, Cela cultiva diversos géneros, que enumeramos brevemente:

— **Novelas cortas y cuentos** recogidos en varios volúmenes.

— «**Apuntes carpetovetónicos**»: son rápidos bosquejos, «entre caricatura y aguafuerte», de tipos o escenas españolas (*El gallego y su cuadrilla* y otros volúmenes).

— **Libros de viajes.** Son un sector importante de su obra; el primero, *Viaje a la Alcarria* (1948), delicioso, sigue siendo una de sus obras maestras.

Y ha escrito, además, artículos y ensayos, poesía, memorias...

SIGNIFICACIÓN

La inquietud creadora y la capacidad de renovación hacen que la obra de Cela haya estado presente en cada momento de la evolución de nuestras letras, de 1942 a hoy. E insistimos en que su magistral empleo del idioma lo acredita como uno de los máximos estilistas de la literatura del siglo XX. Es, además, uno de nuestros escritores más conocidos mundialmente, como ha confirmado el Premio Nobel.

LA FAMILIA DE PASCUAL DUARTE

Introducción

Acaso ésta siga siendo la obra maestra del autor. Y, curiosamente, es la novela española traducida a más lenguas, después del Quijote. *Antes de ofrecer unos fragmentos (y aun invitando al alumno a leerla entera), convendría ofrecer un resumen del argumento. Advirtamos, sin embargo, que, cuando se reduce la acción del Pascual Duarte a unas breves líneas y se releen éstas, es inevitable preguntarse: ¿cómo es posible tal cúmulo de atrocidades en tan pocas páginas?*

Pascual Duarte es un campesino extremeño que, en la cárcel, condenado a muerte, escribe su vida. Una infancia sórdida, unos padres monstruosos, una hermana que se prostituye, un hermanito anormal que termina ahogado en una tinaja de aceite —no sin que, antes, un cerdo le comiera las orejas—... Luego, dos matrimonios desgraciados, peleas, crímenes, sangre... Y una horrible escena final en que el protagonista mata a su madre, a la que considera causa de sus desgracias...

En efecto: ¿cómo es posible que con tanta truculencia acumulada haya podido escribirse una novela que se mantenga en pie? Tal vez el Pascual Duarte *sea, ante todo, una verdadera proeza literaria; porque el autor consigue dar* verdad *a lo que —en tales proporciones— es inverosímil. Al menos en una primera lectura, Pascual y su mundo nos parecen reales. El novelista parece haber jugado a un «más difícil todavía». Y ha ganado.*

Pero hay más. Cela se sirve de la anécdota para ilustrar una de las posibles concepciones del hombre: criatura arrastrada hasta lo peor por la presión de la herencia y del mundo que le rodea. El mismo protagonista confiesa sentirse «un hombre maldito», condenado de antemano. Sobre él pesa una suerte de fatum, *ese aciago destino de la tragedia clásica, que convierte su vida en «un osario de esperanzas muertas».*

La novela —escrita en primera persona— empieza con estos dos párrafos tan significativos:

Yo, señor, no soy malo, aunque no me faltarían motivos para serlo. Los mismos cueros tenemos todos los mortales al nacer y sin embargo, cuando vamos creciendo, el destino se complace en variarnos como si fuésemos de cera y destinarnos por sendas diferentes al mismo fin: la muerte. Hay hombres a quienes se les ordena marchar por el camino de las flores, y hombres a quienes se les manda tirar por el

5 camino de los cardos y de las chumberas. Aquéllos gozan de un mirar sereno y al aroma de su felicidad sonríen con la cara inocente; estos otros sufren del sol violento de la llanura y arrugan el ceño como las alimañas por defenderse. Hay mucha diferencia entre adornarse las carnes con arrebol[1] y colonia, y hacerlo con tatuajes que después nadie ha de borrar ya...

Nací hace ya muchos años —lo menos cincuenta y cinco— en un pueblo perdido por la provincia de 10 Badajoz; el pueblo estaba a unas dos leguas de Almendralejo, agachado sobre una carretera lisa y larga como un día sin pan, lisa y larga como los días —de una lisura y una largura como usted, para su bien, no puede ni figurarse— de un condenado a muerte...

La perrilla

Sigue Pascual, en el capítulo primero, hablándonos de su pueblo, de su casa mísera, de sus aficiones, sobre todo la caza. Aquí se sitúa un inquietante episodio, muy revelador de la turbia psicología del protagonista.

Tenía una perrilla perdiguera —*la Chispa*—, medio ruin, medio bravía, pero que se entendía muy bien conmigo; con ella me iba muchas mañanas hasta la Charca, a legua y media del pueblo hacia la raya de 15 Portugal, y nunca nos volvíamos de vacío para casa. Al volver, la perra se me adelantaba y me esperaba siempre junto al cruce; había allí una piedra redonda y achatada como una silla baja, de la que guardo tan grato recuerdo como de cualquier persona; mejor, seguramente, que el que guardo de muchas de ellas... Era ancha y algo hundida, y cuando me sentaba se me escurría un poco el trasero (con perdón) y quedaba tan acomodado que sentía tener que dejarla; me pasaba largos ratos sentado sobre la piedra del cruce, sil- 20 bando, con la escopeta entre las piernas, mirando lo que había de verse, fumando pitillos. La perrilla se sentaba enfrente de mí, sobre sus dos patas de atrás, y me miraba, con la cabeza ladeada, con sus dos ojillos castaños muy despiertos; yo le hablaba y ella, como si quisiera entenderme mejor, levantaba un poco las orejas; cuando me callaba aprovechaba para dar unas carreras detrás de los saltamontes, o simplemente para cambiar de postura. Cuando me marchaba, siempre, sin saber por qué, había de volver la cabeza 25 hacia la piedra, como para despedirme, y hubo un día que debió parecerme tan triste por mi marcha, que no tuve más suerte que volver mis pasos a sentarme de nuevo... La perra volvió a echarse frente a mí y volvió a mirarme; ahora me doy cuenta de que tenía la mirada de los confesores, escrutadora y fría, como dicen que es la de los linces... Un temblor recorrió todo mi cuerpo; parecía como una corriente que forzaba por salirme por los brazos. El pitillo se me había apagado; la escopeta, de un solo caño, se dejaba acari- 30 ciar, lentamente, entre mis piernas. La perra seguía mirándome fija, como si no me hubiera visto nunca, como si fuese a culparme de algo de un momento a otro, y su mirada me calentaba la sangre de las venas de tal manera que se veía llegar el momento en que tuviese que entregarme; hacía calor, un calor espantoso, y mis ojos se entornaban dominados por el mirar, como un clavo, del animal...

Cogí la escopeta y disparé; volví a cargar y volví a disparar. La perra tenía una sangre oscura y pega- 35 josa que se extendía poco a poco por la tierra.

[1] *arrebol*, colorete, maquillaje encarnado.

- **En la primera mitad del texto, junto con una impresión de paz, percibimos el cariño de Pascual hacia la perrilla: ¿en qué detalles?**
- **¿Qué dice de aquella piedra en que se sentaba? ¿Qué hay ya de extraño en el hecho de volver a sentarse en ella?**
- **¿Por qué mata a la perrilla?, ¿qué cree ver en su mirada? Procura averiguar si la reacción y la conducta del protagonista tienen algún nombre en psicología y psiquiatría.**
- **El arte narrativo de Cela: progresión del relato, aparición y aumento de la tensión, detalles reveladores, frases de desenlace, etc.**

Mario

He aquí, a continuación, algunas de las páginas dedicadas al hermano menor. Es difícil encontrar una mezcla tal de horror y delicadeza, de crueldad y ternura, de animalidad y humanidad elemental.

Si Mario hubiera tenido sentido cuando dejó este valle de lágrimas, a buen seguro que no se hubiera marchado muy satisfecho de él. Poco vivió entre nosotros; parecía como que hubiera olido el parentesco que le esperaba y hubiera preferido sacrificarlo a la compañía de los inocentes en el limbo. ¡Bien sabe Dios que acertó con el camino, y cuántos fueron los sufrimientos que
40 se ahorró al ahorrarse años! Cuando nos abandonó no había cumplido todavía los diez años, que si pocos fueron para lo demasiado que había de sufrir, suficientes debieran de haber sido para llegar a hablar y a andar, cosas ambas que no llegó a conocer; el pobre no pasó de arrastrarse por el suelo como si fuese una culebra y de hacer unos ruiditos con la garganta y con la nariz como si fuese una rata; fue lo único que aprendió. [...] Un día —teniendo la criatura cuatro
45 años— la suerte se volvió tan de su contra que, sin haberlo buscado ni deseado, sin a nadie haber molestado y sin haber tentado a Dios, un guarro[2] (con perdón) le comió las dos orejas. Don Raimundo, el boticario, le puso unos polvos amarillos, de seroformo, y tanta dolor daba el verlo amarillado y sin orejas que todas las vecinas, por llevarle consuelo, le llevaban, las más, un tejeringo[3] los domingos; otras, unas almendras; algunas, aceitunas en aceite o un poco de chorizo...
50 ¡Pobre Mario, y cómo agradecía con sus ojos negrillos los consuelos! Si mal había estado hasta entonces, mucho más mal[4] le aguardaba después de lo del guarro (con perdón); pasábase los días y las noches llorando y aullando como un abandonado, y como la poca paciencia de la madre la agotó cuando más falta le hacía, se pasaba los meses tirado por los suelos, comiendo lo que le echaban, y tan sucio que aun a mí que, ¿para qué mentir?, nunca me lavé demasiado, lle-
55 gaba a darme repugnancia. Cuando un guarro (con perdón) se le ponía a la vista, cosa que en la provincia pasaba tantas veces al día como no se quisiese, le entraban al hermano unos corajes que se ponía como loco: gritaba con más fuerza aún que la costumbre, se atosigaba por esconderse detrás de algo y en la cara y en los ojos un temor se le acusaba, que dudo que no lograse parar al mismo Lucifer que a la Tierra subiese.

60 Me acuerdo que un día —era un domingo— en una de esas temblequeras tanto espanto llevaba, y tanta rabia dentro, que en su huida le dio por atacar —Dios sabría por qué— al señor Rafael, que en casa estaba porque, desde la muerte de mi padre, por ella entraba y salía como por terreno conquistado; no se le ocurriera peor cosa al pobre que morderle en una pierna al viejo, y nunca lo hubiera hecho, porque éste con la otra pierna le arreó tal patada en una de las cicatrices
65 que lo dejó como muerto y sin sentido, manándole una agüilla que me dio por pensar que agotara la sangre. El vejete se reía como si hubiera hecho una hazaña, y tal odio le tomé aquel día que, por mi gloria le juro, que de no habérselo llevado Dios de mis alcances, me lo hubiera endiñado[5] en cuanto hubiera tenido ocasión para ello.

La criatura se quedó tirada todo lo larga que era, y mi madre —le aseguro que me asusté en
70 aquel momento que la vi tan ruin— no lo cogía y se reía haciéndole el coro al señor Rafael; a mí, bien lo sabe Dios, no me faltaron voluntades para levantarlo, pero preferí no hacerlo... ¡Si el señor Rafael, en el momento, me hubiera llamado blando, por Dios que lo machaco delante de mi madre! [...]

---

[2] *guarro* es, en su origen, uno de los nombres del cerdo; es costumbre popular añadir *con perdón*, al citar éste y otros nombres que se consideren insultantes (como *trasero*, en el texto anterior). [3] *tejeringos*, churros. [4] *mal*, aquí es sustantivo, sujeto de *le aguardaba*. [5] *endiñado*, matado.

Cuando el señor Rafael acabó por marcharse, mi madre recogió a Mario, lo acunó en el rega-
75 zo y le estuvo lamiendo la herida toda la noche, como perra parida a los cachorros; el chiquillo se dejaba querer y sonreía... Se quedó dormidito y en sus labios quedaba aún la señal de que había sonreído. Fue aquella noche, seguramente, la única vez en su vida que le vi sonreír...

- **Señala el horror y la brutalidad de abundantes detalles.**
- **En contraste fortísimo, muestra la ternura elemental de otros detalles. Comenta el arte del escritor al desarrollar tal contraste.**
- **Junto a los sentimientos de Pascual ante el niño, analiza otros rasgos de la psicología del protagonista.**
- **La conducta de la madre y el juicio que le merece a Pascual son importantes: actitudes como ésas conducirán al desenlace de la novela.**
- **El *lenguaje*: observa su adaptación a la índole del personaje (no olvides que es un campesino inculto quien narra su vida); ¿qué peculiaridades destacan en el habla?**

En la cárcel

Véase ahora, como ejemplo de la asombrosa variedad de tonos de la novela, este fragmento en que Pascual, conducido a una nueva celda de la prisión, mira el mundo exterior y reflexiona. Junto a la hondura del contenido, será patente una elaboración poética que, sin embargo, no se despega de la índole del personaje: tal es la habilidad de Cela. Proponemos un comentario detallado de los dos primeros párrafos.

El sitio donde me trajeron es mejor; por la ventana se ve un jardincillo, cuidadoso y lamido como una salita, y más allá del jardincillo, hasta la serranía, se extiende la llanada, castaña como la piel de los hom-
80 bres, por donde pasan —a veces— las reatas de mulas que van a Portugal, los asnillos troteros que van hasta las chozas, las mujeres y los niños que van sólo hasta el pozo...

Yo respiro mi aire, que entra y sale de la celda porque con él no va nada, ese mismo aire que a lo mejor respira mañana o cualquier día el mulero que pasa... Yo veo la mariposa toda de colores que revolea torpe sobre los girasoles, que entra por la celda, da dos vueltas y sale, porque con ella no va nada, y que acaba-
85 rá posándose tal vez sobre la almohada del director... Yo cojo con la gorra el ratón que comía lo que yo ya dejara, lo miro, lo dejo —porque con él no va nada— veo cómo escapa con su pasito suave a guarecerse en su agujero, ese agujero desde el que sale para comer el rancho del forastero, del que está tan sólo una temporada en la celda de la que ha de salir para el infierno las más de las veces...

Tal vez no me creyera si le dijera que en estos momentos tal tristeza me puebla y tal congoja, que por
90 asegurarle estoy que mi arrepentimiento no menor debe ser que el de un santo; tal vez no me creyera, porque demasiado malos han de ser los informes que de mí conozca y el juicio que de mí se haya formado a estas alturas, pero sin embargo... Yo se lo digo, quizás nada más que por eso de decírselo, quizás nada más que por eso de no quitarme la idea de las mientes de que usted sabrá comprender lo que le digo y creer lo que por mi gloria no le juro porque poco ha de valer jurar ya sobre ella... El amargor que me sube
95 a la garganta es talmente como si el corazón me fabricara acíbar en vez de sangre; me sube y me baja por el pecho, dejándome un regusto ácido en el paladar; mojándome la lengua con su aroma, secándome los dentros con su aire pesaroso y maligno como el aire de un nicho...

He parado algún tiempo de escribir; quizás hayan pasado veinte minutos, quizás una hora, quizás dos... Por el sendero —¡qué bien se veían desde mi ventana!— pasaban unas personas. Probablemente ni

100 pensaban en que yo les miraba, de naturales como iban. Eran dos hombres, una mujer y un niño; parecían contentos andando por el sendero... Los hombres tendrían treinta años cada uno; la mujer, algo menos; el niño no pasaría de los seis. Iba descalzo, triscando como las cabras alrededor de las mantas, vestido con una camisolina que le dejaba el vientre al aire... Trotaba unos pasitos adelante, se paraba, tiraba alguna piedra al pájaro que pasaba... No se parecía en nada y, sin embargo, ¡cómo me
105 recordaba a mi hermano Mario!

La mujer debía de ser la madre; tenía la color morena, como todas, y una alegría en todo el cuerpo que mismo uno se sentía feliz al mirar para ella... Bien distinta era de mi madre y, sin embargo, ¿por qué sería que tanto me recordaba a ella?...

Usted me perdonará, pero no puedo seguir. Muy poco me falta para llorar... Usted sabe, tan bien
110 como yo, que un hombre que se precie no debe dejarse acometer por los lloros como una mujer cualquiera.

Voy a continuar con mi relato; triste es, bien lo sé, pero más triste todavía me parecen estas filosofías, para las que no está hecho mi corazón: esa máquina que fabrica la sangre que alguna puñalada ha de verter...

COMENTARIO DE TEXTO. LA FAMILIA DE PASCUAL DUARTE

(párrafos 1 y 2 del último fragmento)

Introducción

a Véase lo dicho en la presentación del fragmento y téngase en cuenta lo que sabemos sobre esta novela y su autor.

b Haz una escueta síntesis del contenido de los dos párrafos y di qué sentimientos o qué estado de ánimo se adivina en el personaje (puedes tener presente lo que nos dicen otros párrafos del fragmento).

Análisis (contenido y expresión)

c ¿Qué evoca el *primer párrafo* y qué impresión nos produce la descripción? Aparte ciertos adjetivos, fíjate en las dos comparaciones: ¿qué tienen de particular?

d Las últimas líneas de ese primer párrafo ofrecen una cuidada estructura sintáctica: ¿qué figura se produce? Analízala y comenta los detalles que lo merezcan.

e En el *segundo párrafo*, podemos comenzar por examinar también la construcción sintáctica, con unos paralelismos más complejos que en el caso anterior. Dejando los detalles de cada frase para luego, observa cómo este cuidado compositivo pone de relieve los elementos evocados y, a la vez, da un tono poemático al texto.

f ¿De qué cosas habla ahora? ¿Son reveladoras de la situación física y anímica del protagonista? ¿Qué actitud puede resultar significativa?

g Muestra con observaciones concretas el lirismo de esas frases. ¿Resulta verosímil en boca de Pascual? ¿Ha recurrido Cela a algún rasgo que revele el origen rural del narrador? (Observa también el resto del fragmento.)

Conclusión

h Relieve e intencionalidad de la evocación; calidad de la prosa.

ANTONIO BUERO VALLEJO (17c)

Antonio Buero Vallejo.

VIDA

● Nació en Guadalajara (1916). Estudió Bellas Artes. Tras la guerra, fue condenado por su filiación marxista. En la cárcel se despertó su vocación teatral. El estreno de *Historia de una escalera* en 1949 significa la aparición de un teatro nuevo. Buero fue pronto reconocido como el primer dramaturgo surgido después del 39. Pertenece a la Real Academia desde 1972. Ha recibido, entre otros, el Premio Cervantes de 1986.

UN TRÁGICO DE NUESTRO TIEMPO

● Buero es, ante todo, ***un trágico***. Pero, según él, su tragedia no es pesimista: su misión es *inquietar*, planteando problemas, *e impulsar a una lucha* contra los obstáculos que se oponen al desarrollo de la dignidad del hombre.

● Su ***temática*** gira, en efecto, en torno al anhelo de realización humana y sus dolorosas limitaciones: la busca de la felicidad, de la verdad o de la libertad se ve obstaculizada o frustrada por este mundo en que vivimos. Pero ello ha sido enfocado por Buero en un doble plano:

— *un plano existencial*: meditación sobre el sentido de la vida, sobre la condición humana;

— *un plano social*: denuncia de injusticias, desde un exigente sentido ético y político.

Estos dos planos aparecen entremezclados en su obra, pero en su ***trayectoria*** pueden señalarse, con alguna reserva, varias etapas: en la *primera* domina el enfoque existencial; en la *segunda*, el social. A ello se añade, en sus últimas obras, un enfoque más directo de problemas políticos y un aumento de las preocupaciones por nuevos recursos escénicos.

PRIMERA ETAPA

● Iría hasta 1955 y en ella destacarían las dos primeras obras. *Historia de una escalera* (1949) es —como veremos — el drama de la frustración visto a través de tres generaciones. Le sigue *En la ardiente oscuridad* (1950), cuyos personajes —ciegos— encarnan sea la resignación, sea la rebeldía ante su privación, símbolo de la condición humana.

A éstas siguieron otras obras que marcaron fechas importantes en el teatro español, aunque hoy son menos recordadas: citemos *La tejedora de sueños* (1952) o *Madrugada* (1953).

SEGUNDA ETAPA

● De 1955 a 1970. Se inicia con *Hoy es fiesta* y *Las cartas boca abajo,* con ambientes análogos a los de su primera obra, pero acentuando los condicionamientos sociales.

● El autor cultiva luego un tipo especial de ***drama histórico***. Así, entre otras, dos obras maestras: *Las Meninas* (sobre Velázquez) y *El concierto de San Ovidio* (situado en Francia, poco antes de la Revolución). Pero aclaremos que el argumento histórico es sólo pretexto para plantear —sorteando la censura— problemas actuales.

● A esta época pertenece también *El tragaluz* (1967), importante drama de una familia cuyos miembros adoptaron posturas distintas en «una» guerra civil.

TERCERA ETAPA

● A partir de 1970, sin perder alcance existencial, los contenidos sociales y políticos de sus obras se hacen más explícitos: la cárcel, la tortura, el terrorismo. Así, la obra tal vez fundamental de esta etapa, *La Fundación* (1974), presenta a varios presos políticos, cuyas actitudes suscitan reflexiones importantes sobre el compromiso, la opresión, la lucha por la libertad, etc.

● Entre sus obras posteriores destaca *La detonación* (1977), que vuelve a un tema histórico: la desesperación y suicidio de Larra, pero vistos como consecuencias de la situación social y política. Otros títulos: *Diálogo secreto* (1984), *Lázaro en el laberinto* (1986), *Las trampas del azar* (1994), etc.

● En esta etapa, Buero introduce ciertas novedades técnicas: así, ciertos recursos de luminotecnia o de tramoya que obligan al espectador a «ver» la realidad desde el punto de vista de ciertos personajes; o la mezcla de lo real y lo imaginario; o el desorden cronológico, etc.

SIGNIFICACIÓN

La trayectoria de Buero Vallejo es muy representativa de las inquietudes del teatro español más digno de los últimos cuarenta años. Que su obra inconformista e inquietadora lograra abrirse paso en los escenarios fue algo excepcional. Y es de admirar que se haya mantenido fiel a su camino, sin más concesiones que las imprescindibles para que sus profundas preocupaciones tuvieran la mayor audiencia posible.

HISTORIA DE UNA ESCALERA

Introducción

En el último piso de una casa viven cuatro familias. Salvo la de don Manuel, que tiene un negocio próspero, son gentes que viven en la estrechez económica. Pero, entre sus miserias, brotan también ilusiones. Buero se centra en los jóvenes. En un segundo plano están la bondadosa Trini y su hermana, la frívola Rosa, que coquetea con Pepe, un auténtico sinvergüenza. En primer término Urbano, un joven obrero, y Fernando, un modesto empleado, que está enamorado de Carmina. A su vez, Elvira quiere a Fernando y, para ganárselo, pide a su padre que le proporcione un buen puesto en su negocio. Tal es el planteamiento de la obra.

Acto I. Urbano y Fernando

Estamos por 1920. Las primeras escenas nos han mostrado cómo viven aquellas gentes. Pasemos a un diálogo entre Urbano y Fernando en que se perfila la personalidad de ambos jóvenes.

URBANO.—Algo te pasa. (*Sacando la petaca.*) ¿No se puede saber?

FERNANDO.—[...] ¡Que estoy harto de todo esto!

URBANO.—(*Riendo.*) Eso es ya muy viejo. Creí que te ocurría algo.

FERNANDO.—Puedes reírte. Pero te aseguro que no sé cómo aguanto. (*Breve pausa.*) En fin, ¡para qué
5 hablar! ¿Qué hay por tu fábrica?

URBANO.—¡Muchas cosas! Desde la última huelga de metalúrgicos la gente se sindica a toda prisa. A ver cuándo nos imitáis los dependientes.

FERNANDO.—No me interesan esas cosas.

URBANO.—Porque eres tonto. No sé de qué te sirve tanta lectura.

10 FERNANDO.—¿Me quieres decir lo que sacáis en limpio de esos líos?

URBANO.—Fernando, eres un desgraciado. Y lo peor es que no lo sabes. Los pobres diablos como nosotros nunca lograremos mejorar de vida sin la ayuda mutua. Y eso es el sindicato. ¡Solidaridad! Esa es nuestra palabra. Y sería la tuya si te dieses cuenta de que no eres más que un triste hortera[1]. ¡Pero como te crees un marqués!

15 FERNANDO.—No me creo nada. Sólo quiero subir. ¿Comprendes? ¡Subir! Y dejar toda esta sordidez en que vivimos.

URBANO.—Y a los demás que los parta un rayo.

FERNANDO.—¿Qué tengo yo que ver con los demás? Nadie hace nada por nadie. Y vosotros os metéis en el sindicato porque no tenéis arranque para subir solos. Pero ése no es camino para mí.
20 Yo sé que puedo subir y subiré solo.

URBANO.—¿Se puede uno reír?

FERNANDO.—Haz lo que te dé la gana.

URBANO.—(*Sonriendo.*) Escucha, papanatas. Para subir solo, como dices, tendrías que trabajar todos los días diez horas en la papelería. [...] No podrías tumbarte a hacer versitos ni a pensar en las mu-
25 sarañas; buscarías trabajos particulares para redondear el presupuesto y te acostarías a las tres de la mañana contento de ahorrar sueño y dinero. [...] No tienes tú madera para esa vida.

FERNANDO.—Ya lo veremos. Desde mañana mismo...

URBANO.—(*Riendo.*) Siempre es desde mañana. ¿Por qué no lo has hecho desde ayer, o desde hace un mes? (*Breve pausa.*) Porque no puedes. Porque eres un soñador. [...]

30 FERNANDO.— ¿Sabes lo que te digo? Que el tiempo lo dirá todo. Y que te emplazo. (*URBANO le mira.*) Sí, te emplazo para dentro de... diez años, por ejemplo. Veremos, para entonces, quién ha llegado más lejos; si tú con tu sindicato o yo con mis proyectos.

URBANO.—Ya sé que yo no llegaré muy lejos; y tampoco tú llegarás. Si yo llego, llegaremos todos. Pero lo más fácil es que dentro de diez años sigamos subiendo esta escalera y fumando en este
35 «casinillo».

FERNANDO.—Yo, no. (*Pausa.*) Aunque quizá no sean muchos diez años... (*Pausa.*)

URBANO.—(*Riendo.*) ¡Vamos! Parece que no estás muy seguro.

FERNANDO.—No es eso, Urbano. ¡Es que le tengo miedo al tiempo! Es lo que más me hace sufrir. Ver cómo pasan los días, y los años..., sin que nada cambie. [...] Hemos crecido sin darnos cuenta,
40 subiendo y bajando la escalera, rodeados siempre de los padres, que no nos entienden; de vecinos que murmuran de nosotros y de quienes murmuramos... Buscando mil recursos y soportando humillaciones para poder pagar la casa, la luz... y las patatas. [...] ¡Sería terrible seguir así! Subiendo y bajando la escalera, una escalera que no conduce a ningún sitio; haciendo trampas en el contador, aborreciendo el trabajo..., perdiendo día tras día... (*Pausa.*) Por eso es preciso cortar
45 por lo sano.

URBANO.—¿Y qué vas a hacer?

---

[1] *hortera*, tiene aquí su sentido primero de «dependiente de una tienda».

FERNANDO.—No lo sé. Pero ya haré algo.

URBANO.—¿Y quieres hacerlo solo?

FERNANDO.—Solo.

- **Destáquese, en primer lugar, el descontento de Fernando; ¿qué facetas presenta?**
- **Las referencias al movimiento obrero permiten oponer dos posturas: solidaridad, frente a individualismo insolidario; muéstrese en las frases del texto.**
- **Las ilusiones de Fernando.**
- **Otro tema es el del paso del tiempo y la falta de horizontes. Subráyalo. (Atención: dos veces se habla de «dentro de diez años»: son los que transcurrirán entre el acto I y II; ya veremos qué será de estas vidas.)**

Fernando y Carmina

He aquí ahora la escena final del mismo acto I. Como hemos dicho, Fernando está enamorado de Carmina, pero ella parecía rehuirle. Por fin, un día, al cruzarse en la escalera cuando ella volvía de comprar leche, Fernando la obliga a escucharle.

50 FERNANDO.—Carmina, por favor, créeme. No puedo vivir sin ti. Estoy desesperado. Me ahoga la ordinariez que nos rodea. Necesito que me quieras y que me consueles. Si no me ayudas, no podré salir adelante.

CARMINA.—¿Por qué no se lo pides a Elvira? (*Pausa. Él la mira, excitado y alegre.*)

FERNANDO.—¡Me quieres! ¡Lo sabía! ¡Tenías que quererme! (*Le levanta la cabeza. Ella sonríe invo-*
55 *luntariamente.*) ¡Carmina, mi Carmina! (*Va a besarla, pero ella le detiene.*)

CARMINA.—¿Y Elvira?

FERNANDO.—¡La detesto! Quiere cazarme con su dinero. ¡No la puedo ver!

CARMINA.—(*Con una risita.*) ¡Yo tampoco! (*Ríen, felices.*)

Escena de una representación de Historia de una escalera.

FERNANDO.—Ahora tendría que preguntarte yo: ¿Y Urbano?

60 CARMINA.—¡Es un buen chico! ¡Yo estoy loca por él! (*FERNANDO se enfurruña.*) ¡Tonto!

FERNANDO.—(*Abrazándola por el talle.*) Carmina, desde mañana voy a trabajar de firme por ti. Quiero salir de esta pobreza, de este sucio ambiente. Salir y sacarte a ti. Dejar para siempre los chismorreos, las broncas entre vecinos... Acabar con la angustia del dinero escaso, de los favores que abochornan como una bofetada, de los padres que nos abruman con su torpeza y su cariño servil,
65 irracional...

CARMINA.—(*Reprensiva.*) ¡Fernando!

FERNANDO.—Sí. Acabar con todo esto. ¡Ayúdame tú! Escucha: voy a estudiar mucho, ¿sabes? Mucho. Primero me haré delineante. ¡Eso es fácil! En un año... Como para entonces ya ganaré bastante, estudiaré para aparejador. Tres años. Dentro de cuatro años seré un aparejador solicitado por todos
70 los arquitectos. Ganaré mucho dinero. Por entonces tú serás ya mi mujercita, y viviremos en otro barrio, en un pisito limpio y tranquilo. Yo seguiré estudiando. ¿Quién sabe? Puede que para entonces me haga ingeniero. Y como una cosa no es incompatible con la otra, publicaré un libro de poesías, un libro que tendrá mucho éxito...

CARMINA.—(*Que le ha escuchado extasiada.*) ¡Qué felices seremos!

75 FERNANDO.—¡Carmina!

(*Se inclina para besarla y da un golpe con el pie a la lechera, que se derrama estrepitosamente. Temblorosos, se levantan los dos y miran, asombrados, la gran mancha blanca en el suelo.*)

TELÓN

- **Insístase en la actitud de Fernando.**
- **Más adelante se verá el alcance de la alusión a Elvira.**
- **¿Te parece adecuado el tono de esta conversación?**

Acto II

Han transcurrido diez años. Ya han muerto doña Asunción y el padre de Carmina. Trini sigue soltera. Rosa se ha juntado con Pepe, que lleva una vida depravada y le hace sufrir toda clase de privaciones y vejaciones. Pronto nos enteramos con asombro de que Fernando acabó por casarse con Elvira; el matrimonio ha sido un fracaso y ella no pierde ocasión para reprocharle que él se casara por el dinero. Urbano sigue en la misma posición; hacia el final del acto, pide a Carmina que se case con él; ella accede agradecida, pero no enamorada. Entre las dos parejas hay una explicable tensión.

Acto III. Otra vez Urbano y Fernando

Han pasado otros veinte años: estamos ya en la posguerra. De la primera generación sólo queda Paca. Trini es ya una dulce solterona. Rosa fue abandonada por Pepe. Los dos matrimonios (Fernando-Elvira y Urbano-Carmina) son infelices y se odian. Pero el amor ha surgido entre los hijos, que se llaman también Fernando y Carmina. A sus relaciones se oponen tajantemente los padres.

He aquí un diálogo sobre el asunto. Obsérvense los ecos de la conversación entre ambos en el acto I y apréciese el cambio de tono:

URBANO.—Fernando. [...]

FERNANDO.—¿Qué quieres?

80 URBANO.—Quiero hablarte de tu hijo. [...]

FERNANDO.—No quiero escucharte. Adiós. (*Va a marcharse.*)

URBANO.—¡Espera! Antes hay que dejar terminada esta cuestión. Tu hijo...

FERNANDO.—(*Sube y se enfrenta con él.*) Mi hijo es una víctima, como lo fui yo. A mi hijo le gusta Carmina porque ella se le ha puesto delante. Ella es quien le saca de sus casillas. Con mucha ma-
85 yor razón podría yo decirte que la vigilases.

URBANO.—¡Ah, en cuanto a ella puedes estar seguro! Antes la deslomo que permitir que se entienda con tu Fernandito. Es a él a quien tienes que sujetar y encarrilar. Porque es como tú eras: un tenorio y un vago.

FERNANDO.—¿Yo un vago?

90 URBANO.—Sí. ¿Dónde han ido a parar tus proyectos de trabajo? No has sabido hacer más que mirar por encima del hombro a los demás. ¡Pero no te has emancipado, no te has libertado! (*Pegando en el pasamanos.*) ¡Sigues amarrado a esta escalera, como yo, como todos!

FERNANDO.—Sí; como tú. También tú ibas a llegar muy lejos con el sindicato y la solidaridad. (*Irónico.*) Ibáis a arreglar las cosas para todos. Hasta para mí.

95 URBANO.—¡Sí! ¡Hasta para los zánganos y cobardes como tú!

La disputa se complica y crece en violencia con la intervención de Carmina y Elvira. Se echan en cara sus conductas del pasado, se lanzan mezquinos insultos y caen en el colmo del rencor y del impudor. Es una escena bochornosa.

Final. La historia se repite

Tras la disputa, los jóvenes Fernando y Carmina, avergonzados por la conducta de sus padres, se reúnen en el descansillo. Va a reproducirse la escena que treinta años antes vivieron sus padres (la escena final del acto I que antes hemos leído). Y así termina la obra.

CARMINA, HIJA.—¡Fernando! Ya ves... Ya ves que no puede ser.

FERNANDO, HIJO.—¡Sí puede ser! No te dejes vencer por su sordidez. ¿Qué puede haber de común entre ellos y nosotros? ¡Nada! Ellos son viejos y torpes. No comprenden... Yo lucharé para vencer. Lucharé por ti y por mí. Pero tienes que ayudarme, Carmina. Tienes que confiar en mí y en nues-
100 tro cariño.

CARMINA, HIJA.—¡No podré!

FERNANDO, HIJO.—Podrás. Podrás... porque yo te lo pido. Tenemos que ser más fuertes que nuestros padres. Ellos se han dejado vencer por la vida. Han pasado treinta años subiendo y bajando esta escalera... Haciéndose cada día más mezquinos y más vulgares. Pero nosotros no nos dejaremos
105 vencer por este ambiente. ¡No! Porque nos marcharemos de aquí. Nos apoyaremos el uno en el otro. Me ayudarás a subir, a dejar para siempre esta casa miserable, estas broncas constantes, estas estrecheces. Me ayudarás, ¿verdad? Dime que sí, por favor. ¡Dímelo!

CARMINA, HIJA.—¡Te necesito, Fernando! ¡No me dejes!

FERNANDO, HIJO.—¡Pequeña! (*Quedan un momento abrazados. Después, él la lleva al primer escalón*
110 *y la sienta junto a la pared, sentándose a su lado. Se cogen las manos y se miran arrobados.*) Carmina, voy a empezar en seguida a trabajar por ti. ¡Tengo muchos proyectos! (*CARMINA, la madre, sale de su casa con expresión inquieta y los divisa, entre disgustada y angustiada. Ellos no se dan*

Los personajes de Historia de una escalera *no sólo viven la frustración de una vida sórdida y sin esperanzas, sino que sufrirán intensamente el desengaño del amor.*

cuenta.) Saldré de aquí. Dejaré a mis padres. No los quiero. Y te salvaré a ti. Vendrás conmigo. Abandonaremos este nido de rencores y de brutalidad.

115 CARMINA, HIJA.—¡Fernando!

(FERNANDO, el padre, que sube la escalera, se detiene, estupefacto, al entrar en escena.)

FERNANDO, HIJO.—Sí, Carmina. Aquí sólo hay brutalidad e incomprensión para nosotros. Escúchame. Si tu cariño no me falta, emprenderé muchas cosas. Primero me haré aparejador. ¡No es difícil! En unos años me haré un buen aparejador. Ganaré mucho dinero y me solicitarán todas las empresas
120 constructoras. Para entonces ya estaremos casados... Tendremos nuestro hogar, alegre y limpio..., lejos de aquí. Pero no dejaré de estudiar por eso. ¡No, no, Carmina! Entonces me haré ingeniero. Seré el mejor ingeniero del país y tú serás mi adorada mujercita...

CARMINA, HIJA.—¡Fernando! ¡Qué felicidad!... ¡Qué felicidad!

FERNANDO, HIJO.—¡Carmina!

(Se contemplan extasiados, próximos a besarse. Los padres se miran y vuelven a observarlos. Se miran de nuevo, largamente. Sus miradas, cargadas de una infinita melancolía, se cruzan sobre el hueco de la escalera sin rozar el grupo ilusionado de los hijos.)

TELÓN

- **Compara la disconformidad de Fernando, hijo, con la de su padre en el acto I. Dureza de la crítica a los padres: ¿qué les reprocha?**
- **Lee con cuidado las acotaciones en las que aparecen los padres. ¿Qué sentimientos habrá en ellos?**
- **Se reproducen los «sueños» de antaño... ¿Sabrán los hijos vencer las limitaciones y condicionamientos que impone el mundo? ¿Fracasarán ellos también? Nótese cómo Buero termina la obra con un interrogante. ¿Qué efecto puede producir ello en el espectador o en el lector?**
- **Por lo que hemos leído de la obra, ¿cuáles serían los temas centrales que plantea?**

MIGUEL DELIBES (17d)

EL HOMBRE

● Nació en Valladolid en 1920. Estudió Comercio y Derecho y fue profesor en la Escuela de Comercio de su ciudad. Paralelamente, ejerce el periodismo en «El Norte de Castilla», diario del que llegó a ser director. La docencia y el periodismo no frenaron su carrera de novelista, en cuya primera línea se halla. Su fama es internacional. Pertenece a la Academia desde 1974. Obtuvo el Premio Cervantes en 1993.

● **Ideológicamente** profesa un *humanismo cristiano*, democrático, comprometido con su tiempo. En su nombre ha criticado la sociedad burguesa y un tipo de progreso hecho a espaldas del hombre. A ello une su *postura ecologista*, su amor a la Naturaleza y a las gentes sencillas.

EL ESCRITOR

De acuerdo con lo dicho, el ***mundo burgués*** y el ***mundo rural*** serán los dos ejes de su obra.

● En ambos campos, muestra sus notables ***dotes de narrador*** y su capacidad de recoger *tipos* y *ambientes*. Excepcional es su ***dominio del idioma***; sobre todo, destaca la verdad y riqueza con que recoge el habla de los campesinos castellanos.

● Como veremos, la trayectoria de Delibes es, en buena medida, ejemplo de la evolución de la literatura española de la guerra a hoy. Citaremos sólo sus principales títulos.

DE LOS COMIENZOS A *LAS RATAS*

● Delibes se dio a conocer al ganar el Premio Nadal de 1947 con *La sombra del ciprés es alargada*, novela impregnada de una inquietud existencial propia del momento.

● En 1950, con *El camino*, inicia su limpio acercamiento a la realidad aldeana, construyendo un mundillo inolvidable en torno a tres niños.

● Luego, es la burguesía provinciana la que encuentra un implacable reflejo en *Mi idolatrado hijo Sisí* (1953).

● Mayor acierto supuso *Diario de un cazador* (1955), por lo entrañable de su modesto protagonista y, sobre todo, por la captación de la Naturaleza y del habla popular.

● En 1962 aparece la que acaso sea su obra maestra: ***Las ratas***, impresionante cuadro de la vida de un pueblo castellano con su dureza y sus miserias. Testigo callado de todo ello es el Nini, conmovedora figura de un chiquillo poseedor de una extraña sabiduría sobre la Naturaleza y que vive con su tío, dedicado a la caza de ratas, mísero alimento. El testimonio del novelista se ha hecho más acusador (coincidiendo con el enfoque *social* de aquellos años). Y su estilo, en plena madurez, combina la crudeza realista y el tono poemático.

DE *LAS RATAS* A HOY

● En los años siguientes, Delibes es sensible a las ***innovaciones técnicas***. Así, *Cinco horas con Mario* (1966), otra de sus novelas más importantes, es un largo monólogo interior de una mujer que vela a su marido muerto. Junto a su interés formal, la obra es una disección de la más estrecha mentalidad tradicional, representada por la protagonista.

● Mayor audacia técnica hay en *Parábola del náufrago* (1969), alucinante relato sobre la degradación del hombre en una sociedad inhumana, escrita con una curiosa combinación de estilos.

● Pero Delibes no siguió por la senda del experimentalismo. Sus novelas posteriores, sin descuidar los problemas formales, vuelven a una aparente sencillez. Y seguirá alternando la novela urbana y la novela rural.

● Destaquemos, como otra cima de su obra, *Los santos inocentes* (1981), nueva incursión en el mundo campesino —ahora de Extremadura—, con una intensa denuncia de la miseria y de la injusticia. Admirable es en ella la original construcción narrativa y, como siempre, la riqueza y autenticidad del lenguaje. (Véanse las páginas que ofrecemos.)

Como es sabido, ésta y otras novelas de Delibes han sido llevadas al cine, lo que no ha hecho sino reforzar el amplio alcance de este novelista entrañable.

LOS SANTOS INOCENTES

Azarías y la «milana»

Como hemos dicho, Los santos inocentes *(1981) forma parte de las novelas de ambiente rural en cuya captación brilla especialmente Delibes. El autor nos lleva esta vez al mundo de los grandes latifundios extremeños y en particular a un cortijo donde se dan cita la altanería y el egoísmo de los señores (nobles feudales, se diría, en la posguerra) y la miseria de los braceros y criados (auténticos siervos).*

Tal vez el personaje más entrañable sea ***Azarías***[1]*, un retrasado mental que, ya viejo, es despedido del cortijo donde trabajaba y se va a vivir al cortijo donde sirve su hermana, la Régula. Se ocupa allí de tareas menudas, pero su pasión es cuidar de la «milana». Así llama, como veremos, a una graja, en recuerdo de un búho que en otro tiempo tuvo y al que también daba ese nombre*[2].

El fragmento que leeremos pertenece al ***capítulo III.***

Advirtamos que cada capítulo de esta novela viene a ser como una sola frase —no hay puntos— en la que se insertan los diálogos con una disposición tipográfica original.

... una tarde, al concluir mayo, se presentó el Rogelio con una grajeta en carnutas[3] entre las manos.

¡tío, mire lo que le traigo!

y todos salieron de la casa, y el Azarías, al ver el pájaro indefenso, se le enternecieron los ojos, le tomó delicadamente en sus manos y musitó:

5 milana bonita, milana bonita,

y sin cesar de adularla, entró en la casa, la depositó en una cesta y salió en busca de materiales para construirle un nido y, a la noche, le pidió al Quirce un saco de pienso y, en una lata herrumbrosa, lo mezcló con agua y arrimó una pella[4] al pico del animal y dijo, afelpando la voz,

quiá, quiá, quiá

10 y la grajilla rilaba[5] en las pajas,

¡quiá, quiá, quiá!,

y él, el Azarías, cada vez que la grajilla abría el pico, embutía en su boca inmensa, con su sucio dedo corazón, un grumo de pienso compuesto y el pájaro lo tragaba, y, después, otra pella y otra pella, hasta que el ave se saciaba, quedaba quieta, ahíta[6], pero a la media hora, una vez pasado el empacho circunstan-

15 cial, volvía a reclamar y el Azarías repetía la operación mientras murmuraba tiernamente:

milana bonita...

Con una insólita ternura, en efecto, cuida Azarías a su «milana»: *la alimenta, la mima, se emboba viéndola emplumar. Con ella posada en su antebrazo o en su hombro, va a todas partes ante el asombro o la sorna de los demás. Así hasta que...*

...una mañana, tres semanas más tarde, según paseaba a la grajeta por la corralada sobre su antebrazo, ésta inició un tímido aleteo y comenzó a volar, en un vuelo corto, blando y primerizo, hasta alcanzar la copa del sauce, donde se posó, y, al verla allí, por primera vez lejos de su alcance, el Azarías gimoteaba:

20 la milana me se ha escapado, Régula,

---

[1] Recordemos que, en cine, Azarías fue magistralmente interpretado por Paco Rabal. [2] En realidad, *milano* es una rapaz de la familia del halcón y el *grajo* es un pájaro semejante al cuervo. [3] *en carnutas*, todavía sin plumas, recién nacida. [4] *pella*, masa o porción pequeña. [5] *rilaba*, temblaba, tiritaba. [6] *ahíta*, harta.

y asomó la Régula

ae, déjala que vuele, Dios la dio alas para volar, ¿no lo comprendes? pero el Azarías:

yo no quiero que me se escape la milana, Régula,

y miraba ansiosa, angustiadamente, para la copa del sauce y la grajilla volvía sus ojos aguanosos a los
25 lados, descubriendo nuevas perspectivas, y, después, giraba la cabeza y se picoteaba el lomo, despiojándose, y el Azarías, poniendo en sus palabras toda la unción[7], todo el amor de que era capaz, decía:

milana bonita, milana bonita,

encarecidamente,

pero el pájaro como si nada, y tan pronto la Régula arrimó al árbol la escalera de mano con intención de
30 prenderlo y subió los dos primeros peldaños, la grajilla ahuecó las alas, las agitó un rato en el vacío y, finalmente, se desasió de la rama y, en vuelo torpe e indeciso, coronó el tejado de la capilla y se encaramó en la veleta de la torre, allá en lo alto, y el Azarías la miraba con los lagrimones colgados de los ojos, como reconviniéndola por su actitud,

no estaba a gusto conmigo,

35 decía,

y en éstas, se presentó el Críspulo y, luego, el Rogelio, y la Pepa, y el Facundo, y el Crespo, y toda la tropa, los ojos en alto, en la veleta de la torre, y la grajilla indecisa, se balanceaba, y el Rogelio reía:

cría cuervos, tío,

y el Facundo:

40 a ver, de que[8] cogen gusto a la libertad,

y porfiaba la Régula:

ae, Dios dio alas a los pájaros para volar,

y al Azarías le resbalaban los lagrimones por las mejillas y él trataba de espantarlos a manotazos y tornaba a su cantinela,

45 milana bonita, milana bonita,

y, según hablaba, se iba apartando del grupo, apretujado a la sombra caliente del sauce, los ojos en la veleta, hasta que quedó, mínimo y solo, en el centro de la amplia corralada, bajo el sol despiadado de julio, su propia sombra como una pelota negra, a los pies, haciendo muecas y aspavientos, hasta que, de pronto, alzó la cabeza, afelpó la voz y voceó:

50 ¡quiá!

y, arriba, en la veleta, la grajilla acentuó sus balanceos, oteó la corralada, se rebulló inquieta, y volvió a quedar inmóvil, y el Azarías, que la observaba, repitió entonces:

¡quiá!

y la grajilla estiró el cuello, mirándole, volvió a recogerlo, tornó a estirarlo y, en ese momento, el Azarías,
55 repitió fervorosamente:

¡quiá!

y, de pronto, sucedió lo imprevisto, y como si entre el Azarías y la grajilla se hubiera establecido un fluido, el pájaro se encaramó en la flecha de la veleta y comenzó a graznar alborozadamente,

¡quiá, quiá, quiá!

60 y en la sombra del sauce se hizo un silencio expectante y, de improviso, el pájaro se lanzó hacia adelante, picó, y ante la mirada atónita del grupo, describió tres amplios círculos sobre la corralada, ciñéndose

[7] *unción*, devoción. [8] *de que*, en cuanto (fam.).

a las tapias y, finalmente, se posó sobre el hombro derecho del Azarías y empezó a picotearle insistentemente el cogote blanco como si le despiojara, y Azarías sonreía, sin moverse, volviendo ligeramente la cabeza hacia ella y musitando como una plegaria:

65 milana bonita, milana bonita.

- **Observa, ante todo, el arte narrativo de Delibes: progresión del relato, aumento del interés (o «suspensión»), desenlace... ¿Y qué sentimientos experimenta el lector? ¿Emoción?**
- **¿Con qué rasgos se nos aparece el personaje de *Azarías* en estas páginas?**
- **Apenas hay en este pasaje elementos descriptivos (la corralada, la capilla...); con todo, ¿qué impresión nos ha quedado del ambiente del cortijo?**
- **El *mundillo humano* y *su lenguaje*: ¿qué valor tiene el uso del artículo con los nombres propios?, ¿a qué vulgarismos o expresiones familiares recurre el autor y con qué propósito?**
- **Añade otras observaciones que consideres interesantes sobre el estilo (riqueza y sabor terruñero del lenguaje; el uso de la coordinación y el encadenamiento de la acción, etc.).**

Nota complementaria.—El desenlace de la novela tiene mucho que ver con ese cariño de Azarías por la «milana». Si algunos alumnos lo conocen por haber leído la novela (o tal vez por haber visto la película de Mario Camus), lo referirán en clase.

EJERCICIOS

Repaso de Gramática

1 Indica los tipos de coordinación o subordinación que aparecen en las oraciones siguientes:

— Si he de morir, quiero tenerte despierto.
— Yo, señor, no soy malo, aunque no me faltarían motivos para serlo.
— Los mismos cueros tenemos todos los mortales al nacer y sin embargo, cuando vamos creciendo, el destino se complace en variarnos como si fuésemos de cera.
— Tenía una perrilla perdiguera, medio bravía, pero que se entendía muy bien conmigo.
— Si Mario hubiera tenido sentido cuando dejó este valle de lágrimas, a buen seguro que no se hubiera marchado muy satisfecho de él.
— El sitio donde me trajeron es mejor.
— Yo respiro mi aire, que entra y sale de la celda porque con él no va nada.
— Puedes reírte, pero te aseguro que no sé cómo aguanto.
— Para subir solo, como dices, tendrías que trabajar todos los días diez horas.
— Sería terrible seguir así, subiendo y bajando una escalera que no conduce a ningún sitio.
— Azarías, cada vez que la grajilla abría el pico, embutía en su boca un grumo de pienso.

2 Haz un análisis sintáctico completo de la cuarta oración de las anteriores (la que comienza «Si Mario hubiera tenido...»).

Expresión escrita

- **Literatura pura y literatura comprometida.**— Durante unos años se abominó de la literatura «pura», juzgando que debía cumplir una función social (literatura «comprometida»). Posteriormente, se pasó a defender la postura contraria, según la cual las metas estéticas eran las únicas propiamente «artísticas». ¿Qué piensas? Expón tus opiniones por escrito.

18 LITERATURA HISPANOAMERICANA DEL SIGLO XX

Desde la soledad de las llanuras pamperas a la exuberancia de la selva amazónica, la Naturaleza suele estar muy presente en la literatura hispanoamericana. Por lo común, su papel dentro de las obras supera lo meramente paisajístico. (Henri Rousseau: Jungla con monos y serpientes.)

I. EL SIGLO XX EN HISPANOAMÉRICA

EL MARCO HISTÓRICO

Los diecinueve países americanos de habla española presentan unas peculiaridades que conviene tener presentes al estudiar su literatura.

● La **Naturaleza**, con sus proporciones grandiosas: la cordillera, la pampa, la selva amazónica... Sus fuerzas telúricas acompañan a las peripecias humanas en la obra de los escritores.

● El **mestizaje**, con su alcance humano y cultural. Blancos, indios, negros, mestizos, mulatos... estarán presentes en la literatura con sus problemas. Y además, la simbiosis de las tradiciones *indígenas* y la *española* es un fenómeno fundamental.

● Las **desigualdades sociales**, derivadas de una explotación de las inmensas riquezas por grandes potencias extranjeras con la complicidad de las *oligarquías conservadoras* nacionales. Frente a éstas, *grandes masas paupérrimas* (indios y mestizos). Buena parte de la producción literaria denunciará tal estado de cosas.

● La **inestabilidad política**, resultado de lo anterior. La oligarquía inspira «gobiernos fuertes»; en las masas prenden las doctrinas revolucionarias; en los sectores intermedios apuntan soluciones democráticas liberales. El resultado es la conocida sucesión de revoluciones y contrarrevoluciones (recordemos, en las últimas décadas, los casos de Cuba, Chile, Argentina, Nicaragua...). Es natural que los escritores tomen partido ante tan dramáticos procesos.

LAS LETRAS

● La producción literaria de estos países en lo que va de siglo es ingente: hay manuales que censan no menos de 1.500 escritores. Imposible es condensar tal panorama en pocas páginas. Nos limitaremos a ofrecer unos cuadros informativos con mención de unas pocas figuras representativas. Comencemos por destacar, con reservas, unas grandes **etapas** con las ***tendencias dominantes***:

—*Años iniciales del siglo:* plenitud del Modernismo en poesía. La novela, en cambio, sigue fiel al Realismo.

—*A partir de 1920:* nuevas tendencias poéticas (poesía sencilla o vanguardista); en novela, se consolida un realismo con temas americanos e intención social.

—*En los años 40 y 50* se producen experiencias renovadoras en la narrativa, compatibles con los acentos sociales, que se incrementan en la poesía.

—*Los años 60 y 70* son, ante todo, los del llamado «boom» (auge) de la nueva narrativa, que se sitúa en la primera línea de la novela mundial y cuyo esplendor llega hasta hoy.

● Unas palabras sobre **el lenguaje**. El español de América, con sus peculiaridades y su riqueza, se ha convertido en un prodigioso instrumento expresivo y estético, en manos de los grandes escritores. A su creatividad se debe un enriquecimiento inusitado de la lengua literaria.

Esto supone, para los estudiantes españoles, el deber de acercarse con el máximo interés a las modalidades americanas de ese instrumento común que es el castellano.

II. LA POESÍA

SUPERACIÓN DEL MODERNISMO

● Tras alcanzar su culminación en el primer decenio del siglo (con **Rubén Darío** y otros poetas que citamos en la página 225) la temática y las formas ***modernistas*** comienzan a producir cansancio. En 1910, un poeta —el mexicano E. González Martínez— lanza su condena del Modernismo con un verso famoso: «Tuércele el cuello al cisne de engañoso plumaje...»

● Entre las nuevas tendencias, comencemos por observar dos paralelas:

a) *una poesía más sencilla y humana*;

b) *una poesía vanguardista*.

UNA POESÍA HUMANA. GABRIELA MISTRAL

● Es una poesía que prefiere los temas autóctonos o íntimos, y la expresión sencilla y cordial.

● Entre otras importantes figuras (Ramón López Velarde, Alfonsina Storni, Juana de Ibarbourou, etc.), destaquemos a Gabriela Mistral.

● **Gabriela Mistral** (seudónimo de Lucila Godoy, chilena, 1898-1957) merece especial mención. La superación del Modernismo le lleva hacia un lenguaje sencillo, a veces duro, con imágenes elementales. Quiere desnudar un corazón dolorido y rebosante de todo tipo de amor. Un amor trágico le inspira un gran libro, *Desolación* (1922). En adelante, la autora (maestra de profesión) canta el amor materno, que soñó y no conoció, el amor a los desvalidos, a su tierra, etc., siempre con un fondo humanísimamente religioso. Así, en *Ternura* (1924), *Tala* (1938) y *Lagar* (1954). En 1945 se le concedió el Premio Nobel.

● En esta línea de poesía humana se sitúan también los comienzos de dos excepcionales poetas, **Vallejo** y **Neruda**, de quienes luego nos ocuparemos en especial (LECTURAS 18a y 18b).

POESÍA VANGUARDISTA

● Pionero del vanguardismo hispanoamericano fue el chileno **Vicente Huidobro** (1893-1948), a quien ya citamos como fundador del ***Creacionismo*** (remitimos a lo dicho al hablar de aquel movimiento o de su representante español, Gerardo Diego).

● Son muchos los poetas vanguardistas que alcanzaron notoriedad. Pero la fuerza renovadora de las vanguardias queda acreditada sólo con recordar que a ellas se suman esos dos grandes poetas que son **Vallejo** y **Neruda.**

● En sus poemas —sobre todo del segundo— podremos apreciar el influjo del Surrealismo, cuya huella fue especialmente profunda en América.

LA «POESÍA PURA»

Bajo este epígrafe pueden reunirse algunos poetas que permanecen al margen de las vanguardias, aunque hayan tenido algún contacto con ellas. Presentan cierto paralelismo con nuestra generación del 27: influjo de Juan Ramón Jiménez, admiración por los clásicos, busca de la perfección formal...

● El grupo más notable es el de los ***Contemporáneos***, en México (Gorostiza, Villaurrutia, Pellicer). En Colombia está el grupo ***Piedra y Cielo***, nombre tomado de un título de Juan Ramón; su principal figura es Eduardo Carranza.

● Aquí cabría incluir a **Borges**, más famoso por su genial obra narrativa, a la que nos referiremos en el apartado correspondiente.

LA «POESÍA NEGRA». NICOLÁS GUILLÉN

● Frente al cosmopolitismo de las tendencias anteriores, surge por los mismos años (hacia 1930), en las Antillas, esta corriente enraizada en las peculiaridades étnicas y culturales de aquella zona. En países como Cuba o Puerto Rico fue decisivo el *mestizaje racial y espiritual* entre negros y blancos. De ahí, una poesía en la que se funden elementos africanos y españoles.

— Los *temas* reflejan costumbres y tradiciones de ese mundo negro o mulato; pero también problemas sociales (servidumbre, discriminación).

— En las *formas*, se funden lo español (estrofas castellanas) y lo indígena: el marcado ritmo del *son*, onomatopeyas de sabor africano, etc.

— Lo *popular* y lo *culto* se combinan en esta poesía (como en la de un Lorca o un Alberti).

● El gran poeta de esta corriente es el cubano **Nicolás Guillén** (n. 1902). Nadie ahondó como él en la significación del mestizaje cultural de su tierra («En esta tierra mulata / de africano y español»...). Sus libros *Motivos del son*, *Sóngoro cosongo*, etc., muestran un prodigioso sentido del ritmo y de la imagen, junto a un enfoque social.

Se ha hecho muy famosa una versión musical de su poema *La muralla*: «Para hacer una muralla, / tráiganme todas las manos: / los negros, sus manos negras; / los blancos, sus blancas manos.»

TENDENCIAS POSTERIORES. OCTAVIO PAZ

● De 1940 a hoy, la proliferación de corrientes y grupos es extraordinaria, como corresponde a un horizonte geográfico tan extenso y complejo. He aquí algunas tendencias destacadas:

—Pervivencia de la *poesía pura* o de la *vanguardista*.

—*Poesía comprometida*, cuyo modelo es el *Canto general* de Neruda (1950).

—Poesía de tono *existencialista*.

—Nuevas corrientes *experimentales*.

● **Octavio Paz** es, sin duda, la máxima figura poética de las últimas décadas. Nació en México en 1914. Comenzó con una poesía comprometida, pero muy elaborada. Pasó a un lirismo metafísico, hermético. En fin, su inquietud le ha llevado a ocupar una permanente vanguardia, preocupada por explorar los poderes del lenguaje. Su antología *La centena* recoge muestras de sus principales libros (*Libertad bajo palabra*, *Salamandra* y *Ladera este*). Es también un profundo y deslumbrante *ensayista*. Su fama ha ido creciendo hasta merecer el Premio Nobel en 1990.

III. LA NARRATIVA

LA NOVELA REALISTA: TIERRAS, HOMBRES Y PROBLEMAS SOCIALES

● Cuando ya el Modernismo había renovado profundamente la poesía, la novela seguía por cauces heredados del siglo XIX.

Una ilustre excepción: joya de prosa modernista es *La gloria de don Ramiro* (1908), del argentino **Enrique Larreta**, novela que se desarrolla en la España y la América del siglo XVI.

● El **realismo** dominará la novela hasta los años 40. Destaquemos títulos claves:

● ***Entre 1910 y 1920***, algunas novelas abrirán caminos que otras muchas seguirán: por ejemplo, *Los de abajo* (1916), de **Mariano Azuela**, sobre la revolución mexicana, o *Raza de bronce* (1919), de **Alcides Arguedas**, sobre los indios explotados. Con éstas y otras obras se fijan los principales campos temáticos de la novela realista: el *indi-*

genismo y el *enfoque político-social*, acompañados por la presencia de *la Naturaleza*.

● ***De 1920 a 1940*** se consolidan y se desarrollan tales tendencias. Así, los temas principales son la lucha del hombre con la Naturaleza, la miseria de los campesinos, las dictaduras, la colonización económica... Y los *personajes* más típicos serán el indio explotado —sumiso o rebelde—, el campesino humilde, el gaucho, el hacendado cruel, el tirano implacable... Tres novelas inmortales presiden este panorama:

—*La vorágine* (1924), de **José Eustasio Rivera** (colombiano), es la novela de la hermosa y terrible selva amazónica, que «se traga a los hombres».

—*Don Segundo Sombra* (1926), de **Ricardo Güiraldes**, argentino, es la novela de la pampa y del gaucho, con la grandeza humana del protagonista y vivas estampas costumbristas.

—*Doña Bárbara* (1929), del venezolano **Rómulo Gallegos**, es un amplio fresco de las tierras venezolanas, presidido por un espléndido tipo de mujer fuerte.

Y es imposible hablar aquí de novelistas tan notables como **Benito Lynch**, **Martín Luis Guzmán**, **Jorge Icaza**, **Ciro Alegría**... Pero citemos de este último, ya en 1941, *El mundo es ancho y ajeno*, magistral historia de unos indios despojados de sus tierras.

HACIA UNA RENOVACIÓN NARRATIVA: LA SUPERACIÓN DEL REALISMO

A partir de 1940 se buscarán otros temas y otras técnicas, o al menos se darán nuevos tratamientos a los temas ya vistos. Destaquemos estas **novedades**:

—Aparición de *temas urbanos*, junto a los temas rurales antes dominantes.

—Variados *problemas humanos*, y no sólo *sociales* (que no desaparecen).

—Aparece *la fantasía* junto a la realidad; será el llamado *realismo mágico*.

—Hay *mayor preocupación por las estructuras y el estilo*, en parte por influjo de las *innovaciones técnicas* de los grandes novelistas europeos y norteamericanos.

● Estas novedades se aprecian, ante todo, en esa figura excepcional que es Jorge Luis Borges. Junto a él, debe destacarse a tres autores de la mayor importancia. He aquí unas sucintas «fichas» sobre ellos.

• **Jorge Luis Borges** (Argentina, 1899-1986) es uno de los más asombrosos autores de cuentos de nuestra lengua. Sus relatos nos ponen en contacto con lo excepcional, con lo insólito, con anécdotas que traslucen hondos problemas (la identidad del hombre, la consistencia del mundo, el tiempo, la muerte, el infinito...). Sus páginas nos proponen sutiles juegos mentales e imaginativos, llenos de inteligencia, sin que falten notas de humor y de fina ironía, con que reviste su concepción escéptica de la vida. Sus cuentos están recogidos en volúmenes como *Ficciones*, *El Aleph*, etc. A él se debe, en gran medida, la entrada de la fantasía y de lo mágico en la nueva narrativa hispanoamericana.

• **Miguel Ángel Asturias** (Guatemala, 1899-1974) aborda de forma muy nueva los viejos temas. Así, por ejemplo, *El Señor Presidente* (1946), en que la dictadura es tratada con una técnica expresionista y alucinante. Nuevos tratamientos reciben también los problemas sociales en *El Papa Verde*, *Hombres de maíz*, etc. La imaginación desbordada y el estilo barroco, rico en imágenes y efectos musicales, son sus principales rasgos. Obtuvo el Premio Nobel en 1967.

• **Alejo Carpentier** (Cuba, 1904-1980) es uno de los grandes maestros de la prosa castellana. De su obra, abundante, destacamos dos magnas novelas: *Los pasos perdidos* (1953), dramática búsqueda de la autenticidad lejos de una civilización vacía, y *El siglo de las luces* (1962), profunda visión de lo que conlleva una revolución. El autor no dejó de avanzar por las vías de la renovación narrativa.

• **Juan Rulfo** (México, 1918-1986) dio un nuevo enfoque al mundo campesino en una obra tan excepcional como breve. *El llano en llamas* (1953) es un libro de cuentos magistrales. Y *Pedro Páramo* (1955) es una de las mayores cimas de la novela americana: nos lleva a un pueblo muerto, habitado por fantasmas que evocan su pasado, dominado por el implacable cacique que le da título; sus breves capítulos reconstruyen, como en un rompecabezas, un mundo dramático. La vida y la muerte, lo real y lo sobrenatural, lo personal y lo social se mezclan en estas páginas. Y la lengua de Rulfo es asombrosa por su fuerza y por su aliento poético.

LA NUEVA NOVELA HISPANOAMERICANA

● Ya hemos aludido al llamado «boom». Lo cierto es que, en los años 60, los lectores europeos «descubren» con asombro autores como Cortázar, Vargas Llosa, García Márquez... Ellos y otros —sumados a los que acabamos de citar— sitúan a la novela hispanoamericana, insistimos, a la cabeza de la narrativa mundial del momento.

● Estos nuevos novelistas continuaban las innovaciones señaladas en el apartado anterior, las llevaban más lejos y aportaban nuevos recursos. Así, se confirma la *ampliación temática*, los nuevos tratamientos de lo rural y el «realismo mágico»; se avanza en la renovación de las *técnicas* narrativas; se enriquece el *lenguaje* con diversas experiencias... En suma, un derroche de *creatividad*.

Todo ello no supone necesariamente un alejamiento de la realidad, sino una voluntad de abordarla de forma más válida estéticamente. Y con ello son compatibles los propósitos de testimonio o denuncia.

● Luego vamos a estudiar a **García Márquez** (LECTURA 18c). A continuación hemos de limitarnos a adjuntar otras sucintas «fichas» informativas sobre cuatro autores muy representativos. Pero habría que ponderar la importancia de otros como **Mujica Láinez**, **Onetti**, **Lezama Lima**, **Uslar Pietri**, **Roa Bastos**, **Arreola**, **Donoso**, **Cabrera Infante**, **Bryce Echenique** y muchos más.

• **Ernesto Sábato** (Argentina, 1911) es considerado un «novelista intelectual» por el rigor y la densidad de ideas. Es autor sólo de tres novelas impresionantes: *El túnel* (1948), *Sobre héroes y tumbas* (1961) y *Abaddón el exterminador* (1974). Las dos últimas constituyen una estremecedora visión crítica y apocalíptica de nuestro mundo, con estructuras narrativas muy libres y complejas.

• **Julio Cortázar** (Argentina, 1914-1984) comenzó cultivando un tipo de cuento fantástico con *Bestiario* (1951); en este y otros libros, lo fantástico surge dentro de lo cotidiano mostrando la inquietante complejidad de lo «real». Su novela *Rayuela* (1963) fue una bomba por su complejidad estilística y su estructura (admite varias formas de lectura), compatibles con una gran hondura humana. Otras experiencias del autor: *Historias de cronopios*, *La vuelta al día en ochenta mundos*, etc.

• **Carlos Fuentes** (México, 1928) aúna el virtuosismo técnico y la carga crítica. *La región más transparente* (1958) es una novela urbana. *La muerte de Artemio Cruz* (1962) reconstruye la vida de un hombre poderoso que está agonizando, a través de saltos en el tiempo, cambio de las personas narrativas, etc. Otras obras: *Cambio de piel*, *Terra nostra*, etc. Premio Cervantes en 1987.

• **Mario Vargas Llosa** (Perú, 1936) asombró ya con *La ciudad y los perros* (1962), que en el ambiente cerrado de un colegio parece compendiar toda la corrupción y violencia del mundo actual. Su obra cumbre es quizás *Conversación en la catedral* (1969), extensa novela en que dos personas hablan de sus vidas fracasadas, con lo que se logra evocar todo un mundo. En ambas las novedades técnicas no empañan la fuerza de la realidad. Otros títulos: *Los cachorros*, *La guerra del fin del mundo*, *Lituma en los Andes*...

El programa vigente propone «el estudio y comentario de tres textos, al menos» de literatura hispanoamericana. Nosotros propondremos a continuación dos poemas y —en la LECTURA *18c— dos fragmentos de una maravillosa novela. Pero animamos a la lectura de alguno(s) de los grandes títulos que hemos destacado o que citaremos en las páginas que siguen.*

Al igual que a la propia sociedad, la mezcla racial enriquece la literatura americana. (La mulata, *de E. Grau*).

CÉSAR VALLEJO (18a)

VIDA Y PERSONALIDAD

Nació en 1892 en una aldea de los Andes peruanos, de humilde familia mestiza. Ejerció varios oficios y estudió letras. Desde 1923, vivió en París y pasó temporadas en España, a la que amó apasionadamente. En su compromiso con los humildes, aunó ideales comunistas e inquietudes religiosas. Murió en París en 1938.

POESÍA

● Su primer libro, *Los heraldos negros* (1918), se inscribe en la superación del Modernismo por un estilo que tiende a ser más parco, conversacional a veces, hondísimo. Destacan los temas americanos y familiares. Una profunda tristeza empaña con frecuencia sus versos.

● Sigue *Trilce* (1922), libro radicalmente vanguardista, que rompe con las formas tradicionales y con la lógica, distorsionando el lenguaje. Por debajo de todo ello hay, sin embargo, una punzante protesta.

● *Poemas humanos*, su obra cumbre, aparecerá póstuma (1939). Es uno de los libros más hondos que se han escrito sobre el dolor humano. Junto a sus doloridas confesiones, hay impresionantes testimonios del sufrimiento de los demás. Y el lenguaje del libro sigue siendo originalísimo (aunque menos audaz que en *Trilce*): distorsiones sintácticas, aparentes incoherencias, imágenes insólitas... Ello no impide percibir con intensidad el contenido global de los poemas. A ello contribuye el personal empleo del tono coloquial, aunque sabiamente elaborado y originalmente combinado con las expresiones ilógicas y metafóricas. El conjunto es impresionante: una de las más altas cimas de la poesía hispánica del siglo XX. Enseguida veremos una elocuente muestra.

● En fin, durante nuestra guerra civil, escribió *España, aparta de mí este cáliz*, en que canta al pueblo en lucha y a las tierras recorridas por la contienda; en esta obra palpita todo su amor a España.

SIGNIFICACIÓN

Como hemos visto, recorre varias de las etapas de la poesía hispanoamericana: posmodernismo, vanguardia, etc. Es uno de los máximos creadores que ha dado nuestra lengua en este siglo. Su influencia en España ha sido notable (de Blas de Otero a los «novísimos»). Insistamos en algo: su alianza de contenidos humanísimos y de rigor artístico hace de él un ejemplo para superar la superficial alternativa entre responsabilidad cívica y exigencia estética.

POEMAS HUMANOS

Del dolor a la solidaridad

La conciencia del dolor humano desemboca en Vallejo en el sentimiento de solidaridad. Pocas veces ha alcanzado ese sentimiento un desarrollo de tan amplio alcance, de tanta validez, como en el poema que sigue, incluido en su libro Poemas humanos.

Por su hábil construcción y su peculiar lenguaje estamos ante el mejor Vallejo.

Considerando en frío, imparcialmente,
que el hombre es triste, tose y, sin embargo,
se complace en su pecho colorado;
que lo único que hace es componerse
5 de días;
que es lóbrego mamífero y se peina...

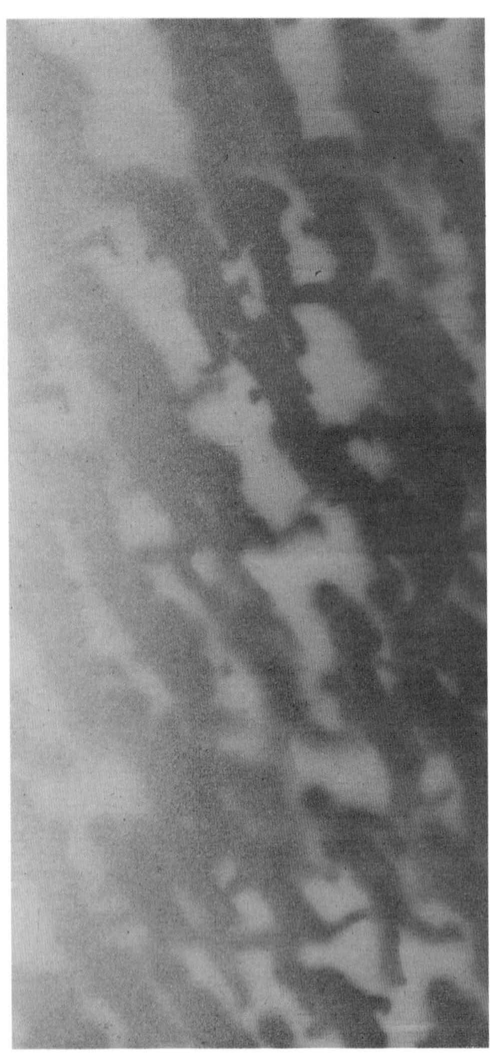

En grises, *de Juan Genovés.*

Considerando
que el hombre procede suavemente del trabajo
y repercute jefe, suena subordinado;
10 que el diagrama del tiempo
es constante diorama[1] en sus medallas
y, a medio abrir, sus ojos estudiaron,
desde lejanos tiempos,
su fórmula famélica de masa...
15 Comprendiendo sin esfuerzo
que el hombre se queda, a veces, pensando,
como queriendo llorar,
y, sujeto a[2] tenderse como objeto,
se hace buen carpintero, suda, mata
20 y luego canta, almuerza, se abotona...
Considerando también
que el hombre es en verdad un animal
y, no obstante, al voltear[3], me da con su tristeza en la cabeza...
Examinando, en fin,
25 sus encontradas piezas, su retrete,
su desesperación, el terminar de su día atroz, borrándolo...
Comprendiendo
que él sabe que le quiero,
que le odio con afecto y me es, en suma, indiferente...
30 Considerando sus documentos generales
y mirando con lentes aquel certificado
que prueba que nació muy pequeñito...
le hago una seña,
viene,
35 y le doy un abrazo, emocionado.
¡Qué más da! Emocionado... Emocionado...

---

[1] *diorama*, escenas pintadas en un lienzo amplio e iluminado. [2] *sujeto a*, propenso a, destinado a; hay un juego entre sujeto y objeto. [3] *voltear*, volver o volverse.

- **Construcción del poema: como se verá, se remeda el esquema de las frías sentencias judiciales (Considerando... examinando...).**
- **También dice el poeta que pretende abordar el problema en frío, *imparcialmente* (verso 1), y afirma que el hombre le es *indiferente* (verso 29). ¿Qué pensar de todo ello?**
- **La emoción se desborda al final, pero ¿no estaba pudorosamente presente desde el principio?**
- **Resume la visión del hombre que desarrolla el poema.**
- **Interpreta las notas heterogéneas que van sucediéndose.**
- **Comenta la originalidad de la lengua poética del texto. La versificación.**

PABLO NERUDA (18b)

VIDA

● Se llamaba Neftalí Ricardo Reyes. Nació en Chile en 1904. De 1934 a 1938 fue cónsul en Madrid, donde trabó amistad con poetas del 27. La guerra civil española despertó sus inquietudes políticas e ingresó en el Partido Comunista. En 1971 recibió el Premio Nobel. Murió en Chile, en 1973, en medio de las dramáticas circunstancias que siguieron al golpe del general Pinochet.

● Fue hombre vital y poeta fecundísimo. Aquí sólo podremos destacar unos títulos esenciales.

DEL POSMODERNISMO A LA VANGUARDIA

● *Veinte poemas de amor y una canción desesperada* (1924) es el gran «best-seller» de poesía en castellano después de las *Rimas* de Bécquer. Son versos de amor juvenil, apasionado. Su tono directamente humano fue un hito decisivo en la superación del Modernismo. (El curso pasado vimos el famosísimo Poema 20: «Puedo escribir los versos más tristes esta noche...»)

● Más tarde, se suma a la ***vanguardia***, en particular al ***Surrealismo***, que le permite *bucear en los abismos de su alma* y dar rienda suelta a su potente *capacidad de forjar imágenes*. Surge así su obra más importante, *Residencia en la tierra* (1933-1935). Es una obra audaz, de imágenes alucinantes. Sus versículos componen una concepción amarga del hombre, criatura extraviada en un mundo caótico y sin sentido. Es un libro hondo, a la vez difícil y deslumbrante, una cima del vanguardismo hispánico.

Neruda escapará de tal desolación por la vía de un compromiso político, que le ofrecía una esperanza de construir un mundo habitable.

LA POESÍA COMPROMETIDA

● El giro se inicia con *Tercera residencia* (1935-1945), donde aparecen poemas políticos. El libro incluye el poemario titulado *España en el corazón,* escrito en apoyo de la España republicana.

● La obra más ambiciosa de esta etapa es el *Canto general* (1950), vasto conjunto en que canta las tierras de América, su pueblo, su historia... El tono es, en general, épico, vibrante; a menudo combativo. El lenguaje es más sencillo y directo. Ello conlleva un descenso de nivel poético; pero también abundan los poemas grandiosos, deslumbrantes de ritmo e imágenes.

OTRAS OBRAS

● La tendencia hacia un lenguaje más sencillo se confirma en los varios volúmenes de sus *Odas elementales* (1954-57), de tono exaltante, optimista, y en muchas obras posteriores (*Estravagario, Cien sonetos de amor, Memorial de Isla Negra*, etc.). En ellos alterna la poesía política o social con hermosos poemas personales o de variada temática.

SIGNIFICACIÓN

Estamos ante una figura colosal por la potencia y la riqueza de su inspiración (aun contando con inevitables caídas). Es revelador que haya sido maestro para poetas muy distintos, tanto los que se orientaron hacia lo social como los preocupados por las experiencias renovadoras del lenguaje poético.

Pablo Neruda.

CANTO GENERAL

«América»

Sintetiza este poema los aspectos más significativos del Canto general*: su América con su naturaleza, con sus hombres, con su historia, con sus fuerzas telúricas. Y, en cuanto al estilo, aquí está el amplio y poderoso torrente de su voz, el tono de himno, el aliento épico.*

Detalle de La jungla, *por Wifredo Lam.*

Estoy, estoy rodeado
por madreselva y páramo, por chacal y centella,
por el encadenado perfume de las lilas:
estoy, estoy rodeado
5 por días, meses, aguas que sólo yo conozco,
por uñas, peces, meses que sólo yo conozco,
estoy, estoy rodeado
por la delgada espuma combatiente
del litoral poblado de campanas.

10 La camisa escarlata del volcán y del indio,
el camino, que el pie desnudo levantó entre las hojas
y las espinas entre las raíces,
llega a mis pies de noche para que lo camine.

La oscura sangre como en un otoño
15 derramada en el suelo,
el temible estandarte de la muerte en la selva,
los pasos invasores deshaciéndose, el grito
de los guerreros, el crepúsculo de las lanzas dormidas,
el sobresaltado sueño de los soldados, los grandes
20 ríos en que la paz del caimán chapotea,
tus recientes ciudades de alcaldes imprevistos,
el coro de los pájaros de costumbre indomable,
en el pútrido día de la selva, el fulgor
tutelar de la luciérnaga,
25 cuando en tu vientre existo, en tu almenada
tarde, en su descanso, en el útero de tus nacimientos,
en el terremoto, en el diablo de los campesinos, en la ceniza
que cae de los ventisqueros, en el espacio,
en el espacio puro, circular inasible,
30 en la garra sangrienta de los cóndores, en la paz humillada
de Guatemala[1], en los negros,
en los muelles de Trinidad, en La Guayra[2]:
todo es mi noche, todo
es mi día, todo
35 es mi aire, todo

[1] Alusión a la dictadura que imperaba en aquel país. [2] *La Trinidad* es la isla mayor de las pequeñas Antillas; *La Guayra* es un puerto antillano de Venezuela. En ambas abunda la población negra.

es lo que vivo, sufro, levanto y agonizo.
América, no de noche
ni de luz están hechas las sílabas que canto.
De tierra es la materia apoderada
40 del fulgor y del pan de mi victoria,
y no es sueño mi sueño sino tierra.
Duermo rodeado de espaciosa arcilla
y por mis manos corre cuando vivo
un manantial de caudalosas tierras.
45 Y no es vino el que bebo sino tierra,
tierra escondida, tierra de mi boca,
tierra de agricultura con rocío,
vendaval de legumbres luminosas,
estirpe cereal, bodega de oro.

En Canto general, *Neruda despliega ante el lector, con intensas imágenes épicas, todos los avatares de las naciones americanas: el glorioso pasado, el horror de la conquista, la llegada de los «Libertadores», la tragedia de las dictaduras modernas...* (Vendedora de flores, *por Diego Rivera.)*

- **Construcción del poema: nótese que está presidido por la expresión «estoy rodeado por...» (versos 1, 4, 7); sigue una grandiosa enumeración, que se cierra en los versos 33-36 con expresiones muy significativas: los versos restantes son una especie de conclusión.**
- **Véase qué aspectos de la Naturaleza se evocan (mundo vegetal, mundo animal, mundo de las aguas, de las nieves, de los accidentes meteorológicos y las fuerzas telúricas...).**
- **¿En qué versos, y cómo, están presentes los hombres y las vicisitudes históricas constitutivas de América?**
- **Todo confluye en una palabra insistentemente repetida en los últimos versos. ¿Qué sentido tiene ello?**
- **Subraya lo majestuoso del estilo; señala la fuerza de algunas imágenes.**
- **En fin, ¿cómo responde este tipo de poesía al título del libro?**

GABRIEL GARCÍA MÁRQUEZ (18c)

DATOS BIOGRÁFICOS

● Nació en Aracataca (Colombia), en 1928. Como periodista, ha sido testigo de las convulsiones de la vida hispanoamericana. Paralelamente, desde los años 50 desarrolla su obra narrativa, hasta que la revelación de *Cien años de soledad*, en 1967, lo sitúa en un puesto de excepción en la novela mundial, lo que confirmará su obra posterior. Y en 1982 recibe el Premio Nobel.

Gabriel García Márquez.

GÉNESIS DE SU OBRA

● De 1955 a 1962 publica novelas cortas y cuentos en los que —salvo excepción— habla de las gentes de un pueblo imaginario llamado **Macondo** (trasunto de su Aracataca natal). Entre otros títulos, hay ya una breve obra maestra: *El coronel no tiene quien le escriba*.

Pero la vida de Macondo crece aún en la imaginación del autor, adquiere proporciones grandiosas y acaba por tomar cuerpo en esa prodigiosa novela que es *Cien años de soledad*. Su publicación en 1967 es, sin hipérbole, uno de los mayores acontecimientos en la historia de la novela contemporánea.

CIEN AÑOS DE SOLEDAD

Es la historia de una familia —los Buendía— a través de varias generaciones y, a la vez, la historia de Macondo. Pero el contenido de la obra es tan exuberante que sería vano resumir su argumento.

● La novela está construida como ***una sucesión de episodios*** apasionantes. Sin tregua vamos pasando de unos personajes a otros, de unas épocas a otras, asistiendo a las peripecias más diversas y asombrosas.

● En el fondo, se trata de ***una gran saga americana***. Macondo puede ser cualquier pueblecito (como Aracataca), pero, por encima, es toda Hispanoamérica. Asistimos a su fundación, a su desarrollo, a la explotación por una compañía bananera norteamericana, a las revoluciones, a las contrarrevoluciones... En suma, una síntesis de la historia de aquellas tierras. En un plano aún más amplio puede verse como una parábola de cualquier civilización, desde su nacimiento a su ocaso.

● En esa historia se mezclan ***realidad y fantasía*** de modo singular. La realidad puede resultar muy cruda, pero, a la vez, aparece traspasada por fuerzas sobrenaturales, por soplos mágicos. Y la fusión es fascinante: el lector se ve conducido irresistiblemente de lo real a lo mítico.

● La ***imaginación creadora*** es, por supuesto, el primer rasgo del arte de García Márquez, y va unida a un excepcional ***don de contar***. A ello añade, según le convenga, la *fuerza vital*, el *humor*, el *aliento trágico* o el *lirismo*. Y, en fin, su ***estilo***: una prosa riquísima, fluida, que subyuga con sus constantes hallazgos expresivos y sus frecuentes chispazos poéticos.

Por todo lo dicho, la lectura de *Cien años de soledad* es un placer continuo. Algo podrá percibirse en los fragmentos que luego leeremos.

OBRAS POSTERIORES

● En 1972, *La increíble y triste historia de la cándida Eréndira y su abuela desalmada* encabezaba un libro de cuentos variados y deliciosos. Siguió la novela *El otoño del Patriarca* (1975), sobre la figura del dictador hispanoamericano; la obra decepcionó, acaso injustamente: era difícil igualar el nivel de *Cien años...*

● La admiración renació sin reservas ante *Crónica de una muerte anunciada* (1981), novela breve basada en un suceso real de amor y venganza que adquiere dimensiones de leyenda, gracias a un desarrollo narrativo de una precisión y una intensidad insuperables.

● Y el asombro creció aún con *El amor en los tiempos del cólera* (1986). Es la historia de una pasión amorosa nacida en la mocedad y que sólo se consumará en la vejez, tras «cincuenta y tres años, siete meses y once días de espera». Es una originalísima y gran novela de amor por el profundo conocimiento del corazón humano que revela. Pero es mucho más, por la multitud de episodios que se entretejen con la historia central y en los que brilla hasta lo increíble la imaginación del autor, junto a sus demás cualidades. En suma, otra obra maestra.

● Ha publicado luego *El general en su laberinto* (1989), relato novelado sobre Simón Bolívar —que no está a su altura—, *Doce cuentos peregrinos* (1992) y *Del amor y otros demonios* (1994), en que sigue dando fe de su talento narrativo.

Aparte, se han recogido en varios volúmenes artículos de García Márquez. Y recordemos un famoso reportaje periodístico, *Relato de un náufrago*, que se lee como una apasionante novela.

CIEN AÑOS DE SOLEDAD

La fundación de Macondo

Si el capítulo primero de Cien años de soledad *nos había metido de lleno en el ámbito de Macondo, en el capítulo segundo da el autor un salto atrás para contarnos por qué y cómo fundaron el pueblo José Arcadio Buendía y Úrsula Iguarán. Para vengarse de una ofensa, José Arcadio había dado muerte a un tal Prudencio Aguilar. Los extraños acontecimientos que siguen les llevan a emprender un penoso éxodo.*

Después de un itinerario imposible (luego se sabrá), fundan Macondo. Obsérvese la naturalidad con que García Márquez integra la fantasía en el mundo cotidiano.

El asunto fue clasificado como un duelo de honor, pero a ambos les quedó un malestar en la conciencia. Una noche en que no podía dormir, Úrsula salió a tomar agua en el patio y vio a Prudencio Aguilar junto a la tinaja. Estaba lívido, con una expresión muy triste, tratando de cegar con un tapón de esparto el hueco de su garganta[1]. No le produjo miedo, sino lástima. Volvió al cuarto a contarle a
5 su esposo lo que había visto, pero él no le hizo caso. «Los muertos no salen», dijo. «Lo que pasa es que no podemos con el peso de la conciencia.» Dos noches después, Úrsula volvió a ver a Prudencio Aguilar en el baño, lavándose con el tapón de esparto la sangre cristalizada del cuello. Otra noche lo vio paseándose bajo la lluvia. José Arcadio Buendía, fastidiado por las alucinaciones de su mujer, salió al patio armado con la lanza. Allí estaba el muerto con su expresión triste.

10 —Vete al carajo —le gritó José Arcadio Buendía—. Cuantas veces regreses volveré a matarte.

Prudencio Aguilar no se fue, ni José Arcadio Buendía se atrevió a arrojar la lanza. Desde entonces no pudo dormir bien. Lo atormentaba la inmensa desolación con que el muerto lo había mirado

[1] Se trata de la herida que le produjo José Arcadio Buendía con una lanza.

En Cien años de soledad *asistimos a la fundación de un pueblo y, por extensión, de un mundo mágico y encantado que contrasta, a veces brutalmente, con la violencia de la vida cotidiana. En la imagen,* La aldea *(detalle), por Sofía Urrutia.*

desde la lluvia, la honda nostalgia con que añoraba a los vivos, la ansiedad con que registraba la casa buscando el agua para mojar su tapón de esparto. «Debe estar sufriendo mucho», le decía Úrsula. 15 «Se ve que está muy solo.» Ella estaba tan conmovida que la próxima vez que vio al muerto destapando las ollas de la hornilla comprendió lo que buscaba, y desde entonces le puso tazones de agua por toda la casa. Una noche en que lo encontró lavándose las heridas en su propio cuarto, José Arcadio Buendía no pudo resistir más.

—Está bien, Prudencio —le dijo—. Nos iremos de este pueblo, lo más lejos que podamos, y no 20 regresaremos jamás. Ahora vete tranquilo.

Fue así como emprendieron la travesía de la sierra. Varios amigos de José Arcadio Buendía, jóvenes como él, embullados[2] con la aventura, desmantelaron sus casas y cargaron con sus mujeres y sus hijos hacia la tierra que nadie les había prometido. Antes de partir, José Arcadio Buendía enterró la lanza en el patio y degolló uno tras otro sus magníficos gallos de pelea[3], confiando en que en esa for- 25 ma le daba un poco de paz a Prudencio Aguilar. Lo único que se llevó Úrsula fue un baúl con sus ropas de recién casada, unos pocos útiles domésticos y el cofrecito con las piezas de oro que heredó de su padre. No se trazaron un itinerario definido. Solamente procuraban viajar en sentido contrario al camino de Riohacha para no dejar ningún rastro ni encontrar gente conocida. Fue un viaje absurdo. A los catorce meses, con el estómago estragado por la carne de mico y el caldo de culebras, Úrsula dio 30 a luz un hijo con todas sus partes humanas[4]. Había hecho la mitad del camino en una hamaca colgada de un palo que dos hombres llevaban en hombros, porque la hinchazón le desfiguró las piernas, y las varices se le reventaban como burbujas. Aunque daba lástima verlos con los vientres templados[5] y los ojos lánguidos, los niños resistieron el viaje mejor que sus padres, y la mayor parte del tiempo les resultó divertido. Una mañana, después de casi dos años de travesía, fueron los primeros mortales 35 que vieron la vertiente occidental de la sierra. Desde la cumbre nublada contemplaron la inmensa llanura acuática de la ciénaga grande, explayada hasta el otro lado del mundo. Pero nunca encontraron el mar. Una noche, después de varios meses de andar perdidos por entre los pantanos, lejos ya de los últimos indígenas que encontraron en el camino, acamparon a la orilla de un río pedregoso cuyas

[2] *embullados*, animados, ilusionados. [3] La reyerta con Prudencio Aguilar se originó en una pelea de gallos. [4] Úrsula y José Arcadio eran primos y una tradición les hacía temer el tener un hijo con cola de cerdo. [5] *templados*, hinchados y duros por efecto de la desnutrición.

aguas parecían un torrente de vidrio helado. Años después, durante la segunda guerra civil, el coronel
40 Aureliano Buendía trató de hacer aquella misma ruta para tomarse a Riohacha por sorpresa, y a los seis días de viaje comprendió que era una locura. Sin embargo, la noche en que acamparon junto al río, las huestes de su padre tenían un aspecto de náufragos sin escapatoria, pero su número había aumentado durante la travesía y todos estaban dispuestos (y lo consiguieron) a morirse de viejos. José Arcadio Buendía soñó esa noche que en aquel lugar se levantaba una ciudad ruidosa con casas de pa-
45 redes de espejo. Preguntó qué ciudad era aquella, y le contestaron con un nombre que nunca había oído, que no tenía significado alguno, pero que tuvo en el sueño una resonancia sobrenatural: Macondo. Al día siguiente convenció a sus hombres de que nunca encontrarían el mar. Les ordenó derribar los árboles para hacer un claro junto al río, en el lugar más fresco de la orilla, y allí fundaron la aldea.

- **Véase, en los primeros párrafos del fragmento, cómo se codean lo sobrenatural y la realidad cotidiana.**
- **Se reconocerán ciertos elementos propios de los relatos míticos y de las epopeyas: la falta o «pecado original», el éxodo, la fundación, el sueño revelador. Muéstrense los detalles significativos.**
- **Destaca las calidades del relato y de los toques descriptivos, con la fértil imaginación del autor.**

Remedios, la bella

Entre tantos otros, he aquí uno de los fascinantes seres de Macondo. Remedios es una mujer bellísima y extraña, elemental y pura, que vive como ajena a la vida ordinaria. Su belleza enciende el deseo de los hombres, pero aquéllos que intentan consumar tal deseo mueren de forma inesperada. Veamos el poético final de la historia de tan insólita mujer.

50 La suposición de que Remedios, la bella, poseía poderes de muerte, estaba entonces sustentada por cuatro hechos irrebatibles[6]. Aunque algunos hombres ligeros de palabra se complacían en decir que bien valía sacrificar la vida por una noche de amor con tan conturbadora mujer, la verdad fue que ninguno hizo esfuerzos por conseguirlo. Tal vez, no sólo para rendirla sino también para conjurar sus peligros, habría bastado con un sentimiento tan primitivo y simple como el
55 amor, pero eso fue lo único que no se le ocurrió a nadie. Úrsula no volvió a ocuparse de ella. En otra época, cuando todavía no renunciaba al propósito de salvarla para el mundo, procuró que se interesara por los asuntos elementales de la casa. «Los Hombres piden más de lo que tú crees», le decía enigmáticamente. «Hay mucho que cocinar, mucho que barrer, mucho que sufrir por pequeñeces, además de lo que crees.» En el fondo se engañaba a sí misma tratando de adiestrarla
60 para la felicidad doméstica, porque estaba convencida de que, una vez satisfecha la pasión, no había un hombre sobre la tierra capaz de soportar así fuera por un día una negligencia que estaba más allá de toda comprensión. El nacimiento del último José Arcadio, y su inquebrantable voluntad de educarlo para Papa, terminaron por hacerla desistir de sus preocupaciones por la bisnieta. La abandonó a su suerte, confiando que tarde o temprano ocurriera un milagro, y que
65 en este mundo donde había de todo hubiera también un hombre con suficiente cachaza para cargar con ella. Ya desde mucho antes, Amaranta[7] había renunciado a toda tentativa de convertirla

[6] Se refiere a cuatro hombres que han muerto por ella. [7] *Amaranta*, tía de Remedios.

en una mujer útil. Desde las tardes olvidadas del costurero, cuando la sobrina apenas se interesaba por darle vuelta a la manivela de la máquina de coser, llegó a la conclusión simple de que era boba. «Vamos a tener que rifarte», le decía, perpleja ante su impermeabilidad a la palabra de los
70 hombres. Más tarde, cuando Úrsula se empeñó en que Remedios, la bella, asistiera a misa con la cara cubierta con una mantilla, Amaranta pensó que aquel recurso misterioso resultaría tan provocador, que muy pronto habría un hombre lo bastante intrigado como para buscar con paciencia el punto débil de su corazón. Pero cuando vio la forma insensata en que despreció a un pretendiente que por muchos motivos era más apetecible que un príncipe, renunció a toda esperanza.
75 Fernanda no hizo siquiera la tentativa de comprenderla. Cuando vio a Remedios, la bella, vestida de reina en el carnaval sangriento, pensó que era una criatura extraordinaria. Pero cuando la vio comiendo con las manos, incapaz de dar una respuesta que no fuera un prodigio de simplicidad, lo único que lamentó fue que los bobos de familia tuvieran una vida tan larga. A pesar de que el coronel Aureliano Buendía seguía creyendo y repitiendo que Remedios, la bella, era en realidad
80 el ser más lúcido que había conocido jamás, y que lo demostraba a cada momento con su asombrosa habilidad para burlarse de todos, la abandonaron a la buena de Dios. Remedios, la bella, se quedó vagando por el desierto de la soledad, sin cruces a cuestas, madurándose en sus sueños sin pesadillas, en sus baños interminables, en sus comidas sin horarios, en sus hondos y prolongados silencios sin recuerdos, hasta una tarde de marzo en que Fernanda quiso doblar en el jardín sus
85 sábanas de bramante, y pidió ayuda a las mujeres de la casa. Apenas había empezado, cuando Amaranta advirtió que Remedios, la bella, estaba transparentada por una palidez intensa.

—¿Te sientes mal? —le preguntó.

Remedios, la bella, que tenía agarrada la sábana por el otro extremo, hizo una sonrisa de lástima.

90 —Al contrario —dijo—, nunca me he sentido mejor.

La aldea *(detalle)*, *por Sofía Urrutia.*

Acabó de decirlo, cuando Fernanda sintió que un delicado viento de luz le arrancó las sábanas de las manos y las desplegó en toda su amplitud. Amaranta sintió un temblor misterioso en los encajes de sus pollerines[8] y trató de agarrarse de la sábana para no caer, en el instante en que Remedios, la bella, empezaba a elevarse. Úrsula, ya casi ciega, fue la única que tuvo serenidad para
95 identificar la naturaleza de aquel viento irreparable, y dejó las sábanas a merced de la luz, viendo a Remedios, la bella, que le decía adiós con la mano, entre el deslumbrante aleteo de las sábanas que subían con ella, que abandonaban con ella el aire de los escarabajos y las dalias, y pasaban con ella a través del aire donde terminaban las cuatro de la tarde, y se perdieron con ella para siempre en los altos aires donde no podían alcanzarla ni los más altos pájaros de la memoria.

[8] *pollerines,* enaguas.

COMENTARIO DE TEXTO. REMEDIOS, LA BELLA (líneas 81-final)

Introducción

- **a** Recuérdense aquellos rasgos de la novela y del arte del autor que se consideren oportunos para enmarcar el texto.
- **b** Haz un resumen de lo que, sobre Remedios, la bella, nos han dicho las líneas anteriores a las que vamos a comentar.
- **c** Reduce estas líneas a lo esencial: ¿Qué opinas de este final en relación con lo que sabemos del personaje?
- **d** Estructura: señala los momentos del relato y su progresión.

Análisis (contenido y expresión)

- **e** Comenzamos con una larga frase que va desde «Remedios, la bella, se quedó vagando» hasta el final del párrafo: ¿qué dos partes se distinguen en ella? Las primeras líneas son como un resumen de la vida de Remedios: comenta los detalles y aprecia el lirismo y la belleza de las frases.
- **f** Con las palabras «hasta que una tarde...» empieza el relato del acontecimiento final; ¿con qué palabras se sugiere que va a pasar algo insólito?
- **g** Tras un brevísimo diálogo, va a producirse la «ascensión» de la muchacha: ¿qué detalles indican la irrupción de una fuerza sobrenatural?
- **h** Desde «Úrsula, ya casi ciega...» hasta el final, tenemos otra vez una sola frase, muy larga. Apréciese, ante todo, su perfecta construcción: su lectura no se hace dificultosa; el lector se ve llevado, con pausas medidas y andadura anhelante, hasta el «clímax».
- **i** Todo es bellísimo en este final. Valórese cada detalle (connotaciones, adjetivación, etc.). En las últimas líneas hay expresiones insólitas de penetrante fuerza poética: coméntalas.

Conclusión

- **j** Haz una síntesis de los principales rasgos y valores del texto (insistiendo en la fantasía, la belleza, el lirismo y la perfección estilística), y añade tu juicio personal.

EJERCICIOS

Repaso de Gramática

1 Un último ejercicio de sintaxis:

— Busca en los fragmentos de García Márquez tres ejemplos de proposiciones coordinadas y diez ejemplos de subordinadas (tres sustantivas, dos adjetivas y cinco adverbiales).

Expresión escrita

• **El español en dos continentes.—** Aprovechemos la lectura de textos hispanoamericanos para reflexionar acerca del horizonte de relaciones humanas, económicas y culturales que hace posibles la extensión del castellano. Redacta un folio con el resultado de tus reflexiones.

19 OTRAS LITERATURAS HISPÁNICAS

En cada comunidad autónoma donde se hable una lengua no castellana, la literatura propia será objeto de estudio especial. Pero ante todo alumno ha de abrirse ese panorama vario y común, fruto de la riqueza lingüística y cultural de España.

En las páginas que siguen apenas haremos más que ofrecer unos «cuadros» muy sucintos de la literatura actual en catalán, gallego y vasco. Podrá parecer que acumulamos nombres de autores, pero son muchos más los que se podrían citar. Sin duda, no debe pretenderse que estos «cuadros» sean objeto de aprendizaje memorístico, pero darán idea de la riqueza de tales literaturas y podrán servir de guía inicial. Nuestro mejor deseo sería despertar el apetito de adentrarse —a través de traducciones y ediciones bilingües cuando sea necesario— en tan sugestivos horizontes. Unos hermosos textos poéticos de autores especialmente representativos nos servirán de promesa de lo que aguarda al lector.

Las manifestaciones artísticas de las distintas nacionalidades que conviven en España enriquecen el patrimonio cultural común (Libélulas y serpientes, *de Joan Miró).*

I. PRELIMINARES

LITERATURAS CATALANA Y GALLEGA: DOS TRAYECTORIAS PARALELAS

Paralela es, en buena medida, la evolución de las letras catalanas* y gallegas anteriores al siglo XX. Ambas presentan las siguientes etapas:

1. ***Un notable esplendor durante la Edad Media***. Recuérdese el magno conjunto de los **cancioneros galaico-portugueses**. Por otra parte, autores como el mallorquín Ramón Llull o los valencianos Joanot Martorell y Ausiàs March serían honra de cualquier literatura.
2. ***Un largo período de decadencia*** (siglos XVI-XVIII). Aunque las lenguas siguen vivas en el pueblo, los escritores —por causas complejas que no cabe detallar aquí— las abandonan como vehículo de creación literaria; de escaso interés es lo poco que se produce en estos siglos.
3. ***Sendos renacimientos*** se producen a mediados del siglo XIX (*Renaixença*, *Rexurdimento*). Con ello, la poesía sobre todo alcanzará altas cimas. En Galicia, y aparte **Rosalía de Castro**, destacan **Curros Enríquez** o **Eduardo Pondal**. En Cataluña, **Jacint Verdaguer**, **Narcís Oller** o **Ángel Guimerà**.

Muchos paralelismos presentará también el desarrollo de estas literaturas en el siglo XX, como veremos.

* Cuando hablamos de letras catalanas (como cuando hablamos de «clásicos castellanos»), el adjetivo indica la lengua utilizada y no el origen geográfico de los escritores. Como vimos el curso pasado, la unidad de la lengua catalana es compatible con la fuerte personalidad del valenciano, mallorquín, etc. Ello es semejante a lo que ocurre con la lengua castellana, cuya diversidad de uso en —por ejemplo— Andalucía, Canarias, Argentina o México, no enturbia nuestra conciencia de su unidad.

LA LITERATURA VASCA

Menor es el desarrollo de las letras vascas en el pasado. De la **Edad Media**, apenas tenemos más que noticias sobre ciertos relatos épicos y vestigios de poesía religiosa y profana. Durante los ***siglos XVI-XVIII*** se desarrolla, preferentemente, una literatura de tipo religioso, aparte obras lexicográficas y defensas del vascuence.

● En el ***siglo XIX*** se produce un rebrote de la poesía vasca en condiciones semejantes a las de Cataluña y Galicia. Citemos a **José María Iparraguirre**, a **Eusebio María de Azkue**, a **Vilinch**...

● Paralelamente, se desarrolla desde antiguo una rica literatura oral, la de los ***bertsolaris*** que improvisan en cualquier momento sobre los más variados temas y cuya producción —recogida por investigadores— es un tesoro de hondas raíces populares.

Más adelante sintetizaremos el panorama de la literatura vasca en nuestro siglo.

LITERATURAS ASTURIANA Y ARAGONESA

El desarrollo de las conciencias regionales ha reavivado el interés por la creación literaria de estas modalidades lingüísticas, secularmente relegadas a usos familiares y locales.

● Con el nombre de ***asturiano***, ***astur-leonés*** o ***bable*** se conoce, como sabemos, el conjunto de hablas que dio el latín en Asturias y que se extendió por el reino de León. Rasgos astur-leoneses se hallan en textos medievales. Pero, dejando algunos precedentes, hay que llegar al siglo XIX y principios del XX para asistir a un desarrollo de la poesía en bable (**José Caveda**, **Teodoro Cuesta**, **Pin de Pría**, etc.). Es, sobre todo, una poesía de tipo popularista, de temas rurales, que pervivirá incluso en autores más cercanos en el tiempo. Sólo en los últimos años, movimientos como el *Conceyu bable* han propugnado una creación literaria que desborde la tradicional «llínea aldeaniega».

● La situación del ***aragonés*** o ***navarro-aragonés*** es semejante, pero aún más precaria. Salvando los aragonesismos de obras medievales, la castellanización lingüística de Aragón fue temprana y decisiva. La *fabla* tradicional se fue reduciendo a ciertos valles pirenaicos (Ansó, Hecho, Sobrarbe, etc.). La literatura vernácula es escasa. En las primeras décadas de este siglo cabe señalar alguna pintoresca obra teatral de **Domingo Miral** (*Qui bien fa nunca lo pierde*) y poesías sobre temas tradicionales y aldeanos de **Veremundo Méndez Coarasa**, **Cleto Torroellas**, etc. En fechas más recientes, la *fabla* aragonesa parece atraer a algunos jóvenes escritores.

II. LA LITERATURA CATALANA EN EL SIGLO XX

CUADRO GENERAL

Cabe distinguir varias etapas antes y después de la guerra civil:

1. *De principios de siglo a la guerra*:

a) *Modernismo*. De temprano desarrollo, aunque convive con tendencias realistas que vienen del siglo XIX.

b) *Novecentismo*. Nace precisamente en Cataluña encabezado por Eugenio d'Ors, quien acuñó el término *Noucentisme*.

c) *Vanguardismo*. Fue muy vivo el influjo de las vanguardias, especialmente del Surrealismo.

2. *Desde la guerra*:

La contienda y sus secuelas supusieron para la literatura catalana un corte aún más profundo que para la escrita en castellano. Hubo fuertes restricciones de las publicaciones en catalán entre 1939 y 1950. Posteriormente, el desarrollo ha sido progresivo y asombroso en cantidad y calidad. Pueden señalarse varios momentos:

a) En la *posguerra*, se cultivan líneas menos conflictivas: rescoldos del *Noucentisme*, poesía pura, acentos «existenciales», etc.

b) En *1960*, con la publicación de *La pell de brau* [«La piel de toro»], de Espriu, se consolida un *realismo histórico*, comprometido con su tiempo.

c) En los *últimos años* se diversifican las tendencias: búsqueda de *nuevas formas*, temas *intimistas* junto a expresiones de *inconformismo* social o cultural, etc.

En el marco de estas etapas habrá que situar la evolución de los distintos géneros.

Los ideales estéticos del Modernismo tuvieron gran influencia en la cultura catalana de principios del siglo XX.

LA POESÍA

● La ***poesía modernista*** catalana presenta los rasgos generales del Modernismo que estudiamos en la lección 13, pero hay un especial énfasis en una línea *espiritualista*, como se aprecia en Maragall, uno de los mayores poetas catalanes de todos los tiempos.

— **Joan Maragall** (1860-1911) combina intimismo y sentimiento de la naturaleza. Es importante su poesía «civil»: *Oda nova a Barcelona*, *Cant a Espanya*, etc., en que se hermanan el amor a Cataluña y el canto fraterno a los pueblos de España. Por otra parte, es un hondo poeta cristiano (*Cant espiritual*), entre otras vetas de su importante obra.

— De entre los demás representantes del Modernismo, destacan los integrantes de la «escuela mallorquina»: **Costa i Llobera** (1854-1922), **Joan Alcover** (1854-1926), **Gabriel Alomar** (1873-1941)...

● El ***Novecentismo*** fue especialmente fecundo en poesía. Sus principales rasgos son el rigor intelectual, el anhelo de perfección formal, la estilización de la realidad y el alejamiento de los temas rurales, antes dominantes. Los dos grandes poetas novecentistas son Carner y Riba.

— **Josep Carner** (1884-1970) brilla por una lírica rigurosamente trabajada (sonetos, sobre todo) de temática intimista y honda humanidad, en libros como *L'inútil ofrena*, *El cor quiet*, etc.

— **Carles Riba** (1893-1959), gran conocedor de los clásicos, posee una sabiduría estilística sin par. Su poesía, refinada y densa, se emparenta con la de un Valéry o un Jorge Guillén. Su influencia ha sido decisiva, desde *Estances* (1919-1930) a *Salvatge cor* (1952).

● El ***Vanguardismo*** penetró muy pronto en Cataluña y se halla representado, sobre todo, por Salvat-Papasseit, J. V. Foix y Pere Quart. Salvo el primero, que murió joven, los otros dos han seguido dando libros fundamentales tras la guerra.

—**Joan Salvat-Papasseit** (1894-1924) combina, en sus versos libres, imágenes irracionales y un sorprendente tono coloquial. *La rosa als llavis* (1923) es un gran libro de amor.

—**J. V. Foix** (1894-1986) se adscribe en un principio al Surrealismo. Su producción, recogida en *Obres poétiques* en 1964, ha ejercido notable influjo.

—**Pere Quart** (seudónimo de Joan Oliver, 1899-1986), menos estridente que otros vanguardistas, es un crítico acerbo de los valores burgueses; en fechas posteriores (*Vacances pagades*, 1960), cultivará un realismo de lengua precisa y coloquial, que será modelo para poetas de los años 60.

● La inmediata ***posguerra*** está dominada por el magisterio de Carner y de Riba, a lo que se añaden notas de amargura o de angustia existencial (así, en **Joan Teixidor**, **Joan Vinyoli** y otros). La veta vanguardista se prolongará en la obra de **Joan Brossa**.

De la misma generación es **Salvador Espriu** (nacido en 1913), que, sin embargo, abre una nueva etapa, como dijimos, con su gran libro de 1962 (*La pell de brau*). De él nos ocupamos en la LECTURA 19a.

● En los ***años 60*** —y presidido, en efecto, por Espriu—, se desarrolla un ***realismo poético*** con fondo crítico. Es una corriente paralela a la «poesía social» en castellano, con la misma preferencia por un lenguaje directo, pero que alterna con una ***poesía de la experiencia*** de temática más amplia (el amor, el tiempo, la muerte...).

— La figura más importante del momento es probablemente **Gabriel Ferrater** (1922-1972), cuya obra, que se reúne en el libro *Les dones i els dies* [«Las mujeres y los días», 1968], combina lo íntimo y lo público.

— Un puesto muy particular ocupa el valenciano **Vicent Andrés Estellés** (1924-1994), de línea muy variada, en la que se codean el vitalismo, la angustia, el desenfado, la crítica o la reflexión sobre su tierra.

—Otros poetas del momento son: **Joan Fuster**, **Marta Pessarrodona**, **Miquel Martí i Pol**, etc.

● ***Hacia 1970*** aparecen nuevas inquietudes formales y temáticas. Como sucedía con los *novísimos* (varios de los cuales eran catalanes) se busca un nuevo lenguaje con influjos vanguardistas —especialmente del Surrealismo—, lo que es compatible con temas intimistas o con actitudes iconoclastas.

— **Pere Gimferrer** (n. 1945), a quien ya citamos por su obra en castellano, es la figura más destacada de su generación. Su poesía, preciosista y nostálgica, está dominada por el tiempo y la muerte.

— Entre los nombres ya consolidados citaremos los de **Narcís Comadira**, **Feliu Formosa**, **Francesc Parcerisas**, **Miquel de Palol**, **Xavier Bru de Sala**, **Miquel Bauçà**, **Joan Margarit**, **María Mercè Marçal**, etc.

LA PROSA

● En los ***primeros años del siglo***, la narrativa combina rasgos realistas y naturalistas con rasgos modernistas. Dos tendencias corren paralelas: la novela *rural* y la *urbana*.

— La primera está representada, por ejemplo, por **Raimon Casellas** (*Els sots feréstecs*, 1901) o **Víctor Català** (*Solitud*, 1905).

— La novela urbana presenta acentos sociales en **Pere Corominas** o frescura costumbrista en *L'auca del senyor Esteve* (1907), de **Santiago Rusiñol**.

— En una línea personal, superadora del Naturalismo, se hallan los cuentos de **Joaquím Ruyra**, prosista de gran calidad.

● El ***Noucentisme***, como sabemos, está presidido por **Eugeni d'Ors**, prosista eminente tanto en su lengua materna como en castellano. En catalán escribió parte de su *Glosario* y una novela, *La ben plantada* (1911). Sin embargo, las tendencias novecentistas no resultaron propicias para la narrativa.

● Ya en los ***años 30***, surgirán novelistas eminentes, al lado de un prosista vario y singular como Josep Pla, que darán obras maestras también después de la guerra.

— Entre novelistas como J. Puig i Ferrater, C. Soldevila, S. J. Arbó, etc., destaca **Llorenç Villalonga** (1897-1980), aristócrata mallorquín, crítico de la burguesía de la isla o cronista de «un mundo que se acaba», su mundo aristocrático, en novelas que van de *Mort de dama* (1931) a la magistral *Béarn* (1961).

— **Josep Pla** (1897-1981) ocupa un lugar de excepción por su variada y dilatada labor. Desde 1920 cultiva la biografía (*Cambó*), la novela (*El carrer estret*), el cuento, el ensayo, el reportaje, el artículo periodístico..., aparte un importante libro de memorias, *El quadern gris*. En todos los campos, su estilo se muestra plástico, vivaz, sabrosísimo, inclasificable.

● Pasemos a la ***posguerra***. En los primeros años, como dijimos, las limitaciones de las publicaciones en catalán son muy fuertes. Algunos novelistas prosiguen su obra en el exilio; otros, en España, publican en castellano. En los años 50 y 60 van surgiendo nuevos autores, a la vez que prosiguen su obra los narradores de la generación de anteguerra. Citemos algunos.

— **Mercè Rodoreda** (1910-1983) es una figura fundamental. En el exilio escribe, entre otras, *La plaça del Diamant* (1962), obra cumbre de la posguerra, poética e intensa historia de una mujer antes, en y después de la guerra.

— En Cataluña, las tendencias son muy variadas: la creación imaginativa de **Joan Perucho**, el reflejo de problemas existenciales o la crítica social en **Maria-Aurèlia Capmany**, la fecundidad de **Manuel de Pedrolo**, que cultiva la novela policiaca, la filosófica, la experimental, etc., el aliento mágico de los cuentos de **Pere Calders**... Y muchos más (todos ellos nacidos entre 1910 y 1930).

● ***Las últimas promociones*** cuentan con no pocos novelistas. Las inquietudes renovadoras son bien visibles. Algunos de los rasgos que encontramos son la mezcla de realidad y fantasía, el intimismo, la tendencia a la prosa poemática, al lado de tonos irónicos o corrosivos, etc.

— Figuras especialmente destacadas serían **Baltasar Porcel** (*Els argonautes*, etc.) y **Terenci Moix** (*El dia que va morir Marilyn*, etc.).

— Otros autores: **Carme Riera**, **Josep Albanell**, **Montserrat Roig**, **Quim Monzó**, **Robert Saladrigas**, **Miquel de Palol...**

EL TEATRO

● A ***principios de siglo***, dos líneas dominan: un teatro social y de ideas (por influencia del noruego Ibsen) y un teatro simbolista (inspirado por el belga Maeterlinck). De ahí, el teatro social de Ignasi Iglesias y, sobre todo, el ***teatro modernista*** de Rusiñol y Gual.

— **Santiago Rusiñol** (1861-1931) es la figura clave del Modernismo catalán como pintor, escultor y escritor. Su teatro ofrece piezas poéticas, pero también sainetes populares.

— **Adrià Gual** (1872-1943) fue un gran renovador de la escenificación y autor de obras de línea simbolista.

● El *Noucentismo* y las *Vanguardias* no lograron consolidar nuevas aportaciones teatrales, pese a interesantes experiencias de Carner, Joan Oliver, etc. En cambio, surge entonces la figura «popular» (léase «taquillera») de **Josep Maria de Sagarra,** autor de comedias costumbristas o sentimentales y de un famoso drama de tesis, *La ferida lluminosa*.

● **Después de la guerra**, las ya aludidas dificultades se notan especialmente en el teatro, que no se recupera hasta cerca de 1960, gracias a iniciativas como la Escuela de Arte Dramático «Adrià Gual» y a diversos grupos teatrales como *Els Joglars*. En cuanto a tendencias y autores (y aparte Espriu, del que luego hablaremos), cabe destacar:

— Un ***teatro del absurdo*** representado por autores ya citados al hablar de otros géneros: **Joan Brossa** o **Pedrolo**.

— El paso de ***lo existencial*** a ***lo social*** está patente en las obras teatrales de **Maria-Aurèlia Capmany**.

— Una audiencia especialmente amplia alcanzan **Jordi Teixidor** con el *Retaule del flautista* (1970) o **Josep María Benet i Jornet** con *Relvolta de bruixes* (1976), entre otras obras.

— Citemos, en fin, a **Terenci Moix**, **Josep Lluís Sirera**, **Jaume Melendres, Sergi Belbel...**

III. LITERATURA GALLEGA

EVOLUCIÓN GENERAL

— ***En los primeros años***, los ecos del *Modernismo* se conjugan con *pervivencias decimonónicas*. Domina el reflejo de la vida y paisaje gallegos, aunque rara vez enfocados con mirada crítica.

— ***Hacia 1920*** surgen varias novedades. Por un lado, una *poesía vanguardista*. Otros poetas, en cambio, vuelven los ojos hacia la tradición medieval (*neotrovadorismo*). Y aparece el *grupo Nós*, de capital importancia para el ensayo y la narrativa.

— ***Tras la guerra***, hay un largo vacío. Hasta 1950, apenas se publica nada en gallego... salvo en la «quinta provincia» (Buenos Aires), donde viven exiliados grandes escritores.

— ***En 1951*** se produce un hecho decisivo: se funda la *editorial Galaxia*, fundamental en el resurgir literario. Desde entonces las ***corrientes*** que se suceden son análogas a las de otras literaturas hispanas: *existencialismo intimista, realismo social, experimentalismo...*

LA POESÍA

● ***A principios de siglo***, junto a la huella de los grandes poetas del XIX (Rosalía, Curros, etc.), hay una clara renovación, inspirada en el *Simbolismo* y el *Modernismo*: enriquecimiento del lenguaje, ritmos musicales... Pero el Modernismo gallego es de tipo intimista; en todo caso, es peculiar el cultivo de viejos temas célticos y el apego a las realidades regionales. Dos poetas presiden esta etapa: Noriega y Cabanillas.

— **Antonio Noriega Varela** (1869-1947), de honda formación humanística y de talante melancólico, es el poeta de lo humilde y del paisaje íntimo (*Do ermo*, etc.).

— **Ramón Cabanillas** (1876-1959) es un gran clásico tanto en la línea lírica como en la épica, en la intimidad melancólica, en la pintura de paisajes o en la evocación de leyendas célticas. Y siempre con un estilo lleno de color y de fuerza. Entre sus obras, citemos *Da terra asoballada*, *A rosa de cen follas, Caminos do tempo...*

● La ***poesía vanguardista*** tuvo un desarrollo tan brillante como breve: sus dos grandes representantes, Manoel Antonio y Amado Carballo, murieron muy jóvenes. En una línea creacionista o ultraísta, cultivan temas cosmopolitas (ya no locales) con imágenes audaces.

— **Manoel Antonio** (1900-1928) arremetió contra la tradición y el atraso de Galicia. Dejó un solo libro de versos, *De catro a catro*, cuyo irracionalismo no empaña su emoción ante el mar, como marino que fue.

— **Luis Amado Carballo** (1901-1927) destaca por su fuerza vital en libros como *Proel* y *O galo*.

— El anhelo renovador se manifiesta asimismo en un movimiento llamado ***Imaginismo***, representado por **Blanco Amor,** que brillaría más como novelista.

● Paralelamente a la vanguardia, se desarrollan otras tendencias: el ***Neotrovadorismo*** o retorno a las formas de los Cancioneros medievales (con Bouza Brey o Álvaro Cunqueiro) y la corriente ***humanista*** (Iglesia Alvariño, etc.).

— Inclasificable es **Luis Pimentel** (1895-1958), cantor de Lugo, de dolorido sentir y estilo perfecto. Su obra (*Sombra do aire na herba*) es cada vez más valorada.

● ***Tras la guerra***, tardarán en producirse novedades en Galicia. En cambio, en la Argentina, algunos exiliados cultivan una *poesía política*. Su principal representante es **Luis Seoane** (*Fardel d'eisiliado*).

● *En los años 50* surge una nueva generación de poetas, nacidos en torno a 1930, que cultivan, en un principio, *una poesía existencial* en la que la vieja «saudade» entronca con la nueva angustia.

— Esta *generación de 1950* está integrada, entre otros, por el importante y prolífico **Manoel María**, y por **Xohana Torres**, **Uxío Novoneyra**, **Franco Grande**, **Tovar Bobillo**, **Pura Vázquez...**

— Junto a ellos está el *grupo «Brais Pinto»*, constituido en Madrid por **Bernardino Graña**, **Xosé Luis Méndez Ferrín**, etc.

● Algunos de estos autores derivarán después hacia una poesía ***civil*** (o «social»), centrada, claro es, en los problemas sociales, políticos y culturales de Galicia. La cristalización de esta nueva corriente lleva una fecha: **1962**. Es el año en que aparece un libro clave en la evolución de la poesía gallega, *Longa noite de pedra*, de **Celso Emilio Ferreiro**, poeta de una generación anterior (había nacido en 1914) al que dedicaremos la LECTURA 19b.

— **Xosé Luis Méndez Ferrín**, ya citado, merece destacarse. Nacido en 1938, es acaso la figura más representativa de su generación. En sus poemarios, desde *Voce na néboa* (1957) a *Con pólvora y magnolias* (1976), se hallarán desde la angustia existencial a la lucha política, desde la poesía amorosa a las notas experimentales. Es, además, como veremos, importante novelista.

● En los últimos años, junto a la poesía civil, aparecen experiencias de renovación formal y de ampliación temática. Entre muchos otros, citemos los nombres de **Arcadio López Casanova**, **Salvador García Bodaño**, **F. Sesto Novás, Xoan Manuel Casado, Margarita Ledo, Ramiro Fonte, Miguel Anxo Fernán-Vello...**

LA PROSA

● Frente a la penuria de la prosa literaria en el siglo XIX y comienzos del XX, asistimos a un notable desarrollo ***a partir de 1920***. En ese año funda Vicente Risco la revista *Nós*, que aglutinará a importantes escritores. Desde una postura inicial cosmopolita y con rescoldos modernistas, pasarán a profundizar en el ser de Galicia. Tal es el caso del mismo **Risco** (autor de importantes ensayos de un galleguismo tradicionalista) y de las dos máximas figuras de la prosa gallega: **Otero Pedrayo** y **Castelao**.

— **Ramón Otero Pedrayo** (1888-1976) cultivó la poesía, el teatro, la erudición... Como narrador nos ha dejado, entre otros títulos, *Os camiños da vida*, novela en tres volúmenes sobre la Galicia señorial del XIX, en una prosa magistral.

— **Alfonso Rodríguez Castelao** (1886-1950) es, con Rosalía, una de las dos cimas más altas de las letras gallegas. Nació en Rianxo y murió exiliado en Buenos Aires. Fue también un espléndido dibujante de la realidad humana de Galicia. Aparte su teatro (véase luego), nos dejó deliciosos cuadros de la vida gallega (*Cousas*), cuentos (*Un ollo de vidro: Memorias dun esquelete, Retrincos*, etc.), una novela larga (*Os dous de sempre*) y, tras la guerra, dos libros espléndidos: *Sempre en Galiza*, meditaciones históricas y políticas, y *As cruces de pedra na Galiza*, monumental estudio sobre los «cruceiros». En conjunto, nadie ha calado como él en el alma de su pueblo y en sus problemas concretos. Son sus principales rasgos el amor a su tierra y a los desvalidos, un humor crítico de raíz popular y una lengua riquísima y llena de sabor.

● Tras la generación de *Nós* y de Castelao, viene una serie de narradores nacidos en torno a 1900 que aportarán novedades, sobre todo en el cuento: **Rafael Dieste**, **Ánxel Fole** y otros. Algunos de ellos habían de producir su obra más importante ya en la posguerra: así, Cunqueiro y Blanco Amor.

— **Álvaro Cunqueiro** (1911-1981) es, por su riquísima fantasía, un precursor del «realismo mágico» con obras como *Merlín e familia* (1955), *As crónicas do sochantre* (1956), etc. (Es también importante novelista en castellano.)

— **Eduardo Blanco Amor** (1897-1979), también poeta y autor de cuentos, publicó en 1959, en Argentina, una impresionante novela: *A esmorga* («La parranda»), una de las cimas de la narrativa gallega. Posterior aún es *Xente ao lonxe* (1972), amplio fresco de problemas de su país.

● ***A partir de 1960***, la narrativa recibe nuevos impulsos. Ante todo, de América nos llega otra obra maestra, modelo de ***realismo social***: *Memorias dun neno labrego*, de Neira Vilas, la novela de mayor impacto de la guerra acá.

— **Xosé Neira Vilas** (n. 1928), hijo de campesinos, emigró joven a Argentina y luego a Cuba. De sus recuerdos y de sus reflexiones sobre la realidad social gallega surge su citada novela, vida de un niño contada en primera persona. La sencillez de su estilo, adaptado a la índole del protagonista, la visión de la realidad aldeana con sus desigualdades y miserias, etc., hacen que haya sido considerada como la mayor narración en gallego desde los relatos de Castelao. El autor ha escrito cuentos y otras novelas como *Cartas a Lelo*, *Aqueles anos de Moncho*, etc.

Tanto literaria como gráficamente, Castelao es el gran retratista de la realidad gallega. Esta obra suya se titula La rebotica del pueblo.

● En Galicia, en los años 60 surge una **«*Nova narrativa*»** que incorpora las principales innovaciones formales europeas y americanas (Kafka, Faulkner, el «*nouveau roman*»...). No son pocos los autores que publican obras de interés. Destacaremos a dos de ellos y enumeraremos a otros que merecerían mayor atención.

— **X. L. Méndez Ferrín,** ya citado como poeta, se inició en un «realismo mágico» a lo Cunqueiro con *Perceval e outras historias* (1959). Posteriormente, encabeza la novela experimental, con elementos simbólicos, kafkianos, etc. *(Retorno a Tagen Ata,* 1971, etc.). Luego, se ha inclinado por una narración más directa y de intención social *(Antón e os iñocentes,* 1976).

— **Carlos Casares** (n. 1941) es un fino escritor que ha combinado el experimentalismo y el testimonio en novelas como *Cambio en tres* (1969), *Xoguetes pra un tempo prohibido* (1975), etc.

— Otros novelistas destacados serían **Víctor F. Freixanes** (*O triángulo inscrito na circunferencia,* 1982), **Alfredo Conde** (*Xa vai o griffón no vento,* 1984), **Anxo Rei Ballesteros** *(Loaira),* **Manuel Rivas** *(En salvaxe compañía),* **Suso de Toro** *(Tic-Tac),* **Suárez-Llanos**, **Xoan Ignacio Taibo**, **Paco Martín,** etc.

EL TEATRO

● La producción dramática en gallego es escasísima antes de la guerra: sólo algunos intentos encomiables de autores ya citados como Cabanillas, Otero Pedrayo, Rafael Dieste o Ánxel Fole.

● En la ***posguerra*** seguirá siendo el género menos favorecido. Sin embargo, en 1941 se estrena en Buenos Aires *Os vellos non deben de namorarse*, de **Castelao**, que es sin disputa la obra cumbre de todo el teatro gallego.

Es una farsa de máscaras en tres partes que cuenta las historias de otros tantos viejos víctimas de pasiones intempestivas. Con sus personajes inolvidables, su síntesis de realidad e imaginación y su lenguaje terruñero y poético, Castelao alcanza una altura vecina a la de un Valle o un Lorca.

● Posteriormente, ha ido creciendo en Galicia el interés por el teatro: actividades de diversos grupos, constitución de una «Escola Dramática» (dirigida por M. Lourenzo), desarrollo anual de una «Mostra de Teatro Galego», etc.

— Varias son las tendencias que se dan: la fantasía o las evocaciones al modo de Cunqueiro (como en el *Orestes*, de **López Casanova**), el teatro poético (*Vieiro choído*, de Franco Grande), la protesta social... Esta última tendencia ha tenido un claro auge con obras como *Vinte mil pesos crime*, de **Bernardino Graña**, y otras de **Xohana Torres**, **Xenaro Mariñas**, etc.

— Especial dedicación al teatro es la de **Manuel Lourenzo** (*O mestre*, *Traxicomedia do vento de Tebas namorado dunha forca*...), o la de **E. Rodríguez Ruibal**, **Camilo Valdeorras**, **R. Vidal Bolaño**...

IV. LITERATURA VASCA

SITUACIÓN Y DESARROLLO GENERAL

● La literatura vasca no ha contado con un desarrollo comparable al de las letras catalanas y gallegas. Varias circunstancias lo explican. Por una parte, el número de hablantes del vascuence (que ronda los 700.000) imponía un límite para las empresas editoras. Por otra, el euskera había quedado reducido a lengua familiar y rústica, muy dialectalizada y con escasa consideración literaria: es sintomático que grandes escritores vascos hayan escrito en castellano (desde Unamuno o Baroja a Celaya o Blas de Otero).

— ***Antes de la guerra***, hay que señalar esfuerzos por fomentar la creación en vasco, como los de la Academia de la Lengua Vasca (creada en 1918) o la constitución del grupo *Euskaltzaleak* (Amigos del Euskera) en 1927.

— ***Tras la guerra***, hay un largo vacío. Habrá que esperar a los años 60 para asistir a un movimiento de notable intensidad: editoriales, revistas, autores jóvenes, renovación de temas y formas. En el campo lingüístico hay que destacar los trabajos para fijar un «vasco unificado» (*euskera batua*) por encima de las variedades dialectales, como ocurre con todos los idiomas cultos. En fechas más recientes, la cooficialidad del vasco y su enseñanza en las escuelas aseguran su vitalidad y hacen crecer el número de sus hablantes.

LA POESÍA

● ***Hasta 1936***, la producción poética sigue, en parte, por cauces decimonónicos, amparada por los Juegos Florales; pero hay intentos de abrir caminos más actuales que la guerra truncaría. Entre diversos rimadores de escaso interés destacan las notables figuras de **Urquiaga** y **Ormaetxea**, pero la gran figura del momento es **José M. Aguirre**.

— **Nicolás de Ormaetxea**, «Orixe» (1888-1961), representa los enfoques tradicionales en su largo poema *Euskaldunak*, canto al pueblo vasco.

— **Esteban Urquiaga**, «Lauaxeta» (1905-1937), combinó la raíz popular y la estilización culta como ciertos poetas del 27. Era un nuevo camino que truncó su fusilamiento en plena juventud.

— **José María Aguirre**, «Lizardi» (1896-1933), pese a su temprana muerte, es una de las cimas de la lírica vasca. El sentido de la naturaleza y la emoción contenida caracterizan su libro *Biotz-Begietan* («En el corazón y en los ojos», 1932). Su tono depurado, nuevo, hace pensar en ciertas notas de un Juan Ramón Jiménez.

● ***En la posguerra***, durante una época (años 50), la poesía continuará tendencias anteriores; pero, en algunos poetas, aparecen temas más del momento, en particular notas de angustia existencial. Así, en **Jon Mirande** o **Mikel Lasa**.

● ***Desde 1960***, una nueva figura dominará la poesía vasca: es **Gabriel Aresti**, al que dedicamos la LECTURA 19c.

El desarrollo industrial de amplias zonas del País Vasco tiene su reflejo en la literatura de los años sesenta (Astilleros de Bilbao).

● A partir de Aresti destacarán dos direcciones: por un lado, ***una poesía social***; por otro, ***una poesía más preocupada por lo formal***. Pero ambas tendencias pueden darse en un mismo autor, sucesivamente o a la vez.

— Consignemos algunos de los poetas que han destacado (la mayoría nacidos después de 1940): **Xabier Lete**, **Ibon Sarasola**, **José A. Arze**, **Juan Mari Lekuona**, **Tere Irastorza**...

LA NARRATIVA

● La novela carecía de tradición en euskera. En nuestro siglo son muy contados los títulos que se publican ***antes de la guerra*** y se trata de obras fieles al modelo de la novela regionalista del siglo anterior. Sólo recordaremos el nombre de **Domingo Aguirre**.

— El padre **Aguirre** (1864-1920) puede considerarse el fundador de la novela vasca con obras como *Kresala* («Agua marina», 1906), de ambiente marinero, y *Garoa* («El helecho», 1912), de ambiente rural. Son novelas de costumbres muy idealizadas en las que destaca la plasticidad de visión y la viveza del idioma.

- La línea costumbrista se prolongará todavía en la posguerra, pero no tardarán en aparecer impulsos renovadores. Así, habrá una reacción contra el ruralismo tradicional y se dirigirá la mirada hacia los *problemas del mundo urbano e industrial*. A la vez, se producirá una *búsqueda de nuevas formas*, inspirada en las corrientes renovadoras de la novela europea o americana. El iniciador de ***la nueva narrativa vasca*** es **José Luis Álvarez Emparanza**, al que seguirán un buen número de escritores en los últimos veinticinco años.

—**Álvarez Emparanza**, «Txillardegi» (n. 1929), sorprendió en 1957 con *Leturiaren egunkari ezkutua* («Diario secreto de Leturia»), novela existencial de ambiente urbano, a la que han seguido obras como *Peru Leartzako* o *Elsa Schleen*, de temática muy actual.

—Entre los más jóvenes destaquemos a **Ramón Saizarbitoria** (n. 1944), que combina novedades técnicas y carga política en *Ehun metro* («Cien metros»), etc., y a **Ángel Lertxundi** (nacido en 1948), que incorpora el «realismo mágico».

—Otros narradores: **Joseba Sarrionaindía, Koldo Izaguirre**, **Mario Onaindía**, **Patri Urkizu**, **Arantxa Urretabizkaia**, etc. Destaquemos una gran novela de los últimos años: *Obabakoak* de **Bernardo Atxaga.**

EL TEATRO

- Su desarrollo ha sido especialmente precario. Comenzó a fines de siglo con obras costumbristas o históricas. En esa línea se sitúan, por ejemplo, autores que van de **Toribio Alzaga** (1861-1941) a **Antonio María Labayen** (n. 1898). El segundo, director de la revista *Antzerti* («Teatro»), sería más tarde, ya en los años 60, traductor al vasco de Brecht, Ionesco, etc.

- Para la renovación del teatro, sería esencial la creación, en 1960, del ***grupo Jarrai***, que estableció un fecundo contacto con las nuevas formas dramáticas europeas. Pronto surgirían otros grupos de teatro independiente, entre los que ha destacado *Akelarre*, de Bilbao, famoso por su creación colectiva *Irrintzi*, que combina palabra, expresión corporal, música y danza.

- En cuanto a los autores, al mismo **Gabriel Aresti**, del que enseguida nos ocuparemos, se deben varias interesantes piezas; pero acaso el acontecimiento más señalado de los años 60 fuera la aparición de *Historia triste bat* («Una historia triste»), 1965, de **Salvador Garmendia** (n. 1932), obra fuerte que rompe con el teatro tradicional. Entre los autores surgidos desde entonces, citemos a **Lourdes Iriondo, Luis Haranburu Altuna**, **Bernardo Atxaga...**

Merienda vasca, *de Juan Echevarría.*

SALVADOR ESPRIU (19a)

Salvador Espriu.

PERSONALIDAD

Nació en Santa Coloma de Farners (Girona), en 1913, y pasó su infancia en Arenys de Mar (*Sinera* en su obra) y en Barcelona. Estudió Derecho e Historia. Comienza a publicar en los años 30, pero es ya en la posguerra cuando alcanza un primerísimo puesto. Su obra, considerable y variada, mereció el Premio de Honor de las Letras Catalanas. Sin embargo, quiso vivir al margen de grupos, manifestaciones públicas y honores, entregado a su obra y hondamente preocupado por los problemas de la condición humana, de su tiempo y de su tierra. Muere en 1985.

OBRA NARRATIVA

El primer género cultivado por Espriu fue el cuento. De 1931 es *Dr. Rip*, al que siguieron otros libros recogidos en el volumen *Narracions* (1965).

Su ***temática*** dominante —como en otras obras suyas— gira en torno a lo absurdo de la vida, en la que se agitan *titelles* (marionetas) arrastradas por el tiempo hacia la muerte. La ***prosa*** de Espriu es de una pureza y una tersura magistrales y deriva hacia el poema en prosa.

EL TEATRO

Su obra dramática es corta pero importante. De raíces clásicas y bíblicas son *Antígona* (1939), y *Primera història d'Esther* (1948), que giran en torno al tema de la guerra civil, «el pecado de la lucha entre hermanos», al que Espriu opone el amor y la voluntad de paz. La segunda, por la complejidad de construcción y por la riqueza y perfección de su prosa, es una de las cimas del teatro catalán.

Añadamos *Ronda de mort a Sinera*, hermoso espectáculo con textos de diversos libros de Espriu, montado por Ricard Salvat en 1966. Y su última obra, *Un altra Fedra, si us plau* (1972), desmitificación del famoso mito griego.

OBRA POÉTICA

Cementiri de Sinera (1946), su primer poemario, responde a «una meditación constante y obsesiva sobre la muerte»; con tono elegíaco canta su infancia perdida, o todo lo acabado y destruido.

- Tras otros libros (de *Les hores*, 1952, a *Final del laberint*, 1955), el tono desconsolado va dejando paso al sentimiento de solidaridad y al deber de trabajar por un mundo más habitable.
- *La pell de brau* (1960) marca una nueva orientación en su obra y —como sabemos— en la poesía catalana. El tema es ahora España, esa *piel de toro* marcada por la guerra y sus secuelas. Contra la injusticia, la intolerancia y la discordia, Espriu alza su llamada a construir «los puentes del diálogo» y proclama sus anhelos de paz, trabajo fecundo y libertad.
- Con los libros siguientes (*Llibre de Sinera*, *Setmana Santa*), Espriu sigue siendo conciencia de su pueblo pero sin olvidar los otros temas que le obsesionaban desde siempre.
- El estilo de Espriu se define, sobre todo, por la densidad y la gravedad de tono. Espriu huye de los halagos sensoriales y sonoros para elaborar un lirismo sobrio, contenido, aunque intenso. Su lengua, cargada de significación y de valores evocativos, es fruto de un trabajo riguroso.

Espriu ha sido, en fin, uno de los máximos modelos para los poetas catalanes contemporáneos.

POESÍAS

(Las traducciones literales al castellano que acompañan a los textos se deben a José Batlló.)

Un poema de *La pell de brau*

Véase una muestra de este libro capital, en que se manifiesta la necesidad de comprensión y de concordia. El poema comienza con dos versos que son la hermosa afirmación de un mismo amor por encima de las diferencias culturales o lingüísticas.

DIVERSOS SÓN ELS HOMES
I DIVERSES LES PARLES...

Diversos són els homes i diverses les parles,
i han convingut molts noms a un sol amor.

La vella i fràgil plata esdevé tarda
parada en la clamor damunt els camps.

5 La terra, amb paranys de mil fines orelles,
ha captivat els ocells de les cançons de l'aire.
Sí, comprèn-la i fes-la teva, també,
desde les oliveres,
l'alta i senzilla veritat de la presa veu del vent:
10 «Diverses són les parles i diversos els homes,
i convindran molts noms a un sol amor.»

DIVERSOS SON LOS HOMBRES
Y DIVERSAS LAS HABLAS...

Diversos son los hombres y diversas las hablas,
y han convenido muchos nombres a un solo amor.

La vieja y frágil plata se convierte en tarde
detenida en la claridad sobre los campos.

La tierra, con trampas de mil finos oídos,
ha cautivado a los pájaros de las canciones del aire.
Sí, comprende y haz tuya, también,
desde los olivos,
la alta y sencilla verdad de la prisionera voz del viento:
«Diversas son las hablas y diversos los hombres,
y convendrán muchos nombres a un solo amor.»

«Inici de càntic al temple»

En sus Obres completes, I *(1968), incluye Espriu poemas como este «Inicio de cántico en el templo». Es una bellísima composición en donde el lirismo cobra un amplio y hondo alcance. Las preocupaciones del poeta se muestran aún más positivas, firmes y esperanzadas.*

Ara digueu: «La ginesta floreix,
arreu als camps hi ha vermell de roselles.
Amb nova falç comencem a segar
el blat madur i, amb ell, les males herbes.»
5 Ah, joves llavis desclosos després
de la foscor, si sabíeu com l'alba
ens ha trigat, com és llarg d'esperar
un alçament de llum en la tenebra!
Però em viscut per salvar-vos els mots,
10 per retornar-vos el nom de cada cosa,
perquè seguíssiu el recte camí
d'accés al ple domini de la terra.
Vàrem mirar ben al lluny del desert,
davallàvem al fons del nostre somni.
15 Cisternes seques esdevenen cims
pujats per esglaons de lentes hores.
Ara digueu: «Nosaltres escoltem
les veus del vent per l'alta mar d'espigues.»
Ara digueu: «Ens mantindrem fidels
20 per sempre més al servei d'aquest poble.»

Decid ahora: «La retama florece,
por todo el campo hay rojo de amapolas.
Con la nueva hoz empecemos a segar
el trigo maduro y, con él, las malas hierbas.»
Ah, jóvenes labios que se han abierto después
de la oscuridad, ¡si supierais cuán tarde
ha llegado el alba, cuán larga es la espera
de un levantamiento de luz en la tiniebla!
Mas hemos vivido para salvaros las palabras,
para devolveros el nombre de cada cosa,
para que sigáis el recto camino
de acceso al pleno dominio de la tierra.
Miramos en la lejanía del desierto,
descendíamos al fondo de nuestro sueño.
Secas cisternas se convierten en cumbres
ascendidas por escalones de lentas horas.
Decid ahora: «Nosotros escuchamos
las voces del viento por el alto mar de espigas.»
Decid ahora: «Nos mantendremos por siempre fieles
al servicio de este pueblo.»

CELSO EMILIO FERREIRO (19b)

EL HOMBRE

Nació en Celanova (Orense), en 1914. Hizo estudios de Derecho y ejerció diversos empleos hasta que, como tantos, emigró a América. El contacto con los emigrantes gallegos le llevó al convencimiento de que había que estar en Galicia, adonde volvió y donde fue una figura clave de la cultura hasta 1979 en que murió.

● Era un hombre recio y vital, en gran parte autodidacto. Hizo gala de sus raíces populares. De raíz popular es, por ejemplo, la socarronería gallega que aparece en sus versos, alternando con la más seria protesta.

LA OBRA

No temamos insistir en los paralelismos: la evolución de C. E. Ferreiro presenta ***etapas*** que hemos visto en poetas castellanos (Blas de Otero) o catalanes (Espriu).

● Tras un libro inicial de preguerra (*Cartafol de poesía*, 1935) que combinaba «imaginismo» y «neotrovadorismo», publica en 1958 *0 sono sulagado*, contribución a la poesía de angustia existencial.

● Al poco, propondrá un camino nuevo: abandono del ruralismo tradicional y de la «saudade» para «sumergirse —dice— en el mundo social de nuestra tierra, en los problemas vivos de nuestro tiempo, en las angustias de nuestras gentes».

● Así, con *Longa noite de pedra* (1962) se incorporará a una línea de poesía civil cuyos antecedentes gallegos serían Curros Enríquez en el siglo XIX y, en la posguerra, ciertos poetas exiliados como Seoane. *Longa noite de pedra* es, sin duda, el libro más famoso de la poesía gallega actual, con varias ediciones bilingües (caso paralelo al de *La pell de brau*, de Espriu). En él se enfrenta el poeta, en efecto, con los problemas seculares de las gentes humildes de Galicia: su miseria, su necesidad de emigrar, etc. El lenguaje es directo, desgarrado, sarcástico a veces y con algunas imágenes de gran fuerza.

● En su libro siguiente, *Viaxe ao país dos ananos* (1968), escrito en América, hay un enfoque nuevo de la emigración: el desarraigo convierte a los hombres en «enanos», víctimas de una nueva explotación. Y el poeta grita que el trabajador gallego debe encontrar un puesto en Galicia.

● En obras posteriores (*Onde o mundo se chama Celanova*, etc.), se amplían los temas y los tonos, y crece la preocupación formal. Junto a la vena de protesta, el lirismo cobró mayor importancia. Pero el apasionado amor a Galicia, a sus tierras y a sus gentes siguió presidiendo hasta el fin el quehacer poético de Celso Emilio Ferreiro.

Celso Emilio Ferreiro, el más destacado representante de la poesía social gallega.

POESÍAS

(Versión castellana del autor.)

Galicia y su lengua: «Echado frente al mar...»

Es un gran poema de Longa noite de pedra, *acaso el más conocido y, sin duda, una de sus composiciones centrales por la temática y la actitud del poeta. Arranca del tema de la propia lengua y nos da las razones para aferrarse a ella, que no son sino la voluntad de estar cerca de su pueblo, cerca de los hombres que sufren. Este poema, por sí solo, resume la obra de Ferreiro en su etapa cumbre. Obsérvese el tono directo, apasionado, reforzado por una retórica elemental y eficaz (paralelismos, anáforas), en donde aparecen, sin embargo, algunas imágenes atrevidas (versos 27-28).*

DEITADO FRENTE AO MAR...

Lingoa proletaria do meu pobo
eu fáloa porque sí, porque me gosta,
porque me peta e quero e dame a gaña;
porque me sai de dentro, alá do fondo
5 de unha tristura aceda que me abrangue
ao ver tantos patufos desleigados.
pequenos mequetrefes sin raíces
que ao pór a garabata xa non saben
afirmarse no amor dos devanceiros,
10 falar a fala nai,
a fala dos abós que temos mortos,
e ser, co rostro erguido,
mariñeiros, labregos do lingoaxe,
remo i arado, proa e rella sempre.
15 Eu fáloa porque sí, porque me gosta
e quero estar cos meus, coa xente miña,
perto dos homes bós que sofren longo
unha historia contada en outra lingoa.
Non falo pra os soberbios,
20 nos falo pra os ruís e poderosos,
non falo pra os finchados,
non falo pra os estúpidos,
non falo pra os valeiros,
que falo pra os que agoantan rexamente
25 mentiras e inxusticias de cotío;
pra os que súan e choran
un pranto cotidián de volvoretas,
de lume e vento sobre os ollos núos.
Eu non podo arredar as miñas verbas
30 de todos os que sofren neste mundo.
E ti vives no mundo, terra miña,
berce da miña estirpe,
Galicia, doce mágoa das Españas,
deitada frente ao mar, ise camiño...

ECHADO FRENTE AL MAR...

Lengua proletaria de mi pueblo
la hablo porque sí, porque me gusta,
porque se me antoja, quiero y me da la gana;
porque me sale de dentro, allá del fondo
de una tristeza ácida que me inunda
al ver tantos necios descastados,
pequeños mequetrefes sin raíces
que al ponerse la corbata ya no saben
afirmarse en el amor de los antepasados,
hablar la lengua madre,
la lengua de los abuelos que están muertos,
y ser, con el rostro erguido,
marineros, labriegos del lenguaje .
remo y arado, proa y reja siempre.
La hablo porque sí, porque me gusta
y quiero estar con los míos, con mi gente,
cerca de los hombres buenos que sufren largamente
una historia contada en otra lengua.
No hablo para los soberbios,
no hablo para los ruines y poderosos,
no hablo para los vanidosos,
no hablo para los estúpidos,
no hablo para los vacíos,
hablo para los que soportan reciamente
mentiras e injusticias sin cesar;
para los que sudan y lloran
un llanto cotidiano de mariposas,
de fuego y viento sobre los ojos desnudos.
No puedo apartar mis palabras
de todos los que sufren en este mundo.
Y tú vives en el mundo, tierra mía,
cuna de mi estirpe,
Galicia, dulce pena de las Españas,
tendida junto al mar, ese camino...

«Eiquí será» ('Aquí será')

Junto a poemas de tono tan recio como el anterior, hay en Longa noite de pedra *composiciones en las que el amor a su tierra adquiere modulaciones de un fino lirismo y una emoción hondamente personal. Así, estos versos en que manifiesta la voluntad de morir en su hermosa Galicia, evocada de forma entrañable. Y así fue: Celso Emilio Ferreiro murió y reposa en su Celanova natal.*

	Quero morrer eiquí (cando me chegue	*Quiero morir aquí (cuando me llegue*
	a hora da viaxe que me agarda).	*la hora del viaje que me espera).*
	Eiquí niste silencio	*Aquí en este silencio*
	de pompas arroladas,	*de palomas arrulladas,*
5	niste vento que dorme nos piñeiros	*en este viento que duerme en los pinos*
	un profundo sono de arelanzas.	*un profundo sueño de anhelos.*
	Quero morrer eiquí cos ollos postos	*Quiero morir aquí con los ojos puestos*
	no fumegar das tellas, na borralla	*en el humear de las tejas, en el rescoldo*
	do tempo, frente a frente	*del tiempo, frente a frente*
10	de min, aberta a ialma	*de mí, abierta el alma*
	aos latexos das horas, nunha tarde	*al latir de las horas, en una tarde*
	ateigada de arpas.	*llena de arpas.*
	Van e veñen as nubes viaxeiras,	*Van y vienen las nubes viajeras,*
	as anduriñas pasan.	*las golondrinas pasan.*
15	O pandeiro da chuvia	*El pandero de la lluvia*
	repenica unha maina	*florea una mansa*
	melodía de outono,	*melodía de otoño,*
	que no roncón do río se acompasa.	*que se acompasa en el roncón del río.*
	Querro morrer eiquí. Ser sementado	*Quiero morir aquí. Ser sembrado*
20	nesta miña bisbarra.	*en ésta mi comarca.*
	Finar eiquí o meu cansacio acedo,	*Acabar aquí mi cansancio amargo,*
	pousar eiquí pra sempre as miñas azas.	*posar aquí para siempre mis alas.*

GABRIEL ARESTI (19c)

EL HOMBRE Y SU SIGNIFICACIÓN

Nació en Bilbao (1933) y murió, joven, en esa misma ciudad (1975). No habló el vasco hasta los doce años, en que se puso a estudiarlo por su cuenta. Ello le convirtió en símbolo de los jóvenes que se resistían a que el euskera estuviese amenazado de extinción. Con el tiempo, Aresti se convertiría en la primera figura de la poesía en su lengua y en miembro activo de la Academia de la Lengua Vasca.

● Ejerció un papel importante en la *unificación de la lengua literaria:* tomó como base el habla viva, popular pero filtrada con un criterio científico tan alejado del vulgarismo como del purismo artificial. El resultado, aunque criticado por sectores tradicionales, es decisivo.

LA POESÍA

Tras una serie de poemas aparecidos en revistas, Aresti publica en 1960 su primer libro, que seguirá siendo su obra cumbre, aunque no la más famosa: *Maldan behera* («Pendiente abajo»). Sus casi dos mil versos, distribuidos en veintiún cantos, componen un relato mítico y épico, protagonizado por un héroe o superhombre. El conjunto, de complejas dimensiones simbólicas y fascinante elaboración estilística, no tuvo, en un primer momento, la acogida que merecía y la valoración que le habría de dar la crítica. Tal vez por ello, unido a una crisis religiosa e ideológica, Aresti se planteó la necesidad de una poesía de alcance mayoritario.

● Así, en 1964, publica *Harri eta Herri* («Piedra y pueblo»), su libro más famoso. Su significación para la poesía vasca es semejante a la que tenían, en Cataluña o Galicia, los libros de Espriu y Ferreiro que hemos puesto de relieve en las LECTURAS precedentes. O mayor aún: con esta obra se inicia una nueva etapa para la literatura en euskera. En esta misma línea —cuyas características veremos enseguida— se situarán obras posteriores de Aresti como *Euskal Harria* («Piedra vasca»), *Harrizko Herri hau* («Este pueblo de piedra») y *Azken Harría* («Última piedra»).

● La nueva poesía de Aresti aborda ***temas nuevos***, actuales, inmediatos. Es decisiva su preferencia por los asuntos sacados del ambiente urbano (frente al ruralismo dominante en otras épocas). Su enfoque es claramente social; en cierta ocasión dijo que la poesía era, para él, «un medio didáctico de educación de masas». Señalemos su postura nacionalista avanzada. Pero todo ello es compatible con hondos poemas personales, autobiográficos.

● ***En lo formal***, Aresti introdujo el verso libre y el lenguaje conversacional, dos absolutas novedades en la poesía vasca (en ello hay que ver la influencia de su paisano Blas de Otero). La raíz popular y la fuerza expresiva son rasgos esenciales de su estilo.

● Tales características de expresión y contenido le dieron pronto tal fama entre los jóvenes (y no sólo entre ellos), que muchos de sus poemas se convirtieron en canciones. Hoy es ya un clásico.

DOS POEMAS

He aquí dos muestras de Harri eta Herri *(«Piedra y pueblo»). El primer poema, titulado «Mi nombre», es un buen ejemplo de estilo coloquial, cuya aparente desenvoltura oculta una indudable gravedad.*

En el segundo poema, la actitud de disconformidad política y social se reviste de un tono irónico. En este caso es patente cómo en la traducción se pierden los efectos de ritmo y sonoridad.

NIRE IZENA

Hiltzen naizenean egonen da
nire lauzaren gainean eskribu hau:
Hemen datza Gabriel Aresti Segurola. Goian bego.
Perez y Lopez. Marmolistas. Derio.
5 Bizkaiko Bibliotekan ere egonen da
(deskomekatzen ezpanaute),
liburu bat (behar-bada, ezta seguru),
inork letuko eztuena,
nire izenarekin. Eta
10 gizon batek esanen du kardanberak loratzen

MI NOMBRE

Cuando yo me muera se podrá leer
la siguiente inscripción encima de mi tumba:
Aquí yace Gabriel Aresti Segurola. En paz descanse.
Pérez y López. Marmolistas. Derio.
Habrá también en la Biblioteca Provincial de Vizcaya
(si no me excomulgan antes),
un libro (acaso, no es seguro),
que nadie leerá,
con mi nombre.
Y un hombre dirá cuando florezcan los cardos:

direnean:
Nire aitak esaten zuen bezala, nik ere...
(Andre bat etorriko zait Done Santuru oro
lore koroa batekin).
15 Jainkoak eztezala nahi Bilboko karrika bati
nire izenik eman dezaiotela.
(Eztut nahi bizargile hordi batek esan dezala:
Ni Arestin bizi naiz, anaiaren
koinata nagusiarekin, Badakizu. Maingua.)
20 Batzutan esan zaharrak erratzen dira.
Pensatzen dut nire izena
nire izana dela,
eta eznaizela ezer ezpada
nire izena.

Como decía mi padre, yo también...
(Me vendrá todos los años una mujer por Todos los Santos
con una corona de flores.)
No quiera Dios que pongan mi nombre a una calle de Bilbao.
(No quiero que un barbero borracho pueda decir:
Yo vivo en Aresti con la cuñada
vieja de mi hermano. Ya sabes. Con la coja.)
A veces los viejos decires se equivocan.
Pienso que mi nombre
es mi ser,
y que no soy
sino mi nombre.

NI NAIZ BEHIN...

Ni naiz behin
esan nuena:
Gu bizi garen munduan,
gizarte honetan,
5 *zuzenbidea*
debekaturikan
dago.
Jainkoak ailiotsa
arnoa eta gazna
10 debeka
ezlezaten,
ura eta ogia
debeka
ezlezaten.
15 Gaur diot hau.
Bai. Nik.

YO SOY QUIEN...

Yo soy quien
dijo:
En este mundo en que vivimos,
en esta sociedad,
la justicia
está
prohibida.
Que Dios no quiera
que prohíban
el vino
y el queso,
que prohíban
el agua
y el pan.
Esto lo digo hoy.
Sí. Yo.

REFERENCIAS BIBLIOGRÁFICAS

Se indica a continuación la procedencia de los textos seleccionados. En ciertos casos, cuando una obra es cara o difícil de hallar, damos otra edición más asequible o accesible pensando en los alumnos que deseen ampliar la lectura.

Edad Media

2a Anónimo:

- *Poema de Mio Cid.* Edición de Colin Smith. Ed. Cátedra. (Col. Letras Hispánicas, n.º 35.)

2b Gonzalo de Berceo:

- *Milagros de Nuestra Señora.* Edición de Michael Gerli. Ed. Cátedra. (Col. Letras Hispánicas, n.º 224.)
- *Milagros de Nuestra Señora.* Versión de D. Devoto. Ed. Castalia. (Col. Odres Nuevos, n.º 7.)

3a Don Juan Manuel:

- *El conde Lucanor.* Edición de Alfonso I. Sotelo. Ed. Cátedra. (Col. Letras Hispánicas, n.º 53.)

3b Juan Ruiz, Arcipreste de Hita:

- *Libro de Buen Amor.* Edición de Francisco Rico. Ed. Cátedra. (Col. Letras Hispánicas, n.º 70.)

4a Jorge Manrique:

- *Poesía.* Edición de Jesús Manuel Alda Tesán. Ed. Cátedra. (Col. Letras Hispánicas, n.º 38.)
- *Poesía completa.* Edición de V. Beltrán. Ed. Planeta.

4b Anónimo:

- *Lírica española de tipo popular (Edad Media y Renacimiento.)* Edición de Margit Frenk Alatorre. Ed. Cátedra. (Col. Letras Hispánicas, n.º 60.)

4c Anónimo:

- *Romancero.* Edición de Julián Ávila Arellano. Ed. Anaya. (Col. Biblioteca Didáctica, n.º 5.)

4d Fernando de Rojas:

- *La Celestina.* Edición de Francisca Domingo del Campo. Ed. Anaya. (Col. Biblioteca Didáctica, n.º 11.)

Siglos de Oro

Siglo XVI

6a Varios autores:

- *Antología poética de los siglos XV y XVI.* Edición de V. Tusón. Ed. Anaya. (Col. Biblioteca Didáctica, n.º 21.)

Garcilaso de la Vega:

- *Poesías castellanas completas.* Edición de Elías L. Rivers. Ed. Castalia. (Col. Clásicos Castalia, n.º 6.)

6b Fray Luis de León:

- *Poesías.* Edición de Juan Francisco Alcina. Ed. Cátedra. (Col. Letras Hispánicas, n.º 184.)

6c San Juan de la Cruz:

- *Poesía.* Edición de Domingo Ynduráin. Ed. Cátedra. (Col. Letras Hispánicas, n.º 178.)

6d Anónimo:

- *Lazarillo de Tormes.* Edición de Ángel Basanta. Ed. Anaya. (Col. Biblioteca Didáctica, n.º 1.)

Siglo XVII

6e Miguel de Cervantes:

- *Don Quijote de la Mancha.* Edición de Ángel Basanta. Ed. Anaya. (Col. Biblioteca Didáctica, núms. 24 y 25.)

7a Varios autores:

- *Antología de la poesía barroca.* Edición de Vicente Tusón. Ed. Anaya. (Col. Biblioteca Didáctica, n.º 16.)

Luis de Góngora:

- *Poesía.* Edición de J. M. Caballero Bonald. Ed. Taurus. (Col. Temas de España, n.º 10.)
- *Antología poética.* Edición de Antonio Carreira. Ed. Castalia. (Col. Castalia Didáctica, n.º 13.)
- *Fábula de Polifemo y Galatea.* Edición de Alexander A. Parker. Ed. Cátedra. (Col. Letras Hispánicas, n.º 171.)
- *Letrillas.* Edición de Robert Jammes. Ed. Castalia. (Col. Clásicos Castalia, n.º 101.)
- *Romances.* Edición de Antonio Carreño. Ed. Cátedra. (Col. Letras Hispánicas, n.º 160.)
- *Sonetos completos.* Edición de Biruté Ciplijauskaité. Ed. Castalia. (Col. Clásicos Castalia, n.º 1.)
- *Soledades.* Edición de John Beverley. Ed. Cátedra. (Col. Letras Hispánicas, n.º 102.)

7b Francisco de Quevedo:

- *Poesía varia.* Edición de James O. Crosby. Ed. Cátedra. (Col. Letras Hispánicas, n.º 134.)
- *El Buscón.* Edición de Domingo Ynduráin. Ed. Cátedra. (Col. Letras Hispánicas, n.º 128.)

— Ed. Castalia. (Col. Castalia Didáctica, n.º 12.) Texto de F. Lázaro Carreter. Edición de Ángel Basanta.

7c Baltasar Gracián:

- *El Criticón.* Edición de Santos Alonso. Ed. Cátedra. (Col. Letras Hispánicas, n.º 122.)

8a Lope de Vega:

- *Poesía selecta.* Edición de Antonio Carreño. Ed. Cátedra. (Col. Letras Hispánicas, n.º 187.)
- *Peribáñez y el comendador de Ocaña.* Edición de Juan María Marín. Ed. Cátedra. (Col. Letras Hispánicas, n.º 96.)

8b Calderón de la Barca:

- *El Alcalde de Zalamea.* Edición de J. Enrique Martínez. Ed. Anaya. (Col. Biblioteca Didáctica Anaya, n.º 22.)

Edad contemporánea

Siglo XVIII

9a Gaspar Melchor de Jovellanos:

- *Escritos literarios.* Edición de José M. Caso González. Ed. Espasa-Calpe. (Col. Clásicos castellanos, n.º 7.)

9b Leandro Fernández de Moratín:

- *El sí de las niñas.* Edición de María Teresa Barbadillo. Ed. Anaya. (Col. Biblioteca Didáctica, n.º 8.)

Siglo XIX

11a Mariano José de Larra:

- *Artículos.* Edición de Josefina Ribalta y Ana Navarro. Ed. Anaya. (Col. Biblioteca Didáctica, n.º 18.)

11b José de Espronceda:

- *Antología poética.* Edición de Guillermo Carnero. Ed. Júcar. (Col. Los Poetas, n.º 11.)
- *El diablo mundo.* Edición de Robert Marrast. Ed. Castalia. (Col. Clásicos Castalia, n.º 81.)

- *El estudiante de Salamanca.* Edición de Benito Varela Jácome. Ed. Cátedra. (Col. Letras Hispánicas, n.º 6.)
- *Poesías líricas y fragmentos épicos.* Edición de Robert Marrast. Ed. Castalia. (Col. Clásicos Castalia, n.º 20.)

11c Gustavo Adolfo Bécquer:

- *Rimas y leyendas.* Edición de José Ángel Crespo Lloreda. Ed. Anaya. (Col. Biblioteca Didáctica, n.º 3.)

11d Rosalía de Castro:

- *Poesía.* Traducción, prólogo y selección de Mauro Armiño. Alianza Editorial. (Libro de Bolsillo, n.º 724.)
- *En las orillas del Sar.* Edición de Xesús Alonso Montero. Ed. Cátedra. (Col. Letras Hispánicas, n.º 229.)
- *En las orillas del Sar.* Edición de Marina Mayoral. Ed. Castalia. (Col. Clásicos Castalia, n.º 90.)

12a Juan Valera:

- *Pepita Jiménez.* Alianza Editorial. (Col. Libro de Bolsillo, n.º 1276.)

12b Benito Pérez Galdós:

- *Misericordia.* Edición de L. García Lorenzo. Ed. Cátedra. (Col. Letras Hispánicas, n.º 170.)

12c Leopoldo Alas «Clarín»:

- *La Regenta.* Edición de G. Sobejano. Ed. Castalia. (Col. Clásicos Castalia, núms. 110 y 111.)

  — Ed. de J. Oleza. Ed. Cátedra. (Col. Letras Hispánicas, n.º 182.)

Siglo XX

13a Rubén Darío:

- *Poesías completas.* Edición de A. Méndez Plancarte. Ed. Aguilar.

13b Juan Ramón Jiménez:

- *Pájinas escojidas.* Verso. Selección de R. Gullón. Ed. Gredos. (Col. Antología Hispánica, n.º 14.)
- *Antología poética.* Edición de Vicente Gaos. Ed. Cátedra. (Col. Letras Hispánicas, n.º 19.)
- *Platero y yo.* Edición de A. Suárez Miramón. (Col. Biblioteca Didáctica Anaya, n.º 10.)

14a Miguel de Unamuno:

- *En torno al casticismo.* Alianza Editorial. (Col. Libro de bolsillo, n.º 1217.)
- *Vida de Don Quijote y Sancho.* Alianza Editorial (Col. Libro de bolsillo, n.º 1248.)
- *Niebla.* Edición de Mario J. Valdés. Ed. Cátedra. (Col. Letras Hispánicas, n.º 154.)
- *Antología poética.* Espasa-Calpe. (Col. Austral, n.º 601.)

14b José Martínez Ruiz «Azorín»:

- *Castilla.* Edición de A. Suárez Miramón. (Col. Clásicos Plaza y Janés, n.º 51.)

14c Pío Baroja:

- *La busca.* Ed. Caro Raggio.

14d Ramón del Valle-Inclán:

- *Sonata de otoño. Sonata de invierno.* Espasa-Calpe. (Col. Austral, n.º 431.)
- *Luces de Bohemia.* Edición de A. Zamora Vicente, Espasa-Calpe. (Nueva Col. Austral, n.º 1.)

14e Antonio Machado:

- *Poesías escogidas.* Edición de V. Tusón. (Col. Castalia Didáctica, n.º 11.)

16a Federico García Lorca:

- *Obras completas.* Edición de A. del Hoyo, 3 vols., Ed. Aguilar.

  (Los alumnos encontrarán sus obras sueltas en los asequibles tomitos preparados por Mario Hernández para la colección Libro de Bolsillo de Alianza Editorial.)

16b Rafael Alberti:

- *Antología poética.* Por Natalia Calamai. Alianza Editorial. (Col. Libro de bolsillo, n.º 759.)

16c Pedro Salinas:

- *Poemas escogidos.* Ed. de J. Guillén. Espasa-Calpe. (Col. Austral, n.º 1154.)

16d Jorge Guillén:

- *Selección de poemas.* Ed. Gredos. (Col. Antología Hispánica, n.º 23.)

16e Gerardo Diego:

- *Primera antología de sus versos.* Espasa-Calpe. (Col. Austral, n.º 219.)

16f Dámaso Alonso:

- *Poemas escogidos.* Ed. Gredos. (Col. Antología Hispánica, n.º 28.)

16g Vicente Aleixandre:

- *Mis poemas mejores.* Ed. Gredos. (Col. Antología Hispánica, n.º 6.)

16h Luis Cernuda:

- *La realidad y el deseo.* Fondo de Cultura Económica.

[Para el conjunto de poetas de la «Generación del 27», se tendrán en cuenta útiles antologías, como las que ofrecen las siguientes colecciones: Biblioteca Didáctica Anaya, Letras Hispánicas (Ed. Cátedra), Temas de España (Ed. Taurus), Selecciones Austral (Espasa-Calpe).]

16i Miguel Hernández:

- *Obra poética completa.* Edición de L. de Luis y J. Urrutia. Alianza Editorial. (Col. Alianza Tres, n.º 89.)
- *El hombre y su poesía,* antología por J. Cano Ballesta, Ed. Cátedra. (Col. Letras Hispánicas, n.º 2.)

17a Blas de Otero:

- *Expresión y reunión. A modo de antología.* Introducción de S. de la Cruz. Alianza Editorial. (Col. Libro de bolsillo, n.º 811.)
- *Verso y prosa.* Ed. Cátedra. (Col. Letras Hispánicas, n.º 3.)

17b Camilo José Cela:

- *La familia de Pascual Duarte.* Ed. Destino.

17c Buero Vallejo:

- *Historia de una escalera. Las Meninas.* Prólogo de R. Domenech. Espasa-Calpe. (Nueva Col. Austral, n.º 10.)

17d Miguel Delibes:

- *Los santos inocentes.* Ed. Planeta. (Col. Popular.)

18a César Vallejo:

- *Obra poética completa.* Introducción de A. Ferrari, Alianza Editorial. (Col. Alianza Tres, n.º 97.)

18b Pablo Neruda:

- *Antología poética.* Selección y prólogo de Rafael Alberti. Espasa-Calpe. (Selecciones Austral, n.º 90.)

18c Gabriel García Márquez:

- *Cien años de soledad.* Edición de J. Joset. Ed. Cátedra. (Col. Letras Hispánicas, n.º 215.)

19a Salvador Espriu:

- *Antología.* Prólogo de J. Molas. Traducción de J. Batlló. Ed. Saturno. (Col. El Bardo.)

19b Celso Emilio Ferreiro:

- *Longa noite de pedra.* Ed. bilingüe de B. Losada. (Col. El Bardo.)

19c Gabriel Aresti:

- *Maldan Behera (Pendiente abajo). Harri eta herre (Piedra y pueblo).* Edición bilingüe de J. Atienza. Ed. Cátedra. (Col. Letras Hispánicas, n.º 111.)

ÍNDICE

Diseño

Taller Universo:
M. Ángel Pacheco
Javier Serrano
Ela Woźniewska

Coordinación editorial

Georgina Villanueva

Edición

Alfredo Ramos
Elsa Otero

Equipo técnico

Maquetación: Jesús Sanchidrián
Corrección: Carlos Mínguez

Edición gráfica

Teresa Alonso

Fotografías

Álvaro García Pelayo
Fondo Gráfico de Anaya Educación

Este libro corresponde al segundo curso de Bachillerato y ha sido debidamente supervisado y aprobado.

ISBN: 84-207-6350-0 - Printed in Spain - Imprime: Cayfosa - Ctra. de Caldes, km 3 - Sta. Perpètua de Mogoda (Barcelona).